D1195443

DIE TEXTE AUS QUMRAN

DIE TEXTE AUS QUMRAN

Hebräisch und Deutsch

MIT MASORETISCHER PUNKTATION
ÜBERSETZUNG, EINFÜHRUNG UND ANMERKUNGEN
HERAUSGEGEBEN VON EDUARD LOHSE

KÖSEL-VERLAG MÜNCHEN

1. Auflage 1964
2., durchgesehene und ergänzte Auflage 1971

ISBN 3-466-20067-9

4. Auflage 1986

Druck: Wissenschaftliche Buchgesellschaft, Darmstadt
Einband: Kösel, Kempten
Printed in Germany

INHALTSVERZEICHNIS

VORWORT

Die hier vorgelegte Studienausgabe der Texte aus Qumran umfaßt die großen zusammenhängenden Schriften aus Höhle 1[1] sowie eine Reihe besonders wichtiger Stücke aus den Funden der Höhle 4. Um einem größeren Kreis von Theologen und Historikern die Möglichkeit zu geben, den Urtext der Handschriften zu studieren, ist einem von verschiedenen Seiten geäußerten Wunsch entsprochen und der Text mit masoretischer Punktation versehen worden. Diese Punktation soll lediglich eine gewisse Lesehilfe darbieten, um die Lektüre zu erleichtern[2]. Denn zur Frage, ob das von den Masoreten ausgebildete System der Punktation wirklich der einst geübten Aussprache des Hebräischen entsprochen haben mag, soll hier keineswegs Stellung genommen werden. Die Satzeinheiten des hebräischen Textes sind nur durch einen senkrechten Strich abgeteilt worden, so daß es dem Leser freigestellt bleibt, nach eigenem Entscheid auch andere Abtrennungen vorzunehmen, als sie hier vorgeschlagen worden sind. Dem hebräischen Text ist eine recht wörtlich gehaltene Übersetzung gegenübergestellt worden. Ergänzungen des hebräischen Textes stehen in eckigen, hinzugefügte Wörter, die innerhalb der deutschen Übersetzung den Sinn erläutern sollen, in runden Klammern.

[1] Die alttestamentlichen Texte, die in großer Zahl in Qumran gefunden wurden, sind hier nicht abgedruckt worden. Die Varianten zum masoretischen Text sind im kritischen Apparat der Biblia Hebraica verzeichnet. Da von der schwer beschädigten Rolle des Genesis-Apokryphon bisher nur einige Kolumnen in einer vorläufigen Ausgabe herausgegeben wurden, sind diese hier nicht aufgenommen worden. Vgl. N. Avigad-Y. Yadin, A Genesis Apocryphon, Jerusalem 1956. Zu den zahlreichen Fragmenten aus Höhle 1 vgl. D. Barthélemy-J. T. Milik, Discoveries in the Judaean Desert 1, Qumran Cave I, Oxford 1955, zu denen aus den Höhlen 2, 3, 5, 6, 7–10 vgl. M. Baillet, J. T. Milik, R. de Vaux, Discoveries in the Judaean Desert III, Les 'Petites Grottes' de Qumrân, Oxford 1962.

[2] Das Tonzeichen des Meteg ist nur da gesetzt worden, wo es als Lesehilfe unentbehrlich ist. Pausaformen stehen nur am Ende der bezeichneten Satzeinheiten. Von der Setzung weiterer Zeichen ist abgesehen worden.

Da im Rahmen dieser Textausgabe nicht auch eine ausführliche Kommentierung geboten werden kann, beschränken sich die Erklärungen auf knappe Hinweise. In der Einleitung zu jeder Schrift ist deren Eigenart kurz charakterisiert und die wichtigste Literatur zum Text und dessen Auslegung genannt worden. In den Anmerkungen finden sich Belegstellen aus dem Alten Testament und der jüdischen Literatur sowie kurze Erläuterungen, die zum Verständnis des Textes anleiten sollen[3].

Aufrichtiger Dank sei Herrn Professor Dr. C.-H. Hunzinger-Hamburg gesagt, der in manchen Fragen mit seinem sachkundigen Rat geholfen hat, sowie Herrn cand. theol. P. v. d. Osten-Sacken-Göttingen, der mit großer Sorgfalt an der Herstellung des druckfertigen Manuskriptes und dem Lesen der Korrekturen teilgenommen und manche treffende Beobachtung zur Gestaltung des Textes beigesteuert hat.

[3] Da in den Anmerkungen nur knappe Hinweise zur Interpretation des Textes gegeben werden können, ist darauf verzichtet worden, Beziehungen zum Neuen Testament im einzelnen zu erörtern. Die Texte aus Qumran setzen nirgendwo christliche Aussagen voraus, umgekehrt aber finden sich im Neuen Testament — vgl. die allgemeine Einführung — zahlreiche Stellen, an denen der Einfluß von Gedankengut aus Qumran deutlich wahrzunehmen ist. Ehe aber Vergleiche mit der neutestamentlichen und frühchristlichen Literatur angestellt werden, müssen die Texte aus Qumran zunächst als jüdische Dokumente gelesen und verstanden werden.

Für die 2. Auflage sind Text, Übersetzung und Erklärungen kritisch durchgesehen und die Literaturhinweise ergänzt worden. Mancherlei Verbesserungsvorschläge sind der jüngsten Qumranforschung, aufmerksamen Lesern, den Rezensenten der 1. Auflage und vor allem Herrn Dr. P. v. d. Osten-Sacken (Göttingen) zu verdanken.

ABKÜRZUNGSVERZEICHNIS

Allegro, D.J.D.V	= J. M. Allegro, Discoveries in the Judaean Desert of Jordan V, Qumran Cave 4, I (4 Q 158–4 Q 186), Oxford 1968
Am.	= Amos
Ant.	= Josephus, Antiquitates Judaicae
Apg.	= Apostelgeschichte
Apk. Abr.	= Apokalypse Abrahams
Bardtke	= H. Bardtke, Die Handschriftenfunde am Toten Meer, I[3] Berlin 1961; II[2] Berlin 1961
Barthélemy-Milik D.J.D.I	= D. Barthélemy-J. T. Milik, Discoveries in the Judaean Desert I, Qumran Cave I, Oxford 1955
B.A.S.O.R.	= The Bulletin of the American Schools of Oriental Research
Bellum	= Josephus, Bellum Judaicum
Burrows	= M. Burrows, Die Schriftrollen vom Toten Meer, München 1957; Mehr Klarheit über die Schriftrollen, München 1958
Carmignac I	= J. Carmignac-P. Guilbert, Les Textes de Qumran traduits et annotés I, Paris 1961
Carmignac II	= J. Carmignac, É. Cothenet, H. Lignée, Les Textes de Qumran traduits et annotés II, Paris 1963
CD	= Damaskusschrift
Dan.	= Daniel
Deut.	= Deuteronomium
Dupont-Sommer	= A. Dupont-Sommer, Die essenischen Schriften vom Toten Meer, Tübingen 1960

Ex.	= Exodus
Ez.	= Ezechiel
Gal.	= Galaterbrief
Gaster	= Th. H. Gaster, The Scriptures of the Dead Sea Sect, London 1957
Gen.	= Genesis
Hab.	= Habakuk
Habermann	= A.M. Habermann, Megilloth Midbar Yehuda, The Scrolls from the Judean Desert, Jerusalem 1959
Hos.	= Hosea
J.B.L.	= Journal of Biblical Literature
Jer.	= Jeremia
Jes.	= Jesaja
Joh.	= Johannesevangelium
Jos.	= Josua
Jub.	= Jubiläen
Kön.	= Königsbücher
Lev.	= Leviticus
Luk.	= Lukasevangelium
Maier	= J. Maier, Die Texte vom Toten Meer, I. II München/Basel 1960
Makk.	= Makkabäerbücher
Mal.	= Maleachi
Mark.	= Markusevangelium
Matth.	= Matthäusevangelium
Mi.	= Micha
Nah.	= Nahum
Num.	= Numeri
Ps.	= Psalmen
1 QH	= Loblieder, Höhle 1
1 QH fr.	= Loblieder, Fragmente aus Höhle 1
1 QM	= Kriegsrolle, Höhle 1
1 Q pHab	= Habakuk-Kommentar, Höhle 1
1 QS	= Gemeinderegel, Höhle 1
1 QSa	= Gemeinschaftsregel, Höhle 1

1 QSb	= Segenssprüche, Höhle 1
1 Q 33	= Fragment zur Kriegsrolle, Höhle 1
4 Q flor	= Florilegium, Höhle 4
4 Q pNah	= Nahum-Kommentar, Höhle 4
4 Q pPs 37	= Kommentar zu Ps. 37, Höhle 4
4 Q patr	= Patriarchensegen, Höhle 4
4 Q test	= Testimonia, Höhle 4
R.B.	= Revue Biblique
Röm.	= Römerbrief
R.Q.	= Revue de Qumran
Sach.	= Sacharja
Sam.	= Samuelisbücher
St.U.N.T.	= Studien zur Umwelt des Neuen Testaments
Test.	= Testamente der zwölf Patriarchen
Vermes	= G. Vermes, The Dead Sea Scrolls in English, Harmondsworth 1962
Z.A.W.	= Zeitschrift für die alttestamentliche Wissenschaft
Z.N.W.	= Zeitschrift für die neutestamentliche Wissenschaft
Z.Th.K.	= Zeitschrift für Theologie und Kirche

EINFÜHRUNG

Die Gemeinde von Qumran entstand in Kreisen der Jerusalemer Priesterschaft, die sich von den herrschenden Oberpriestern trennten, weil diese nicht streng und sorgfältig genug die Vorschriften des Gesetzes befolgten. Der Gründer der Gemeinschaft, der Lehrer der Gerechtigkeit, war selbst ein Priester, dem von Gott die Gabe der rechten Erkenntnis und Auslegung der Schrift verliehen worden war. Weil er und seine Anhänger auf peinliche Innehaltung des Gesetzes, sorgsame Wahrung der Reinheit und Beobachtung des von ihnen für allein gültig erachteten Festkalenders drängten, kam es zu schweren Auseinandersetzungen mit dem Hohenpriester, der fortan nur noch Frevelpriester genannt wurde. Die Gruppe, die dem Lehrer der Gerechtigkeit folgte, mußte mit diesem vom Tempel weichen und zog sich in die Wüste am Ufer des Toten Meeres zurück, um hier nach den prophetischen Worten von Jes. 40, 3 den Anbruch der kommenden Heilszeit zu erwarten. Wer der Hohepriester war, unter dem es zu dieser Trennung und erbitterten Feindschaft zwischen ihm und der Gemeinde der Gesetzesstrengen kam, kann nicht mehr sicher festgestellt werden; ebenso ist der Name des Lehrers der Gerechtigkeit unbekannt. Die Hasmonäer, die gleichzeitig das Amt des Hohenpriesters und das des weltlichen Herrschers bekleideten, betrachteten die von ihnen auszuübende Rolle des höchsten Priesters Israels vornehmlich von der weltlich-politischen Seite und konnten daher kein Verständnis für den Radikalismus des Lehrers der Gerechtigkeit aufbringen. So ist es unter einem der Hasmonäerfürsten in der zweiten Hälfte des zweiten Jahrhunderts v. Chr. zum Bruch zwischen den Oberpriestern in Jerusalem und der sich nach Qumran zurückziehenden Gemeinde des Bundes gekommen.

Die Gesetzestreuen, die sich in der Wüste zusammenfanden, errichteten in Qumran eine Siedlung, die den Mittelpunkt ihrer Gemeinschaft bildete, bis im Jahre 68 n.Chr. durch die römischen Truppen alles zerstört wurde und die Geschichte der Gemeinde ihr Ende fand. Die Frommen wollten nichts anderes, als dem

Bund Israels treu sein, sich aus der Welt der Gottlosigkeit und Lüge abwenden und zurückkehren zu dem Gesetz Moses. Daher haben sie die Schrift gründlich studiert, nicht nur das Gesetz, sondern auch die Propheten und die Psalmen. Von allen alttestamentlichen Büchern haben sich in und bei Qumran Abschriften gefunden; nur die Estherrolle ist nicht vertreten, möglicherweise weil man sich gegenüber dem mit diesem Buch zusammenhängenden Purimfest ablehnend verhielt. Man las die Schrift in dem Bewußtsein, Erbe der göttlichen Verheißungen zu sein. Weil es letzte Zeit ist, darum sind nun die Worte der Propheten in Erfüllung gegangen und können von der Gemeinde in einem tieferen und wahreren Sinne verstanden werden, als es den Propheten selbst einst möglich war. Die eigene Geschichte, Leiden, Kampf und Gewißheit der künftigen Herrlichkeit fand man in den biblischen Büchern vorgezeichnet und deutete in diesem Sinne die Schriften.

Die Gemeinde des Bundes lebte in einer strengen Ordnung, um in allen Stücken den göttlichen Geboten gehorsam und im Kampf gegen Belial, d.h. gegen den Satan, gegen jeden feindlichen Ansturm gerüstet zu sein. Der priesterliche Ursprung der Gemeinde tritt auch hier in Erscheinung; denn die Priester nehmen die führende Stellung ein, dann folgen im Rang nacheinander Leviten, Älteste und die übrige Gemeinde. Strenge Bestimmungen und Androhungen harter Strafen, die bis zum endgültigen Ausschluß und dem damit verbundenen Verlust des Heils reichen, warnen jeden, der leichtfertig gegen die Ordnung verstoßen sollte. Weil man sich von der Welt der Lüge und des Frevels getrennt hat, darum müssen die Söhne des Lichtes jeden listigen Angriff des Feindes abwehren und allen Söhnen der Finsternis mit Haß begegnen. Man weiß, daß es einen harten Kampf bis zum endgültigen Sieg Gottes und seiner Gemeinde geben wird. Alte Überlieferungen vom heiligen Krieg, den das Gottesvolk gegen seine Widersacher zu führen hat, waren in der Makkabäerzeit wieder lebendig geworden und hatten die Frommen in ihrem Streit gegen die von außen kommende Überfremdung und Gefährdung Israels stark und unüberwindlich gemacht. Diese Gedanken lebten in der Gemeinde von Qumran fort: Die Streitschar Gottes ist in militärische Abteilungen gegliedert, mit Waffen zu Angriff und Verteidigung ausgerüstet und wird in den Krieg gegen die gottlosen Söhne der Finsternis ziehen, dessen gewiß, daß Gott allein am Ende das Feld behalten wird. Die ausführlichen Anweisungen, die für diesen Kampf gegeben werden, beziehen sich auf den endzeitlichen Streit, der gegen Belial und alle Gottlosen ausgetragen und bestanden werden muß.

Dieser schroffe Dualismus, der die Söhne des Lichtes und die Söhne der Finsternis einander gegenüberstellt, ist nun freilich in der Gestalt, wie er in der Lehre der Gemeinde von Qumran ausgebildet worden ist, nicht allein aus der Fortentwicklung alttestamentlicher Motive zu erklären. Hier müssen vielmehr Vorstellungen eingewirkt haben, die aus dem Iran in das Judentum eingedrungen sind. Dort wurde der Gegensatz des Guten und des Bösen gelehrt, der die ganze Weltgeschichte durchzieht. Beide Mächte ringen miteinander, bis schließlich das Gute das Böse überwindet und diese arge Welt in einem Feuerbrand vergeht. Da die Juden im Perserreich lange Zeit friedlich mit den Anhängern der iranischen Religion zusammenlebten, ist es gut verständlich, daß die Juden manche iranischen Vorstellungen übernahmen, um mit ihrer Hilfe auszusagen, wie sie die Ereignisse ihrer Zeit verstanden und den Sinn der Geschichte zu deuten versuchten. Doch blieb der iranische Dualismus in den jüdischen Kreisen nicht unverändert, sondern wurde dem Glauben Israels an Gott als Schöpfer der Welt und Lenker der Geschichte eingefügt. Oberhalb des Gegensatzes von Gut und Böse, Licht und Finsternis steht Gott, der alles geschaffen hat, der zwei Geister gesetzt hat, damit sie bis zu dem von ihm bestimmten Ziel miteinander ringen. Am Ende dieses Kampfes aber wird Gott allein triumphieren und seinen Auserwählten, die sich gegenwärtig noch in Not und Bedrängnis befinden, Erlösung und Heil zuteil werden.

Die letzte Zeit, in der die Gemeinde der Frommen jetzt steht, ist eine Zeit der Läuterung und Prüfung, in der sich die Geister scheiden: Wahrheit und Lüge, Licht und Finsternis treten auseinander. In dieser Scheidung aber wird zugleich sichtbar, auf welche Seite Gott den einzelnen Menschen gestellt und ihm sein Los bestimmt hat. Verantwortung des Menschen und göttliche Fügung sind also ineinander verwoben. Wer aber zur Gemeinde des Heils gehört, der bedarf der ständigen Übung und Bewährung. Wie die Priester sorgsam auf Wahrung der kultischen Reinheit bedacht sein müssen, so hat jedes Gemeindeglied täglich die vorgeschriebenen Waschungen zu vollziehen. Nur als Reiner darf man mit bußfertigem Herzen der Gemeinschaft angehören und an dem täglichen Mahl teilnehmen, das unter Vorsitz eines Priesters gehalten wird. Um die Reinheit nicht zu gefährden, haben offenbar die Angehörigen der in Qumran versammelten Gemeinde auch auf Ehe und Familie verzichtet. Außerhalb von Qumran hat es aber auch verheiratete Angehörige der Bundesgemeinde gegeben, die teilweise verstreut im Lande wohnten. Wer sich entschloß, mit der Gemeinde des Bundes in der Wüste zu leben, der wurde nach einer längeren Probezeit als Mitglied aufgenommen, zum Gehorsam gegen das ganze Gesetz verpflichtet und brachte sein persönliches Eigentum in den Besitz der Gemeinde mit ein, der allen gemeinsam gehörte. In den Gottesdiensten der Gemeinde wurde er immer wieder an diese Bindung erinnert und in der Erkenntnis des göttlichen Willens bestärkt.

Die gläubigen Beter der Gemeinde waren sich dessen wohl bewußt, daß nicht ihr Verdienst, sondern allein Gottes Gnade sie aus der Finsternis errettet, in der Not bewahrt und zum Licht geführt hatte. Durch Gottes Barmherzigkeit waren sie herbeigebracht und in das rechte Verhältnis zu ihm versetzt, d.h. gerechtfertigt worden. Diese ihnen zuteil gewordene Rechtfertigung aber verpflichtete sie nun nur um so mehr zum Gehorsam gegen das ganze Gesetz; war ihnen doch jetzt auch das rechte Wissen geschenkt worden, kraft dessen sie befähigt waren, Gottes Forderung zu erkennen und zu befolgen.

So wartete die Gemeinde des Bundes auf den für nahe Zukunft erhofften Sieg Gottes und lebte bereits im Blick auf die für die Heilszeit geltende Ordnung des Volkes Gottes. Gott wird seinem Volk seinen Propheten schicken und zwei Gesalbte, den Messias Aarons und den Messias Israels. Nebeneinander werden also der Priester und der weltliche Herrscher stehen, um das erlöste Gottesvolk zu leiten. Dem messianischen Priester aber gebührt der erste Platz, weil er die Reinheit der Gemeinde Gottes herstellen und alle Unreinheit entsühnen wird. Diese doppelte Messiaserwartung wurde mit Hilfe der Schrift begründet und läßt wiederum den priesterlichen Ursprung und Charakter der Gemeinde von Qumran erkennen. Es spricht alle Wahrscheinlichkeit dafür, daß sie mit den von antiken Autoren erwähnten Essenern identisch ist (vgl. S. 1f.), die strenger als Sadduzäer und Pharisäer sich um das Gesetz Gottes und den Gehorsam gegen sein Gebot mühten, um die Gemeinde Gottes in Reinheit und Heiligkeit darzustellen.

Glauben und Lehre der Gemeinde von Qumran enthalten mancherlei Züge, die auffallende Ähnlichkeiten zu Verkündigung und Leben der ältesten Christenheit aufweisen. In den Texten von Qumran findet sich nirgendwo eine Anspielung auf eine christliche Aussage. Im Neuen Testament dagegen ist an vielen Stellen der Einfluß von Gedankengut aus Qumran wahrzunehmen, das die ersten Christen in Anknüpfung und Widerspruch verwendet haben.

Nicht weit von Qumran, am Ufer des Jordan, trat Johannes der Täufer auf, predigte und vollzog die Taufe der Umkehr (vgl. Mark. 1, 4 Par.). Auch in Qumran wußte man, daß nicht allein der korrekte Vollzug der äußeren Waschung die Reinheit des Menschen herzustellen vermag, sondern daß es der Umkehr bedarf, damit die Reinheit mit bußfertigem Herzen empfangen wird (vgl. 1 QS III, 4–9; V, 13f.). Das Schriftwort aus Jes. 40, 3 hat in Qumran wie auch in der Verkündigung des Täufers eine wichtige Rolle gespielt: In der Wüste sammelt sich die Heilsgemeinde (vgl. 1 QS VIII, 13–16; IX, 19f.; Mark. 1, 3 Par.). Doch während diese in Qumran sich in strenger Ordnung um das Gesetz schart und sich von allen anderen Menschen absondert, ruft Johannes alle, umzukehren und sich auf die Ankunft des Kommenden zu rüsten. Er stiftet nicht eine Gemeinschaft, die nach genau festgelegter gesetzlicher Ordnung zu leben hat, sondern seine Wirksamkeit ist allein auf die Ankündigung dessen gerichtet, der stärker sein wird als er. Darum werden nicht ständig zu wiederholende Waschungen vorgenommen, sondern in dem einmaligen Bad der Taufe erfolgt die Abwaschung der Sünden und die Bereitung auf die messianische Wende.

In Qumran forderte man Umkehr zum Gesetz des Mose, dem in allen Stücken ungeteilter Gehorsam zu bezeigen ist. Auch Jesus stimmt den Ruf zur Umkehr an und lehrt eine Radikalisierung des göttlichen Gebotes, dessen unbedingter Forderung der Mensch nicht ausweichen kann und darf (vgl. Matth. 5, 21–48 Par.). Doch die Aufforderung zur Umkehr ist vollkommen anders begründet als in Qumran: Weil die Gottesherrschaft naht, weil Gottes fordernder Wille und zugleich seine schenkende Barmherzigkeit die Hörer der Predigt Jesu unmittelbar betrifft, darum gilt es, umzukehren und zu glauben (vgl. Mark. 1, 15; Luk. 11, 32 Par.; 13, 1–5; 15, 7.10 u.ö.). Dem radikalisierten Gebot Gottes entspricht also die unerhörte Barmherzigkeit, die dem Menschen in der Vergebung der Sünden zuteil wird und ihn zum Gehorsam gegenüber dem Gebot Gottes ruft. Jesus kennt nicht wie die Frommen in Qumran eine wohl durchdachte Gesetzeskasuistik, die für jeden möglicherweise eintretenden Fall gültige Vorschriften entfaltet (vgl. z.B. die ausführlichen Sabbatgebote CD X, 14 – XI, 18), sondern er verkündigt Gottes Willen als seine gute Gabe, die den Menschen zur Liebe befreien und von ihm in Dankbarkeit und Gehorsam angenommen werden soll (vgl. z.B. die Worte über den Sabbat Mark. 2, 27; 3, 4 Par.; Luk. 14, 5 par. Matth. 12, 11 f.). Da Jesus keine kasuistische Aufspaltung des Gesetzes lehrt, gibt es in seiner Verkündigung auch keine Trennung von Söhnen des Lichtes und Söhnen der Finsternis, keine Abkehr von der Welt und Scheidung von den Menschen. Er wendet sich vielmehr allen zu, wird der Zöllner und Sünder Geselle. Während man in Qumran die Feinde haßt (1 QS I, 3 f. 9–11), heißt Jesus seine Jünger, auch die Feinde zu lieben und für die Verfolger zu beten (vgl. Matth. 5, 43 f. Par.). Denn Gottes Barmherzigkeit und Liebe kennen keine Schranken.

Wie die Gemeinde von Qumran weiß sich die erste Christenheit als das Gottesvolk der Endzeit, als die Armen, die Heiligen, denen die Verheißungen der Schrift gelten. Weil es letzte Zeit ist, kann nun der eigentliche Sinn dessen, was Gott den Seinen durch die Worte der Propheten hat sagen wollen, verstanden werden (vgl. 1 Q pHab VII, 1 f.; 1. Kor. 10, 11). Doch das Heil wird nicht mehr wie in Qumran von der Zukunft erwartet, sondern ist bereits in der Sendung des Christus offenbar geworden. Die christliche Gemeinde, die sich zu Jesus von Nazareth als dem gekreuzigten und auferstandenen Messias bekennt, übertrug auf ihn die verschiedenen Hoheitstitel, die das Judentum als Ausdruck seiner Hoffnung auf die Zeit des messianischen Heils geprägt hatte. Hatte man in Qumran den Propheten, den messianischen König und den messianischen Hohenpriester erwartet (vgl. 1 QS IX, 11; 1 QSa II, 11–21 u.ö.), so gibt es für die Christen nur den einen Gesalbten Gottes, der nicht nur der Messiaskönig, sondern auch der Prophet Gottes und der Priester seines Volkes ist. Er aber war nicht in Herrlichkeit und kultischer Reinheit erschienen, sondern als ein Verachteter und Verurteilter an den Schandpfahl genagelt worden und den Fluchtod gestorben — für unsere Sünden (vgl. 1. Kor. 15, 3–5). Das Herrenmahl der christlichen Gemeinde wird nicht als eine von Priestern geleitete Handlung gefeiert (vgl. 1 QS VI, 2–5; 1 QSa II, 17–21), sondern als Fortsetzung der Tischgemeinschaft mit Jesus. Die christliche Gemeinde gedenkt des Todes Jesu Christi, bekennt sich zu ihm als dem auferstandenen Herrn und empfängt von ihm Vergebung der Sünden, Leben und Seligkeit (vgl. 1. Kor. 11, 23–26; Mark. 14, 22–25 Par.). Um das Leben der Gemeinde zu ordnen, hat die palästinische Kirche sich in manchen Stücken an das Vorbild, das ihr die Gemeinde von Qumran bot, angeschlossen. Sie scheint zeitweilig eine freiwillig übernommene Gütergemeinschaft gehabt zu haben (vgl. Apg. 2, 44f.; 4, 34f.; 5, 1–11) und hat die Ermahnung irrender Brüder in ähnlicher Weise vollzogen, wie man es in Qumran tat (vgl. Matth. 18, 15–17; 1 QS V, 25–VI, 1). Aber sie hat sich nicht in strenger Gesetzlichkeit von der Welt abgesondert, sondern schon sehr bald wurde die Frohbotschaft in die Welt hinausgetragen zu Juden und Heiden.

Daß das Leben der Glaubenden nur im Kampf gegen den Satan und die Mächte der Finsternis bestanden werden kann, sagt der Apostel Paulus mit Ausdrücken, wie sie in Qumran geprägt worden waren. Es gilt, die Waffen der Gerechtigkeit anzulegen (vgl. Röm. 6, 12f.; 13, 12–14; Eph. 6, 10–17 wird die geistliche Waffenrüstung des Christen sogar in einer ausführlichen Schilderung beschrieben). Der Kampf, der ausgetragen werden muß, richtet sich nicht nur gegen den von außen angreifenden Feind, sondern im Menschen ringen Fleisch und Geist miteinander, und das Fleisch möchte dem Geist die Herrschaft streitig machen (vgl. Gal. 5, 16–24). Nach der Lehre der Gemeinde von Qumran streiten die beiden Geister, der der Wahrheit und der der Lüge, im Kampf um den Menschen (vgl. 1 QS IV, 23–25). Der Mensch ist Fleisch, in seiner Hinfälligkeit stets auch angefochten, und als solcher Schauplatz dieses Ringens. Bei Paulus stehen sich nicht zwei Geister gegenüber, sondern Fleisch und Geist, der auf sich selbst vertrauende Mensch einerseits und der allein aus Gottes Tat lebende Mensch andererseits. Doch die Grundstruktur dieses Ringens, wie es in Qumran und von Paulus dargestellt wird, weist recht ähnliche Züge auf. Denn hier wie dort sind zwei Bereiche menschlichen Existierens einander gegenübergestellt, in denen der Mensch jeweils durch eine ihn beherrschende Macht bestimmt wird. Auf der rechten Seite aber befindet er sich nur dann, wenn er das Urteil, das Gott über ihn spricht, annimmt und aus der Gerechtigkeit lebt, die Gott denen schenkt, die ihr Vertrauen allein auf ihn setzen. In Qumran wird ebenso wie von Paulus die Rechtfertigung allein aus Gnaden gelehrt. Doch während diese nach dem Verständnis der frommen Juden den Menschen erst in den Stand setzt, um Gottes Gesetz zu erkennen und zu tun, befreit nach Paulus die Rechtfertigung den Menschen vom Gesetz und macht ihn zu einem Knecht Jesu Christi. Nach den Texten aus Qumran verpflichtet die Rechtfertigung aus Gnaden den Menschen, nun das ganze Gesetz zu halten, so daß dem *sola gratia* ein *sola lege* entspricht. Denn ohne das Gesetz kann es kein rechtes Gottesverhältnis und kein Heil geben. Paulus dagegen sieht in dem Kreuz Christi das Ende des Gesetzes (vgl. Röm. 10, 4). Daher kann Gottes Gerechtigkeit allein im Glauben empfangen werden, der Gottes Tat, durch die er uns in das rechte Verhältnis zu sich setzt, gehorsam bejaht. Dem *sola gratia* entspricht daher allein das *sola fide* (vgl. die unterschiedliche Auslegung von Hab. 2, 4 in Qumran und bei Paulus: 1 Q pHab VIII, 1–3; Röm. 1, 17; ferner Röm. 3, 21–31; Gal. 3, 6 u.a.).

Auffallende Berührungen mit manchen Aussagen der Texte aus Qumran finden sich schließlich im Johannesevangelium und in den johanneischen Briefen. Hier wie dort geht es um die Entscheidung zwischen Licht und Finsternis, Wahrheit und Lüge. Die Wahrheit ist nicht nur Gegenstand der Erkenntnis, sondern sie soll getan werden. Wer sich zu Gott hält, ist ein Sohn des Lichtes. Doch während diese in Qumran die Glieder der Bundesgemeinde sind, die die Wahrheit in ungeteiltem Gehorsam gegen das Gesetz tun, sind es nach dem vierten Evangelium die Glaubenden, die als die Söhne des Lichtes auf der Seite der Wahrheit stehen (vgl. Joh. 12, 35f.). Denn das Licht der Welt, die Wahrheit, ist kein anderer als Christus allein (vgl. Joh. 8, 12; 9, 5; 14, 6). Von einem vom Himmel herabgekommenen Gesandten Gottes aber ist in der Lehre der Gemeinde von Qumran nirgendwo die Rede.

Die Texte aus Qumran zeigen, in welchen Vorstellungen und Anschauungen fromme, gesetzestreue Juden in den Tagen Jesu und der Apostel dachten, glaubten und hofften. Der von ihnen geprägten Ausdrücke und Begriffe haben sich Jesus und die ersten Christen manches Mal bedient, um zu zeigen, daß die Verkündigung der Frohbotschaft auf die Fragen, wie sie in den Kreisen der auf die Heilszeit wartenden Frommen gestellt wurden, die gültige Antwort gibt, die freilich in mehr als einer Hinsicht anders lautet, als man sie erwartet hatte. So bereichern die Texte aus Qumran unsere Kenntnis der neutestamentlichen Zeitgeschichte und erhellen den Hintergrund, vor dem sich die urchristliche Predigt um so deutlicher und klarer abhebt.

LITERATURHINWEISE

Textausgaben sind jeweils in den Einleitungen zu den einzelnen Schriften genannt, ebenso Kommentare und Abhandlungen, die sich auf einzelne Schriften beziehen. Hilfsmittel zum Verständnis des Textes: K. G. KUHN, Rückläufiges hebräisches Wörterbuch, Göttingen 1958; K. G. KUHN (Herausgeber), Konkordanz zu den Qumrantexten, Göttingen 1960.

Zusammenfassende *Übersichten sowie Übersetzungen der Texte*: H. BARDTKE, Die Handschriftenfunde am Toten Meer, I³ Berlin 1961; II² Berlin 1961; M. BURROWS, The Dead Sea Scrolls, New York 1955, deutsch: Die Schriftrollen vom Toten Meer, ³München 1960; derselbe, More Light on the Dead Sea Scrolls, New York 1958, deutsch: Mehr Klarheit über die Schriftrollen, München 1958; TH. H. GASTER, The Scriptures of the Dead Sea Sect, London 1957; A. DUPONT-SOMMER, Les écrits esséniens découverts près de la mer Morte, ²Paris 1960, deutsch: Die essenischen Schriften vom Toten Meer, Tübingen 1960; J. MAIER, Die Texte vom Toten Meer, I. II München/Basel 1960; J. CARMIGNAC-P. GUILBERT, Les Textes de Qumran traduits et annotés I, Paris 1961; J. CARMIGNAC-É. COTHENET-H. LIGNÉE, Les Textes de Qumran traduits et annotés II, Paris 1963; G. VERMES, The Dead Sea Scrolls in English, Harmondsworth 1962.

An *Gesamtübersichten* seien ferner genannt: O. EISSFELDT, Einleitung in das Alte Testament, ²Tübingen 1956, ³1964, § 104–§112; F. M. BRUCE, Second Thoughts on the Dead Sea Scrolls, London 1956, deutsch: Die Handschriftenfunde am Toten Meer, München 1957; J. M. ALLEGRO, The Dead Sea Scrolls, Harmondsworth 1956, deutsch: Die Botschaft vom Toten Meer, Das Geheimnis der Schriftrollen, Frankfurt/Hamburg 1957; J. VAN DER PLOEG, Vondsten in de Woestijn van Juda, Utrecht 1957, deutsch: Die Funde in der Wüste Juda, Köln 1959; J. T. MILIK, Dix ans de découvertes dans le Désert de Juda, Paris 1957 (erweiterte englische Ausgabe: Ten Years of Discovery in the Wilderness of Judaea, Studies in Biblical Theology 26, London 1959); F. M. CROSS jr., The ancient Library of Qumran and modern Biblical Studies, New York 1958, deutsch: Die antike Bibliothek von

Qumran und die moderne biblische Wissenschaft, Neukirchen 1967; K. SCHUBERT, Die Gemeinde vom Toten Meer, München/ Basel 1958; C.-H. HUNZINGER, Qumran, in: Evang. Kirchenlexikon III (1959), Sp. 420–430; K. H.. RENGSTORF, Ḫirbet Qumrân und die Bibliothek vom Toten Meer, Stuttgart 1960; M. BURROWS, R. DE VAUX, R. MEYER, K. G. KUHN, C.-H. HUNZINGER, Qumran, in: Die Religion in Geschichte und Gegenwart IV³ (1961), Sp. 740–756; J. SCHREIDEN, Les Énigmes des Manuscrits de la Mer Morte, Wetteren 1961; J. HEMPEL, Die Texte von Qumran in der heutigen Forschung, Göttingen 1962; H. BARDTKE, Qumran und seine Funde, Theologische Rundschau N.F. 29 (1963), S. 261–292; 30 (1964), S. 281–315; 33 (1968), S. 97–119. 185–236; M. MANSOOR, The Dead Sea Scrolls, Leiden 1964; G. R. DRIVER, The Judaean Scrolls. The Problem and a Solution, Oxford 1965; P. VON DER OSTEN-SACKEN, Gott und Belial. Traditionsgeschichtliche Untersuchungen zum Dualismus in den Texten aus Qumran, St. U.N.T. 6, Göttingen 1969.

Bibliographien zu den Texten aus Qumran: C. BURCHARD, Bibliographie zu den Handschriften vom Toten Meer, Beihefte zur Z.A.W. 76/89, Berlin 1957/65; W.S. LA SOR, Bibliography of the Dead Sea Scrolls 1948–1957, Passadena 1958; ferner die Übersichten in: Internationale Zeitschriftenschau für die Bibelwissenschaft und Grenzgebiete; Biblica und Revue de Qumran.

Zu den *Beziehungen zum Neuen Testament*: K. G. KUHN, Die in Palästina gefundenen hebräischen Texte und das Neue Testament, Z.Th.K. 47 (1950), S. 192–211; C.-H. HUNZINGER, Neues Licht auf Lc. 2, 14, Z.N.W. 44 (1952/3), S. 85–90; H. BRAUN, Umkehr in spätjüdisch-häretischer und frühchristlicher Sicht, Z.Th.K. 50 (1953), S. 243–258 (= Gesammelte Studien zum Neuen Testament und seiner Umwelt, Tübingen 1962, S. 86–99); K. STENDAHL, The Scrolls and the New Testament, New York 1957 (mit Beiträgen von R. E. BROWN, W. H. BROWNLEE, O. CULLMANN, W. D. DAVIES, J. A. FITZMYER, N. N. GLATZER, S. E. JOHNSON, K. G. KUHN, B. REICKE, K. SCHUBERT, E. VOGT); J. A. ROBINSON, The Baptism of John and the Qumran Community, Harvard Theol. Review 50 (1957), S. 175–191; H. BRAUN, Spätjüdisch-häretischer und frühchristlicher Radikalismus, I.II Tübingen 1957; H. H. ROWLEY, The Dead Sea Scrolls and the New Testament, London 1957; E. STAUFFER, Jesus und die Wüstengemeinde am Toten Meer, Stuttgart 1957;

J. Daniélou, Les Manuscrits de la Mer Morte et les Origines du Christianisme, Paris 1957, deutsch: Qumran und der Ursprung des Christentums, [2]Mainz 1959; G. Baumbach, Qumran und das Johannesevangelium, Aufsätze und Vorträge zu Theologie und Religionswissenschaft 6, Berlin 1958; H. H. Rowley, The Baptism of John and the Qumran Sect, in: New Testament Studies in Memory of T.W. Manson, Manchester 1959, S. 218–229; H. Braun, Röm. 7, 7–25 und das Selbstverständnis der Qumran-Frommen, Z.Th.K. 56 (1959), S. 1–18 (= Gesammelte Studien, S. 100–119); S. Schulz, Zur Rechtfertigung aus Gnaden in Qumran und bei Paulus, Z.Th.K. 56 (1959), S. 155–185; S. Wibbing, Die Tugend- und Lasterkataloge im Neuen Testament, Beihefte zur Z.N.W. 25, Berlin 1959; R. Mayer- J. Reuss, Die Qumranfunde und die Bibel, Regensburg 1959; J. van der Ploeg (u.a.), La Secte de Qumran et les Origines du Christianisme, Bourges-Paris 1959; W. Grundmann, Der Lehrer der Gerechtigkeit von Qumran und die Frage nach der Glaubensgerechtigkeit in der Theologie des Apostels Paulus, R.Q. 2 (1960), S. 237–259; J. Gnilka, Die Erwartung des messianischen Hohenpriesters in den Schriften von Qumran und im Neuen Testament, R.Q. 2 (1960), S. 395–426; H. M. Teeple, Qumran and the Origin of the Fourth Gospel, Novum Testamentum 4 (1960), S. 6–25; K. G. Kuhn, Qumran V, in: Die Religion in Geschichte und Gegenwart IV[3] (1961), Sp. 751–754; J. Gnilka, Die essenischen Tauchbäder und die Johannestaufe, R.Q. 3 (1961), S. 185–207; P. Benoit, Qumran et le Nouveau Testament, New Testament Studies 7 (1960/61), S. 276–296; K. G. Kuhn, Der Epheserbrief im Lichte der Qumrantexte, New Testament Studies 7 (1960/61), S. 334–346; O. Betz, Qumran und das Neue Testament — Auswahl aus der neueren Literatur, New Testament Studies 7 (1960/61), S. 361–364; M. Black, The Scrolls and Christian Origins, Edinburgh 1961; J. Jeremias, Die theologische Bedeutung der Funde am Toten Meer, Göttingen 1962; K. G. Kuhn, Johannesevangelium und Qumrantexte, in: Neotestamentica et Patristica, Festschrift für O. Cullmann, Leiden 1962, S. 111–122; G. Jeremias, Der Lehrer der Gerechtigkeit, St. U.N.T. 2, Göttingen 1963; H. Bardtke (Herausgeber), Qumran-Probleme, Berlin 1963; J. Becker, Das Heil Gottes. Heils- und Sündenbegriffe in den Qumrantexten und im Neuen Testament, St. U.N.T. 3, Göttingen 1963; W. H. Brownlee, The Meaning of the Qumran Scrolls and the Bible, New York 1964;

D. Flusser, The Dead Sea Sect and Pre-Pauline Christianity, Scripta Hierosolymitana IV, [2]Jerusalem 1965, S. 215–266; H.-W. Kuhn, Enderwartung und gegenwärtiges Heil. Untersuchungen zu den Gemeindeliedern von Qumran mit einem Anhang über Eschatologie und Gegenwart in der Verkündigung Jesu, St. U.N.T. 4, Göttingen 1966; H. Braun, Qumran und das Neue Testament, 2 Bände, Tübingen 1966.

DIE GEMEINDEREGEL

1 QS

Die elf Kolumnen der Gemeinderegel sind fast unversehrt erhalten. Nur am Anfang und am unteren Rand der Rolle sind kleine Beschädigungen eingetreten, so daß einige Wörter verlorengegangen sind. Die Schrift stellt keine literarische Einheit dar, sondern ist aus verschiedenen Teilen zusammengesetzt: Sie beginnt mit liturgischen Anweisungen zur Aufnahme derer, die in den Bund eintreten, und für das jährlich zu feiernde Fest der Bundeserneuerung (I, 1–III, 12). Es schließt sich eine lehrhafte Unterweisung über die beiden Geister an (III, 13–IV, 26). Dann werden Regeln aufgeführt, nach denen die Ordnung der Gemeinde bestimmt ist, sowie ein ausführlicher Strafkodex (V, 1–IX, 25). Am Ende stehen Gebetsanweisungen und ein Psalm, in dem der Beter sich zu Gottes Gerechtigkeit bekennt (IX, 26–XI, 22). Eine Überschrift des Buches ist auf der Rückseite der Rolle überliefert, die den Text der Gemeinschaftsregel 1 QSa enthält und zweifellos mit der Rolle von 1 QS zusammengehört hat: סֶרֶךְ הַיַּחַד (vgl. Barthélemy-Milik, S. 107 und Tafel XXII). Von diesem Titel ist die Abkürzung 1 QS genommen worden. Unter den zahlreichen Funden aus den anderen Höhlen von Qumran ist auch eine Reihe von Fragmenten weiterer Handschriften der Gemeinderegel. Die wichtigsten Varianten aus den in 4Q gefundenen Fragmenten sind mitgeteilt worden von J. T. Milik, in: R.B. 67 (1960), S. 410–416.

Auffallende Gemeinsamkeiten bestehen zwischen 1 QS und der Damaskusschrift; doch sind neben den Gemeinsamkeiten auch mancherlei Unterschiede hinsichtlich der Ordnung und Lehre der Gemeinde festzustellen. Diese müssen sich also im Laufe der Zeit, in der die Gemeinde bestand, entwickelt und gewisse Veränderungen erfahren haben. Zu den Angaben der Gemeinderegel sind ferner die antiken Nachrichten über die Essener zu vergleichen: Josephus, Bellum II, 119–161; Ant. XVIII, 18–22; Philo, Quod omnis probus liber sit 75–91; Euseb, Praep. Evang. VIII 11, 1–18; Plinius, Hist. Nat. V, 17 (vgl. A. Adam, Antike Berichte über die Essener, Kleine Texte für Vorlesungen und Übungen 182, Berlin 1961).

Erstausgabe des Textes: M. Burrows, The Dead Sea Scrolls of St. Mark's Monastery, Vol. II, New Haven 1951; zum Text vgl. ferner: P. Boccaccio-G. Berardi, Regula unionis, Fano 1953; H. Bardtke, Hebräische Konsonantentexte, Leipzig 1954, S. 37–48; Habermann, S. 60–70. Übersetzungen bei Bardtke, Burrows, Carmignac I, Dupont-Sommer, Gaster, Maier und Vermes; ferner: W. H. Brownlee, The Dead Sea Manual of Discipline, translated and annotated with an Introduction, Studies on the Texts of the Desert of Judah I, Leiden 1957. Zur Erklärung vgl. den ausführlichen Kommentar von Wernberg-Møller; Maier II, S. 9–39; S. H. Siedl, Qumran – eine Mönchsgemeinde im Alten Bund, Studie über SEREK HA-YAḤAD, Rom 1963; A.R.C. Leaney, The Rule of Qumran and its Meaning. Introduction, translation and commentary, London 1966.

I

ל[ ]שים לחיו[[a]סֵפֶר סֶרֶ[a]]ךְ הַיַּחַד ׳ לִדְרוֹשׁ 2 אֵל
[[b]בְּכוֹל לֵב וּבְכוֹל נֶפֶשׁ[b] לַ]עֲשׂוֹת הַטּוֹב וְהַיָּשָׁר לְפָנָיו כַּאֲשֶׁר
3 צִוָּה בְּיַד מוֹשֶׁה וּבְיַד כּוֹל עֲבָדָיו הַנְּבִיאִים ׳ וְלֶאֱהוֹב כּוֹל
4 אֲשֶׁר בָּחַר וְלִשְׂנוֹא אֵת כּוֹל אֲשֶׁר מָאָס ׳ לִרְחוֹק מִכּוֹל רַע
5 וְלִדְבּוֹק בְּכוֹל מַעֲשֵׂי טוֹב ׳ וְלַעֲשׂוֹת אֱמֶת וּצְדָקָה וּמִשְׁפָּט
6 בָּאָרֶץ ׳ וְלוֹא לָלֶכֶת עוֹד בִּשְׁרִירוּת לֵב אַשְׁמָה וְעֵינֵי זְנוּת
7 לַעֲשׂוֹת כּוֹל רָע ׳ [c]וּלְהָבִי אֵת כּוֹל הַנִּדָּבִים לַעֲשׂוֹת חוּקֵּי אֵל
8 בִּבְרִית חֶסֶד ׳ לְהִוָּחֵד בַּעֲצַת אֵל וּלְהִתְהַלֵּךְ לְפָנָיו תָּמִים [d]כּוֹל
9 הַנִּגְלוֹת לְמוֹעֲדֵי תְּעוּדוֹתָם ׳ וְלֶאֱהוֹב כּוֹל בְּנֵי אוֹר אִישׁ
10 כְּגוֹרָלוֹ בַּעֲצַת אֵל וְלִשְׂנוֹא כּוֹל בְּנֵי חוֹשֶׁךְ אִישׁ כְּאַשְׁמָתוֹ
11 בְּנִקְמַת אֵל ׳ וְכוֹל הַנִּדָּבִים לַאֲמִתּוֹ יָבִיאוּ כוֹל דַּעְתָּם וְכוֹחָם
12 וְהוֹנָם בְּיַחַד אֵל לְבָרֵר דַּעְתָּם בֶּאֱמֶת חוּקֵּי אֵל וְכוֹחָם לְתַכֵּן
13 כְּתֹם דְּרָכָיו וְכוֹל הוֹנָם כַּעֲצַת צִדְקוֹ ׳ וְלוֹא לִצְעוֹד בְּכוֹל
אֶחָד 14 מִכּוֹל דִּבְרֵי אֵל בְּקִצֵּיהֶם וְלוֹא לְקַדֵּם עִתֵּיהֶם וְלוֹא
לְהִתְאַחֵר 15 מִכּוֹל מוֹעֲדֵיהֶם ׳ וְלוֹא לָסוּר מֵחוּקֵּי אֲמִתּוֹ
לָלֶכֶת יָמִין וּשְׂמֹאול ׳ 16 וְכוֹל הַבָּאִים בְּסֶרֶךְ הַיַּחַד יַעֲבוּרוּ
בַבְּרִית לִפְנֵי אֵל לַעֲשׂוֹת 17 כְּכוֹל אֲשֶׁר צִוָּה וְלוֹא לָשׁוּב
מֵאַחֲרָו מִכּוֹל פַּחַד וָאֵימָה וּמַצְרֵף 18 [נִהְ]יִי[ם] בְּמֶמְשֶׁלֶת
בְּלִיַּעַל ׳ וּבְעוֹבְרָם בַּבְּרִית יִהְיוּ הַכּוֹהֲנִים 19 וְהַלְוִיִּים מְבָרְכִים
אֶת אֵל יְשׁוּעוֹת וְאֶת כּוֹל מַעֲשֵׂי אֲמִתּוֹ ׳ וְכוֹל 20 הָעוֹבְרִים
בַּבְּרִית אוֹמְרִים אַחֲרֵיהֶם אָמֵן אָמֵן ׳ 21 וְהַכּוֹהֲנִים מְסַפְּרִים
אֶת צִדְקוֹת אֵל בְּמַעֲשֵׂי [e]גְבוּרוֹתָם 22 וּמַשְׁמִיעִים כּוֹל חַסְדֵי
רַחֲמִים עַל יִשְׂרָאֵל ׳ וְהַלְוִיִּים מְסַפְּרִים 23 אֶת עֲווֹנוֹת בְּנֵי
יִשְׂרָאֵל וְכוֹל פִּשְׁעֵי אַשְׁמָתָם וְחַטָּאתָם בְּמֶמְשֶׁלֶת 24 בְּלִיַּעַל ׳

a–a Ergänzung nach 4 QSa — b–b Ergänzung nach 4 QSa und Sc — c lies וּלְהָבִיא — d lies כְּכוֹל — e = גְּבוּרֹתָם.

I

...[...Buch der Ord]nung der Gemeinschaft: Gott zu suchen
2 [mit ganzem Herzen und ganzer Seele, zu] tun, was gut und
recht vor ihm ist, wie er 3 durch Mose und durch alle seine
Knechte, die Propheten, befohlen hat; und alles zu lieben[1],
4 was er erwählt hat, und alles zu hassen, was er verworfen hat;
sich fernzuhalten von allem Bösen, 5 aber anzuhangen allen
guten Werken; und Treue, Gerechtigkeit und Recht zu tun
6 im Lande; aber nicht länger zu wandeln in der Verstocktheit
eines schuldigen Herzens[2] und Augen der Unzucht[3], 7 allerlei
Böses zu tun; und alle, die willig sind, Gottes Gebote zu erfüllen,
8 in den Bund der Barmherzigkeit herbeizubringen;
vereint zu sein in der Ratsversammlung Gottes und vor ihm
vollkommen zu wandeln gemäß allem, 9 was offenbart wurde
für die für sie bestimmten Zeiten[4]; und alle Söhne des Lichtes[5]
zu lieben, jeden 10 nach seinem Los in der Ratsversammlung
Gottes, aber alle Söhne der Finsternis[6] zu hassen, jeden nach
seiner Verschuldung 11 in Gottes Rache[7]. Und alle, die sich
willig erweisen für seine Wahrheit, sollen all ihr Wissen und ihre
Kraft 12 und ihren Besitz in die Gemeinschaft Gottes einbringen[8],
um ihr Wissen zu reinigen durch die Wahrheit der
Gebote Gottes und ihre Kraft einzusetzen 13 nach der Vollkommenheit
seiner Wege und all ihren Besitz nach seinem gerechten
Rat; nicht ein einziges 14 von allen Worten Gottes
zu übertreten in ihren Zeiten und nicht ihre Zeiten vorzurücken
und nicht zurückzubleiben 15 mit all ihren Festzeiten[9]; und
nicht abzuweichen von den Geboten seiner Wahrheit, nach
rechts oder links zu gehen. 16 Und alle, die in die Ordnung der
Gemeinschaft kommen, sollen eintreten in den Bund vor Gott,
zu tun 17 entsprechend allem, was er befohlen hat, und sich
nicht abzuwenden von ihm aus irgendeiner Angst, Furcht oder
Prüfung, 18 die unter der Herrschaft Belials[10] [ein]tret[en]
werden. Und wenn sie in den Bund eintreten, sollen die Priester
19 und Leviten den Gott der Heilstaten preisen und alle Werke
seiner Treue; und alle, 20 die in den Bund eintreten, sollen
nach ihnen sprechen: Amen, Amen. 21 Und die Priester
sollen erzählen die gerechten Taten Gottes in ihren machtvollen
Werken 22 und verkünden alles gnädige Erbarmen über Israel.
Und die Leviten sollen erzählen 23 die Sünden der Israeliten
und alle Übertretungen ihrer Schuld und ihre Sünde(n)

[וְכוֹל] הָעוֹבְרִים בַּבְּרִית מוֹדִים אַחֲרֵיהֶם לֵאמוֹר נַעֲוִינוּ
25 [פָּשַׁעְנוּ חָטָ]אנוּ הִרְשַׁעְנוּ אָנוּ [וַאֲב]וֹתֵינוּ מִלְּפָנֵינוּ בְּלֶכְתֵּנוּ
26 [קֶרִי בְּחוּקֵי] אֱמֶת וְצֶדֶ[ק] מִשְׁפָּטוֹ בָנוּ
וּבַאֲבוֹתֵ[ינוּ] ·

II

וְרַחֲמֵי חַסְדוֹ גָּמַל עָלֵינוּ מֵעוֹלָם וְעַד עוֹלָם · וְהַכּוֹהֲנִים
מְבָרְכִים אֶת כּוֹל 2 אַנְשֵׁי גוֹרַל אֵל הַהוֹלְכִים תָּמִים בְּכוֹל
דְּרָכָיו וְאוֹמְרִים · יְבָרֶכְכָה בְּכוֹל 3 טוֹב וְיִשְׁמוֹרְכָה מִכּוֹל רָע
וְיָאֵר לִבְּכָה בְּשֵׂכֶל חַיִּים וִיחוֹנְּכָה בְּדַעַת עוֹלָמִים 4 וְיִשָּׂא
פְּנֵי חֲסָדָיו לְכָה לִשְׁלוֹם עוֹלָמִים · וְהַלְוִיִּים מְקַלְּלִים אֶת כּוֹל
אַנְשֵׁי 5 גוֹרַל בְּלִיַּעַל וְעָנוּ וְאָמְרוּ · אָרוּר אַתָּה בְּכוֹל מַעֲשֵׂי
רֶשַׁע אַשְׁמָתְכָה · יִתֶּנְכָה 6 אֵל זַעֲוָה בְּיַד כּוֹל נוֹקְמֵי נָקָם וְיִפְקוֹד
אַחֲרֶיכָה כָּלָה בְּיַד כּוֹל מְשַׁלְּמֵי 7 גְמוּלִים · אָרוּר אַתָּה לְאֵין
רַחֲמִים כְּחוֹשֶׁךְ מַעֲשֶׂיכָה וְזָעוּם אַתָּה 8 בַּאֲפֵלַת אֵשׁ עוֹלָמִים ·
לוֹא יְחוֹנְּכָה אֵל בְּקוֹרְאֲכָה וְלוֹא יִסְלַח לְכַפֵּר עֲווֹנֶיךָ · 9 יִשָּׂא
פְּנֵי אַפּוֹ לְנִקְמָתְכָה וְלוֹא יִהְיֶה לְכָה שָׁלוֹם בְּפִי כּוֹל אוֹחֲזֵי אָבוֹת ·
10 וְכוֹל הָעוֹבְרִים בַּבְּרִית אוֹמְרִים אַחַר הַמְּבָרְכִים וְהַמְקַלְּלִים
אָמֵן אָמֵן · 11 וְהוֹסִיפוּ הַכּוֹהֲנִים וְהַלְוִיִּים וְאָמְרוּ · אָרוּר בְּגִלּוּלֵי
לִבּוֹ לַעֲבוֹר 12 הַבָּא בַּבְּרִית הַזּוֹת וּמִכְשׁוֹל עֲווֹנוֹ יָשִׂים לְפָנָיו
לְהִסּוֹג בּוֹ · וְהָיָה 13 בְּשׁוֹמְעוֹ אֶת דִּבְרֵי הַבְּרִית הַזּוֹת יִתְבָּרֵךְ
בִּלְבָבוֹ לֵאמוֹר שָׁלוֹם יְהִי לִי 14 כִּיא בִּשְׁרִירוּת לִבִּי אֵלֵךְ
וְנִסְפְּתָה רוּחוֹ הַצְּמֵאָה עִם הָרָוָה לְאֵין 15 סְלִיחָה · אַף אֵל
וְקִנְאַת מִשְׁפָּטָיו יִבְעֲרוּ בוֹ לְכַלַּת עוֹלָמִים · יִדְבְּקוּ בוֹ כּוֹל
16 אָלוֹת הַבְּרִית הַזּוֹת וְיַבְדִּילֵהוּ אֵל לְרָעָה וְנִכְרַת מִתּוֹךְ כּוֹל
בְּנֵי אוֹר בְּהִסּוֹגוֹ 17 מֵאַחֲרֵי אֵל בְּגִלּוּלָיו וּמִכְשׁוֹל עֲווֹנוֹ · יִתֵּן

unter der Herrschaft 24 Belials. [Und alle,] die in den Bund eintreten, sollen nach ihnen bekennen mit folgenden Worten: Wir haben Unrecht getan, 25 [Übertretungen begangen, gesün]digt[11], gottlos gehandelt, wir [und] unsere [Vä]ter vor uns, als wir wandelten 26 [im Gegensatz zu den Geboten] der Wahrheit und Gerechtig[keit...] sein Gericht an uns und [unseren]Vätern.

II

Aber das Erbarmen seiner Barmherzigkeit hat er uns erzeigt von Ewigkeit zu Ewigkeit. Und die Priester sollen segnen[12] alle 2 Männer des Gottesloses, die vollkommen wandeln in allen seinen Wegen, und sprechen: Er segne dich[13] mit allem 3 Guten und behüte dich vor allem Bösen und erleuchte dein Herz mit Einsicht des Lebens und sei dir gnädig mit ewigem Wissen, 4 und er erhebe sein gnädiges Angesicht auf dich zu ewigem Frieden! Aber die Leviten sollen verfluchen alle Männer 5 des Loses Belials, anheben und sprechen: Verflucht seist du in allen gottlosen Werken deiner Schuld! Möge Gott dir 6 Schrecken geben durch die Hand aller Rächer und dir Vernichtung nachsenden durch die Hand aller, die Vergeltung heimzahlen[14]. 7 Verflucht seist du ohne Erbarmen entsprechend der Finsternis deiner Taten, und verdammt seist du 8 in Finsternis ewigen Feuers. Gott sei dir nicht gnädig, wenn du ihn anrufst, und er vergebe nicht, deine Sünden zu sühnen. 9 Er erhebe sein zorniges Angesicht zur Rache an dir, und kein Friede werde dir zuteil im Munde aller derer, die an den Vätern festhalten. 10 Und alle, die in den Bund eintreten, sollen nach denen, die segnen, und denen, die verfluchen, sprechen: Amen, Amen. 11 Und die Priester und Leviten sollen fortfahren und sagen: Verflucht sei der, der mit den Götzen seines Herzens übertritt[15], 12 wenn er in diesen Bund eintritt und den Anstoß seiner Sünde[16] vor sich hinstellt, um dadurch abtrünnig zu werden. Und geschieht es, 13 wenn er die Worte dieses Bundes hört, daß er sich in seinem Herzen segnet und spricht: Friede sei mit mir, 14 wenn ich auch in der Verstocktheit meines Herzens wandle, — so werde sein Geist vernichtet, das Trockene mitsamt dem Feuchten[17], ohne 15 Vergebung. Der Zorn Gottes und der Grimm seiner Gerichte

גוֹרָלוֹ בְּתוֹךְ אֲרוּרֵי עוֹלָמִים ׳ 18 וְכוֹל בָּאֵי הַבְּרִית יַעֲנוּ וְאָמְרוּ
אַחֲרֵיהֶם אָמֵן אָמֵן ׳ 19 כָּכָה יַעֲשׂוּ שָׁנָה בְשָׁנָה כוֹל יוֹמֵי
מֶמְשֶׁלֶת בְּלִיַּעַל ׳ הַכּוֹהֲנִים יַעֲבוֹרוּ 20 בָרִשׁוֹנָה בַסֶּרֶךְ לְפִי
רוּחוֹתָם זֶה אַחַר זֶה ׳ וְהַלְוִיִּים יַעֲבוֹרוּ אַחֲרֵיהֶם 21 וְכוֹל
הָעָם יַעֲבוֹרוּ בַשְּׁלִישִׁית בַּסֶּרֶךְ זֶה אַחַר זֶה לַאֲלָפִים וּמֵאוֹת
22 וַחֲמִשִּׁים וַעֲשָׂרוֹת לָדַעַת כּוֹל אִישׁ יִשְׂרָאֵל אִישׁ בֵּית מַעֲמָדוֹ
בְּיַחַד אֵל 23 לַעֲצַת עוֹלָמִים ׳ וְלוֹא יִשְׁפּוֹל אִישׁ מִבֵּית מַעֲמָדוֹ
וְלוֹא יָרוּם מִמְּקוֹם גּוֹרָלוֹ ׳ 24 כִּיא הַכּוֹל יִהְיוּ בְיַחַד אֱמֶת
וַעֲנָוַת טוֹב וְאַהֲבַת חֶסֶד וּמַחֲשֶׁבֶת צֶדֶק 25 [אִי]שׁ לְרֵעֵהוּ
בַּעֲצַת קוֹדֶשׁ וּבְנֵי סוֹד עוֹלָמִים ׳ וְכוֹל הַמּוֹאֵס לָבוֹא
26 [בִּבְרִית אֵ]ל לָלֶכֶת בִּשְׁרִירוּת לִבּוֹ לוֹא[יַעֲבוֹר בְּיַ]חַד אֲמִתּוֹ ׳
כִּיא גָעֲלָה

III

נַפְשׁוֹ בְּיִסּוּרֵי דַעַת ׳ מִשְׁפְּטֵי צֶדֶק לוֹא חִזֵּק לְמִשּׁוֹב חַיָּו וְעִם
יְשָׁרִים לוֹא יִתְחַשָּׁב ׳ 2 וְדַעְתּוֹ וְכוֹחוֹ וְהוֹנוֹ לוֹא יָבִיאוּ בַּעֲצַת
יַחַד ׳ כִּיא [a]בסאון רֶשַׁע מַחֲרָשׁוֹ וְגוֹאֲלִים 3 בְּשׁוּבָתוֹ ׳ וְלוֹא
יִצְדַּק בְּמִתּוֹר שְׁרִירוּת לִבּוֹ ׳ וְחוֹשֶׁךְ יַבִּיט לְדַרְכֵי אוֹר [b]בעין
תְּמִימִים 4 לוֹא יִתְחַשָּׁב ׳ לוֹא יִזָּכֶה בְכִפּוּרִים וְלוֹא יִטָּהֵר בְּמֵי
נִדָּה וְלוֹא יִתְקַדֵּשׁ בְּיַמִּים 5 וּנְהָרוֹת וְלוֹא יִטָּהֵר בְּכוֹל מֵי
רָחַץ ׳ טָמֵא טָמֵא יִהְיֶה כוֹל יוֹמֵי מוֹאֲסוֹ בְּמִשְׁפְּטֵי 6 אֵל לְבִלְתִּי

[a] lies בַּאֲסוֹן — [b] lies וְעִם.

mögen aufflammen gegen ihn zu ewiger Vernichtung. Es mögen ihm anhaften alle 16 Flüche dieses Bundes, und Gott möge ihn absondern zum Unheil, daß er ausgetilgt werde aus der Mitte aller Söhne des Lichtes, weil er abtrünnig geworden ist 17 von Gott durch seine Götzen und den Anstoß seiner Sünde. Er möge sein Los in die Mitte der ewig Verfluchten setzen! 18 Und alle, die in den Bund eintreten, sollen antworten und nach ihnen sprechen: Amen, Amen. 19 So sollen sie Jahr um Jahr tun, solange die Herrschaft Belials währt. Die Priester[18] sollen 20 zuerst in die Ordnung eintreten entsprechend ihren Geistern[19], einer nach dem anderen. Und die Leviten sollen nach ihnen eintreten, 21 und das ganze Volk soll an dritter Stelle eintreten in die Ordnung, einer nach dem anderen, zu Tausenden, Hunderten, 22 Fünfzig und Zehn, so daß jeder Mann in Israel die ihm zugewiesene Stellung in der Gemeinschaft Gottes kennt 23 zu ewigem Rat[20]. Und kein Mann sei niedriger als die ihm zugewiesene Stellung, und keiner erhebe sich über den Platz seines Loses; 24 denn alle sollen in der Gemeinschaft der Wahrheit, gütiger Demut, barmherziger Liebe und gerechten Denkens sein, 25 [ei]ner gegen den anderen in heiligem Rat und als Söhne der ewigen Versammlung. Aber jeder, der sich weigert, einzutreten 26 [in den Bund Got]tes, um in der Verstocktheit seines Herzens zu wandeln, soll nicht [in die Ge]meinschaft seiner Wahrheit [kommen]. Denn abgewiesen hat

III

seine Seele Unterweisung der Erkenntnis. Die gerechten Satzungen hat er nicht festgehalten, um sein Leben zur Umkehr zu bringen, und unter die Rechtschaffenen darf er nicht gerechnet werden. 2 Und sein Wissen, seine Kraft und seinen Besitz soll man nicht in den Rat der Gemeinschaft bringen; denn nach bösem Frevel (geht) sein Streben und Befleckungen haften 3 an seiner Umkehr. Und nicht ist er gerecht, solange er die Verstocktheit seines Herzens gewähren läßt. Und Finsternis schaut er für Wege des Lichtes, unter die Vollkommenen 4 darf er nicht gerechnet werden. Nicht wird er entsühnt durch Sühnungen, und nicht darf er sich reinigen durch Reinigungswasser[21], und nicht darf er sich heiligen in Meereswasser 5 oder Flüssen, und nicht darf er sich reinigen durch irgendein Wasser der

הִתְיַסֵּר בְּיַחַד עֲצָתוֹ ׳ כִּיא בְרוּחַ עֲצַת אֱמֶת אֵל דַּרְכֵי אִישׁ
יְכוּפְּרוּ כּוֹל 7 עֲווֹנוֹתָיו לְהַבִּיט בְּאוֹר הַחַיִּים ׳ וּבְרוּחַ קְדוֹשָׁה
לַיַּחַד בַּאֲמִתּוֹ יִטָּהֵר מִכּוֹל 8 עֲווֹנוֹתָו וּבְרוּחַ יוֹשֶׁר וַעֲנָוָה
תְּכוּפַּר חַטָּתוֹ ׳ וּבְעַנְוַת נַפְשׁוֹ לְכוֹל חוּקֵּי אֵל יְטָּהֵר 9 בְּשָׂרוֹ
לְהַזּוֹת בְּמֵי נִדָּה וּלְהִתְקַדֵּשׁ בְּמֵי [c]דוֹכִי ׳ [d]וְיָהכִין פְּעָמָיו [e]לָהֲלֶכֶת
תָּמִים 10 בְּכוֹל דַּרְכֵי אֵל כַּאֲשֶׁר צִוָּה לְמוֹעֲדֵי תְעוּדוֹתָיו וְלוֹא
לָסוּר יָמִין וּשְׂמאוֹל וְאֵין 11 לִצְעוֹד עַל אֶחָד מִכּוֹל דְּבָרָיו ׳
אָז יֵרָצֶה בְּכִפּוּרֵי נִיחוֹחַ לִפְנֵי אֵל וְהָיְתָה לוֹ לִבְרִית 12 יַחַד
עוֹלָמִים ׳

13 לַמַּשְׂכִּיל לְהָבִין וּלְלַמֵּד אֶת כּוֹל בְּנֵי אוֹר בְּתוֹלְדוֹת כּוֹל
בְּנֵי אִישׁ 14 לְכוֹל מִינֵי רוּחוֹתָם בְּאוֹתוֹתָם לְמַעֲשֵׂיהֶם
בְּדוֹרוֹתָם וְלִפְקוּדַּת נִגְעֵיהֶם עִם 15 קִצֵּי שְׁלוֹמָם ׳ מֵאֵל
הַדֵּעוֹת כּוֹל הוֹוֶה [f]וְנִהְיָיה ׳ וְלִפְנֵי הֱיוֹתָם הֵכִין כּוֹל מַחֲשַׁבְתָּם ׳
16 וּבִהְיוֹתָם לִתְעוּדוֹתָם כְּמַחֲשֶׁבֶת כְּבוֹדוֹ יְמַלְּאוּ פְעוּלָּתָם וְאֵין
לְהַשְׁנוֹת ׳ בְּיָדוֹ 17 מִשְׁפְּטֵי כוֹל וְהוּאָה יְכַלְכְּלֵם בְּכוֹל
חֶפְצֵיהֶם ׳ וְהוּאָה בָרָא אֱנוֹשׁ לְמֶמְשֶׁלֶת 18 תֵּבֵל וַיָּשֶׂם לוֹ שְׁתֵּי
רוּחוֹת לְהִתְהַלֵּךְ בָּם עַד מוֹעֵד פְּקוּדָּתוֹ ׳ הֵנָּה רוּחוֹת 19 הָאֱמֶת
וְהָעָוֶל ׳ בְּמַעְיַן אוֹר תּוֹלְדוֹת הָאֱמֶת וּמִמְּקוֹר חוֹשֶׁךְ תּוֹלְדוֹת
הָעָוֶל ׳ 20 בְּיַד שַׂר אוֹרִים מֶמְשֶׁלֶת כּוֹל בְּנֵי צֶדֶק בְּדַרְכֵי אוֹר
יִתְהַלָּכוּ ׳ וּבְיַד מַלְאַךְ 21 חוֹשֶׁךְ כּוֹל מֶמְשֶׁלֶת בְּנֵי עָוֶל וּבְדַרְכֵי
חוֹשֶׁךְ יִתְהַלָּכוּ ׳ וּבְמַלְאַךְ חוֹשֶׁךְ תְּעוּת 22 כּוֹל בְּנֵי צֶדֶק וְכוֹל
חַטָּאתָם וַעֲוֺנוֹתָם וְאַשְׁמָתָם וּפִשְׁעֵי מַעֲשֵׂיהֶם בְּמֶמְשַׁלְתּוֹ
23 לְפִי רָזֵי אֵל עַד קִצּוֹ ׳ וְכוֹל נִגְעֵיהֶם וּמוֹעֲדֵי צָרוֹתָם
בְּמֶמְשֶׁלֶת מַשְׂטֵמָתוֹ ׳ 24 וְכוֹל רוּחֵי גוֹרָלוֹ לְהַכְשִׁיל בְּנֵי אוֹר ׳
וְאֵל יִשְׂרָאֵל וּמַלְאַךְ אֲמִתּוֹ עָזַר לְכוֹל 25 בְּנֵי אוֹר ׳ וְהוּאָה
בָרָא רוּחוֹת אוֹר וָחוֹשֶׁךְ [g]וַעֲלֵיהוֹן יִסַּד כּוֹל מַעֲשֶׂה 26 [וְ]עַל

[c] oder דוֹכוֹ — [d] = וְיָכִין — [e] = לָלֶכֶת — [f] = וְנִהְיָה — [g] = וַעֲלֵיהֶן.

Waschung. Unrein, unrein soll er sein[22] alle Tage, da er verwirft
die Satzungen 6 Gottes, ohne sich zurechtweisen zu lassen in
der Gemeinschaft seines Rates. Denn durch den Geist des wahr-
haftigen Rates Gottes werden die Wege eines Mannes entsühnt,
alle 7 seine Sünden, so daß er das Licht des Lebens erblicken
kann. Und durch den heiligen Geist (‚der) der Gemeinschaft in
seiner Wahrheit (gegeben ist,) wird er gereinigt von allen 8 seinen Sünden, und durch den Geist der Rechtschaffenheit und
Demut wird seine Sünde gesühnt. Und wenn er seine Seele de-
mütigt unter alle Gebote Gottes, wird sein Fleisch gereinigt
werden, 9 daß man ihn mit Reinigungswasser besprenge
und daß er sich heilige durch Wasser der Reinheit. Dann wird er
seine Schritte darauf lenken, vollkommen zu wandeln 10 auf
allen Wegen Gottes, wie er befohlen hat für die von ihm bestimmten Zeiten, und nicht nach rechts oder links abzuweichen und
nicht 11 eines von allen seinen Worten zu übertreten. Dann
wird er wohlgefällig sein durch angenehme Sühnungen vor Gott,
und das wird ihm werden zum Bund 12 ewiger Gemeinschaft.

13 Für den Unterweiser[23], um zu unterweisen und zu belehren
alle Söhne des Lichtes über den Ursprung aller Menschenkinder 14 hinsichtlich aller Arten ihrer Geister, über ihre
Kennzeichen gemäß ihren Taten in ihren Generationen und hinsichtlich der Heimsuchung ihrer Plagen mit 15 den Zeiten
ihres Friedens. Vom Gott der Erkenntnis kommt alles Sein und
Geschehen. Ehe sie sind, hat er ihren ganzen Plan festgesetzt.
16 Und wenn sie da sind zu ihrer Bestimmung, so erfüllen sie
nach seinem herrlichen Plan ihr Werk, und keine Änderung gibt
es. In seiner Hand 17 liegen die Satzungen für alles, und er
sorgt für sie in all ihren Geschäften. Und er schuf den Menschen
zur Herrschaft 18 über den Erdkreis und bestimmte ihm zwei
Geister, darin zu wandeln bis zur vorbestimmten Zeit seiner
Heimsuchung[24]. Das sind die Geister 19 der Wahrheit und des
Frevels. An der Quelle des Lichtes ist der Ursprung der Wahrheit,
aber aus der Quelle der Finsternis kommt der Ursprung des
Frevels. 20 In der Hand des Fürsten des Lichtes[25] liegt die
Herrschaft über alle Söhne der Gerechtigkeit, auf den Wegen des
Lichtes wandeln sie. Aber in der Hand des Engels 21 der
Finsternis liegt alle Herrschaft über die Söhne des Frevels, und
auf den Wegen der Finsternis wandeln sie. Und durch den
Engel der Finsternis geschieht Verirrung 22 aller Söhne der
Gerechtigkeit, und alle ihre Sünde, Missetaten und Schuld und die

דַּרְכֵי]הֶן כּוֹל עֲבוֹדָה [h]וְעַל דַּרְכֵיהֶן [כּוֹ]ל[עֲבו]דָ֫הּ[h] ˈ אַחַת
אָהַב אֵל לְכוֹל

IV

עֲדֵי עוֹלָמִים וּבְכוֹל עֲלִילוֹתֶיהָ יִרְצֶה לָעַד ˈ אַחַת תִּעֵב סוֹדָהּ
וְכוֹל דְּרָכֶיהָ שָׂנֵא לָנֶצַח ˈ 2 וְאֵלֶּה דַרְכֵיהֶן בְּתֵבֵל ˈ לְהָאִיר
בִּלְבַב אִישׁ וּלְיַשֵּׁר לְפָנָיו כּוֹל דַּרְכֵי צֶדֶק אֱמֶת וּלְפַחֵד לְבָבוֹ
בְּמִשְׁפְּטֵי 3 אֵל ˈ וְרוּחַ עֲנָוָה וְאוֹרֶךְ אַפַּיִם וְרוֹב רַחֲמִים וְטוּב
עוֹלָמִים וְשֵׂכֶל וּבִינָה וְחָכְמַת גְּבוּרָה מַאֲמֶנֶת בְּכוֹל 4 מַעֲשֵׂי
אֵל וְנִשְׁעֶנֶת בְּרוֹב חֲסָדָו וְרוּחַ דַּעַת בְּכוֹל מַחֲשֶׁבֶת מַעֲשֶׂה וְקִנְאַת
מִשְׁפְּטֵי צֶדֶק וּמַחֲשֶׁבֶת 5 קוֹדֶשׁ בְּיֵצֶר סָמוּךְ וְרוֹב חֲסָדִים
עַל כּוֹל בְּנֵי אֱמֶת וְטָהֳרַת כָּבוֹד [i]מְתָעֵב כּוֹל גִּלּוּלֵי נִדָּה וְהַצְנֵעַ
לֶכֶת 6 בְּעָרְמַת כּוֹל וְחַבֵּא לֶאֱמֶת רָזֵי דָעַת ˈ אֵלֶּה סוֹדֵי רוּחַ
לִבְנֵי אֱמֶת תֵּבֵל ˈ וּפְקוּדַּת כּוֹל הוֹלְכֵי בָהּ לְמַרְפֵּא 7 וְרוֹב
שָׁלוֹם בְּאוֹרֶךְ יָמִים וּפְרוּת זֶרַע עִם כּוֹל בִּרְכוֹת עַד וְשִׂמְחַת
עוֹלָמִים בְּחַיֵּי נֶצַח וּכְלִיל כָּבוֹד 8 עִם מִדַּת הָדָר בְּאוֹר
עוֹלָמִים ˈ

9 וּלְרוּחַ עַוְלָה רְחוֹב נֶפֶשׁ וּשְׁפוֹל יָדַיִם בַּעֲבוֹדַת צֶדֶק רֶשַׁע
וָשֶׁקֶר גֵּוָה וְרוּם לֵבָב כַּחַשׁ וּרְמִיָּה אַכְזָרִי 10 וְרוֹב חֹנֶף קְצוֹר
אַפַּיִם וְרוֹב אִוֶּלֶת וְקִנְאַת זָדוֹן מַעֲשֵׂי תוֹעֵבָה בְּרוּחַ זְנוּת וְדַרְכֵי

[h]–[h] Dittographie — [i] lies mit 4 QSc מְתָעֶבֶת.

Verstöße ihrer Taten kommen durch seine Herrschaft 23 entsprechend den Geheimnissen Gottes bis zu seiner Zeit. Und alle
ihre Plagen und die festgesetzten Zeiten ihrer Drangsal kommen
durch die Herrschaft seiner Anfeindung. 24 Und alle Geister
seines Loses suchen die Söhne des Lichtes zu Fall zu bringen.
Aber der Gott Israels und der Engel seiner Wahrheit helfen allen
25 Söhnen des Lichtes. Und er hat die Geister des Lichtes und 25
der Finsternis geschaffen, und auf sie hat er jedes Werk gegründet 26 [und auf] ihre [Wege] jeden Dienst. Den einen
(Geist) liebt Gott in alle

IV

Ewigkeit, und an allen seinen Taten hat er Wohlgefallen für
immer. Den anderen, seinen Rat verabscheut er, und alle seine
Wege haßt er ewiglich. 2 Und das sind ihre Wege in der Welt:
das Herz des Menschen zu erleuchten und alle Wege wahrer
Gerechtigkeit vor ihm zu ebnen und sein Herz in Furcht zu
versetzen vor den Gerichten 3 Gottes; und einen Geist der
Demut und Langmut und reiches Erbarmen und ewige Güte
und Klugheit und Einsicht und mächtige Weisheit, die vertraut
auf alle 4 Werke Gottes und sich stützt auf seine reiche
Gnade, und einen Geist der Erkenntnis in jedem Plan eines
Werkes, Eifer um die gerechten Gerichte und heiliges Vornehmen 5 in festem Streben und reiche Liebe zu allen Söhnen 5
der Wahrheit und glänzende Reinheit, die alle unreinen Götzen
verabscheut, und demütig wandeln 6 in Klugheit in allen
Dingen und schweigen[26] über die Wahrheit der Geheimnisse der
Erkenntnis. Dies sind die Ratschläge des Geistes für die Söhne
der Wahrheit (in) der Welt. Und die Heimsuchung aller, die in
ihm[27] wandeln, geschieht zu Heilung 7 und Übermaß des
Friedens, solange die Tage währen, und Fruchtbarkeit des
Samens mit allen ewigen Segnungen und ewiger Freude in
immerwährendem Leben und einem Kranz der Herrlichkeit
8 mit prachtvollem Gewand in ewigem Licht.

9 Aber zum Geist des Frevels gehören Habgier und Trägheit
der Hände im Dienst der Gerechtigkeit, Bosheit und Lüge, Stolz
und Hochmut des Herzens, Betrug und Täuschung, Grausamkeit 10 und große Gottlosigkeit, Jähzorn und Übermaß an 10

נִדָּה בַּעֲבוֹדַת טֻמְאָה 11 וּלְשׁוֹן גִּדּוּפִים עִוְרוֹן עֵינַיִם וְכִבּוּד
אוֹזֶן קוֹשִׁי עוֹרֶף וְכִיבּוּד לֵב לָלֶכֶת בְּכוֹל דַּרְכֵי חוֹשֶׁךְ וְעָרְמַת
רוֹעַ ׳ וּפְקוּדַּת 12 כּוֹל הוֹלְכֵי בָהּ לְרוֹב נְגִיעִים בְּיַד כּוֹל
מַלְאֲכֵי חֶבֶל לְשַׁחַת עוֹלָמִים בְּאַף עֶבְרַת אֵל נֹקֶמֶת לְזַעֲוַת נֶצַח
וְחֶרְפַּת 13 עַד עִם כְּלִמַּת כָּלָה בְּאֵשׁ מַחֲשַׁכִּים ׳ וְכוֹל קִצֵּיהֶם
לְדוֹרוֹתָם בְּאֵבֶל יָגוֹן וְרָעַת מְרוֹרִים בְּהוֹוֹת חוֹשֶׁךְ עַד
14 כַּלּוֹתָם לְאֵין שֵׂרִית וּפְלֵיטָה לָמוֹ ׳

15 בָּאֵלֶּה תּוֹלְדוֹת כּוֹל בְּנֵי אִישׁ וּבְמִפְלַגֵיהֶן יִנְחֲלוּ כּוֹל
צִבְאוֹתָם לְדוֹרוֹתָם ׳ וּבְדַרְכֵיהֶן יִתְהַלְּכוּ וְכוֹל פְּעוּלַּת
16 מַעֲשֵׂיהֶם בְּמִפְלַגֵיהֶן לְפִי נַחֲלַת אִישׁ בֵּין רוֹב לְמוּעָט לְכוֹל
קִצֵּי עוֹלָמִים ׳ כִּיא אֵל שָׂמָן בַּד בְּבַד עַד קֵץ 17 אַחֲרוֹן וַיִּתֵּן
אֵיבַת עוֹלָם בֵּין מִפְלַגּוֹתָם ׳ תּוֹעֲבַת אֱמֶת עֲלִילוֹת עַוְלָה וְתוֹעֲבַת
עַוְלָה כוֹל דַּרְכֵי אֱמֶת ׳ וְקִנְאַת 18 רִיב עַל כּוֹל מִשְׁפְּטֵיהֶן כִּיא
לוֹא יַחַד יִתְהַלֵּכוּ ׳ וְאֵל בְּרָזֵי שִׂכְלוֹ וּבְחָכְמַת כְּבוֹדוֹ נָתַן קֵץ
לִהְיוֹת עַוְלָה וּבְמוֹעֵד 19 פְּקוּדָּה יַשְׁמִידֶנָּה לָעַד ׳ וְאָז תֵּצֵא
לָנֶצַח אֱמֶת תֵּבֵל כִּיא הִתְגּוֹלְלָה בְּדַרְכֵי רֶשַׁע בְּמֶמְשֶׁלֶת עַוְלָה
עַד 20 מוֹעֵד מִשְׁפָּט נֶחֱרָצָה ׳ וְאָז יְבָרֵר אֵל בַּאֲמִתּוֹ כּוֹל
מַעֲשֵׂי גֶבֶר וְזִקַּק לוֹ [a]מִבְּנֵי אִישׁ לְהָתֵם כּוֹל רוּחַ עַוְלָה מִתַּכְמֵי
21 בְשָׂרוֹ וּלְטַהֲרוֹ בְּרוּחַ קוֹדֶשׁ מִכּוֹל עֲלִילוֹת רִשְׁעָה ׳ וְיַז עָלָיו
רוּחַ אֱמֶת כְּמֵי נִדָּה מִכּוֹל תּוֹעֲבוֹת שֶׁקֶר וְהִתְגּוֹלֵל 22 בְּרוּחַ
נִדָּה לְהָבִין יְשָׁרִים בְּדַעַת עֶלְיוֹן וְחָכְמַת בְּנֵי שָׁמַיִם לְהַשְׂכִּיל
תְּמִימֵי דֶרֶךְ ׳ כִּיא בָם בָּחַר אֵל לִבְרִית עוֹלָמִים 23 וְלָהֶם
כּוֹל כְּבוֹד אָדָם ׳ וְאֵין עַוְלָה יִהְיֶה לְבוֹשֶׁת כּוֹל מַעֲשֵׂי רְמִיָּה ׳ עַד
הֵנָּה יָרִיבוּ רוּחֵי אֱמֶת וָעָוֶל ׳ בִּלְבַב גֶּבֶר 24 יִתְהַלְּכוּ בְחָכְמָה
וְאִוֶּלֶת וּכְפִי נַחֲלַת אִישׁ בֶּאֱמֶת וָצֶדֶק וְכֵן יִשְׂנָא עַוְלָה וּכְיִרְשָׁתוֹ
בְּגוֹרַל עָוֶל יִרְשַׁע בּוֹ וְכֵן 25 יְתָעֵב אֱמֶת ׳ כִּיא בַד בְּבַד שָׂמָן

[a] oder מִבְּנֵי(?).

Torheit und stolze Eifersucht, Greueltaten im Geist der Hurerei und Wege des Schmutzes im Dienst der Unreinheit 11 und eine Lästerzunge, Blindheit der Augen und Taubheit der Ohren, Halsstarrigkeit und Hartherzigkeit, um zu wandeln auf allen Wegen der Finsternis und böser List. Und die Heimsuchung 12 aller, die darin wandeln, geschieht zu Übermaß an Plagen durch die Hand aller Plageengel, zu ewigem Verderben durch Gottes rächenden Zorngrimm, zu immerwährendem Zittern und ewiger Schmach 13 mit Schande der Vernichtung in finsterem Feuer. Und alle ihre Zeiten werden für ihre Geschlechter (verbracht) in trauerndem Jammern und bitterem Unglück, in finsterem Verderben, bis 14 sie vernichtet sind, ohne daß ein Rest oder Entronnene ihnen bleiben[28].

15 In diesen (beiden Geistern) befindet sich der Ursprung aller Menschen, und an ihren Klassen haben Anteil all ihre Scharen in ihren Geschlechtern. Auf ihren Wegen wandeln sie, und alles Tun 16 ihrer Werke geschieht in ihren Klassen entsprechend dem Anteil eines jeden, es sei viel, es sei wenig, für alle ewigen Zeiten. Denn Gott hat sie Seite an Seite gesetzt bis zur letzten Zeit 17 und hat ewigen Streit bestimmt zwischen ihren Klassen. Ein Greuel für die Wahrheit sind die Taten des Frevels, und ein Greuel für den Frevel sind die Wege der Wahrheit. Eifervoller 18 Streit ist bei all ihren Satzungen; denn sie können nicht gemeinsam wandeln. Aber Gott hat in den Geheimnissen seiner Einsicht und in seiner herrlichen Weisheit ein Ende gesetzt für das Bestehen des Frevels, und zur festgesetzten Zeit 19 der Heimsuchung wird er ihn vernichten auf ewig. Und dann wird die Wahrheit der Welt für immer hervorkommen; denn sie hat sich dahingeschleppt auf den Wegen der Gottlosigkeit unter der Herrschaft des Frevels bis zum 20 Zeitpunkt des bestimmten Gerichtes. Und dann wird Gott durch seine Wahrheit alle Werke des Menschen läutern und wird sich einige aus den Menschenkindern[29] reinigen, indem er allen Geist des Frevels aus dem Innern 21 ihres Fleisches tilgt und sie reinigt durch heiligen Geist von allen gottlosen Taten. Und er wird über sie sprengen den Geist der Wahrheit wie Reinigungswasser (zur Reinigung) von allen Greueln der Lüge und dem Sich-Wälzen 22 in unsauberem Geist, um die Rechtschaffenen zu unterweisen in der Erkenntnis des Höchsten und der Wahrheit der Söhne des Himmels und klug zu machen, die vollkommen im Wandel sind. Denn sie hat Gott erwählt zum

אֵל עַד קֵץ נֶחֱרָצָה וַעֲשׂוֹת חֲדָשָׁה ׳ וְהוּאָה יָדַע פְּעוּלַּת מַעֲשֵׂיהֶן
לְכוֹל קִצֵּי 26 [עוֹלָמִים] ׳ וַיַּנְחִילֵן לִבְנֵי אִישׁ לָדַעַת טוֹב
[וָרַע לְהַ]פִּיל גּוֹרָלוֹת לְכוֹל חַי לְפִי רוּחוֹ ב[וֹ בַּמּוֹעֵד הַ]פְּקוּדָּה׳

V

וְזֶה הַסֶּרֶךְ לְאַנְשֵׁי הַיַּחַד הַמִּתְנַדְּבִים לָשׁוּב מִכּוֹל רַע וּלְהַחֲזִיק
בְּכוֹל אֲשֶׁר צִוָּה לִרְצוֹנוֹ לְהִבָּדֵל מֵעֲדַת 2 אַנְשֵׁי הָעָוֶל לִהְיוֹת
לְיַחַד בַּתּוֹרָה וּבַהוֹן וּמְשִׁיבִים עַל פִּי בְּנֵי צָדוֹק הַכּוֹהֲנִים שׁוֹמְרֵי
הַבְּרִית וְעַל פִּי רוֹב אַנְשֵׁי 3 הַיַּחַד הַמַּחֲזִיקִים בַּבְּרִית עַל
פִּיהֶם יֵצֵא תִכּוּן הַגּוֹרָל לְכוֹל דָּבָר לַתּוֹרָה וְלַהוֹן וְלַמִּשְׁפָּט
לַעֲשׂוֹת אֱמֶת יַחַד וַעֲנָוָה 4 צְדָקָה וּמִשְׁפָּט וְאַהֲבַת חֶסֶד וְהַצְנֵעַ
לֶכֶת בְּכוֹל דַּרְכֵיהֶם אֲשֶׁר לוֹא יֵלֵךְ אִישׁ בִּשְׁרִירוּת לִבּוֹ לִתְעוֹת
אַחַר לְבָבוֹ 5 וְעֵינֵיהוּ וּמַחֲשֶׁבֶת יִצְרוֹ ׳ וּאָאם[a] לָמוּל בַּיַּחַד
עוֹרְלַת יֵצֶר וְעוֹרֶף קָשֶׁה לְיַסֵּד מוֹסַד אֱמֶת לְיִשְׂרָאֵל לְיַחַד בְּרִית
6 עוֹלָם לְכַפֵּר לְכוֹל הַמִּתְנַדְּבִים לַקּוֹדֶשׁ בְּאַהֲרוֹן וּלְבֵית הָאֱמֶת
בְּיִשְׂרָאֵל וְהַנִּלְוִים עֲלֵיהֶם לְיַחַד וְלָרִיב וְלַמִּשְׁפָּט 7 לְהַרְשִׁיעַ
כּוֹל עוֹבְרֵי חוֹק ׳ וְאֵלֶּה תִכּוּן דַּרְכֵיהֶם עַל כּוֹל הַחוּקִּים הָאֵלֶּה
בְּהֵאָסְפָם לְיַחַד ׳ כּוֹל הַבָּא לַעֲצַת הַיַּחַד 8 יָבוֹא בִּבְרִית אֵל
לְעֵינֵי כּוֹל הַמִּתְנַדְּבִים ׳ וְיָקֵם עַל נַפְשׁוֹ בִּשְׁבוּעַת אִסָּר לָשׁוּב

[a] lies כִּיא אִם.

ewigen Bund, 23 und ihnen gehört alle Herrlichkeit des Menschen[30]. Und Frevel wird nicht mehr sein, zuschanden werden alle Werke des Trugs. Bis dahin kämpfen die Geister der Wahrheit und des Frevels. Im Herzen des Menschen 24 wandeln sie in Weisheit und in Torheit, und entsprechend dem Erbteil eines Menschen an Wahrheit und Gerechtigkeit haßt er den Frevel, und entsprechend seinem Anteil am Lose des Frevels handelt er gottlos in ihm und 25 verabscheut die Wahrheit. Denn Seite an Seite hat sie Gott gesetzt bis zur bestimmten Zeit und zur neuen Schöpfung. Und er weiß um das Wirken ihrer Werke zu allen [ewigen] Zeiten. 26 Und er gab sie den Menschen zum Anteil, damit sie Gutes [und Böses] erkennen können, [um] das Los zu werfen über jedes Lebewesen entsprechend seinem Geist [zur festgesetzten Zeit der] Heimsuchung.

V

Und dies ist die Ordnung für die Männer der Gemeinschaft, die sich willig erweisen, umzukehren von allem Bösen und festzuhalten an allem, was er befohlen hat nach seinem Wohlgefallen, daß sie sich scheiden von der Versammlung 2 der Männer des Frevels, daß sie gehören zur Gemeinschaft im Gesetz und im Besitz und verantwortlich sind gegenüber den Söhnen Zadoqs, den Priestern, die den Bund wahren, und gegenüber der Menge der Männer 3 der Gemeinschaft, die am Bund festhalten. Nach ihrer Weisung erfolgt die Bestimmung des Loses bei jeder Angelegenheit betreffs des Gesetzes und des Besitzes und des Rechts, damit sie Treue, Eintracht und Demut üben, 4 Gerechtigkeit und Recht und herzliche Liebe und demütigen Wandel auf allen ihren Wegen, aber keiner[31] in der Verstocktheit seines Herzens wandle, in die Irre zu gehen nach seinem Herzen 5 und seinen Augen und dem Sinnen seines Triebes. Sondern sie sollen beschneiden[32] in der Gemeinschaft die Vorhaut des Triebes und die Halsstarrigkeit, um ein Fundament der Wahrheit für Israel zu legen für die Gemeinschaft eines ewigen Bundes, 6 um Sühne zu schaffen für alle, die sich willig erweisen zum Heiligtum in Aaron und dem Hause der Wahrheit in Israel, und für die, die sich ihnen anschließen zur Gemeinschaft und zu Streit und Gericht, 7 um alle zu verdammen, die das Gebot übertreten. Und dies ist die Weisung für ihre Wege betreffs all dieser

אֶל תּוֹרַת מוֹשֶׁה כְּכוֹל אֲשֶׁר צִוָּה בְּכוֹל 9 לֵב וּבְכוֹל נֶפֶשׁ
לְכוֹל הַנִּגְלָה מִמֶּנָּה לִבְנֵי צָדוֹק הַכּוֹהֲנִים שׁוֹמְרֵי הַבְּרִית וְדוֹרְשֵׁי
רְצוֹנוֹ וּלְרוֹב אַנְשֵׁי בְרִיתָם 10 הַמִּתְנַדְּבִים יַחַד לַאֲמִתּוֹ
[b]וּלְהִתַּלֵּךְ בִּרְצוֹנוֹ ׳ וַאֲשֶׁר יָקִים בַּבְּרִית עַל נַפְשׁוֹ לְהִבָּדֵל מִכּוֹל
אַנְשֵׁי הָעָוֶל הַהוֹלְכִים 11 בְּדֶרֶךְ הָרִשְׁעָה ׳ כִּיא לוֹא הֻחְשְׁבוּ
בִּבְרִיתוֹ כִּיא לוֹא בִקְשׁוּ וְלוֹא [c]דְּרָשֻׁהוּ בְּחוּקֶּיהוּ לָדַעַת
הַנִּסְתָּרוֹת אֲשֶׁר תָּעוּ 12 בָם [d]לְאַשְׁשָׁמָה ׳ וְהַנִּגְלוֹת עָשׂוּ בְּיָד
רָמָה לַעֲלוֹת אַף לַמִּשְׁפָּט וְלִנְקוֹם נָקָם בְּאָלוֹת בְּרִית לַעֲשׂוֹת
בָּם [מִ]שְׁפָּטִים 13 גְּדוֹלִים לְכָלַת עוֹלָם לְאֵין שְׁרִית ׳ אַל
יָבוֹא בַמַּיִם לָגַעַת בְּטָהֳרַת אַנְשֵׁי הַקּוֹדֶשׁ ׳ כִּיא לוֹא יִטָּהֲרוּ
14 כִּי אִם שָׁבוּ מֵרָעָתָם כִּיא טָמֵא בְכוֹל עוֹבְרֵי דְבָרוֹ ׳ וַאֲשֶׁר
לוֹא יִוָּחֵד עִמּוֹ בַּעֲבוֹדָתוֹ וּבְהוֹנוֹ פֶּן יַשִּׁיאֶנּוּ 15 עֲווֹן אַשְׁמָה ׳
כִּיא יִרְחַק מִמֶּנּוּ בְּכוֹל דָּבָר כִּיא כֵן כָּתוּב מִכּוֹל דְּבַר שֶׁקֶר
תִּרְחָק ׳ וַאֲשֶׁר לוֹא יָשִׁיב אִישׁ מֵאַנְשֵׁי 16 הַיַּחַד עַל פִּיהֶם לְכוֹל
תּוֹרָה וּמִשְׁפָּט ׳ וַאֲשֶׁר לוֹא יוֹכַל מֵהוֹנָם כּוֹל וְלוֹא יִשְׁתֶּה וְלוֹא
יִקַּח מִיָּדָם כּוֹל מְאוּמָה 17 אֲשֶׁר לוֹא בִּמְחִיר כַּאֲשֶׁר כָּתוּב
חִדְלוּ לָכֶם מִן הָאָדָם אֲשֶׁר נְשָׁמָה בְאַפּוֹ כִּיא בַמֶּה נֶחְשָׁב הוּאָה ׳
כִּיא 18 כּוֹל אֲשֶׁר לוֹא נֶחְשְׁבוּ בִּבְרִיתוֹ לְהַבְדִּיל אוֹתָם וְאֵת
כּוֹל אֲשֶׁר לָהֶם ׳ וְלוֹא יִשָּׁעֵן אִישׁ הַקּוֹדֶשׁ עַל כּוֹל מַעֲשֵׂי 19 הֶבֶל
כִּיא הֶבֶל כּוֹל אֲשֶׁר לוֹא יָדְעוּ אֵת בְּרִיתוֹ ׳ וְכוֹל מְנַאֲצֵי דְבָרוֹ
יַשְׁמִיד מִתֵּבֵל וְכוֹל מַעֲשֵׂיהֶם לְנִדָּה 20 לְפָנָיו וְטָמֵא בְכוֹל
הוֹנָם ׳ וְכִיא יָבוֹא בַבְּרִית לַעֲשׂוֹת כְּכוֹל הַחוּקִּים הָאֵלֶּה לְהִוָּחֵד
לַעֲדַת קוֹדֶשׁ וְדָרְשׁוּ 21 אֵת [e]רוּחוֹם בַּיַּחַד בֵּין אִישׁ לְרֵעֵהוּ
לְפִי שִׂכְלוֹ וּמַעֲשָׂיו בַּתּוֹרָה עַל פִּי בְנֵי אַהֲרוֹן הַמִּתְנַדְּבִים
בַּיַּחַד לְהָקִים 22 אֵת בְּרִיתוֹ וְלִפְקוֹד אֵת כּוֹל חוּקָּיו אֲשֶׁר צִוָּה
לַעֲשׂוֹת וְעַל פִּי רוֹב יִשְׂרָאֵל הַמִּתְנַדְּבִים לָשׁוּב בַּיַּחַד לִבְרִיתוֹ ׳

b = וּלְהִתְהַלֵּךְ — c = דָּרְשׁוּ — d = לְאַשְׁמָה — e lies רוּחָם.

Gebote, wenn sie versammelt sind zur Gemeinschaft. Jeder, der
in den Rat der Gemeinschaft kommt[33], 8 soll in den Bund
Gottes[34] eintreten in Gegenwart aller, die sich willig erwiesen
haben. Und er soll sich durch einen bindenden Eid[35] verpflichten,
umzukehren zum Gesetz Moses gemäß allem, was er befohlen
hat, von ganzem 9 Herzen und ganzer Seele, zu allem, was
von ihm offenbart ist den Söhnen Zadoqs, den Priestern, die den
Bund wahren und seinen Willen erforschen, und der Menge der
Männer ihres Bundes, 10 die sich zusammen willig erwiesen 10
haben zu seiner Wahrheit und zum Wandel in seinem Willen.
Er soll sich durch den Bund(esschluß) binden, sich abzusondern von allen Männern des Frevels, die 11 auf gottlosem
Wege wandeln; denn sie werden nicht zu seinem Bund gerechnet;
denn sie haben nicht gesucht und nicht geforscht in seinen Geboten, um die verborgenen Dinge zu erkennen, in denen sie in
die Irre gingen 12 zur Verschuldung. Und die offenbaren
Dinge haben sie mit erhobener Hand[36] getan, so daß sie Zorn
erwecken zum Gericht und zur Vollstreckung der Rache durch
die Flüche des Bundes, so daß gewaltige Gerichte an ihnen vollstreckt werden 13 zu ewiger Vernichtung ohne Rest. Er soll
nicht das Wasser betreten, die Reinheit der Männer der Heiligkeit zu berühren[37], denn sie können nicht gereinigt werden,
14 wenn sie nicht umgekehrt sind von ihrer Bosheit; denn Un-
reines ist an allen, die sein Wort übertreten. Niemand darf sich
mit ihm zusammentun in seiner Arbeit und in seinem Besitz, damit er ihm nicht 15 schuldhafte Übertretung auflade. Sondern 15
er soll sich fernhalten von ihm in jeder Sache; denn so steht geschrieben: Von jeder betrügerischen Sache sollst du dich fernhalten! (Ex. 23, 7). Und keiner von den Männern der Gemeinschaft darf Antwort geben 16 auf ihre Veranlassung hin
betreffs irgendeines Gesetzes oder Gebotes. Und keiner soll
etwas essen von ihrem Besitz oder trinken oder etwas aus ihrer
Hand empfangen, 17 außer gegen einen Kaufpreis, wie geschrieben steht: Laßt ab vom Menschen, in dessen Nase nur
ein Hauch ist; denn wofür ist er schon zu halten? (Jes. 2, 22).
Denn 18 alle, die nicht zu seinem Bund gerechnet werden,
die muß man absondern, (sie) und alles, was ihnen gehört. Und
kein Mann der Heiligkeit darf sich stützen auf irgendwelche
Werke 19 der Eitelkeit; denn eitel sind alle, die seinen Bund
nicht kennen. Und alle, die sein Wort mißachten, wird er vernichten aus der Welt, und alle ihre Werke sind nur Schmutz

23 וּכְתָבְם בַּסֶּרֶךְ אִישׁ לִפְנֵי רֵעֵהוּ לְפִי שִׂכְלוֹ וּמַעֲשָׂיו לְהִשָּׁמַע
הַכּוֹל אִישׁ לְרֵעֵהוּ הַקָּטָן לַגָּדוֹל ׳ וְלִהְיוֹת 24 פּוֹקְדָם אֵת
רוּחָם וּמַעֲשֵׂיהֶם שָׁנָה בְשָׁנָה לְהַעֲלוֹת אִישׁ לְפִי שִׂכְלוֹ וְתוֹם דַּרְכּוֹ
וּלְאַחֲרוֹ כְנַעֲוָיָתוֹ ׳ לְהוֹכִיחַ 25 אִישׁ אֵת רֵעֵהוּ בֶּאֱ[מֶת] וַעֲנָוָה
וְאַהֲבַת חֶסֶד לָאִישׁ ׳ אַל יְדַבֵּר [f]אֱלוֹהִיהוּ בְּאַף אוֹ בִתְלוּנָה
26 אוֹ בְעוֹרֶף [קָשֶׁה אוֹ [g]בְּקִנְאַת][g] רוּחַ רָשַׁע ׳ וְאַל יִשְׂנָאֵהוּ
[בְּעוֹרְלַת]לְבָבוֹ ׳ כִּי בְיוֹם יוֹכִיחֶנּוּ וְלוֹא

VI

יִשָּׂא עָלָיו עָוֺון ׳וְגַם אַל יָבִיא אִישׁ עַל רֵעֵהוּ דָבָר לִפְנֵי הָרַבִּים
אֲשֶׁר לוֹא בְתוֹכַחַת לִפְנֵי עֵדִים ׳ בָּאֵלֶּה 2 יִתְהַלְּכוּ בְכוֹל
מְגוּרֵיהֶם כּוֹל הַנִּמְצָא אִישׁ אֵת רֵעֵהוּ ׳ וְיִשְׁמְעוּ הַקָּטָן לַגָּדוֹל
לִמְלָאכָה וּלְמָמוֹן ׳ וְיַחַד יוֹאכְלוּ 3 וְיַחַד יְבָרֵכוּ וְיַחַד יִוָּעֲצוּ ׳
וּבְכוֹל מָקוֹם אֲשֶׁר יִהְיֶה שָׁם עֲשָׂרָה אֲנָשִׁים מֵעֲצַת [a]החיד אַל
יָמֵשׁ מֵאִתָּם אִישׁ 4 כּוֹהֵן ׳ וְאִישׁ כְּתִכּוּנוֹ יֵשְׁבוּ לְפָנָיו וְכֵן יִשָּׁאֲלוּ
לַעֲצָתָם לְכוֹל דָּבָר ׳ וְהָיָה כִּיא יַעֲרוֹכוּ הַשּׁוּלְחָן לֶאֱכוֹל אוֹ

[f] lies אֱלֵיהוּ — [g–g] Ergänzung nach 4 QSd.

[a] lies הַיַּחַד.

20 vor ihm, und Unreinheit haftet an all ihrem Besitz. Und wenn
einer in den Bund eintritt, um nach allen diesen Geboten zu
handeln, sich dem Rat der Heiligkeit anzuschließen, so sollen
sie 12 ihren Geist in der Gemeinschaft untereinander erforschen, hinsichtlich seines Verständnisses und seiner Taten im
Gesetz, nach Weisung der Söhne Aarons, die sich willig erwiesen
haben in der Gemeinschaft, um 22 seinen Bund aufzurichten
und um auf alle seine Gebote zu achten, die er zu tun befohlen
hat, und nach Weisung der Menge Israels, die sich willig erwiesen haben, umzukehren in der Gemeinschaft zu seinem Bund.
23 Und man soll sie eintragen in die Ordnung, einen vor dem
anderen, entsprechend seinem Verständnis und seinen Taten,
damit alle gehorsam sind, einer dem anderen, der Geringere dem
Höheren; und man soll 24 ihren Geist prüfen und ihre Taten
Jahr um Jahr, um einen jeden entsprechend seinem Verständnis
und der Vollkommenheit seines Wandels aufrücken zu lassen
oder ihn entsprechend seiner Verkehrtheit zurückzusetzen; man
soll zurechtweisen, 25 ein jeder seinen Nächsten in Wahr[heit]
und Demut und barmherziger Liebe untereinander. Keiner soll
zum anderen sprechen in Zorn oder Murren 26 oder Halsstarrig-
[keit oder im Eifer] gottlosen Geistes. Und er soll ihn nicht
hassen in seinem [unbeschnittenen] Herzen; sondern am selben
Tage soll er ihn zurechtweisen[38], aber nicht

VI

soll er seinetwegen Schuld auf sich laden. Ferner soll niemand
gegen seinen Nächsten eine Sache vor die Vielen[39] bringen, wenn
es nicht vorher zur Zurechtweisung vor Zeugen gekommen
ist. Darin 2 sollen sie wandeln in allen ihren Niederlassungen,
jeder, der sich dort mit einem anderen befindet. Und sie sollen
sich gehorsam erweisen, der Geringere dem Höheren, hinsichtlich Arbeit und Besitz. Und gemeinsam sollen sie essen,
3 gemeinsam Lobsprüche sagen und gemeinsam beraten. Und
an jedem Ort, wo zehn Männer vom Rat der Gemeinschaft
sind[40], darf nicht unter ihnen ein 4 Priester fehlen. Und sie
sollen jeder entsprechend seiner Rangstufe vor ihm sitzen, und
so sollen sie um ihren Rat befragt werden in jeder Angelegenheit. Und wenn sie den Tisch richten, um zu essen, oder den
Most, 5 um zu trinken, soll der Priester seine Hand zuerst

הַתִּירוֹשׁ 5 לִשְׁתּוֹת הַכּוֹהֵן יִשְׁלַח יָדוֹ לָרִשׁוֹנָה לְהַבְרִךְ בְּרֵאשִׁית הַלֶּחֶם [b]או התירוש לשתות הכוהן ישלח ידו לרשונה 6 להברך בראשית הלחם [b]וְהַתִּירוֹשׁ · וְאַל יָמֵשׁ בַּמָּקוֹם אֲשֶׁר יִהְיוּ שָׁם הָעֲשָׂרָה אִישׁ דּוֹרֵשׁ בַּתּוֹרָה יוֹמָם וָלַיְלָה 7 תָּמִיד [c]עַל יפות[c] אִישׁ לְרֵעֵהוּ · וְהָרַבִּים יִשְׁקוֹדוּ בְּיַחַד אֶת שְׁלִישִׁית כּוֹל לֵילוֹת הַשָּׁנָה לִקְרוֹא בַּסֵּפֶר וְלִדְרוֹשׁ מִשְׁפָּט 8 וּלְבָרֵךְ בְּיַחַד · הַזֶּה הַסֶּרֶךְ לְמוֹשַׁב הָרַבִּים אִישׁ בְּתִכּוּנוֹ · הַכּוֹהֲנִים יֵשְׁבוּ לָרִשׁוֹנָה וְהַזְּקֵנִים בַּשֵּׁנִית וּשְׁאָר 9 כּוֹל הָעָם יֵשְׁבוּ אִישׁ בְּתִכּוּנוֹ · וְכֵן יִשָּׁאֲלוּ לַמִּשְׁפָּט וּלְכוֹל עֵצָה וְדָבָר אֲשֶׁר יִהְיֶה לָרַבִּים לְהָשִׁיב אִישׁ אֶת מַדָּעוֹ 10 לַעֲצַת הַיַּחַד · אַל יְדַבֵּר אִישׁ בְּתוֹךְ דִּבְרֵי רֵעֵהוּ טֶרֶם יְכַלֶּה אָחִיהוּ לְדַבֵּר · וְגַם אַל יְדַבֵּר לִפְנֵי תִכּוּנוֹ הַכָּתוּב 11 לְפָנָיו · הָאִישׁ הַנִּשְׁאָל יְדַבֵּר בְּתָרוֹ · וּבְמוֹשַׁב הָרַבִּים אַל יְדַבֵּר אִישׁ כּוֹל דָּבָר אֲשֶׁר לוֹא [d]להפץ הָרַבִּים וְכִיא הָאִישׁ 12 הַמְבַקֵּר עַל הָרַבִּים · וְכוֹל אִישׁ אֲשֶׁר יֵשׁ אִתּוֹ דָבָר לְדַבֵּר לָרַבִּים אֲשֶׁר לוֹא בְּמַעֲמַד הָאִישׁ הַשּׁוֹאֵל אֶת עֲצַת 13 הַיַּחַד וְעָמַד הָאִישׁ עַל רַגְלֵיהוּ וְאָמַר יֵשׁ אִתִּי דָבָר לְדַבֵּר לָרַבִּים · אִם יוֹמְרוּ לוֹ יְדַבֵּר · וְכוֹל הַמִּתְנַדֵּב מִיִּשְׂרָאֵל 14 לְהוֹסִיף עַל עֲצַת הַיַּחַד יְדוֹרְשֵׁיהוּ הָאִישׁ הַפָּקִיד בְּרוֹאשׁ הָרַבִּים לְשִׂכְלוֹ וּלְמַעֲשָׂיו · וְאִם יַשִּׂיג מוּסָר יְבִיאֵהוּ 15 בַּבְּרִית לָשׁוּב לָאֱמֶת וְלָסוּר מִכּוֹל עָוֶל וַהֲבִינֵהוּ בְּכוֹל מִשְׁפְּטֵי הַיַּחַד · וְאַחַר בְּבוֹאוֹ לַעֲמוֹד לִפְנֵי הָרַבִּים וְנִשְׁאֲלוּ 16 הַכּוֹל עַל דְּבָרָיו · וְכַאֲשֶׁר יֵצֵא הַגּוֹרָל עַל עֲצַת הָרַבִּים יִקְרַב אוֹ יִרְחָק · וּבְקוֹרְבוֹ לַעֲצַת הַיַּחַד לוֹא יִגַּע בְּטָהֳרַת 17 הָרַבִּים עַד אֲשֶׁר יִדְרוֹשֻׁהוּ לְרוּחוֹ וּמַעֲשָׂו עַד מְלֹאת לוֹ שָׁנָה תְמִימָה · וְגַם הוּאָה אַל יִתְעָרֵב בְּהוֹן הָרַבִּים · 18 וּבִמְלֹאת לוֹ שָׁנָה בְּתוֹךְ הַיַּחַד

[b–b] Dittographie; vgl. 4 QSd — [c–c] lies חֲלִיפוֹת — [d] lies לְחֵפֶץ.

ausstrecken, um den Lobspruch zu sagen über dem Erstling des Brotes und des Mostes[41]. 6 Und nicht soll an dem Ort, wo zehn Männer sind, einer fehlen, der im Gesetz forscht[42] Tag und Nacht[43], 7 beständig, einer nach dem anderen. Und die Vielen sollen gemeinsam wachen den dritten Teil aller Nächte des Jahres, um im Buch zu lesen und nach Recht zu forschen 8 und gemeinsam Lobsprüche zu sagen. Das ist die Ordnung für die Sitzung der Vielen, jeder in seiner Rangstufe: Die Priester sollen an erster Stelle sitzen, und die Ältesten an zweiter, und dann alles übrige 9 Volk, sie sollen jeder in seiner Rangstufe sitzen[44]. Und so sollen sie befragt werden hinsichtlich des Rechtes und jeden Ratschlusses und irgendeiner Sache, die vor die Vielen kommt, so daß jeder sein Wissen 10 dem Rat der Gemeinschaft zur Verfügung stellt. Niemand soll mitten in die Worte seines Nächsten hineinreden, bevor sein Bruder aufgehört hat zu sprechen. Auch darf er nicht sprechen vor der Rangstufe dessen, der vor ihm eingeschrieben ist; 11 der Mann, der befragt wird, soll sprechen, wenn er an der Reihe ist[45]. Und in der Sitzung der Vielen soll niemand ein Wort sagen ohne Geheiß der Vielen, und wenn er auch 12 der Aufseher über die Vielen ist[46]. Und jeder Mann, der ein Wort zu den Vielen zu reden hat, der aber nicht das Amt des Mannes hat, der den Rat 13 der Gemeinschaft befragt[47], der soll aufstehen und sagen: Ich habe ein Wort zu reden zu den Vielen. Wenn sie es ihm erlauben, so darf er reden[48]. Jeden, der sich aus Israel willig zeigt, 14 sich dem Rat der Gemeinschaft anzuschließen, soll der Aufseher, der an der Spitze der Vielen steht, prüfen auf sein Verständnis und seine Werke. Und wenn er Zucht annimmt, dann soll er ihn 15 in den Bund bringen, daß er umkehre zur Wahrheit und weiche von allem Frevel, und soll ihn belehren in allen Ordnungen der Gemeinschaft. Danach, wenn er hereinkommt, um vor die Vielen zu treten, sollen sie alle befragt werden 16 über seine Angelegenheiten[49]. Und wie das Los fällt nach dem Rat der Vielen, soll er sich nähern oder entfernen. Wenn er sich dem Rat der Gemeinschaft nähern darf, soll er nicht die Reinheit 17 der Vielen berühren, solange man ihn nicht geprüft hat hinsichtlich seines Geistes und seiner Werke, bis er ein ganzes Jahr vollendet hat. Desgleichen darf er nicht teilhaben am Besitz der Vielen. 18 Und wenn er ein ganzes Jahr inmitten der Gemeinschaft vollendet hat, dann sollen die Vielen über seine Angelegenheiten entsprechend seinem Verständnis und seinen Werken im Gesetz

יִשָּׁאֲלוּ הָרַבִּים עַל דְּבָרָיו לְפִי שִׂכְלוֹ וּמַעֲשָׂיו בַּתּוֹרָה ׳ וְאִם יֵצֵא
לוֹ הַגּוֹרָל 19 לִקְרוֹב לְסוֹד הַיַּחַד עַל פִּי הַכּוֹהֲנִים וְרוֹב
אַנְשֵׁי בְרִיתָם יְקָרְבוּ גַּם אֵת הוֹנוֹ וְאֵת מְלַאכְתּוֹ אֶל יַד הָאִישׁ
20 הַמְּבַקֵּר עַל מְלֶאכֶת הָרַבִּים וְכָתְבוּ בְחֶשְׁבּוֹן בְּיָדוֹ וְעַל
הָרַבִּים לוֹא יוֹצִיאֶנּוּ ׳ אַל יִגַּע בְּמַשְׁקֵה הָרַבִּים עַד 21 מְילֵאת
לוֹ שָׁנָה שֵׁנִית בְּתוֹךְ אַנְשֵׁי הַיַּחַד ׳ וּבִמְילֵאת לוֹ הַשָּׁנָה הַשֵּׁנִית
יִפְקוֹדֻהוּ עַל פִּי הָרַבִּים ׳ וְאִם יֵצֵא לוֹ 22 הַגּוֹרָל לְקָרְבוֹ לַיַּחַד
יִכְתּוֹבֻהוּ בְּסֶרֶךְ תִּכּוּנוֹ בְּתוֹךְ אֶחָיו לַתּוֹרָה וְלַמִּשְׁפָּט וְלַטּוֹהֳרָה
וּלְעָרֵב אֵת הוֹנוֹ ׳ וִיהִי עֲצָתוֹ 23 לַיַּחַד וּמִשְׁפָּטוֹ ׳

24 וְאֵלֶּה הַמִּשְׁפָּטִים אֲשֶׁר יִשְׁפְּטוּ בָם בְּמִדְרַשׁ יַחַד עַל פִּי
הַדְּבָרִים ׳ אִם יִמָּצֵא בָם אִישׁ אֲשֶׁר יְשַׁקֵּר 25 בְּהוֹן וְהוּאָה
יוֹדֵעַ וְיַבְדִּילֻהוּ מִתּוֹךְ טָהֳרַת רַבִּים שָׁנָה אַחַת [f]וְנֶעֶנְשׁוּ אֵת רְבִיעִית
לַחְמוֹ ׳ וַאֲשֶׁר יָשִׁיב אֵת 26 רֵעֵהוּ בִּקְשִׁי עוֹרֶף יְדַבֵּר בְּקוֹצֶר
אַפַּיִם לִ[פְר]וֹעַ אֵת יְסוֹד עֲמִיתוֹ [g]בְּאַמְרוֹת אֵת פִּי רֵעֵהוּ הַכָּתוּב
לְפָנָיהוּ 27 [הו]שִׁיעָה יָדוֹ [h]לוֹא ׳ [f]ונענש שָׁנָה אַחַ[ת וּמוּבְדָּל ׳
וַאֲ]שֶׁר יַזְכִּיר דָּבָר בְּשֵׁם הַנִּכְבָּד עַל כּוֹל ה[ ]י

VII

וְאִם קִלֵּל אוֹ לְהִבָּעֵת מִצָּרָה אוֹ לְכוֹל דָּבָר אֲשֶׁר לוֹ הוּאָה
קוֹרֵה בַּסֵּפֶר אוֹ מְבָרֵךְ וְהִבְדִּילֻהוּ 2 וְלוֹא יָשׁוּב עוֹד [a]עַל
עֲצַת הַיַּחַד ׳ וְאִם בְּאַחַד מִן הַכּוֹהֲנִים הַכְּתוּבִים בַּסֵּפֶר דִּבֵּר

[f] lies וְנֶעֱנַשׁ — [g] lies בְּהַמְרוֹת — [h] lies לוֹ.

[a] lies אֶל.

befragt werden. Und wenn ihm dann das Los fällt, 19 daß er sich dem Rat der Gemeinschaft nähern darf nach Weisung der Priester und der Menge der Männer ihres Bundes, dann soll man auch seinen Besitz und seine Einkünfte übergeben in die Hand des Mannes, 20 der die Aufsicht führt über die Einkünfte der Vielen[50], und es durch ihn auf Rechnung anschreiben, aber er darf es nicht für die Vielen ausgeben. Er darf nicht das Getränk der Vielen berühren, bis 21 er ein zweites Jahr inmitten der Männer der Gemeinschaft vollendet hat. Wenn er aber das zweite Jahr vollendet hat, dann soll man ihn auf Geheiß der Vielen prüfen. Und wenn ihm 22 das Los fällt, ihn in die Gemeinschaft einzuführen, dann soll man ihn in die Ordnung seiner Rangstufe einschreiben unter seinen Brüdern, für Gesetz und Recht und Reinheit und Beteiligung seines Besitzes. Und sein Rat 23 und sein Urteil sollen der Gemeinschaft gehören[51].

24 Das sind die Ordnungen, nach denen sie in gemeinsamer Untersuchung entsprechend den Fällen richten sollen. Wenn unter ihnen ein Mann gefunden wird, der falsche Angaben macht 25 bezüglich des Besitzes wider sein Wissen, so soll man ihn ausschließen aus der Reinheit der Vielen auf ein Jahr[52], und er soll bestraft werden mit (Entzug von) einem Viertel seiner Essensration. Und wer 26 seinem Nächsten in Halsstarrigkeit antwortet (oder) im Jähzorn spricht, so daß er die Grundlage seiner Gemeinschaft zer[bri]cht, indem er der Weisung seines Nächsten widerstrebt, der vor ihm eingeschrieben ist, 27 der hat sich mit eigener Hand [ge]holfen. Er soll für ein Jahr [mit Ausschluß] bestraft werden. [W]er etwas erwähnt im Namen dessen, der hochgeehrt ist, gegen jemanden, [...][53]

VII

Und wenn er einen Fluch ausgesprochen hat, etwa weil er durch eine Notlage verängstigt war, oder welchen Anlaß er auch haben mag, — und er liest im Buch oder spricht den Segensspruch, so soll man ihn ausschließen, 2 und er soll nicht wieder in den Rat der Gemeinschaft zurückkehren[54]. Und wenn einer gegen einen von den Priestern, die aufgeschrieben sind im Buch, im Zorn geredet hat, so soll er mit einem Jahr bestraft werden 3 und für sich ausgeschlossen sein von der Reinheit der Vielen.

בְּחֵמָה וְנֶעֱנַשׁ שָׁנָה 3 אַחַת וּמוּבְדָּל עַל נַפְשׁוֹ מִן טָהֳרַת רַבִּים '
וְאִם בִּשְׁגָגָה דִבֶּר וְנֶעֱנַשׁ שִׁשָּׁה חוֹדָשִׁים ' וַאֲשֶׁר יְכַחֵס בְּמַדָּעוֹ
4 וְנֶעֱנַשׁ שִׁשָּׁה חוֹדָשִׁים ' וְהָאִישׁ אֲשֶׁר יְצַחֶה בְּלִי מִשְׁפָּט אֵת רֵעֵהוּ
[b]בְּדֵעָהא וְנֶעֱנַשׁ שָׁנָה אַחַת 5 וּמוּבְדָּל ' וַאֲשֶׁר יְדַבֵּר אֵת רֵעֵהוּ
בְּמָרִים אוֹ יַעֲשֶׂה רְמִיָּה בְּמַדָּעוֹ וְנֶעֱנַשׁ שִׁשָּׁה חוֹדָשִׁים ' וְאִם
6 בְּרֵעֵהוּ [c]יִתְרַמֶּה וְנֶעֱנַשׁ שְׁלוֹשָׁה חוֹדָשִׁים ' וְאִם בְּהוֹן הַיַּחַד
יִתְרַמֶּה לְאַבְּדוֹ וְשִׁלְּמוֹ 7 בְּרוֹשׁוֹ ' 8 וְאִם לוֹא תַשִּׂיג יָדוֹ
לְשַׁלְּמוֹ וְנֶעֱנַשׁ [d]שִׁשִּׁים יוֹם[d] ' וַאֲשֶׁר יִטּוֹר לְרֵעֵהוּ אֲשֶׁר לוֹא בְּמִשְׁפָּט
וְנֶעֱנַשׁ שִׁשָּׁה חוֹדָשִׁים [d]שָׁנָה אֶחָת[d] ' 9 וְכֵן לְנוֹקֵם לְנַפְשׁוֹ כוֹל
דָּבָר ' וַאֲשֶׁר יְדַבֵּר בְּפִיהוּ דָבָר נָבָל שְׁלוֹשָׁה חוֹדָשִׁים ' וְלַמְּדַבֵּר
בְּתוֹךְ דִּבְרֵי רֵעֵהוּ 10 עֲשֶׂרֶת יָמִים ' וַאֲשֶׁר יִשְׁכּוֹב וְיִשַׁן בְּמוֹשַׁב
הָרַבִּים שְׁלוֹשִׁים יָמִים ' וְכֵן לָאִישׁ הַנִּפְטָר בְּמוֹשַׁב הָרַבִּים
11 אֲשֶׁר לוֹא בְעֵצָה ' וְהַנָּם עַד שָׁלוֹשׁ פְּעָמִים עַל מוֹשָׁב אֶחָד
וְנֶעֱנַשׁ עֲשֶׂרֶת יָמִים ' וְאִם יְזָקְפוּ 12 וְנִפְטַר וְנֶעֱנַשׁ שְׁלוֹשִׁים יוֹם '
וַאֲשֶׁר יְהַלֵּךְ לִפְנֵי רֵעֵהוּ עָרוֹם וְלוֹא הָיָה אָנוּשׁ וְנֶעֱנַשׁ שִׁשָּׁה
חוֹדָשִׁים ' 13 וְאִישׁ אֲשֶׁר יָרוֹק אֶל תּוֹךְ מוֹשַׁב הָרַבִּים וְנֶעֱנַשׁ
שְׁלוֹשִׁים יוֹם ' וַאֲשֶׁר יוֹצִיא יָדוֹ מִתּוֹחַת בִּגְדוֹ וְהוּאָה 14 פּוּחַ
וְנִרְאֲתָה עֶרְוָתוֹ וְנֶעֱנַשׁ שְׁלוֹשִׁים יוֹם ' וַאֲשֶׁר יִשְׂחַק בְּסִכְלוּת
לְהַשְׁמִיעַ קוֹלוֹ וְנֶעֱנַשׁ שְׁלוֹשִׁים 15 יוֹם ' וְהַמּוֹצִיא אֵת יַד
שְׂמאוֹלוֹ לָשׂוּחַ בָּהּ וְנֶעֱנַשׁ עֲשֶׂרֶת יָמִים ' וְהָאִישׁ אֲשֶׁר יֵלֵךְ רָכִיל
בְּרֵעֵהוּ 16 וְהִבְדִּילֻהוּ שָׁנָה אַחַת מִטָּהֳרַת הָרַבִּים וְנֶעֱנָשׁ '
וְאִישׁ בָּרַבִּים יֵלֵךְ רָכִיל לְשַׁלַּח הוּאָה מֵאִתָּם 17 וְלוֹא יָשׁוּב
עוֹד ' וְהָאִישׁ אֲשֶׁר יִלּוֹן עַל יְסוֹד הַיַּחַד יְשַׁלְּחֻהוּ וְלוֹא יָשׁוּב '
וְאִם עַל רֵעֵהוּ יִלּוֹן 18 אֲשֶׁר לוֹא בְמִשְׁפָּט וְנֶעֱנַשׁ שִׁשָּׁה חוֹדָשִׁים '
וְהָאִישׁ אֲשֶׁר תָּזוּעַ רוּחוֹ מִיְּסוֹד הַיַּחַד לִבְגּוֹד בָּאֱמֶת 19 וְלָלֶכֶת

[b] = בְּדֵעָה — [c] über die Zeile geschrieben — [d–d] über die Zeile geschrieben.

Und wenn er aus Versehen geredet hat, so soll er mit sechs
Monaten bestraft werden. Und wer wissentlich lügt, 4 der
soll mit sechs Monaten bestraft werden. Und der Mann, der
seinen Nächsten ohne Grund wissentlich schmäht, soll mit
einem Jahr bestraft werden 5 und ausgeschlossen werden.
Und wer mit seinem Nächsten betrügerisch (?) redet oder wissentlich Betrug begeht, der soll mit sechs Monaten bestraft werden.
Und wenn er 6 an seinem Nächsten fahrlässig handelt, soll
er mit drei Monaten bestraft werden. Und wenn er am Besitz der
Gemeinschaft fahrlässig handelt, so daß er einen Verlust ver-
ursacht, so soll er ihn 7 persönlich ersetzen. 8 Und wenn er
sich aber nicht anschickt, ihn zu ersetzen, so soll er mit sechzig
Tagen bestraft werden. Und wer seinem Nächsten grollt ohne
Grund, der soll mit sechs Monaten bestraft werden (mit einem
Jahr)[55]; 9 ebenso wer sich selbst für irgendetwas rächt. Und
wer mit seinem Mund ein törichtes Wort spricht, drei Monate.
Und für denjenigen, der mitten in die Worte seines Nächsten
hineinredet, 10 zehn Tage. Und wer sich hinlegt und schläft
während der Sitzung der Vielen, dreißig Tage; ebenso für denjenigen, der sich während der Sitzung der Vielen entfernt, 11 und
zwar ohne Genehmigung. Und wer einschlummert bis zu
dreimal während einer Sitzung, der soll mit zehn Tagen bestraft werden. Und wenn sie stehen (?) 12 und er sich doch
entfernt, so soll er mit dreißig Tagen bestraft werden. Und wer
vor seinem Nächsten nackt geht, ist aber nicht gezwungen dazu,
soll mit sechs Monaten bestraft werden. 13 Und ein Mann,
der mitten in die Sitzung der Vielen hineinspuckt[56], soll mit
dreißig Tagen bestraft werden. Und wer seine Hand aus seinem
Gewand hervorstreckt und es 14 flattert, so daß seine Blöße
sichtbar wird, der soll mit dreißig Tagen bestraft werden. Und
wer töricht mit lauter Stimme lacht, der soll bestraft werden mit
dreißig 15 Tagen. Und wer seine linke Hand herausstreckt,
um damit zu fuchteln, der soll mit zehn Tagen bestraft werden.
Und wer seinen Nächsten verleumderisch hintergeht, 16 den
soll man auf ein Jahr ausschließen von der Reinheit der Vielen,
und er soll bestraft werden. Und wer die Vielen verleumderisch
hintergeht, den soll man von ihnen fortschicken, 17 und nicht
darf er zurückkehren. Und wer gegen die Grundlage der Gemeinschaft murrt, den soll man fortschicken, und nicht darf er
zurückkehren[57]. Und wenn er gegen seinen Nächsten murrt
18 ohne Grund, so soll er mit sechs Monaten bestraft

בְּשְׁרִירוּת לִבּוֹ אִם יָשׁוּב וְנֶעֱנַשׁ שְׁתֵּי שָׁנִים ׳ בָּרִשׁוֹנָה לוֹא יִגַּע
בְּטָהֳרַת הָרַבִּים 20 וּבַשֵּׁנִית לוֹא יִגַּע מַשְׁקֵה הָרַבִּים וְאַחַר
כּוֹל אַנְשֵׁי הַיַּחַד יֵשֵׁב ׳ וּבִמְלוֹאת 21 לוֹ שְׁנָתַיִם יָמִים יִשְׁאֲלוּ
הָרַבִּים עַל דְּבָרָיו ׳ וְאִם יְקָרְבֻהוּ וְנִכְתַּב בְּתִכּוּנוֹ וְאַחַר יִשָּׁאֵל
[e]אֶל הַמִּשְׁפָּט ׳ 22 וְכוֹל אִישׁ אֲשֶׁר יִהְיֶה בַּעֲצַת הַיַּחַד עַל
מְלוֹאת עֶשֶׂר שָׁנִים 23 וְשָׁבָה רוּחוֹ לִבְגוֹד בַּיַּחַד וְיָצָא מִלִּפְנֵי
24 הָרַבִּים לָלֶכֶת בִּשְׁרִירוּת לִבּוֹ לוֹא יָשׁוּב אֶל עֲצַת הַיַּחַד
עוֹד ׳ וְאִישׁ מֵאַנְשֵׁי הַיַּחַ[[f]ד אֲשֶׁר יִתְ[f]]עָרֵב 25 עִמּוֹ בְּטָהֳרָתוֹ
אוֹ בְהוֹנוֹ אֲשֶׁ[ר עָרַב עִם הוֹן] הָרַבִּים וְהָיָה מִשְׁפָּטוֹ כָּמוֹהוּ
לְשַׁ[לַּח הוּאָה] ׳

VIII

בַּעֲצַת הַיַּחַד שְׁנֵים עָשָׂר אִישׁ וְכוֹהֲנִים שְׁלוֹשָׁה תְּמִימִים בְּכוֹל
הַנִּגְלָה מִכּוֹל 2 הַתּוֹרָה לַעֲשׂוֹת אֱמֶת וּצְדָקָה וּמִשְׁפָּט וְאַהֲבַת
חֶסֶד וְהַצְנֵעַ לֶכֶת אִישׁ [a]אֶם רֵעֵהוּ 3 לִשְׁמוֹר אֱמוּנָה בָּאָרֶץ
בְּיֵצֶר סָמוּךְ וְרוּחַ נִשְׁבָּרָה וּלְרַצַּת עָווֹן בְּעוֹשֵׂי מִשְׁפָּט 4 וְצָרַת
מַצְרֵף וּלְהִתְהַלֵּךְ עִם כּוֹל בְּמִדַּת הָאֱמֶת וּבְתִכּוּן הָעֵת ׳ בִּהְיוֹת
אֵלֶּה בְּיִשְׂרָאֵל 5 נְכוֹנָה עֲצַת הַיַּחַד בֶּאֱמֶת לְמַטַּעַת עוֹלָם
בֵּית קוֹדֶשׁ לְיִשְׂרָאֵל וְסוֹד קוֹדֶשׁ 6 קוֹדָשִׁים לְאַהֲרוֹן עֵדֵי
אֱמֶת לַמִּשְׁפָּט וּבְחִירֵי רָצוֹן לְכַפֵּר בְּעַד הָאָרֶץ וּלְהָשִׁב
7 לָרְשָׁעִים גְּמוּלָם ׳ הִיאָה חוֹמַת הַבֹּחַן פִּנַּת יְקַר בַּל 8 יִזְדַּעְזְעוּ

[e] lies עַל — [f–f] Ergänzung nach 4 QSe.

[a] lies עִם oder אֵת.

werden. Der Mann, dessen Geist gegenüber der Grundlage der Gemeinschaft schwankt, so daß er abtrünnig wird von der Wahrheit 19 und in der Verstocktheit seines Herzens wandelt, der soll, wenn er umkehrt, mit zwei Jahren bestraft werden. Im ersten Jahr darf er die Reinheit der Vielen nicht berühren, 20 und im zweiten darf er nicht den Trank der Vielen berühren und muß hinter allen Männern der Gemeinschaft sitzen. Und wenn vollendet sind 21 seine zwei Jahre, dann sollen die Vielen über seine Angelegenheiten befragt werden. Und wenn sie ihn zulassen, dann soll er in seiner Rangstufe eingeschrieben werden, und danach soll er (wieder) über das Recht befragt werden. 22 Und jeder Mann, der sich im Rat der Gemeinschaft volle zehn Jahre[58] befindet, 23 aber sein Geist wendet sich ab, so daß er abtrünnig wird von der Gemeinschaft und er weggeht von 24 den Vielen, um in der Verstocktheit seines Herzens zu wandeln, der soll nicht mehr in den Rat der Gemeinschaft zurückkehren. Und wenn ein Mann aus den Männern der Gemein[schaft] mit ihm [Gemein]schaft gehabt hat 25 in seiner Reinheit oder seinem Besitz, d[en er gegeben hat unter den Besitz] der Vielen, so soll derselbe Urteilspruch[59] über ihn ergehen, [ihn fort]zuschicken.

VIII

Im Rat der Gemeinschaft sollen zwölf Männer sein und drei Priester[60], vollkommen in allem, was offenbart ist aus dem ganzen 2 Gesetz, um Treue zu üben, Gerechtigkeit, Recht, barmherzige Liebe und demütigen Wandel, ein jeder mit seinem Nächsten, 3 Treue zu bewahren im Lande mit festem Sinn und zerbrochenem Geist, Schuld zu sühnen, indem sie Recht tun 4 und Drangsal der Läuterung (ertragen), um mit allen im Maß der Wahrheit und in der Ordnung der Zeit zu wandeln. Wenn dies in Israel geschieht, 5 dann ist der Rat der Gemeinschaft fest gegründet in der Wahrheit für die ewige Pflanzung[61], ein heiliges Haus für Israel und eine Gründung des Allerheiligsten 6 für Aaron, Zeugen der Wahrheit für das Gericht und Auserwählte des (göttlichen) Wohlgefallens, um für das Land zu sühnen und 7 den Gottlosen ihre Taten zu vergelten. Dies ist die erprobte Mauer, der köstliche Eckstein[62], nicht 8 werden seine Fundamente wanken noch von ihrem Platz weichen —, eine Stätte des Allerheiligsten 9 für Aaron mit ewiger Erkenntnis für den

יְסוֹדוֹתֵיהוּ וּבַל יָחִישׁוּ מִמְּקוֹמָם מְעוֹן קוֹדֶשׁ קוּדָשִׁים 9 לְאַהֲרוֹן
בְּדַעַת [b]כּוּלָם לִבְרִית מִשְׁפָּט [c]וְלַקְרִיב [d]רֵיחַ נִיחוֹחַ וּבֵית תָּמִים
וֶאֱמֶת בְּיִשְׂרָאֵל 10 לְהָקֵם בְּרִית לְחוּקוֹת עוֹלָם · [e]וְהָיוּ לְרָצוֹן
לְכַפֵּר בְּעַד הָאָרֶץ וְלַחֲרוֹץ מִשְׁפַּט רִשְׁעָה וְאֵין עַוְלָה[e] · בְּהָכִין
אֵלֶּה בִּיסוֹד הַיַּחַד שְׁנָתַיִם יָמִים בִּתְמִים דֶּרֶךְ 11 יִבָּדְלוּ
קוֹדֶשׁ בְּתוֹךְ עֲצַת אַנְשֵׁי הַיַּחַד · וְכוֹל דָּבָר הַנִּסְתָּר מִיִּשְׂרָאֵל
[d]וְנִמְצָאוֹ לָאִישׁ 12 הַדּוֹרֵשׁ אַל יַסְתִּרֵהוּ מֵאֵלֶּה מִיִּרְאַת רוּחַ
נְסוֹגָה · וּבִהְיוֹת אֵלֶּה לַיַּחַד בְּיִשְׂרָאֵל 13 [e]בַּתְּכוּנִים הָאֵלֶּה[e]
יִבָּדְלוּ מִתּוֹךְ מוֹשַׁב [f]הַנְּשֵׁי הָעָוֶל לָלֶכֶת לַמִּדְבָּר לְפַנּוֹת שָׁם
אֶת דֶּרֶךְ [g]הוּאָהָא 14 כַּאֲשֶׁר כָּתוּב בַּמִּדְבָּר פַּנּוּ דֶּרֶךְ .... יַשְּׁרוּ
בָּעֲרָבָה מְסִלָּה לֵאלוֹהֵינוּ · 15 הִיאָה מִדְרַשׁ הַתּוֹרָה [[h]אֲשֶׁר]
צִוָּה בְּיַד מוֹשֶׁה לַעֲשׂוֹת כְּכוֹל הַנִּגְלָה עֵת בְּעֵת 16 וְכַאֲשֶׁר
גָּלוּ הַנְּבִיאִים בְּרוּחַ קוֹדְשׁוֹ · וְכוֹל אִישׁ מֵאַנְשֵׁי [i]הַיַּחַד בְּרִית
17 הַיַּחַד אֲשֶׁר יָסוּר מִכּוֹל הַמִּצְוָה דָּבָר בְּיַד רָמָה אַל יִגַּע
בְּטָהֳרַת אַנְשֵׁי הַקּוֹדֶשׁ 18 וְאַל יֵדַע בְּכוֹל עֲצָתָם עַד אֲשֶׁר
יִזְכּוּ מַעֲשָׂיו מִכּוֹל עָוֶל לְהַלֵּךְ בְּתָמִים דֶּרֶךְ וְקֵרְבֵהוּ 19 בָּעֵצָה
עַל פִּי הָרַבִּים וְאַחַר יִכָּתֵב בְּתִכּוּנוֹ · וְכַמִּשְׁפָּט הַזֶּה לְכוֹל הַנּוֹסָף
לַיַּחַד · 20 וְאֵלֶּה הַמִּשְׁפָּטִים אֲשֶׁר יֵלְכוּ בָם [k]אַנְשֵׁי הַתָּמִים
קוֹדֶשׁ[k] אִישׁ אֶת רֵעֵהוּ 21 כּוֹל הַבָּא בַעֲצַת הַקּוֹדֶשׁ הַהוֹלְכִים
בְּתָמִים דֶּרֶךְ כַּאֲשֶׁר צִוָּה · כּוֹל אִישׁ מֵהֵמָּה 22 אֲשֶׁר יַעֲבֹר
דָּבָר מִתּוֹרַת מוֹשֶׁה בְּיָד רָמָה אוֹ בִרְמִיָּה יְשַׁלְּחֵהוּ מֵעֲצַת הַיַּחַד
23 וְלוֹא יָשׁוּב עוֹד · וְלוֹא יִתְעָרֵב אִישׁ מֵאַנְשֵׁי הַקּוֹדֶשׁ בְּהוֹנוֹ וְעִם
עֲצָתוֹ לְכוֹל 24 דָּבָר · וְאִם בִּשְׁגָגָה יַעֲשֶׂה וְהוּבְדַּל מִן הַטָּהֳרָה
וּמִן הָעֵצָה וְדָרְשׁוּ הַמִּשְׁפָּט 25 אֲשֶׁר לוֹא יִשְׁפּוֹט אִישׁ וְלוֹא

[b] lies עוֹלָם — [c] = וּלְהַקְרִיב — [d] lies mit 4 QSe וְנִמְצָא —
[e–e] über der Zeile nachgetragen — [f] lies אַנְשֵׁי — [g] 4 QSe: הָאֱמֶת —
[h] Ergänzung nach 4 QSd — [i] fehlt in 4 QSd — [k–k] = אַנְשֵׁי תְּמִים הַקּוֹדֶשׁ.

Bund der Gerechtigkeit, und um darzubringen einen angenehmen
Opfergeruch, und ein Haus der Vollkommenheit und Wahrheit in
Israel, 10 um den Bund nach den ewigen Gesetzen aufzu- 10
richten. Und sie sollen wohlgefällig sein, zu sühnen für das
Land und das Urteil über die Gottlosigkeit zu fällen[63], so daß
kein Frevel mehr sein wird. Wenn man diese (Männer) auf der
Grundlage der Gemeinschaft zwei Jahre lang in vollkommenem
Wandel gefestigt hat[64], 11 sollen sie abgesondert werden in
Heiligkeit inmitten des Rates der Männer der Gemeinschaft.
Und keine Angelegenheit, die verborgen war vor Israel, aber
gefunden worden ist von dem Mann, 12 der forscht, soll er
vor diesen verbergen aus Furcht vor einem abtrünnigen Geist.
Wenn dies für die Gemeinschaft in Israel geschieht, 13 so
sollen sie entsprechend diesen Festsetzungen ausgesondert werden
aus der Mitte des Wohnsitzes der Männer des Frevels, um in
die Wüste[65] zu gehen, dort den Weg des „Er"[66] zu bereiten,
14 wie geschrieben steht: In der Wüste bereitet den Weg des
Herrn[67], macht eben in der Steppe eine Bahn unserem Gott
(Jes. 40, 3). 15 Das ist das Studium des Gesetzes, [welches] 15
er durch Mose befohlen hat, zu tun gemäß allem, was geoffenbart
ist von Zeit zu Zeit, 16 und wie die Propheten offenbart
haben durch seinen heiligen Geist. Und jeder Mann von den
Männern der Gemeinschaft, vom Bund 17 der Gemeinschaft,
der absichtlich in einem Wort vom ganzen Gebot abweicht,
darf nicht die Reinheit der Männer der Heiligkeit berühren,
18 und nicht darf er Kenntnis haben von all ihrem Rat, bis seine
Werke gereinigt sind von allem Frevel, so daß er in der Vollkommenheit des Weges wandelt. Dann soll man ihn aufnehmen 19 in den Rat auf Geheiß der Vielen, und danach soll
er in seine Rangstufe eingeschrieben werden. Nach dieser Vorschrift (soll verfahren werden) mit jedem, der sich der Gemeinschaft anschließt. 20 Und das sind die Ordnungen, 20
nach denen die Männer vollkommener Heiligkeit wandeln sollen,
ein jeder mit seinem Nächsten, 21 jeder, der in den Rat der
Heiligkeit eintritt, derer, die in der Vollkommenheit des Weges
wandeln, wie er befohlen hat. Jeden Mann unter ihnen, 22 der
ein Wort aus dem Gesetz Moses absichtlich oder aus Nach-
lässigkeit übertritt, soll man aus dem Rat der Gemeinschaft
fortschicken, 23 und er darf nicht wieder zurückkehren. Und
kein Mann unter den Männern der Heiligkeit darf an seinem Besitz oder seinem Rat teilhaben in irgendeiner 24 Angelegenheit.

יִשָּׁאֵל עַל כּוֹל עֵצָה שְׁנָתַיִם יָמִים ·[1]אִם תִּתֹּם דַּרְכּוֹ 26 בְּמוֹשָׁב[1]
בְּמִדְרָשׁ וּבְעֵצָה [עַל פִּי הָרַבִּי]ם אִם לוֹא שָׁגַג עוֹד עַד מְילֵאת
לוֹ שְׁנָתַיִם 27 יָמִים ·

IX

כִּיא עַל שְׁגָגָה אַחַת יֵעָנֵשׁ שְׁנָתַיִם · וְלָעוֹשֶׂה בְּיָד רָמָה לוֹא יָשׁוּב
עוֹד · אַךְ הַשּׁוֹגֵג 2 יִבָּחֵן שְׁנָתַיִם יָמִים לִתְמִים דַּרְכּוֹ וַעֲצָתוֹ
עַל פִּי הָרַבִּים · וְאַחַר [a]יִכָּתֵיב בְּתִכּוּנוֹ לְיַחַד קוֹדֶשׁ · 3 בִּהְיוֹת
אֵלֶּה בְיִשְׂרָאֵל כְּכוֹל הַתְּכוּנִים הָאֵלֶּה לִיסוֹד רוּחַ קוֹדֶשׁ לֶאֱמֶת
4 עוֹלָם לְכַפֵּר עַל אַשְׁמַת פֶּשַׁע וּמַעַל חַטָּאת וּלְרָצוֹן לָאָרֶץ
מִבְּשַׂר עוֹלוֹת וּמֵחֶלְבֵי זָבַח · וּתְרוּמַת 5 שְׂפָתַיִם לַמִּשְׁפָּט
כְּנִיחוֹחַ צֶדֶק וּתְמִים דֶּרֶךְ כְּנִדְבַת מִנְחַת רָצוֹן · בָּעֵת הַהִיאָה
יַבְדִּילוּ אַנְשֵׁי 6 הַיַּחַד בֵּית קוֹדֶשׁ לְאַהֲרוֹן לְהִוָּחֵד קוֹדֶשׁ
קוֹדָשִׁים וּבֵית יַחַד לְיִשְׂרָאֵל הַהוֹלְכִים בְּתָמִים · 7 רַק בְּנֵי
אַהֲרוֹן יִמְשְׁלוּ בַּמִּשְׁפָּט וּבַהוֹן וְעַל פִּיהֶם יֵצֵא [b]וְהַגּוֹרָל לְכוֹל
תִּכּוּן אַנְשֵׁי הַיַּחַד 8 וְהוֹן אַנְשֵׁי הַקּוֹדֶשׁ הַהוֹלְכִים בְּתָמִים · אַל
יִתְעָרֵב הוֹנָם עִם הוֹן אַנְשֵׁי הָרְמִיָּה אֲשֶׁר 9 לוֹא הֵזַכּוּ דַּרְכָּם
לְהִבָּדֵל מֵעָוֶל וְלָלֶכֶת בְּתָמִים דָּרֶךְ · וּמִכּוֹל עֲצַת הַתּוֹרָה לוֹא
יֵצְאוּ לָלֶכֶת 10 בְּכוֹל שְׁרִירוּת לִבָּם וְנִשְׁפְּטוּ בַּמִּשְׁפָּטִים
הָרִשׁוֹנִים אֲשֶׁר הֵחֵלּוּ אַנְשֵׁי הַיַּחַד [c]לְתִיַסֵּר בָּם 11 עַד בּוֹא
נָבִיא וּמְשִׁיחֵי אַהֲרוֹן וְיִשְׂרָאֵל ·

12 אֵלֶּה הַחוּקִּים לַמַּשְׂכִּיל לְהִתְהַלֵּךְ בָּם עִם כּוֹל חַי לְתִכּוּן
עֵת וָעֵת וּלְמִשְׁקַל אִישׁ וָאִישׁ · 13 לַעֲשׂוֹת אֶת רְצוֹן אֵל כְּכוֹל

[1–1] 4 QSd: וְשָׁב.

[a] 4 QSd: נִכְתַּב — [b] lies הַגּוֹרָל — [c] לְהִתְיַסֵּר.

Und wenn er aus Versehen gehandelt hat, soll er von der Reinheit und dem Rat abgesondert werden, und sie sollen die Anordnung auslegen (dahin), 25 daß er keinen richten und nicht um Rat gefragt werden darf zwei Jahre lang. Wenn aber sein Wandel vollkommen ist 26 in der Sitzung, im Studium und im Rat [nach Meinung der Viele]n, (d.h.) wenn er nicht wieder sich irrtümlich vergeht innerhalb von zwei vollen 27 Jahren;

IX

denn für ein versehentliches Vergehen soll jemand mit zwei Jahren bestraft werden; wer aber absichtlich handelt, darf nicht wieder zurückkehren; nur wer versehentlich sich vergeht, 2 soll geprüft werden zwei Jahre lang auf die Vollkommenheit seines Weges und seines Rates auf Geheiß der Vielen; danach soll er eingeschrieben werden in seiner Rangstufe in der heiligen Gemeinschaft. 3 Wenn dies in Israel geschieht entsprechend all diesen Anordnungen zu einer Grundlage des heiligen Geistes, zu ewiger Wahrheit, 4 um zu entsühnen die Schuld der Übertretung und die Tat der Sünde, zum (göttlichen) Wohlgefallen am Lande mehr als Fleisch von Brandopfern und Fett von Schlachtopfern: das Hebopfer 5 der Lippen nach der Vorschrift ist wie Opferduft der Gerechtigkeit und vollkommener Wandel wie ein wohlgefälliges freiwilliges Opfer[68]. In jener Zeit sollen die Männer 6 der Gemeinschaft ein heiliges Haus für Aaron absondern, um vereint zu sein als Allerheiligstes, und ein Haus der Gemeinschaft für Israel[69], die in Vollkommenheit wandeln. 7 Nur die Söhne Aarons sollen in Bezug auf Rechtsprechung und Besitz herrschen, nach ihrer Weisung soll das Los fallen für jede Anordnung der Männer der Gemeinschaft 8 und den Besitz der Männer der Heiligkeit, die in Vollkommenheit wandeln. Ihr Besitz soll nicht vereint werden mit dem Besitz der Männer des Trugs, die 9 ihren Wandel nicht geläutert haben, um sich zu scheiden vom Frevel und auf dem Wege der Vollkommenheit zu wandeln. Und von keinem Rat des Gesetzes sollen sie abweichen, um 10 in aller Verstocktheit ihres Herzens zu wandeln, sondern sie sollen nach den früheren Bestimmungen gerichtet werden, durch welche im Anfang die Männer der Gemeinschaft in Zucht gehalten worden sind, 11 bis daß der Prophet und die Gesalbten Aarons und Israels kommen[70].

הַנִּגְלָה לְעֵת בָּעֵת וּלְמוֹד אֵת כּוֹל הַשֵּׂכֶל הַנִּמְצָא לְפִי הָעִתִּים
וְאֵת 14 חוֹק הָעֵת ׳ לְהַבְדִּיל וְלִשְׁקוֹל בְּנֵי [d]הַצָּדוֹק לְפִי
[e]רוּחוֹם וּבִבְחִירֵי הָעֵת לְהַחֲזִיק עַל פִּי 15 רְצוֹנוֹ כַּאֲשֶׁר צִוָּה ׳
וְאִישׁ כְּרוּחוֹ כֵּן לַעֲשׂוֹת מִשְׁפָּטוֹ וְאִישׁ כְּבוֹר כַּפָּיו לְקָרְבוֹ וּלְפִי
שִׂכְלוֹ 16 לְהַגִּישׁוֹ וְכֵן אַהֲבָתוֹ עִם שִׂנְאָתוֹ ׳ וַאֲשֶׁר לוֹא לְהוֹכִיחַ
וּלְהִתְרוֹבֵב עִם אַנְשֵׁי הַשַּׁחַת 17 [f]וְלַסְתִּר אֵת עֲצַת הַתּוֹרָה
בְּתוֹךְ אַנְשֵׁי הָעָוֶל וּלְהוֹכִיחַ דַּעַת אֱמֶת וּמִשְׁפַּט צֶדֶק [g]לְבוֹחֲרֵי
18 דֶרֶךְ אִישׁ כְּרוּחוֹ כְּתִכּוּן הָעֵת לְהַנְחוֹתָם בְּדֵעָה וְכֵן לְהַשְׂכִּילָם
בְּרָזֵי פֶלֶא וֶאֱמֶת בְּתוֹךְ 19 אַנְשֵׁי הַיַּחַד לְהַלֵּךְ תָּמִים אִישׁ אֵת
רֵעֵהוּ בְּכוֹל הַנִּגְלָה לָהֶם ׳ הִיאָה עֵת פַּנּוֹת הַדֶּרֶךְ 20 לַמִּדְבָּר ׳
וּלְהַשְׂכִּילָם [h]כּוֹל הַנִּמְצָא לַעֲשׂוֹת בָּעֵת הַזּוֹאת וְהִבָּדֵל מִכּוֹל אִישׁ
וְלוֹא הֵסֵר דַּרְכּוֹ 21 מִכּוֹל עָוֶל ׳ וְאֵלֶּה תִכּוּנֵי הַדֶּרֶךְ לַמַּשְׂכִּיל
בָּעִתִּים הָאֵלֶּה לְאַהֲבָתוֹ עִם שִׂנְאָתוֹ ׳ שִׂנְאַת עוֹלָם 22 עִם
אַנְשֵׁי שַׁחַת בְּרוּחַ הַסְתֵּר לַעֲזוֹב לָמוֹ הוֹן וַעֲמַל כַּפַּיִם כְּעֶבֶד
לַמּוֹשֵׁל בּוֹ וַעֲנָוָה לִפְנֵי 23 הָרוֹדֶה בוֹ ׳ וְלִהְיוֹת אִישׁ מְקַנֵּא
לַחוֹק וְעִתּוֹ לְיוֹם נָקָם לַעֲשׂוֹת רָצוֹן בְּכוֹל מִשְׁלַח כַּפַּיִם
24 וּבְכוֹל מִמְשָׁלוֹ כַּאֲשֶׁר צִוָּה ׳ וְכוֹל הַנַּעֲשֶׂה בוֹ יִרְצֶה בִנְדָבָה
וְזוּלַת רְצוֹן אֵל [i]לוֹ יַחְפֹּץ ׳ 25 [וּבְכוֹ]ל אִמְרֵי פִיהוּ יִרְצֶה וְלוֹא
יִתְאַוֶּה בְכוֹל אֲשֶׁר לוֹא צִוָּ[ה וּלְמִ]שְׁפַּט אֵל יְצַפֶּה תָמִיד
26 [ ]ה יְבָרֵךְ [j]עוֹשָׂיו וּבְכוֹל אֲשֶׁר יִהְיֶה יְסַ[פֵּר
תְּרוּמַת] שְׂפָתַיִם יְבָרְכֶנּוּ

[d] lies mit 4 QSe הַצֶּדֶק — [e] = רוּחָם — [f] = וּלְהַסְתִּר — [g] 4 QSd: לִבְחִירֵי — [h] 4 QSd, Se: בְּכוֹל — [i] lies לוֹא — [j] lies עוֹשׂוֹ.

12 Dies sind die Gebote für den Unterweiser[71], damit er in ihnen wandle mit allem Lebendigen gemäß der Ordnung der jeweiligen Zeit und dem Gewicht[72] jedes einzelnen Mannes; 13 den Willen Gottes zu tun entsprechend allem, was offenbart ist für die jeweilige Zeit, und alle Einsicht zu lernen, die gefunden worden ist entsprechend den Zeiten, und 14 das Gebot der Zeit; abzusondern und zu wägen die Söhne der Gerechtigkeit nach ihren Geistern und an den Auserwählten der Zeit festzuhalten gemäß 15 seinem Willen, wie er befohlen hat; einen jeden entsprechend seinem Geist zu beurteilen und einen Mann entsprechend der Reinheit seiner Hände einzuführen und entsprechend seinem Wissen 16 ihn aufzunehmen, und entsprechend sein Lieben und sein Hassen. Und: nicht zurechtzuweisen oder Auseinandersetzungen zu haben mit den Männern der Grube[73] 17 und den Rat des Gesetzes zu verbergen inmitten der Männer des Frevels und mit Wissen, Wahrheit und gerechtem Urteil diejenigen zurechtzuweisen, die den Weg[74] wählen, 18 jeden nach seinem Geiste, nach der Ordnung der Zeit, um sie mit Erkenntnis zu leiten und sie so Einsicht zu lehren in die Geheimnisse des Wunders und der Wahrheit inmitten 19 der Männer der Gemeinschaft, daß sie vollkommen wandeln, jeder mit seinem Nachsten in allem, was ihnen offenbart ist, — das ist die Zeit, den Weg zu bereiten 20 für die Wüste[75] —, und sie über alles zu belehren, was es gibt, was zu dieser Zeit getan werden muß, und sich abzusondern von allen Menschen und nicht seinen Weg zu ändern 21 infolge irgendeines Frevels. Dies sind die Bestimmungen des Weges für den Unterweiser[71] in diesen Zeiten, für sein Lieben wie für sein Hassen: ewigen Haß 22 gegen die Männer der Grube im Geist des Verbergens, ihnen Besitz und Arbeit der Hände zu lassen, wie ein Sklave (tut) gegenüber dem, der über ihn herrscht, und Demut gegenüber 23 dem, der Herr über ihn ist. Und jeder soll eifern für das Gebot und seine Zeit zum Tag der Rache, den Willen (Gottes) zu tun in allem, woran er Hand anlegt, 24 und in seiner ganzen Herrschaft, wie er befohlen hat. In allem, was durch ihn getan wird, finde er willig Gefallen, aber außer Gottes Willen soll ihm nichts gefallen. 25 [Und an al]len Worten seines Mundes soll er Gefallen haben und nichts begehren, was er nicht befoh[len hat, sondern auf] Gottes [Ge]richt allezeit schauen, 26 [...] er soll seinen Schöpfer preisen, und in jeder Lage soll er er[zählen... Opfer] der Lippen soll er ihn preisen

X

עִם קִצִּים אֲשֶׁר [a]חקקא ׳ בְּרֵשִׁית מֶמְשֶׁלֶת אור עִם תְּקוּפָתוֹ וּבְהֵאָסְפוֹ עַל מְעוֹן חוּקּוֹ ׳ בְּרֵשִׁית 2 אַשְׁמוּרֵי חוֹשֶׁךְ כִּיא יִפְתַּח אוֹצָרוֹ וַיְשִׁתֵהוּ [b]עלת וּבִתְקוּפָתוֹ עִם הֵאָסְפוֹ מִפְּנֵי אוֹר ׳ [c]בְּאוֹפִיעַ 3 מְאוֹרוֹת מִזְּבוּל קוֹדֶשׁ עִם הֵאָסְפָם לִמְעוֹן כָּבוֹד ׳ בְּמְבוֹא מוֹעֲדִים לִימֵי חוֹדֶשׁ יַחַד תְּקוּפָתָם עִם 4 מַסְרוֹתָם זֶה לָזֶה ׳ בְּהִתְחַדְּשָׁם [d]הם גָּדוֹל לְקוֹדֶשׁ קוֹדָשִׁים וְאוֹת [e]נ לְמִפְתַּח חֲסָדָיו עוֹלָם ׳ לְרָאשֵׁי 5 מוֹעֲדִים בְּכוֹל קֵץ נִהְיָה בְּרֵשִׁית יְרָחִים לְמוֹעֲדֵיהֶם וִימֵי קוֹדֶשׁ בְּתִכּוּנָם ׳ לְזִכָּרוֹן בְּמוֹעֲדֵיהֶם 6 תְּרוּמַת שְׂפָתַיִם [f]הֲבָרֶכְנוּ כְחוֹק חָרוּת לָעַד ׳ בְּרָאשֵׁי שָׁנִים וּבִתְקוּפַת מוֹעֲדֵיהֶם בְּהִשָּׁלֵם חוֹק 7 תִּכּוּנָם יוֹם מִשְׁפָּטוֹ זֶה לָזֶה ׳ מוֹעֵד קָצִיר לַקַּיִץ וּמוֹעֵד זֶרַע לְמוֹעֵד דֶּשֶׁא מוֹעֲדֵי שָׁנִים לְשָׁבוּעֵיהֶם 8 וּבְרוֹשׁ שְׁבוּעֵיהֶם לְמוֹעֵד דְּרוֹר ׳ וּבְכוֹל הֱיוֹתִי חוֹק חָרוּת בִּלְשׁוֹנִי לִפְרִי תְהִלָּה וּמְנָת שְׂפָתָי ׳ 9 אֲזַמְּרָה בְדַעַת וְכוֹל נְגִינָתִי לִכְבוֹד אֵל ׳ וְכִנּוֹר נִבְלִי לְתִכּוּן קוֹדְשׁוֹ וַחֲלִיל שְׂפָתַי אֶשָּׂא בְקַו מִשְׁפָּטוֹ ׳ 10 עִם מְבוֹא יוֹם וָלַיְלָה אָבוֹאָה בִּבְרִית אֵל וְעִם מוֹצָא עֶרֶב וָבוֹקֶר אֹמַר חוּקָּיו ׳ וּבִהְיוֹתָם אָשִׂים 11 גְּבוּלִי לְבִלְתִּי שׁוּב ׳ וּמִשְׁפָּטוֹ אוֹכִיחַ כְּנַעֲוָיָתִי וּפְשָׁעַי לְנֶגֶד עֵינַי כְּחוֹק חָרוּת ׳ וּלְאֵל אוֹמַר צִדְקִי 12 וּלְעֶלְיוֹן מֵכִין טוּבִי מְקוֹר דַּעַת וּמַעְיַן קוֹדֶשׁ רוּם כָּבוֹד וּגְבוּרַת כּוֹל לְתִפְאֶרֶת עוֹלָם ׳ [g]הֶבְחֲרָה בַּאֲשֶׁר 13 יוֹרֵנִי וְאֶרְצֶה כַּאֲשֶׁר יְשׁוֹפְטֵנִי ׳ בְּרֵ[ ]שִׁית מִשְׁלַח יָדַי וְרַגְלַי אֲבָרֵךְ שְׁמוֹ ׳ בְּרֵאשִׁית צֵאת וָבוֹא 14 לָשֶׁבֶת וָקוּם וְעִם מִשְׁכַּב יְצוּעַי אֲרַנְּנָה לוֹ וַאֲבָרְכֶנּוּ תְּרוּמַת מוֹצָא שְׂפָתַי מִמַּעֲרֶכֶת אֲנָשִׁים ׳ 15 וּבְטֶרֶם אָרִים יָדַי לְהִדַּשֵּׁן בְּעֶדְנֵי תְנוּבַת

[a] lies חָקַק אֵל — [b] lies עַל תֵּ[בֵל] — [c] lies בְּהוֹפִיעַ — [d] lies mit 4 QSb und 4 QSd: יוֹם — [e] mit 4 QSb und 4 QSd zu streichen — [f] lies אֲבָרְכֶנּוּ, vgl. 4 QSb und 4 QSd — [g] lies אֶבְחֲרָה.

X

während der Zeiten[76], die Gott festgesetzt hat: zu Beginn der
Herrschaft des Lichtes bei seiner Wende[77], und wenn es wieder
fortgenommen wird an den ihm bestimmten Ort; zu Beginn
2 der Wachen der Finsternis, wenn er ihren[78] Verwahrungsort
öffnet und sie über die Er[de] legt, und bei ihrer Wende, wenn
sie fortgenommen werden um des Lichtes willen; wenn erglänzen
3 Leuchten von der heiligen Wohnung her, wenn sie wieder
fortgenommen werden zum Ort der Majestät; beim Eintritt
der Festzeiten nach den Tagen des Monats zusammen mit ihrer
Wende bei 4 ihrer Aufeinanderfolge; wenn sie sich erneuern,
den großen Tag für das Allerheiligste und das Zeichen für die
Eröffnung seiner ewigen Gnaden; zu Beginn 5 der Festzeiten zu jedweder Zeit, zu Beginn der Monate mit ihren festgesetzten Zeiten und der heiligen Tage in ihrer Ordnung; zum
Gedächtnis in ihren festgesetzten Zeiten, 6 ein Hebopfer der
Lippen, will ich ihn preisen nach dem Gebot, das für immer eingegraben ist; zu Beginn der Jahre und der Wende ihrer festgesetzten Zeiten, da sich das Gesetz 7 ihrer Ordnung erfüllt,
Tag für Tag seine Bestimmung: die Erntezeit zum Sommer (hin),
die Saatzeit zur Zeit des Grünens (hin), die festgesetzten Zeiten
der Jahre zu ihren (Jahres-)Wochen[79], 8 und am Beginn ihrer
(Jahres-)Wochen zur festgesetzten Zeit der Freilassung[80]. Solange ich bin, ist ein Gesetz eingegraben auf meiner Zunge zur
Frucht des Lobpreises und als ein Teil meiner Lippen. 9 Ich
will singen in Erkenntnis, und all mein Saitenspiel dient der Ehre
Gottes. Und die Saiten meiner Harfe gelten seiner festen heiligen
Ordnung, und die Flöte meiner Lippen will ich anlegen nach der
Richtschnur seiner Satzung. 10 Wenn der Tag weicht und
die Nacht, will ich eingehen in Gottes Bund, und wenn der Abend
anbricht und der Morgen, will ich seine Gebote sprechen. Und
durch ihr Dasein will ich 11 meine Grenze bestimmen, um
nicht wieder abzufallen. Und sein Gericht will ich gerecht heißen
entsprechend meiner Verkehrtheit, und meine Sünde sei mir vor
Augen wie ein eingegrabenes Gesetz. Aber zu Gott will ich
sprechen: Meine Gerechtigkeit, 12 und zum Höchsten: Gründer meines Gutes, Quelle des Wissens und Quelle der Heiligkeit,
Höhe der Majestät und Allmacht zu ewiger Verherrlichung. Ich
will wählen, was 13 er mich lehrt, und gern annehmen, wie er
mich richtet. Wenn meine Hände und meine Füße beginnen sich zu

תֵּבֵל בְּרֵשִׁית פַּחַד וְאֵימָה וּבִמְכוֹן צָרָה עִם בּוּקָה 16 אֲבָרְכֶנּוּ
בְּהַפְלָא [h]מְוֹדָה וּבִגְבוּרָתוֹ אָשׂוֹחַ וְעַל חֲסָדָיו אֶשָּׁעֵן כּוֹל הַיּוֹם ·
וָאֵדְעָה כִּיא בְיָדוֹ מִשְׁפַּט 17 כּוֹל חַי וֶאֱמֶת כּוֹל מַעֲשָׂיו ·
וּבְהִפָּתַח צָרָה אֲהַלְלֶנּוּ וּבִישׁוּעָתוֹ אֲרַנְּנָה יַחַד · לוֹא אָשִׁיב לָאִישׁ
גְּמוּל 18 רַע בְּטוֹב אֶרְדֹּף גָּבֶר · כִּיא אֵת אֵל מִשְׁפַּט כּוֹל חַי
וְהוּאָה יְשַׁלֵּם לָאִישׁ גְּמוּלוֹ · לוֹא אֲקַנֵּא בְּרוּחַ 19 רִשְׁעָה וּלְהוֹן
חָמָס לוֹא תְאַוֶּה נַפְשִׁי · וְרִיב [i]אנשׁ שַׁחַת לוֹא אֶתְפּוֹשׂ עַד יוֹם
נָקָם · [k]וְאַפִּיא לוֹא 20 אָשִׁיב מֵאַנְשֵׁי עַוְלָה וְלוֹא אֶרְצֶה עַד
הֲכִין מִשְׁפָּט · לוֹא אֶטּוֹר בְּאַף לְשָׁבֵי פֶשַׁע וְלוֹא אֲרַחֵם 21 עַל
כּוֹל סוֹרְרֵי דֶרֶךְ לוֹא אֲנַחֵם בִּנְכָאִים עַד תּוֹם דַּרְכָּם · וּבְלִיַּעַל
לוֹא אֶשְׁמוֹר בִּלְבָבִי וְלוֹא יִשָּׁמַע בְּפִי 22 נַבְלוּת · וְכַחַשׁ עָווֹן
וּמִרְמוֹת וּכְזָבִים לוֹא יִמָּצְאוּ בִשְׂפָתַי וּפְרִי קוֹדֶשׁ בִּלְשׁוֹנִי וְשִׁקּוּצִים
23 לוֹא יִמָּצֵא בָהּ · בְּהוֹדוֹת אֶפְתַּח פִּי וְצִדְקוֹת אֵל תְּסַפֵּר לְשׁוֹנִי
תָּמִיד וּמַעַל אֲנָשִׁים עַד תּוֹם 24 פִּשְׁעָם · רֵקִים אַשְׁבִּית מִשְּׂפָתַי
נִדּוֹת וְנִפְתָּלוֹת מִדַּעַת לִבִּי · בַּעֲצַת תּוּשִׁיָּה [l]אֲסַפֵּר דַּעַת
25 וּבְעָרְמַת דַּעַת אָשׂוֹךְ [בַּעֲדָ]ה גְּבוּל סָמוּךְ לִשְׁמוֹר אֱמָנִים
וּמִשְׁפַּט עוֹז לְצִדְקַת אֵל · א[ ]ה 26 חוֹק בְּקַו עִתִּים [ ]
צֶדֶק אַהֲבַת חֶסֶד לְנִכְנָעִים וְחַזּוֹק יָדַיִם לְנִמְהָ[רֵי לֵב וּלְלַמֵּד]

[h] = מְאֹדָה — [i] lies אַנְשֵׁי — [k] = וְאַפִּי — [l] über der Zeile korrigiert aus אַסְתֵּר.

regen, will ich seinen Namen preisen; zu Beginn von Ausgang und Eingang, 14 wenn ich mich setze oder aufstehe, und wenn ich auf dem Lager liege, will ich ihm jauchzen und ihn preisen als Hebopfer, das von meinen Lippen kommt, aus der Reihe der Männer. 15 Und bevor ich meine Hand erhebe, mich zu sättigen vom reichen Ertrag der Welt, zu Beginn von Furcht und Grauen und am Ort der Trübsal und Öde 16 will ich ihn preisen, weil er überaus wunderbar handelt, und seine Macht will ich bedenken und mich stützen auf seine Gnadenerweise den ganzen Tag. Und ich weiß, daß in seiner Hand 17 das Gericht über alles Lebendige liegt und Wahrheit alle seine Werke sind. Und wenn sich Not auftut, will ich ihn rühmen, und über seine Hilfe will ich gleichfalls jubeln. Nicht will ich jemandem seine böse Tat vergelten, 18 mit Gutem will ich jeden verfolgen. Denn bei Gott ist das Gericht über alles Lebendige, und er vergilt dem Mann seine Tat. Ich will nicht eifern im Geist 19 der Gottlosigkeit, und nach gewaltsam angeeignetem Besitz soll meine Seele nicht trachten. Und Streit mit den Männern der Grube will ich nicht aufnehmen bis zum Tag der Rache. Aber meinen Zorn 20 will ich nicht wenden von den Männern des Frevels, und nicht will ich mich zufrieden geben, bis er das Gericht festgesetzt hat. Nicht will ich Groll bewahren gegenüber denen, die sich von der Sünde abgewandt haben, aber nicht will ich mich erbarmen 21 über alle, die den Weg verlassen, nicht will ich trösten die Geschlagenen, bis ihr Wandel vollkommen ist. Böses will ich nicht in meinem Herzen bewahren, und nicht werde in meinem Munde 22 Torheit vernommen. Und sündiger Trug, Täuschungen und Lügen sollen nicht auf meinen Lippen gefunden werden, sondern heilige Frucht sei auf meiner Zunge, und Abscheuliches 23 soll man nicht auf ihr finden. Mit Lobgesängen will ich meinen Mund auftun, und die gerechten Taten Gottes soll meine Zunge ständig erzählen und den Abfall der Menschen bis zum Ende 24 ihrer Sünde. Leere Worte will ich tilgen von meinen Lippen, Schmutz und Verkehrtheit aus dem Wissen meines Herzens. Im Rat der Einsicht will ich Erkenntnis verkünden[81], 25 und mit weiser Klugheit will ich [sie] verwahren, ein fester Bereich, um Treue zu wahren und starkes Recht gemäß Gottes Gerechtigkeit. [...] 26 das Gebot durch das Richtmaß der Zeiten [...] Gerechtigkeit, barmherzige Liebe gegenüber den Demütigen und starke Hände gegenüber den Verzag[ten, um zu lehren]

XI

לְתוֹעֵי רוּחַ בִּינָה וּלְהַשְׂכִּיל רוֹכְנִים בְּלֶקַח וּלְהָשִׁיב עֲנָוָה לְנֶגֶד רָמֵי רוּחַ וּבְרוּחַ נִשְׁבָּרָה לְאַנְשֵׁי 2 מַטֶּה שׁוֹלְחֵי אֶצְבַּע וּמְדַבְּרֵי אָוֶן וּמַקְנֵי הוֹן · כִּיא אֲנִי לְאֵל מִשְׁפָּטִי וּבְיָדוֹ תּוֹם דַּרְכִּי עִם יֹשֶׁר לְבָבִי 3 וּבְצִדְקוֹתָו יִמַּח פִּשְׁעִי · כִּיא מִמְּקוֹר דַּעְתּוֹ פָּתַח אוֹרוֹ וּבְנִפְלְאוֹתָיו הִבִּיטָה עֵינִי וְאוֹרַת לְבָבִי בְּרָ[ז] 4 נִהְיֶה וְהוֹוֵא עוֹלָם מִשְׁעַן יְמִינִי בְּסֶלַע עוֹז דֶּרֶךְ פְּעָמַי מִפְּנֵי כּוֹל לוֹא [a]יזד עזרע[a] · כִּיא אֱמֶת אֵל הִיאָה 5 סֶלַע פְּעָמַי וּגְבוּרָתוֹ מִשְׁעֶנֶת יְמִינִי · וּמִמְּקוֹר צִדְקָתוֹ מִשְׁפָּטִי אוֹר בִּלְבָבִי מֵרָזֵי פִלְאוֹ · בְּהוֹוֵא עוֹלָם 6 הִבִּיטָה עֵינִי תּוּשִׁיָּה אֲשֶׁר נִסְתְּרָה מֵאֱנוֹשׁ דֵּעָה וּמְזִמַּת עָרְמָה מִבְּנֵי אָדָם מְקוֹר צְדָקָה וּמִקְוֵה 7 גְבוּרָה עִם מַעְיַן כָּבוֹד מִסּוֹד בָּשָׂר · לַאֲשֶׁר בָּחַר אֵל נְתָנָם לְאוֹחֻזַּת עוֹלָם וַיַּנְחִילֵם בְּגוֹרַל 8 קְדוֹשִׁים וְעִם בְּנֵי שָׁמַיִם חִבֵּר סוֹדָם לַעֲצַת יַחַד וְסוֹד מַבְנִית קוֹדֶשׁ לְמַטַּעַת עוֹלָם עִם כּוֹל 9 קֵץ נִהְיָה · וַאֲנִי לְאָדָם רִשְׁעָה וּלְסוֹד בְּשַׂר עָוֶל · עֲווֹנוֹתַי פְּשָׁעַי חַטֹּאתַי עִם נַעֲוַיַּת לְבָבִי 10 לְסוֹד רִמָּה וְהוֹלְכֵי חוֹשֶׁךְ · כִּיא [b]לְאָדָם דַּרְכּוֹ וֶאֱנוֹשׁ לוֹא יָכִין צַעֲדוֹ · כִּיא לְאֵל הַמִּשְׁפָּט וּמִיָּדוֹ 11 תּוֹם הַדֶּרֶךְ וּבְדַעְתּוֹ נִהְיָה כּוֹל · וְכוֹל הוֹוֶה בְּמַחֲשַׁבְתּוֹ יְכִינוֹ וּמִבַּלְעָדָיו לוֹא יֵעָשֶׂה · וַאֲנִי אִם 12 אֶמּוֹט חַסְדֵי אֵל יְשׁוּעָתִי לָעַד · וְאִם אֶכְשׁוֹל בַּעֲוֺן בָּשָׂר מִשְׁפָּטִי בְּצִדְקַת אֵל תַּעֲמוֹד לִנְצָחִים · 13 וְאִם יִפְתַּח צָרָתִי וּמִשַּׁחַת יַחֲלֵץ נַפְשִׁי וְיָכֵן לַדֶּרֶךְ פְּעָמָי · בְּרַחֲמָיו הִגִּישַׁנִי וּבַחֲסָדָיו יָבוֹא 14 מִשְׁפָּטִי · בְּצִדְקַת אֲמִתּוֹ שְׁפָטַנִי וּבְרוֹב טוּבוֹ יְכַפֵּר בְּעַד כּוֹל עֲווֹנוֹתַי וּבְצִדְקָתוֹ יְטַהֲרֵנִי מִנִּדַּת 15 אֱנוֹשׁ וְחַטַּאת בְּנֵי אָדָם לְהוֹדוֹת לְאֵל צִדְקוֹ וּלְעֶלְיוֹן תִּפְאַרְתּוֹ · בָּרוּךְ אַתָּה אֵלִי הַפּוֹתֵחַ לְדֵעָה 16 לֵב עַבְדֶּכָה · הָכֵן בְּצֶדֶק כּוֹל מַעֲשָׂיו וְהָקֵם לְבֶן אֲמִתְּכָה כַּאֲשֶׁר

a–a lies יִוָּדְעוּ — b einzufügen לא.

XI

die Wankelmütigen Einsicht und die Murrenden in der Lehre
zu unterweisen[82], in Demut zu antworten den Hochmütigen und
mit zerknirschtem Geiste den 2 Bedrückern, die mit dem Finger
deuten und Lüge reden und Besitz erwerben. Was mich betrifft,
so steht meine Gerechtigkeit bei Gott, und in seiner Hand liegt
die Vollkommenheit meines Wandels mitsamt der Geradheit
meines Herzens, 3 und durch seine Gerechtigkeit wird meine
Sünde getilgt[83]. Denn aus der Quelle seiner Erkenntnis hat er
sein Licht eröffnet, so daß mein Auge seine Wunder erblickte
und das Licht meines Herzens das Geheim[nis] 4 des Ge-
wordenen. Und ewiges Sein ist die Stütze meiner Rechten,
auf einem starken Felsen geht der Weg meiner Schritte, der durch
nichts wanken wird. Denn Gottes Wahrheit, sie ist 5 der Fels 5
meiner Schritte, und seine Macht ist die Stütze meiner Rechten.
Aus dem Quell seiner Gerechtigkeit kommt mein Recht, Licht
ist in meinem Herzen aus seinen wunderbaren Geheimnissen.
Auf das, was ewig ist, 6 hat mein Auge geblickt, tiefe Einsicht, die Menschen verborgen ist, Wissen und kluge Gedanken
(, verborgen) vor den Menschen, eine Quelle der Gerechtigkeit
und Hort 7 der Kraft mit der Quelle der Herrlichkeit (, verborgen) vor der Versammlung des Fleisches. Welche Gott erwählt hat, denen hat er sie zu ewigem Besitz gegeben, und Anteil
hat er ihnen gegeben am Los 8 der Heiligen, und mit den
Söhnen des Himmels[84] hat er ihre Versammlung verbunden zu
einem Rat der Gemeinschaft und Kreis des heiligen Gebäudes[85],
zu ewiger Pflanzung für alle 9 künftigen Zeiten. Doch ich
gehöre zur ruchlosen Menschheit, zur Menge des frevelnden
Fleisches. Meine Sünden, meine Übertretungen, meine Ver-
fehlungen samt der Verderbtheit meines Herzens 10 gehören 10
zur Menge des Gewürms und derer, die in Finsternis wandeln.
Denn (k)ein Mensch (bestimmt) seinen Weg, kein Mensch lenkt
seinen Schritt; sondern bei Gott ist die Gerechtigkeit, und aus
seiner Hand 11 (kommt) vollkommener Wandel, und durch sein
Wissen ist alles entstanden. Alles, was ist, lenkt er nach seinem
Plan, und ohne ihn geschieht nichts. Ich aber, 12 wenn ich
wanke, so sind Gottes Gnadenerweise meine Hilfe auf ewig.
Und wenn ich strauchle durch die Bosheit des Fleisches, so besteht
meine Gerechtigkeit durch die Gerechtigkeit Gottes in Ewigkeit.
13 Und wenn er meine Bedrängnis löst, so wird er meine Seele

רָצִיתָה לִבְחִירֵי אָדָם לְהִתְיַצֵּב 17 לְפָנֶיכָה לָעַד ׳ כִּיא
מִבַּלְעָדֶיכָה לוֹא תִתֹּם דֶּרֶךְ וּבְלִי רְצוֹנְכָה לוֹא יֵעָשֶׂה כוֹל ׳ אַתָּה
הוֹרֵיתָה 18 כוֹל דֵּעָה וְכוֹל הַנִּהְיָה בִּרְצוֹנְכָה הָיָה ׳ וְאֵין אַחֵר
זוּלָתְכָה לְהָשִׁיב עַל עֲצָתְכָה וּלְהַשְׂכִּיל 19 בְּכוֹל מַחֲשֶׁבֶת
קוּדְשְׁכָה וּלְהַבִּיט בְּעוֹמֶק רָזֶיכָה וּלְהִתְבּוֹנֵן בְּכוֹל נִפְלְאוֹתֶיכָה
עִם כּוֹחַ 20 גְּבוּרָתֶכָה ׳ וּמִי יָכוֹל לְהָכִיל אֶת כְּבוֹדֶכָה ׳ וּמָה
אַף הוּאָה בֶּן הָאָדָם בְּמַעֲשֵׂי פִּלְאֶכָה ׳ 21 וִילוּד אִשָּׁה מַה
יֵּשֵׁב לְפָנֶיכָה ׳ וְהוּאָה מֵעָפָר מִגְבָּלוֹ וְלֶחֶם רִמָּה מְדוֹרוֹ ׳ וְהוּאָה
מַצִירוּק 22 חֵמָר קוֹרָץ וְלֶעָפָר תְּשׁוּקָתוֹ ׳ מַה יָּשִׁיב חֵמָר
וְיוֹצֵר יָד [c]וְלַעֲצַת מַה יָּבִין ׳

[c] lies וְלַעֲצָתְכָה

aus der Grube ziehen und meine Schritte auf den Weg lenken.
Durch sein Erbarmen hat er mich nahe gebracht, und durch seine
Gnadenerweise kommt 14 meine Gerechtigkeit. Durch die
Gerechtigkeit seiner Wahrheit hat er mich gerichtet, und durch den
Reichtum seiner Güte sühnt er alle meine Sünden, und durch
seine Gerechtigkeit reinigt er mich von aller Unreinheit 15 des
Menschen und von der Sünde der Menschenkinder, Gott zu
loben für seine Gerechtigkeit und den Höchsten für seine Majestät[86]. Gepriesen seist du, mein Gott, der du zur Erkenntnis auftust
16 das Herz deines Knechtes. Leite durch Gerechtigkeit
all seine Werke und richte den Sohn deiner Wahrheit auf, wie du
Wohlgefallen hast an den Auserwählten der Menschheit, daß sie
stehen 17 vor dir auf ewig. Denn ohne dich wird kein Wandel
vollkommen, und ohne dein Wohlgefallen geschieht nichts. Du
hast 18 alle Erkenntnis gelehrt, und alles, was geschehen ist,
geschah durch dein Wohlgefallen. Kein anderer ist da außer dir,
um auf deinen Ratschluß zu antworten und zu verstehen 19 deinen ganzen heiligen Plan und in die Tiefe deiner Geheimnisse zu
blicken und all deine Wunder zu begreifen samt der Macht
20 deiner Stärke. Wer kann deine Herrlichkeit erfassen? Und
was, wahrlich, ist es, das Menschenkind, unter deinen wunderbaren Werken? 21 Und der vom Weib Geborene, was soll
er vor dir erwidern? Er, seine Form ist aus Staub, und Speise
des Gewürms ist seine Wohnung. Und er [.?.] 22 geformter
Lehm[87], und nach dem Staub steht sein Begehren. Was soll der
Lehm erwidern und das von der Hand Geformte, und deinen
Ratschluß, wie soll er ihn verstehen?

DIE GEMEINSCHAFTSREGEL

1 QSa

Die beiden Kolumnen enthalten eine Art Anhang zur Gemeinderegel 1 QS. Freilich bilden auch sie keine Einheit, sondern Stücke verschiedenen Inhalts sind aneinandergefügt: I, 1–5 ist von der Versammlung der ganzen Gemeinde die Rede, I, 6–19a werden Vorschriften über die Heranbildung der Gemeindeglieder aufgeführt. I, 19b–25a werden dann besondere Fälle besprochen: von törichten Leuten und von den Leviten. I, 25b–II, 11a wird über die Einberufung der Vollversammlung gehandelt. Schließlich werden Bestimmungen für das messianische Festmahl und die bei diesem zu wahrende Ordnung aufgestellt (II, 11b–22). Mancherlei inhaltlichen Berührungen mit der Gemeinderegel 1 QS stehen auch Unterschiede — so z.B. die Erwähnung der Frauen und Kinder — gegenüber. Wie die Einleitung I, 1 und besonders deutlich der Abschnitt II, 11b–22 zeigen, sollen die Bestimmungen von 1 QSa für die Gemeinde Israels am Ende der Tage, also in der messianischen Heilszeit, gelten.

Erstausgabe des Textes: Barthélemy-Milik, D.J.D.I, S. 108–118; zum Text vgl. ferner P. Bocaccio-G, Berardi, Regula congregationis, Fano 1956; Habermann, S. 59f. sowie H. N. Richardson, Some Notes on 1 QSa, J. B. L. 76 (1958), S. 108–122. Übersetzungen bei Bardtke, Burrows, Carmignac II, Dupont-Sommer, Gaster, Maier und Vermes. Zur Erklärung vgl. den Kommentar des Herausgebers a.a.O., Richardson a.a.O. und Maier II, S. 154–160.

I

וְזֶה הַסֶּרֶךְ לְכוֹל עֲדַת יִשְׂרָאֵל בְּאַחֲרִית הַיָּמִים בְּהֵ[אָ]סְפָם
[לְיַחַד לְהִתְהַ]לֵּךְ 2 עַל פִּי מִשְׁפַּט בְּנֵי צָדוֹק הַכּוֹהֲנִים וַאֲנוֹשֵׁי
בְּרִיתָם אֲשֶׁר סָר[וּ מִלֶּכֶת בְּ]דֶרֶךְ 3 הָעָם ' הֵמָּה אַנוֹשֵׁי עֲצָתוֹ
אֲשֶׁר שָׁמְרוּ בְּרִיתוֹ בְתוֹךְ רִשְׁעָה לְכַפֵּ[ר בְּעַד הָאָ]רֶץ '
4 [a]בבואים יַקְהִילוּ אֵת כּוֹל הַבָּאִים מִטַּף עַד נָשִׁים וְקָרְאוּ
בְּאוֹ[זְנֵיהֶמָּה] אֵת 5 [כּ]וֹל חוּקֵּי הַבְּרִית וְלַהֲבִינָם בְּכוֹל
מִשְׁפְּטֵיהֶמָּה פֶּן יִשְׁגּוּ בְּמִ[שְׁגּוֹתֵיהֶ]מָּה ' 6 וְזֶה הַסֶּרֶךְ לְכוֹל
צִבְאוֹת הָעֵדָה לְכוֹל הָאֶזְרָח בְּיִשְׂרָאֵל ' וּמִן נְעַ[וּרָיו]
7 [לְלַ]מְּדֵהוּ בְּסֵפֶר הֶהָגִי ' וּכְפִי יוֹמָיו יַשְׂכִּילוּהוּ בְחוּקֵּי הַבְּרִית
וְלָ[קַח אֵת] 8 [מוּ]סָרוֹ בְּמִשְׁפְּטֵיהֶמָּה עֶשֶׂר שָׁנִים ' [יָ]בוֹא
בַּטַּב וּ[בֶן] עֶשְׂרִים שָׁנָ[ה יַעֲבוֹר] 9 [עַל] הַפְּקוּדִים לָבוֹא
בַגּוֹרָל בְּתוֹךְ מִשְׁפַּ[חְ]תּוֹ לְיָחֵד בַּעֲדַ[ת] קוֹדֶשׁ ' וְלוֹא יִ[קְרַב]
10 אֶל אִשָּׁה לְדַעְתָּהּ לְמִשְׁכְּבֵי זָכָר [b]כִּיאָם לְפִי [c]מְילוֹאת לוֹ
עֶשְׂ[רִי]ם שָׁנָה בְּדַעְתּוֹ [טוֹב] 11 וָרָע ' וּבְכֵן תְּקַבֵּל לְהָעִיד
עָלָיו מִשְׁפְּטוֹת [d]הַתּוֹרָא וּלְהִתְ[יַ]צֵּב בְּמִשְׁמַע מִשְׁפָּטִים '
12 וּבִמְלוֹא בוֹ וּבֶן חָמֵשׁ וְעֶשְׂרִים שָׁנָה יָבוֹא לְהִתְ[יַצֵּ]ב בִּיסוֹדוֹת
עֲדַת 13 הַקּוֹדֶשׁ לַעֲבוֹד אֵת עֲבוֹדַת הָעֵדָה ' וּבֶן שְׁלוֹשִׁים
שָׁנָה יִגַּשׁ לָרִיב רִיב 14 וּמִ[שְׁ]פָּט וּלְהִתְיַצֵּב בְּרוֹאשֵׁי אַלְפֵי
יִשְׂרָאֵל לְשָׂרֵי מֵאוֹת שָׂרֵי חֲ[מִ]שִּׁים 15 [שָׂרֵי] עֲשָׂרוֹת שׁוֹפְטִים
וְשׁוֹטְרִים לְשִׁבְטֵיהֶם בְּכוֹל מִשְׁפְּחוֹתָם [עַל פִּ]י בְנֵי 16 [אַהֲר]וֹן
הַכּוֹהֲנִים וְכוֹל רוֹשׁ אֲבוֹת הָעֵדָה אֲשֶׁר יֵצֵא הַגּוֹרָל לְהִתְ[יַצֵּב]
בַּעֲבוֹדוֹת 17 [וְלָצֵא]ת וְלָבוֹא לִפְנֵי הָעֵדָה ' וּלְפִי שִׂכְלוֹ עִם
תּוֹם דַּרְכּוֹ יְחַזֵּק מָתְנָו לְמַעֲמָ[דוֹ לִצְב]וֹאת 18 עֲבוֹדַת מַעֲשָׂו
בְּתוֹךְ אֶחָיו ' [בֵּי]ן רוֹב לְמוּעָט [זֶה עַל] זֶה יְכַבְּדוּ אִישׁ מֵרֵעֵהוּ '
19 וּבְרוֹבוֹת שְׁנֵי אִישׁ לְפִי כוֹחוֹ יִתְּנוּ מַשָּׂאוֹ בַ[עֲבוֹ]דַת הָעֵדָה '

[a] lies בְּבוֹאָם — [b] lies כִּיא אִם — [c] lies מְלוֹאת — [d] = הַתּוֹרָה.

I

Und dies ist die Ordnung[1] für die ganze Gemeinde Israels am Ende der Tage, wenn sie sich [gemeinsam] versammeln, [um zu wan]deln 2 entsprechend dem Urteil der Söhne Zadoqs, der Priester, und der Männer ihres Bundes, die sich abgewand[t haben vom Wandel auf] dem Weg 3 des Volkes. Sie sind die Männer seines Rates, die seinen Bund bewahrt haben inmitten der Gottlosigkeit, um Sühne zu [leisten für das Lan]d. 4 Wenn sie kommen, so sollen sie alle Ankommenden versammeln[2], von den Kleinkindern bis zu den Frauen[3], und sollen vor ih[ren Ohren] lesen 5 [al]le Ordnungen des Bundes, um sie zu unterweisen in allen ihren Satzungen, damit sie nicht irregehen in ihr[en Verirrungen]. 6 Und dies ist die Ordnung für alle Abteilungen der Gemeinde, für jeden in Israel Geborenen[4]. Und von [seiner Jug]end an 7 soll man ihn unterweisen im Buch Hagi[5]. Und entsprechend seinem Alter belehre man ihn in den Satzungen des Bundes, und er soll [erhalten] 8 seine [Er]ziehung in ihren Satzungen zehn Jahre lang. Wenn er gute Fortschritte [m]acht, wenn er zwanzig Jahre alt ist, [soll er hinübergehen] 9 [zu] den Gemusterten, einzutreten in das Los inmitten seiner Sippe, um der heiligen Gemeinde anzugehören. — Und nicht soll er sich [nähern] 10 einem Weibe, sie zu erkennen durch Beischlaf, vor Vollendung von zwa[nz]ig Jahren, wenn er erkennen kann [Gut] 11 und Böse[6]. — Und dann soll sie[7] es übernehmen, die Satzungen des Gesetzes gegen ihn zum Zeugen anzurufen, daß er einen Platz beim Anhören der Satzungen einnehme. 12 Und wenn er vollendet hat — wenn er fünfundzwanzig Jahre alt ist, darf er kommen, um einen Platz einzunehmen unter den Grundfesten der heiligen Gemeinde, 13 um den Dienst der Gemeinde zu verrichten. Und wenn er dreißig Jahre alt ist, darf er hinzutreten, um einen Prozeß zu führen 14 und Urteile zu fällen und einen Platz einzunehmen unter den Häuptern der Tausendschaften Israels, bei den Führern der Hundertschaften, den Führern von Fünfzig, 15 [den Führern] von Zehn, den Richtern und Amtleuten für ihre Stämme in all ihren Sippen — [nach dem Entscheid] der Söhne 16 [Aar]ons, der Priester, und aller Familienhäupter der Gemeinde, denen das Los fällt, den [Platz] einzunehmen in den Gottesdiensten 17 [und ein-] und auszugehen vor der Gemeinde[8]. Und entsprechend seinem Verstande samt der Vollkommenheit seines Weges soll

וְכוֹל אִישׁ [e]פּוֹתֶי 20 אַל יָבוֹא בַגּוֹרָל לְהִתְיַצֵּב עַל עֲדַת יִשְׂרָאֵל
לָרִי[ב מִ]שְׁפָּט וְלָשֵׂאת מַשָּׂא עֵדָה 21 וּלְהִתְיַצֵּב בַּמִּלְחָמָה
לְהַכְנִיעַ גּוֹיִם ׳ רַק בְּסֶרֶךְ הַצָּבָא יִכְתּוֹב מִשְׁפַּחְתּוֹ ׳ 22 וּבַעֲבוֹדַת
הַמַּס יַעֲשֶׂה עֲבוֹדָתוֹ כְּפִי מַעֲשָׂו ׳ וּבְנֵי לֵוִי יַעֲמוֹדוּ אִישׁ בְּמַעֲמָדוֹ
23 עַל פִּי בְּנֵי אַהֲרוֹן לְהָבִיא וּלְהוֹצִיא אֵת כּוֹל הָעֵדָה אִישׁ
בְּסִרְכּוֹ עַל יַד רָאשֵׁי 24 [אֲ]בוֹת הָעֵדָה לַשָּׂרִים וְלַשּׁוֹפְטִים
וְלַשּׁוֹטְרִים לְמִסְפַּר כּוֹל צִבְאוֹתָם עַל פִּי בְּנֵי צָדוֹק הַכּוֹהֲנִים
25 [וְכוֹל רָ]אשֵׁי אֲבוֹת הָעֵדָה ׳ וְאִם תְּעוּדָה תִּהְיֶה לְכוֹל הַקָּהָל
לַמִּשְׁפָּט אוֹ 26 לַעֲצַת יַחַד אוֹ לִתְעוּדַת מִלְחָמָה וְקִדְּשׁוּם
שְׁלוֹשֶׁת יָמִים לִהְיוֹת כּוֹל הַבָּא 27 עָתִ[יד לָ]הֵנָּה ׳ אֵלֶּה
הָ[אֲ]נָשִׁים הַנִּקְרָאִים לַעֲצַת הַיַּחַד מִבֶּן עֶשְׂ[רִים] ׳ כּוֹל
28 חַ[כְמֵי] הָעֵדָה וְהַנְּבוֹנִים וְהַיְּדֻעִים תְּמִימֵי הַדֶּרֶךְ וְאַנְשֵׁי הַחַיִל
עִם 29 [שָׂרֵי הַשְּׁבָ]טִים וְכוֹל שׁוֹפְטֵיהֶם וְשׁוֹטְרֵיהֶם וְשָׂרֵי
הָאֲלָפִים וְשָׂרֵי [לַמֵּאוֹת]

II

וְלַחֲמִשִּׁים וְלַעֲשָׂרוֹת וְהַלְוִיִּים בְּתוֹ[ךְ מַחֲלֹ]קֶת עֲבוֹדָתוֹ ׳ אֵלֶּה
2 אַנְשֵׁי הַשֵּׁם [a]קִירָאֵי מוֹעֵד הַנּוֹעָדִים לַעֲצַת הַיַּחַד בְּיִשְׂרָאֵל

[e] lies פּוֹתֶה.

[a] lies קְרִיאֵי.

er seine Lenden gürten für seine Stel[lung, um] auszuüben 18 den Dienst seines Tuns inmitten seiner Brüder. [Sei es] viel, sei es wenig, [der eine über dem] anderen, sie sollen einen Mann mehr ehren als seinen Genossen[9]. 19 Und wenn die Jahre eines Mannes viele sind, dann gebe man ihm entsprechend seiner Kraft seine Aufgabe im [Dienst] der Gemeinde. Und irgendein törichter Mann 20 darf nicht in das Los eintreten, um eine Stellung über die Gemeinde Israels einzunehmen, eine Rechts[sache zu ent]scheiden oder um eine Aufgabe der Gemeinde zu übernehmen 21 oder eine Stellung zu bekleiden im Krieg zur Unterwerfung der Heiden. Nur in die Ordnung des Heeres soll er seine Sippe aufschreiben. 22 Und im Pflichtdienst soll er seinen Dienst verrichten entsprechend seiner Arbeit. Und die Söhne Levis sollen jeder an seinem Platz stehen 23 nach dem Geheiß der Söhne Aarons, um die ganze Gemeinde eintreten und hinausgehen zu lassen, jeden seinem Rang entsprechend nach Anordnung der Familienhäupter 24 der Gemeinde, als Führer und als Richter und als Amtleute entsprechend der Zahl aller ihrer Abteilungen auf Geheiß der Söhne Zadoqs, der Priester, 25 [und aller Fa]milienhäupter der Gemeinde[10]. Und wenn eine Einberufung erfolgt für die ganze Volksversammlung zum Gericht oder 26 zum Rat der Gemeinschaft oder zum Aufgebot des Krieges, so soll man sie drei Tage lang heiligen, damit jeder, der kommt, 27 ber[eit] sei dafür[11]. Das sind die Männer, die gerufen werden zum Rat der Gemeinschaft, vom Alter von zwan[zig] Jahren an. Alle 28 W[eisen] der Gemeinde und die Einsichtigen und die Kundigen, die vollkommenen Wandels sind, und die Männer von Kraft mit 29 [den Führern der Stäm]me und alle ihre Richter und ihre Amtleute und die Führer der Tausendschaften und die Führer [der Hundertschaften]

II

und von Fünfzig und von Zehn und die Leviten, jeder inmitt[en der Abtei]lung seines Dienstes. Das sind die 2 angesehenen Männer, die zur Versammlung Geladenen, die sich vereinigen zum Rat der Gemeinschaft in Israel 3 vor den Söhnen Zadoqs, den Priestern. Und kein Mann, der mit irgendeiner Unreinheit des Menschen geschlagen ist, 4 darf in die Versammlung Gottes eintreten. Und jeder Mann, der mit diesen (Unrein-

3 לִפְנֵי בְנֵי צָדוֹק הַכּוֹהֲנִים ׳ וְכוֹל אִישׁ מְנוּגָּע בְּאַחַת מִכּוֹל טֻמְאוֹת
4 הָאָדָם אַל יָבוֹא בִקְהַל [b]אלה ׳ וְכוֹל אִישׁ מְנוּגָּע בָּאֵלֶּה לְבִלְתִּי
5 הַחֲזִיק מַעֲמָד בְּתוֹךְ הָעֵדָה ׳ וְכוֹל מְנוּגָּע בִּבְשָׂרוֹ [c]נְכֵאה רַגְלַיִם
אוֹ 6 יָדַיִם פִּסֵּחַ אוֹ עִוֵּר אוֹ חֵרֵשׁ אוֹ אִלֵּם אוֹ מוּם מְנוּגָּע בִּבְשָׂרוֹ
7 לִרְאוֹת עֵינַיִם אוֹ אִישׁ זָקֵן כּוֹשֵׁל לְבִלְתִּי הִתְחַזֵּק בְּתוֹךְ הָעֵדָה ׳
8 אַל יָבֹ[וֹאוּ] אֵלֶּה לְהִתְיַצֵּב [בְּ]תוֹךְ עֲדַת אַ[נְ]וֹשֵׁי הַשֵּׁם כִּיא
מַלְאֲכֵי 9 קוֹדֶשׁ [בַּעֲדָ]תָם ׳ וְאִם יֵשׁ דָּבָ[ר לְאַחַד מֵ]אֵלֶּה
לְדַבֵּר אֶל עֲצַת הַקּוֹדֶשׁ 10 [יְ]דוֹרְשׁ[וּהוּ] מִפִּיהוּ וְאֶל תּוֹךְ
[הָעֵדָה לוֹ]א יָבוֹא הָאִישׁ כִּיא מְנוּגָּע 11 [הָ]וּא ׳ [זֶה מוֹ]שַׁב
אַנְשֵׁי הַשֵּׁם [קְרִיאֵי] מוֹעֵד לַעֲצַת הַיַּחַד אִם יוֹ[לִי]ד 12 [אֵל]
אֶ[ת] הַמָּשִׁיחַ אִתָּם ׳ יָבוֹא [הַכּוֹהֵן] רוֹאשׁ כּוֹל עֲדַת יִשְׂרָאֵל וְכוֹל
13 אֲ[חָיו בְּנֵי] אַהֲרוֹן הַכּוֹהֲנִים [קְרִיאֵי] מוֹעֵד אַנוֹשֵׁי הַשֵּׁם ׳ וְיָשְׁבוּ
14 לְ[פָנָיו אִישׁ] לְפִי כְבוֹדוֹ ׳ וְאַחַר יֵ[שֵׁב מָשִׁ]יחַ יִשְׂרָאֵל ׳ וְיָשְׁבוּ
לְפָנָיו רָאשֵׁ[י] 15 אַ[לְפֵי יִשְׂרָ]אֵל אִ[י]שׁ לְפִי כְבוֹדוֹ כְּמַ[עֲמָדוֹ]
בְּמַחֲנֵיהֶם וּכְמַסְעֵיהֶם ׳ וְכוֹל 16 רָאשֵׁי אַ[בוֹת הָעֵ]דָה עִם
חַכְמֵ[י עֲדַת הַקּוֹדֶשׁ] יֵשְׁבוּ לִפְנֵיהֶם אִישׁ לְפִי 17 כְבוֹדוֹ ׳ וְ[אִ]ם
[לְשׁוּלְ]חָן יַחַד יִוָּעֲ[דוּ] אוֹ לִשְׁתּוֹת הַ[תִּ]ירוֹשׁ וְעָרוּךְ הַשּׁוּלְחָן
18 הַיַּחַד [וּמָסוֹךְ הַ]תִּירוֹשׁ לִשְׁתּוֹת [אַל יִשְׁלַח] אִישׁ אֶת יָדוֹ
בְּרֵשִׁית 19 הַלֶּחֶם וְ[הַתִּירוֹשׁ] לִפְנֵי הַכּוֹהֵן כִּיא [הוּא מְ]בָרֵךְ
אֶת רֵשִׁית הַלֶּחֶם 20 וְהַתִּירוֹ[שׁ ׳ וְשָׁלַח] יָדוֹ בַלֶּחֶם לְפָנִים
וְאַחַ[ר יִשְׁ]לַח מְשִׁיחַ יִשְׂרָאֵל יָדָיו 21 בַּלֶּחֶם ׳ [וְאַחַר יְבָרְ]כוּ
כּוֹל עֲדַת הַיַּחַד אִ[ישׁ לְפִי] כְבוֹדוֹ ׳ וְכַחוֹק הַזֶּה יַעֲשׂ[וּ] 22 לְכוֹל
מַעֲ[רָכָה כִּי יִוָּ]עֲדוּ עַד [d]עֲשָׂרָא אֲנָשִׁ[ים] ׳

[b] lies אֵל — [c] = נְכֵא — [d] = עֲשָׂרָה.

heiten) geschlagen ist, ist untauglich, 5 eine Stellung inmitten der Gemeinde einzunehmen. Und jeder Mann, der an seinem Fleisch geschlagen ist, gelähmt an den Füßen oder 6 Händen, hinkend oder blind oder taub oder stumm oder mit einem Makel an seinem Fleisch geschlagen, 7 der vor den Augen sichtbar ist, oder ein alter Mann, der zittert, so daß er sich nicht aufrecht halten kann inmitten der Gemeinde: 8 nicht dürfen diese kom[men], um [in]mitten der Gemeinde der angesehenen Männer einen Platz einzunehmen; denn die Engel 9 der Heiligkeit sind [in ihrer Ge]meinde. Und wenn [einer von] diesen dem Rat der Heiligkeit etwas zu sagen hat, 10 so sollen sie es [von ihm] erfragen, aber in die Mitte [der Gemeinde] darf der Mann [nic]ht kommen, denn geschlagen ist 11 [e]r. [Dies ist die Sit]zung der angesehenen Männer, [geladen] zur Versammlung für den Rat der Gemeinschaft, wenn [Gott] geb[or]en werden läßt 12 d[en] Messias[12] unter ihnen. Es trete [der Priester][13] an der Spitze der ganzen Gemeinde Israel ein und alle 13 [seine Brüder, die Söhne] Aarons, die Priester, [die] zur Versammlung [Geladenen], die angesehenen Männer. Und sie sollen sich setzen 14 v[or ihm, jeder] entsprechend seiner Würde. Und danach se[tze sich der Mes]sias Israels. Und es sollen sich vor ihm setzen die Häupter 15 der T[ausendschaften Israels, jed]er entsprechend seiner Würde, nach [seiner Stellung] in ihren Lagern und nach ihren Stationen. Und alle 16 Fa[milien]häupter [der Ge]meinde mit den Weisen [der heiligen Gemeinde] sollen vor ihnen sitzen, jeder entsprechend 17 seiner Würde. Und [wenn] sie sich zusammenfinden zum gemeinsamen [Ti]sch [oder um den Mo]st [zu trinken], und der gemeinsame Tisch ist gerüstet, 18 [und] der Most [ist gemischt] zum Trinken, [so darf keiner] seine Hand [ausstrecken] nach dem Erstling 19 des Brotes und [des Mostes] vor dem Priester; denn [er soll] den Segen sprechen über dem Erstling des Brotes 20 und des Most[es. Und er soll] zuerst seine Hand [ausstrecken] nach dem Brot, und dana[ch soll] der Messias Israels seine Hände 21 nach dem Brot ausstrecken. [Und danach] sollen sie [den Segen] sprechen, die ganze Gemeinde der Gemeinschaft, je[der entsprechend] seiner Würde. Und nach dieser Ordnung sollen sie handel[n] 22 bei jeder Zu[rüstung[14], wenn sich] zusammenfinden wenigstens zehn Män[ner][15].

SEGENSSPRÜCHE

1 QSb

Die fünf Kolumnen der Segenssprüche gehörten wahrscheinlich ursprünglich zu derselben Handschrift, die die Gemeinderegel 1 QS enthielt. Der Text der Segenssprüche hat starke Beschädigungen erlitten, so daß er nur noch lückenhaft erhalten ist. Doch kann der Inhalt mit einiger Sicherheit bestimmt werden: An eine Segnung der Gläubigen (I, 1 ff) schließt sich die Segnung des Hohenpriesters an (II, 22 ff), dann die der Priester (III, 22 ff) und schließlich die des Fürsten der Gemeinde (V, 20 ff). Die Erwartung zweier messianischer Gestalten — des Messias Aarons und des Messias Israels — ist also auch hier deutlich zu erkennen. Ob die Segenssprüche jemals gottesdienstliche Verwendung gefunden haben, muß ungewiß bleiben; vermutlich handelt es sich um eine literarische Komposition, die nicht praktischen Zwecken dienen, sondern eine ausführliche Entfaltung der kurzen Segensformel 1 QS II, 2–4 vornehmen und liturgische Anweisungen für die kommende Heilszeit darbieten sollte.

Erstausgabe des Textes: Barthélemy-Milik, D.J.D.I, S. 118–130; zum Text vgl. ferner Habermann, S. 160–163. Übersetzungen bei Bardtke, Burrows, Carmignac II, Dupont-Sommer, Gaster, Maier und Vermes. Zur Erklärung vgl. den Kommentar des Herausgebers a.a.O. und Maier II, S. 160f.

I

דִּבְרֵי בְרָכָ[ה] לַמַּשְׂכִּיל לְבָרֵךְ אֵת יִרְאֵ[י אֵל עוֹשֵׂי אֵת] רְצוֹנוֹ
שׁוֹמְרֵי מִצְווֹתָיו 2 וּמַחֲזִקֵי בִּבְ[רִי]ת קוֹדְשׁוֹ וְהוֹלְכִים תָּמִים
[בְּכוֹל דַּרְכֵי אֲמִ]תּוֹ ׳ וַיִּבְחַר בָּם לִבְרִית 3 עוֹלָם אֲ[שֶׁר
תַּ]עֲמוֹד לָעַד ׳ יְבָרֶכְכָה אֲ[דוֹנָי מִמְּעוֹן קוֹדְשׁוֹ ׳ וְאֵת] מְקוֹר
עֹ[וֹ]לָם 4 אֲשֶׁר ל[וֹא יְכַזֵּ]ב יִפְתַּח לְכָה מִן הַשָּׁמָ[יִ]ם ׳]
5 בְּיֶדְכָה[וִיחוֹ]נֶנְכָה בְּכוֹל בִּרְכ[וֹת שָׁמַיִם ׳ וְיוֹרֶיכָ]ה בַּעֲדַת
קְדוֹשִׁ[ים] ׳ 6 [מְקוֹ]ר עוֹלָם וְלוֹא יַ[עְצוֹר מַיִם חַיִּים
לַ]צְּמֵאִים ׳ וְאַתָּה תִ[הְיֶה] 7 [יְפַ]לֶּטְכָה מִכּוֹל [
] שִׂנְאָתָה אֵין שְׁ[אֵרִית] ׳

II

22 [ ]יְחוּנְּכָה אֲדוֹנָי בּוֹ [וּבְכוֹל]
23 [גְּמוּ]לִים יְשַׁעְשַׁעֲכָה וִיחוּנְּכָ[ה]
24 יְחוּנְּכָה בְּרוּחַ קוֹדֶשׁ וְחֶסֶ[ד]
25 וּבְרִית עוֹלָם יְחוּנְּכָה וִירַנְ[י]נְכָה]
26 וִיחוֹנֶנְכָה בְּמִשְׁפַּט צֶדֶק [לוֹא] תִכָּשֵׁ[ל]
27 וִיחוֹנֶנְכָה בְּכוֹל מַעֲשֶׂיכָה [ ]כָה וּבְכוֹל [יְחוּנְּכָה]
28 [בֶ]אֱמֶת עוֹלָם [ ] עַל כּוֹל צֶאֱצָ[אֶ]יכָה]

III

יִשָּׂא אֲדוֹנָי פָּנָיו אֵלֶיכָה וְרֵיחַ נִי[חוֹחַ וְבָחֵיכָה יָרִיחַ וּבְ]כ[וֹ]ל
יוֹשְׁבֵי לְכָה[וּנְּתְכָ]ה 2 יִבְחַר ׳ וְיִפְקוֹד כּוֹל קוֹדְשֶׁ[י]כָה
וּבְמוֹ[עֲדֵי] כּוֹל זַרְעֲכָה ׳ [יִשָּׂ]א 3 פָּנָיו אֶל כּוֹל עֲדָתְכָה ׳
יִשָּׂא בְּרוֹשְׁכָה [עֲטֶרֶת] כּמ [ ]בו 4 בִּכְבוֹ[ד עַד ׳
וִי]קַדֵּשׁ זַרְעֲכָה בִּכְבוֹד עוֹלָם ׳ יִשָּׂ[א פָּנָיו]
5 חני[שְׁלוֹ]ם עֹ[וֹ]לָם יִתֵּן לְכָה וּמַלְכוּת [ ]

I

Worte des Sege[ns] für den Unterweiser, um die zu segnen, die [Gott] fürch[ten, die tun nach] seinem Willen, die seine Gebote bewahren 2 und die festhalten an seinem heiligen Bu[n]d und vollkommen wandeln [auf allen Wegen] seiner [Wahr]heit. Und er hat sie erwählt zum ewigen Bund, 3 [de]r für immer bestehen wird. Es segne dich der [Herr aus seiner heiligen Wohnung. Und] die ewige Quelle, 4 die [nicht trügt], tue er dir auf vom Him[mel her...] 5 Durch deine Hand [... und er sei] dir gnädig in allen [himmlischen] Seg[nungen. Und er belehre] dich in der Gemeinde der Heili[gen]. 6 [...] Eine ewige [Que]lle, und nicht verschl[ieße er das lebendige Wasser] für die Durstigen. Du aber mögest [werden] 7 [... Er] errette dich aus allen [...] ihren Haß ohne R[est][1].

II

Es[2] sei dir gnädig der Herr durch ihn [... und mit allen] 23 [Wohl]taten erfreue er dich und sei dir gnädig[...] 24 er sei dir gnädig mit heiligem Geist und Barmherzig[keit...] 25 und mit ewigem Bund sei er dir gnädig und mache [dich jauchzen ...] 26 und er sei dir gnädig in gerechtem Gericht[... daß du nicht] strauchelst [...] 27 und er sei dir gnädig in allen deinen Taten [...] und in allen [... Er sei dir gnädig] 28 [mit] ewiger Wahrheit [...] über alle [deine] Nachkommen [...]

III

Es erhebe der Herr sein Angesicht auf dich [und möge genießen] den Wohlgeruch [deiner Schlachtopfer], und alle, die bei deinem Prie[ster]amt bleiben, 2 möge er erwählen; und er habe acht auf alle deine Heiligen und auf die Fest[zeiten ...] all dein Same. Er [erhebe] 3 sein Angesicht auf deine ganze Gemeinde. Er setze auf dein Haupt [die Krone ...] 4 in [ewiger] Herrlichkeit. [Und] er heilige deinen Samen mit ewiger Herrlichkeit. Er erhe[be sein Angesicht] 5 [...] ewigen Fr[ieden] gebe er dir und Königsherrschaft [...] 6 [...] vom

6 [ ]ם מִבָּשָׂר וְעִם מַלְאֲכֵי ק[וֹדֶשׁ]

7 יִלָּחֵם [לִפְנֵי] אֲלָפֶיכָה [ ] דּוֹר עַוְלָ[ה]

18 [לְהַכְ[נִ]יעַ לְכָה

לְא[וּמִּ]ים רַ[בִּ]ים וְלוֹא 19 [ ]

כּוֹל הוֹן תֵּבֵל לְהַכְּ[י]רְכָה מִמְּקוֹר 20 [עוֹלָם

]דּוֹרְשֶׁהוּ · כִּיא אֵל הֵכִין כּוֹל אוּשֵׁי 21 [

] יִסַּד שְׁלוֹמְכָה לְעוֹלְמֵי עַד ·

22 דִּבְרֵי בְרָכָה לַמַּ[שְׂכִּיל לְבָרֵךְ] אֶת בְּנֵי צָדוֹק הַכּוֹהֲנִים אֲשֶׁר

23 בָּחַר בָּם אֵל לְחַזֵּק בְּרִיתוֹ לְ[עוֹלָם וְלִבְ]חוֹן כּוֹל מִשְׁפָּטָיו

בְּתוֹךְ עַמּוֹ וּלְהוֹרוֹתָם 24 כַּאֲשֶׁר צִוָּה · וַיָּקִימוּ בֶאֱמֶת [אֶת

בְּרִיתוֹ] וּבְצֶדֶק פָּקְדוּ כּוֹל חוּקָּיו וַיִּתְהַלְּכוּ כַּאֲשֶׁ[ר] 25 בָּחָר ·

יְבָרֶכְכָה אֲדוֹנָי מִ[מְּעוֹן קוֹ]דְשׁוֹ וִישִׂימְכָה מִכְלוֹל הָדָר בְּתוֹךְ

26 קְדוֹשִׁים · וּבְרִית כְּהוּנַּת [עוֹלָם יְחַ]דֵּשׁ לְכָה וְיִתְּנֶכָה מְקוֹמְכָה

[בִּמְעוֹן] 27 קוֹדֶשׁ · וּבְמַעֲשֵׂיכָה יִשְׁ[פּוֹט כּ]וֹל נְדִיבִים וּמִמַּזַּל

שְׂפָתֶיכָה כּוֹל [שָׂרֵי] 28 עַמִּים · יַנְחִילְכָה רֵשִׁית [כּוֹל מַעֲדַ]נִּים

וַעֲצַת כּוֹל בָּשָׂר בְּיָדְכָה יְבָרֵךְ ·

IV

וּפַעֲ[מֵי רַגְלֶ]יכָה יִרְצֶה וּ[ ] אֱנוֹשׁ וּקְדוֹשֵׁ[י

[2 יְמָנֶה [אִתּוֹ וְ]הִתְעָרֵב לוֹ וּכְלִי[ל

אֱ]נוֹשׁ וּבְתַעֲנוּג[וֹת בְּנֵי אָדָם]ךְ 3 בִּרְכוֹת [עוֹלָ]ם

עֲטֶרֶת רוֹאשְׁכָה קוֹדֶ[שׁ יָ]דֶיכָה וּמ[ ]

20 [ ]לוֹ לִבְחוֹן [

[21 [סָבִ]יב לוֹ

עַל פְּנֵ[יהֶם] 22 [ ]כה וְיַצְדִּיקְכָה

Fleisch, und mit hei[ligen] Engeln [...] 7 er streite [vor]
deinen Tausendschaften [...] das Geschlecht des Frevels[3] [...]

18 [... um] dir [zu unter]werfen zah[lr]eiche Vö[lke]r und
nicht 19 [...] allen Reichtum des Erdkreises, damit du er-
kennst aus der Quelle 20 [der Ewigkeit ...] ihn suchend;
denn Gott hat fest gegründet alle Fundamente 21 [...] Er
hat deinen Frieden gegründet für ewige Zeiten. 22 Worte des
Segens für den Unterwei[ser, um zu segnen] die Söhne Zadoqs, die
Priester, die 23 Gott erwählt hat, um seinen Bund festzu-
machen für [immer und um zu prü]fen alle seine Satzungen inmitten seines Volkes, und sie zu belehren, 24 wie er es befohlen hat. Und sie richteten [seinen Bund] in Wahrheit auf, und
in Gerechtigkeit hatten sie acht auf alle seine Satzungen und wandelten, wie 25 er es erwählt hat. Es segne dich der Herr aus
seiner [hei]ligen [Wohnung], und er mache dich zur vollkommenen Zierde inmitten 26 der Heiligen. Und den Bund des
[ewigen] Priestertums [er]neuere er dir und gebe dir deinen
Platz [in der] heiligen [Wohnung]. 27 Und durch deine Taten
[rich]te er [al]le Vornehmen und auf Grund dessen, was von
deinen Lippen kommt, alle [Fürsten] 28 der Völker. Er lasse
dich erben den Erstling [aller Kostbar]keiten, und den Rat alles
Fleisches segne er durch deine Hand.

IV

Und an den Schrit[ten] deiner [Fü]ße möge er Wohlgefallen
haben [...] eines Menschen und Heilig[e ...] 2 er werde ge-
zählt [mit ihm und] verbunden mit ihm, und die Kro[ne... eines]
Menschen und durch die Genüs[se der Menschenkinder ...]
3 [ewi]ge Segnungen seien die Krone deines Hauptes, heili[g
...] deiner [H]ände [...][4].

20 [...] für ihn, um zu prüfen [...] 21 [... rin]gs um ihn
auf [ihren] Angesichtern [...] 22 [...] und er spreche dich
gerecht von allen [... denn] er hat dich erwählt [...] 23 und
um (dich) zu setzen an die Spitze der Heiligen und dein Volk zu
seg[nen...] durch deine Hand 24 die Männer des Rates Gottes

מִכּוֹל [כִּיא] בָּחַר בְּכָה [ ] 23 וְלָשֵׂאת
בְּרוֹשׁ קְדוֹשִׁים וְעַמְּכָה לְבָ[רֵךְ]כָה[ ]
ברת בְּיֶדְכָה 24 אַנְשֵׁי עֲצַת אֵל וְלוֹא בְּיַד שַׂר יד[
] בְּאִישׁ לְרֵעֵהוּ ׳ וְאַתָּה 25 כְּמַלְאַךְ פָּנִים
בִּמְעוֹן קוֹדֶשׁ לִכְבוֹד אֱלֹהֵי צְבָא[וֹת תַּעֲבוֹד לְעוֹלָם ׳ וְתִ]הְיֶה
סָבִיב מְשָׁרֵת בְּהֵיכַל 26 מַלְכוּת וּמַפִּיל גּוֹרָל עִם מַלְאֲכֵי
פָּנִים ׳ וַעֲצַת יַחַד [עִם קְדוֹשִׁים] לְעֵת עוֹלָם וּלְכוֹל קִצֵּי נֶצַח כִּיא
27 [אֱמֶת כּוֹל מִ]שְׁפָּטָיו ׳ וִישִׂימְכָה קוֹדֶ[שׁ] בְּעַמּוֹ וּלְמָאוֹר [גָּדוֹל
לָאוֹר] לְתֵבֵל בְּדַעַת וּלְהָאִיר פְּנֵי רַבִּים 28 [בְּשֵׂכֶל חַיִּים
וִישִׂימְכָה] נֵזֶר לְקוֹדֶשׁ קוֹדָשִׁים ׳ כִּיא [אַתָּה תְקַ]דֵּשׁ לוֹ וּתְכַבֵּד
שְׁמוֹ וְקוֹדָשָׁיו ׳

V

17 [אֲ]שֶׁר מִלֵּא יָ]דֶיכָה
] 18 [עִ]ם עֵת עוֹ[לָם וְ]עִם כּוֹל קִצֵּי עַד ׳
וּכְבוֹדְכָה לוֹא יִ[תֵּן לְאַחֵר וְתָשִׂים] 19 [אֵ]ל
פְּאֵרְכָה [עַל] כּוֹל שׁוֹמְעֵי שִׁמְעֲכָה וַהֲדָרֶיכָה [עַל כּוֹל
] 20 לַמַּשְׂכִּיל לְבָרֵךְ אֶת נְשִׂיא
הָעֵדָה אֲשֶׁר [ ] 21 [ ]תו
וּבְרִית הַ[יַּ]חַד יְחַדֵּשׁ לוֹ לְהָקִים מַלְכוּת עַמּוֹ לְעוֹלָ[ם וְלִשְׁפּוֹט
בְּצֶדֶק אֶבְיוֹנִים] 22 [וּ]לְהוֹכִיחַ בְּמִי[שׁוֹר לְעַ]נְוֵי אֶרֶץ
וּלְהִתְהַלֵּךְ לְפָנָיו תָּמִים בְּכוֹל דַּרְכֵי [ ]
23 וּלְהָקִים בְּרִי[ת קוֹדְשׁוֹ בַּ]צַּר לְדוֹרְשָׁי[ו ׳ יִ]שָּׂ[אֲכָ]ה אֲדוֹנָי
לְרוּם עוֹלָם וּכְמִגְדַּל עוֹ[ז] בְּחוֹמָה 24 נִשְׂגָּבָה וְהִ[כִּיתָה עַמִּים]
בְּעֹז [פִּי]כָה בְּשִׁבְטְכָה תַּחֲרִים אֶרֶץ וּבְרוּחַ שְׂפָתֶיכָה 25 תָּמִית
רְשָׁעִ[ים עִם רוּחַ עֵצָ]ה וּגְבוּרַת עוֹלָם רוּחַ דַּעַת וְיִרְאַת אֵל ׳ וְהָיָה
26 צֶדֶק אֵזוֹר [מוֹתְנֶיכָה וֶאֱמוּנָ]ה אֵזוֹר חֲלָצֶיכָה ׳ [וְ]יָשֵׂם קַרְנֶיכָה

und nicht durch die Hand eines Fürsten [. . .] untereinander. Und du 25 [mögest dienen] wie ein Engel des Angesichtes in der heiligen Wohnung zur Ehre Gottes der Heerscha[ren in Ewigkeit. Und] rings umher mögest du sein ein Diener im Palast 26 des Königtums und das Los werfen zusammen mit den Engeln des Angesichtes[5]. Und gemeinsamer Rat [mit den Heiligen] für ewige Zeit und für alle andauernden Zeiten; denn 27 [Wahrheit sind alle] seine Gerichte. Und er mache dich heili[g] unter seinem Volk und zu einer [großen] Leuchte, [zum Licht] für den Erdkreis in Erkenntnis und zu erleuchten das Angesicht vieler 28 [durch Einsicht des Lebens, und er mache dich] zu einem Diadem für das Allerheiligste; denn [du] sollst ihn [hei]ligen und seinen Namen verherrlichen und seine Heiligen.

V

17 [. . . d]er gefüllt hat [deine Hände . . .] 18 [zu]sammen mit ew[iger] Dauer [und] mit allen ewigen Zeiten. Und deine Herrlichkeit möge er keinem [anderen geben . . . und gib,] 19 [Go]tt, deine Herrlichkeit allen, die eine Kunde hören, und deine Pracht [allen . . .] 20 Für den Unterweiser, um den Fürsten der Gemeinde[6] zu segnen, welcher [. . .] 21 [. . .] und den Bund der [Ge]meinschaft möge er ihm erneuern, um die Königsherrschaft seines Volkes aufzurichten auf ewi[g und die Armen in Gerechtigkeit zu richten] 22 [und] in Red[lichkeit die Demü]tigen des Landes zurechtzuweisen und vollkommen vor ihm zu wandeln auf allen Wegen [. . .] 23 und [seinen heiligen] Bund aufzurichten [während] der Bedrängnis derer, die [ihn] suchen. Der Herr [er]he[be dich] zur ewigen Höhe und wie einen stark[en] Turm auf einer hohen Mauer, 24 und [du wirst die Völker schlagen] mit der Kraft deines [Mundes], mit deinem Szepter wirst du die Erde verwüsten, und mit dem Hauch deiner Lippen 25 wirst du die Gott[losen] töten, [mit dem Geist des Ra]tes und mit ewiger Kraft, mit dem Geist der Erkenntnis und Furcht Gottes. Und es wird sein 26 Gerechtigkeit der Gürtel [deiner Lenden und Treue] der Gürtel deiner Hüften[7]. [Und] er mache deine Hörner aus Eisen und deine Hufe aus Erz.

בַּרְזֶל וּפַרְסוֹתֶיכָה נְחוּשָׁה ׳ 27 תְּנַגַּח כְּפַ]ר וְתִרְמוֹס עַמִּ]ים
כְּטִיט חוּצוֹת ׳ כִּיא אֵל הֱקִימְכָה לְשֵׁבֶט 28 לַמּוֹשְׁלִים ׳
לְפָ]נֶיכָה יְקַדְּמוּ וְיִשְׁתַּחֲווּ וְכוֹל לְא]וּמִּים יְעוֹבְדוּכָה וּבְשֵׁם
קוֹדְשׁוֹ יַגְבִּרְכָה ׳ 29 וְהָיִיתָה כְּאַ]רְיֵה]כה
טֶרֶף וְאֵין מֵשִׁי[ב] ׳ וּפָרְשׁוּ [קַ]לֶיכָה עַל[ ]

27 Mögest du stoßen wie ein Jung[stier und niedertreten die
Völ]ker wie den Kot der Straßen. Denn Gott hat dich erhoben
zum Szepter 28 über die Herrscher[8]. Vor [dir werden sie sich
erheben und sich niederwerfen, und alle Natio]nen werden dir
dienen, und durch seinen heiligen Namen wird er dich stark
machen. 29 Und du wirst sein wie ein Lö[we...][9] Raub, und
niemand holt [zurück]. Und deine [Sch]nellen werden sich verbreiten über [...]

DIE DAMASKUSSCHRIFT

CD

Die Blätter der Damaskusschrift wurden von S. Schechter 1896 in der Geniza der Esra-Synagoge in Alt-Kairo entdeckt und 1910 von ihm veröffentlicht. Es handelt sich um eine Handschrift A 1, die aus vier beiderseitig beschriebenen Blättern besteht (I–VIII), die von anderer Hand gefertigte Handschrift A 2, die ebenfalls vier beiderseitig beschriebene Blätter umfaßt (IX–XVI), und die Handschrift B, ein einziges, auf beiden Seiten beschriebenes Blatt (XIX–XX). Die Handschriften A 1 und A 2 stammen aus dem 10., die Handschrift B aus dem 12. Jahrhundert. War zunächst nach Bekanntwerden der Damaskusschrift die Frage ihrer Entstehung sehr unterschiedlich beantwortet worden, so ist nun durch die Funde von Qumran ein sicherer Anhaltspunkt gegeben: In den Höhlen 4, 5 und 6 fanden sich eine Reihe von Fragmenten der Damaskusschrift (vgl. M. Baillet, J. T. Milik, R. de Vaux, Discoveries in the Judaean Desert of the Jordan III, Les 'Petites Grottes' de Qumran, Oxford 1962, S. 128–131, 181). Während die Stücke aus 6 Q mit dem Text von A 1 übereinstimmen (vgl. M. Baillet, Fragments du Document de Damas. Qumran, Grotte 6, R.B. 63 [1956], S. 513–523), liefern die Fragmente aus 4 Q teilweise eine Ergänzung des überlieferten Textes der Damaskusschrift (vgl. die Mitteilungen von J. T. Milik, ebendort S. 61 und: Ten Years of Discoveries in the Wilderness of Judaea, London 1959, S. 58–60. 151f., Additional Note 3). Die Fragmente aus 4 Q, 5 Q und 6 Q stellen sicher, daß die Damaskusschrift in vorchristlicher Zeit — wahrscheinlich im 1. Jahrhundert v. Chr. — abgefaßt worden sein muß.

Der Titel der Schrift ist nicht erhalten. Da die Gemeinde sich als Gemeinde des neuen Bundes im Lande Damaskus bezeichnet, ist die Bezeichnung Damaskusschrift allgemein gebräuchlich geworden. Ob tatsächlich an das Land Damaskus gedacht oder darunter ein Deckname verstanden werden soll, ist umstritten. Die Handschrift A 1 bringt eine lange Mahnrede, in der die Entstehung der Gemeinde einen Abriß der Geschichte Israels hineingestellt und die strenge Auslegung des Gesetzes durch die Gemeinde begründet wird. Diese Rede, deren Anfang nur unvollständig erhalten ist, bricht am Ende von VIII ab. Sie wird jedoch in der Handschrift B, die zunächst mit dem Text von VII, 5–VIII, 21 weithin parallel geht, weitergeführt. Die Handschrift A 2 enthält Rechtsbestimmungen, in denen in einer Art Mischna die strenge Auslegung des Gesetzes in mancherlei Einzelbestimmungen dargelegt wird.

Das Verhältnis von CD zu 1 QS ist nicht einfach zu bestimmen. Die Redaktion von CD wird wahrscheinlich später als die von 1 QS vorgenommen worden sein. Da aber in CD mehrfach zwischen früheren und späteren Gesetzesvorschriften unterschieden wird, können manche Vorschriften auch sehr wohl ein älteres Stadium wiedergeben als die entsprechenden Parallelen in 1 QS. Im Unterschied zu 1 QS kennt CD verheiratete Mitglieder und setzt eigenen Besitz in ihrer Hand voraus. Daher darf die Gruppe, an die CD gerichtet ist, nicht ohne weiteres mit der identifiziert werden, für die 1 QS geschrieben worden ist. Es wird auch Gruppen der Bundesgemeinde gegeben haben, deren Glieder verheiratet waren und in Lagern lebten — in der Nähe von Qumran oder auch im Lande Damaskus. Wie deren Leben im Gehorsam gegen das Gesetz geführt werden soll, wird in CD dargelegt.

Erstausgabe des Textes: S. Schechter, Fragments of a Zadokite Work, Documents of Jewish Sectaries I, Cambridge 1910; vgl. ferner: S. Zeitlin, The Zadokite Documents. Facsimile of the Manuscripts in the Cairo Genizah Collection in the Possession of the University Library Cambridge, Philadelphia 1952; Habermann, S. 77–88; ferner die kritischen Ausgaben von L. Rost, Die Damaskusschrift, Kleine Texte für Vorlesungen und Übungen 167, Berlin 1933; Ch. Rabin, The Zadokite Documents, Oxford 1954, ²1958 (mit kritischem Apparat, Übersetzung und Kommentar). Übersetzungen bei Bardtke, Burrows, Carmignac II, Dupont-Sommer, Gaster, Maier, Rabin und Vermes, ferner: R. H. Charles, The Apocrypha and Pseudepigrapha of the Old Testament II, Oxford 1913, S. 785–834; E. Meyer, Die Gemeinde des Neuen Bundes im Lande Damaskus, Abhandlungen der Berliner Akademie 1919; P. Rießler, Altjüdisches Schrifttum außerhalb der Bibel, Augsburg 1928, S. 920–941; W. Staerk, Die jüdische Gemeinde des Neuen Bundes in Damaskus, Beiträge zur Förderung Christlicher Theologie 27, 3, Gütersloh 1922. Zur Erklärung vgl. den ausführlichen Kommentar von Rabin und Maier II, S. 40–62.

Text A 1

I

וְעַתָּה שִׁמְעוּ כָל יוֹדְעֵי צֶדֶק וּבִינוּ בְּמַעֲשֵׂי 2 אֵל ' כִּי רִיב לוֹ
עִם כָּל בָּשָׂר וּמִשְׁפָּט יַעֲשֶׂה בְּכָל מְנַאֲצָיו ' 3 כִּי בְּמוֹעֲלָם אֲשֶׁר
עֲזָבוּהוּ הִסְתִּיר פָּנָיו מִיִּשְׂרָאֵל וּמִמִּקְדָּשׁוֹ 4 וַיִּתְּנֵם לֶחָרֶב '
וּבְזָכְרוֹ בְּרִית רִאשֹׁנִים הִשְׁאִיר שְׁאֵירִית 5 לְיִשְׂרָאֵל וְלֹא נְתָנָם
לְכָלָה ' וּבְקֵץ חָרוֹן שָׁנִים שְׁלוֹשׁ מֵאוֹת 6 וְתִשְׁעִים לְתִיתּוֹ אוֹתָם
בְּיַד נְבוּכַדְנֶאצַּר מֶלֶךְ בָּבֶל 7 פְּקָדָם ' וַיַּצְמַח מִיִּשְׂרָאֵל
וּמֵאַהֲרֹן שׁוֹרֶשׁ מַטַּעַת לִירוֹשׁ 8 אֶת אַרְצוֹ [a]וְלִדְשֵׁן בְּטוּב
אַדְמָתוֹ ' וַיָּבִינוּ בַּעֲוֹנָם וַיֵּדְעוּ כִּי 9 אֲנָשִׁים אֲשֵׁמִים הֵם ' וַיִּהְיוּ
כְּעִוְרִים וְכִימְגַשְּׁשִׁים דֶּרֶךְ 10 שָׁנִים עֶשְׂרִים ' וַיָּבֶן אֵל אֶל
מַעֲשֵׂיהֶם כִּי בְּלֵב שָׁלֵם דְּרָשׁוּהוּ 11 וַיָּקֶם לָהֶם מוֹרֵה צֶדֶק
לְהַדְרִיכָם בְּדֶרֶךְ לִבּוֹ ' וַיּוֹדַע 12 לְדוֹרוֹת אַחֲרוֹנִים אֵת אֲשֶׁר
עָשָׂה בְּדוֹר אַחֲרוֹן בַּעֲדַת בּוֹגְדִים 13 הֵם סָרֵי דֶרֶךְ ' הִיא
הָעֵת אֲשֶׁר הָיָה כָתוּב עָלֶיהָ ' כְּפָרָה סוֹרֵירָה 14 כֵּן סָרַר
יִשְׂרָאֵל ' בַּעֲמוֹד אִישׁ הַלָּצוֹן אֲשֶׁר הִטִּיף לְיִשְׂרָאֵל 15 מֵימֵי
כָזָב וַיַּתְעֵם בְּתוֹהוּ לֹא דֶרֶךְ לְהַשַּׁח גַּבְהוּת עוֹלָם וְלָסוּר
16 מִנְּתִיבוֹת צֶדֶק [b]וְלַסִּיעַ גְּבוּל אֲשֶׁר גָּבְלוּ רִאשֹׁנִים בְּנַחֲלָתָם
לְמַעַן 17 הַדְבֵּק בָּהֶם אֵת אָלוֹת בְּרִיתוֹ לְהַסְגִּירָם לֶחָרֶב
נֹקֶמֶת נְקַם 18 בְּרִית ' בַּעֲבוּר אֲשֶׁר דָּרְשׁוּ בַּחֲלָקוֹת וַיִּבְחֲרוּ
בְּמַהֲתַלּוֹת וַיִּצְפּוּ 19 לְפְרָצוֹת וַיִּבְחֲרוּ בְטוּב הַצַּוָּאר וַיַּצְדִּיקוּ
רָשָׁע וַיַּרְשִׁיעוּ צַדִּיק ' 20 וַיַּעֲבִירוּ בְרִית וַיָּפֵירוּ חוֹק ' וַיָּגוֹדוּ
עַל נֶפֶשׁ צַדִּיק וּבְכָל הוֹלְכֵי 21 תָמִים תִּעֲבָה נַפְשָׁם וַיִּרְדְּפוּם
לַחֶרֶב וַיָּסִיסוּ לְרִיב עָם ' וַיִּחַר אַף

a = וּלְהַדְשֵׁן — b = וּלְהַסִּיעַ.

Text A 1

I

Und nun hört, alle, die ihr um Gerechtigkeit wißt[1], und achtet auf die Werke 2 Gottes. Denn er streitet mit allem Fleisch und hält Gericht über alle, die ihn verachten. 3 Denn wegen ihres Treubruchs, da sie ihn verließen, hat er sein Angesicht vor Israel und seinem Heiligtum verborgen 4 und sie dem Schwert preisgegeben[2]. Weil er aber des Bundes mit den Vorfahren gedachte, hat er einen Rest übriggelassen 5 in Israel und sie nicht der Vernichtung preisgegeben. Und in der Zeit des Zornes, dreihundert- 6 undneunzig Jahre[3], nachdem er sie in die Hand Nebukadnezars, des Königs von Babel, gegeben hatte, 7 hat er sie heimgesucht. Und er ließ aus Israel und aus Aaron eine Wurzel der Pflanzung[4] sprießen, damit sie in Besitz nehme 8 sein Land und fett würde durch die Güte seines Bodens. Und sie sahen ihr Unrecht ein und erkannten, 9 daß sie schuldige Männer waren. Und sie waren wie Blinde und solche, die nach dem Weg tasten, 10 zwanzig Jahre lang[5]. Und Gott achtete auf ihre Werke, denn mit vollkommenem Herzen hatten sie ihn gesucht, 11 und erweckte ihnen den Lehrer der Gerechtigkeit, um sie auf den Weg seines Herzens zu führen. Und er machte kund 12 den späteren Geschlechtern, was er im letzten Geschlecht an der Gemeinde der Abtrünnigen[6] tun wird, 13 das sind die, welche vom Wege abgewichen sind. Dies ist die Zeit, von der geschrieben steht: Wie eine störrische Jungkuh, 14 so war Israel störrisch (Hos. 4, 16); als der Mann des Spottes[7] sich erhob, der Israel predigte 15 Wasser der Lüge und sie in die weglose Wüste irreführte, um ewigen Stolz[8] zu erniedrigen und abzuweichen 16 von den Pfaden der Gerechtigkeit und die Grenze zu verändern, die ihre Vorfahren an ihrem Erbteil gezogen hatten, um 17 ihnen die Flüche seines Bundes anzuheften, sie dem Schwert zu überliefern, das die Rache des Bundes ausübt[9]. 18 Denn sie suchten glatte Dinge und erwählten Täuschungen und spähten aus 19 nach Rissen und erwählten die Schönheit des Halses[10] und sprachen den Gottlosen gerecht, aber erklärten den Gerechten für gottlos. 20 Und sie verursachten Übertretungen des Bundes und brachen die Satzung. Und sie taten sich zusammen gegen das Leben des Gerechten, und alle, die wandeln 21 in Vollkommenheit, verabscheute ihre Seele, und

II

אֵל בַּעֲדָתָם לְהָשֵׁם אֵת כָּל הֲמוֹנָם וּמַעֲשֵׂיהֶם לְנִדָּה לְפָנָיו ׳
2 וְעַתָּה שִׁמְעוּ אֵלַי כָּל בָּאֵי בְרִית וְאֶגְלֶה אָזְנְכֶם בְּדַרְכֵי
3 רְשָׁעִים ׳ אֵל אָהַב דַּעַת חָכְמָה וְתוּשִׁיָּה הִצִּיב לְפָנָיו
4 עָרְמָה וְדַעַת הֵם יְשָׁרְתוּהוּ ׳ אֶרֶךְ אַפַּיִם עִמּוֹ וְרוֹב סְלִיחוֹת
5 לְכַפֵּר בְּעַד שָׁבֵי פֶשַׁע ׳ וְכוֹחַ וּגְבוּרָה וְחֵמָה גְדוֹלָה בְּלַהֲבֵי אֵשׁ
6 [a]בִּי כָּל מַלְאֲכֵי חֶבֶל עַל סָרְרֵי דֶרֶךְ וּמְתָעֲבֵי חֹק לְאֵין שְׁאֵרִית
7 וּפְלֵיטָה לָמוֹ ׳ כִּי לֹא בָחַר אֵל בָּהֶם מִקֶּדֶם עוֹלָם וּבְטֶרֶם נוֹסְדוּ
יָדַע 8 אֵת מַעֲשֵׂיהֶם ׳ וַיְתָעֵב אֵת דּוֹרוֹת מִדָּם וַיַּסְתֵּר אֵת פָּנָיו
מִן הָאָרֶץ 9 [b]מִי עַד תֻּמָּם ׳ וַיֵּדַע אֵת שְׁנֵי מַעֲמָד וּמִסְפַּר וּפֵרוּשׁ
קִצֵּיהֶם לְכָל 10 הֹוֵי עוֹלָמִים וְנִהְיוֹת עַד מָה יָבוֹא בְּקִצֵּיהֶם
לְכָל שְׁנֵי עוֹלָם ׳ 11 וּבְכוּלָּם הֵקִים לוֹ קְרִיאֵי שֵׁם לְמַעַן הַתִּיר
פְּלֵיטָה לָאָרֶץ וּלְמַלֵּא 12 פְּנֵי תֵבֵל מִזַּרְעָם ׳ וַיּוֹדִיעֵם בְּיַד
[c]מְשִׁיחוֹ רוּחַ קָדְשׁוֹ וְחוֹזֵי 13 אֱמֶת ׳ וּבְפֵרוּשׁ [d]שְׁמוֹ שְׁמוֹתֵיהֶם
וְאֵת אֲשֶׁר שָׂנֵא הִתְעָה ׳ 14 וְעַתָּה בָנִים שִׁמְעוּ לִי וַאֲגַלֶּה עֵינֵיכֶם
לִרְאוֹת וּלְהָבִין בְּמַעֲשֵׂי 15 אֵל וְלִבְחוֹר אֵת אֲשֶׁר רָצָה
וְלִמְאוֹס כַּאֲשֶׁר שָׂנֵא ׳ לְהִתְהַלֵּךְ תָּמִים 16 בְּכָל דְּרָכָיו וְלֹא
לָתוּר בְּמַחְשְׁבוֹת יֵצֶר אַשְׁמָה וְעֵינֵי זְנוּת ׳ כִּי רַבִּים 17 תָּעוּ
בָם וְגִבּוֹרֵי חַיִל נִכְשְׁלוּ בָם מִלְּפָנִים וְעַד הֵנָּה ׳ בְּלֶכְתָּם בִּשְׁרִירוּת
18 לִבָּם נָפְלוּ עִירֵי הַשָּׁמַיִם בָּהּ נֶאֱחָזוּ אֲשֶׁר לֹא שָׁמְרוּ מִצְוֺת אֵל ׳
19 וּבְנֵיהֶם אֲשֶׁר כְּרוּם אֲרָזִים גָּבְהָם וּכְהָרִים גְּוִיּוֹתֵיהֶם כִּי נָפָלוּ ׳
20 כָּל בָּשָׂר אֲשֶׁר הָיָה בֶחָרָבָה כִּי גָוַע וַיִּהְיוּ כְּלֹא הָיוּ בַּעֲשׂוֹתָם
אֵת 21 רְצוֹנָם וְלֹא שָׁמְרוּ אֵת מִצְוֺת עֹשֵׂיהֶם עַד אֲשֶׁר חָרָה
אַפּוֹ בָם ׳

[a] lies בְּיַד — [b] = מִיִּשְׂרָאֵל — [c] lies מְשִׁיחֵי — [d] lies שָׁם.

sie verfolgten sie mit dem Schwert und freuten sich am Streit des Volkes. Da entbrannte der Zorn

II

Gottes gegen ihre Gemeinde, so daß er ihre gesamte Menge verstörte und ihre Werke Unreinheit vor ihm sind. 2 Aber jetzt hört auf mich, alle, die ihr in den Bund eingetreten seid, und ich werde euer Ohr öffnen für die Wege 3 der Gottlosen. Gott liebt Erkenntnis, Weisheit und Einsicht hat er vor sich hingestellt, 4 Klugheit und Erkenntnis sind es, die ihm dienen. Langmut ist bei ihm und reiche Vergebungen, 5 um Sühne zu schaffen für die, die von der Sünde sich abgewandt haben. Aber Macht und Kraft und großer Grimm mit Feuerflammen 6 durch alle Engel des Verderbens gegen die, die dem Wege widerstreben und die Satzung verabscheuen, auf daß es keinen Rest 7 und kein Entronnenes für sie gebe. Denn Gott hat sie nicht erwählt von uralter Zeit an; und bevor sie geschaffen wurden, kannte er 8 ihre Werke. Und er verabscheute die Generationen wegen des Blutvergießens und verbarg sein Angesicht vor dem Land, 9 (vor Israel,) bis zu ihrem Ende. Und er kennt die Jahre des Bestehens und die Zahl und Bestimmung ihrer Zeiten für alle 10 ewigen Geschehnisse und ewigen Ereignisse, was in ihren Zeiten kommen wird für alle Jahre der Weltzeit. 11 Und in ihnen allen hat er sich namentlich Genannte erweckt, um Entronnene für das Land übrig zu lassen und 12 die Oberfläche des Erdkreises mit ihrem Samen zu füllen. Und er belehrte sie durch die Gesalbten seines heiligen Geistes[11] und die Seher der 13 Wahrheit. Und mit Genauigkeit legte er ihre Namen fest, aber die, welche er haßt, führte er in die Irre. 14 Nun aber, ihr Söhne, hört auf mich, so will ich eure Augen auftun, um zu sehen und zu verstehen 15 die Werke Gottes und das zu erwählen, woran er Wohlgefallen hat, und zu verwerfen, was er haßt; vollkommen zu wandeln 16 auf allen seinen Wegen und nicht nachzugehen den Gedanken des schuldigen Triebes und unzüchtigen Augen. Denn viele 17 sind dadurch abgeirrt, und starke Helden sind durch sie gestrauchelt von einst bis jetzt. Da sie wandelten in der Verstocktheit 18 ihres Herzens, sind die Wächter des Himmels[12] gefallen; dadurch wurden sie gefangen, weil sie nicht die Gebote

III

בָּה תָּעוּ בְּנֵי נֹחַ וּמִשְׁפְּחוֹתֵיהֶם בָּהּ הֵם נִכְרָתִים ׳ 2 אַבְרָהָם
לֹא הָלַךְ בָּהּ וַיֵּעַ[ל אוֹ]הֵב בְּשָׁמְרוֹ מִצְוֹת אֵל וְלֹא בָחַר
3 בִּרְצוֹן רוּחוֹ ׳ וַיִּמְסוֹר לְיִשְׂחָק וּלְיַעֲקֹב וַיִּשְׁמְרוּ וַיִּכָּתְבוּ אוֹהֲבִים
4 לְאֵל וּבַעֲלֵי בְרִית לְעוֹלָם ׳ בְּנֵי יַעֲקֹב תָּעוּ בָם וַיֵּעָנְשׁוּ [a] לְפְנֵי
5 מִשְׁגּוֹתָם ׳ וּבְנֵיהֶם בְּמִצְרַיִם הָלְכוּ בִּשְׁרִירוּת לִבָּם [b] לְהִיָּעֵץ עַל
6 מִצְוֹת אֵל וְלַעֲשׂוֹת אִישׁ הַיָּשָׁר בְּעֵינָיו ׳ וַיֹּאכְלוּ אֵת הַדָּם ׳ וַיִּכָּרֵת
7 זְכוּרָם בַּמִּדְבָּר ׳ [c] לָהֶם בְּקָדֵשׁ עֲלוּ וּרְשׁוּ [d] אֵת רוּחָם [d] וְלֹא שָׁמְעוּ
8 לְקוֹל עֹשֵׂיהֶם מִצְוֹת יוֹרֵיהֶם וַיֵּרָגְנוּ בְּאָהֳלֵיהֶם ׳ וַיִּחַר אַף אֵל
9 בַּעֲדָתָם ׳ וּבְנֵיהֶם בּוֹ אָבְדוּ וּמַלְכֵיהֶם בּוֹ נִכְרָתוּ וְגִיבּוֹרֵיהֶם בּוֹ
10 אָבְדוּ וְאַרְצָם בּוֹ שָׁמֵמָה ׳ בּוֹ חָבוּ בָּאֵי הַבְּרִית הָרִאשֹׁנִים
וַיִּסָּגְרוּ 11 לַחֶרֶב בְּעָזְבָם אֵת בְּרִית אֵל וַיִּבְחֲרוּ בִּרְצוֹנָם
וַיָּתוּרוּ אַחֲרֵי שְׁרִירוּת 12 לִבָּם לַעֲשׂוֹת אִישׁ אֵת רְצוֹנוֹ ׳
וּבַמַּחֲזִיקִים בְּמִצְוֹת אֵל 13 אֲשֶׁר נוֹתְרוּ מֵהֶם הֵקִים אֵל אֶת
בְּרִיתוֹ לְיִשְׂרָאֵל עַד עוֹלָם לְגַלּוֹת 14 לָהֶם נִסְתָּרוֹת אֲשֶׁר תָּעוּ
בָם כָּל יִשְׂרָאֵל ׳ שַׁבְּתוֹת קָדְשׁוֹ וּמוֹעֲדֵי 15 כְבוֹדוֹ עֵידוֹת צִדְקוֹ
וְדַרְכֵי אֲמִתּוֹ וְחֶפְצֵי רְצוֹנוֹ אֲשֶׁר יַעֲשֶׂה 16 הָאָדָם וְחָיָה בָהֶם
פָּתַח לִפְנֵיהֶם ׳ וַיַּחְפְּרוּ בְאֵר לְמַיִם רַבִּים 17 וּמוֹאֲסֵיהֶם לֹא
יִחְיֶה ׳ וְהֵם הִתְגּוֹלְלוּ בְּפֶשַׁע אֱנוֹשׁ וּבְדַרְכֵי נִדָּה 18 וַיֹּאמְרוּ כִּי

[a] lies לְפִי — [b] = לְהִוָּעֵץ — [c] ergänze: וַיְדַבֵּר לָהֶם — [d–d] ergänze: אֵת הָאָרֶץ וַיִּבְחֲרוּ בִּרְצוֹן רוּחָם.

Gottes gehalten hatten. 19 Und ihre Söhne, deren Größe der Höhe der Zedern und deren Leiber den Bergen gleichkamen, fürwahr, sie sind gefallen. 20 Alles Fleisch, das auf trockenem Land sich befand, fürwahr, es erstarb, und sie wurden, als ob sie nie gewesen wären, weil sie getan hatten 21 nach ihrem eigenen Willen und nicht die Gebote ihres Schöpfers gehalten hatten, bis sein Zorn gegen sie entbrannte.

III

Darin sind die Söhne Noahs und ihre Familien in die Irre gegangen, sie sind deswegen ausgerottet worden. 2 Abraham wandelte nicht darin und wurde als Fr[eund ge]achtet[13], weil er die Gebote Gottes hielt und nicht 3 den Willen seines eigenen Geistes erwählte. Und er gab (sie) weiter an Isaak und an Jakob, die hielten (sie) und wurden aufgeschrieben als Freunde 4 Gottes und Teilhaber am Bund für immer. Die Söhne Jakobs gingen darin in die Irre und wurden bestraft für 5 ihre Verirrungen. Und ihre Söhne in Ägypten wandelten in der Verstocktheit ihres Herzens, indem sie sich verschworen gegen 6 die Gebote Gottes und jeder das tat, was recht in seinen Augen war. Und sie aßen Blut. Da wurden 7 ihre Männer in der Wüste ausgerottet. (Und er sprach) zu ihnen in Qadesch: Zieht hinauf und nehmt (das Land) in Besitz (Deut. 9, 23); (sie aber wählten den Willen) ihres eigenen Geistes und hörten nicht 8 auf die Stimme ihres Schöpfers, auf die Gebote ihres Lehrers, und murrten in ihren Zelten. Da entbrannte der Zorn Gottes 9 gegen ihre Gemeinde. Und ihre Söhne gingen deswegen zugrunde, und ihre Könige wurden deswegen vertilgt, und ihre Helden gingen deswegen 10 zugrunde, und ihr Land wurde deswegen verwüstet. Deswegen sind schuldig geworden die Ersten, die in den Bund eingetreten sind[14], und wurden 11 dem Schwert ausgeliefert, weil sie den Bund Gottes verlassen und ihren eigenen Willen erwählt hatten und nach der Verstocktheit ihres Herzens trachteten, 12 daß jeder seinen Willen tat. Aber mit denen, die an den Geboten Gottes festhielten, 13 die von ihnen übrig waren, hat Gott seinen Bund für Israel aufgerichtet für immer, um 14 ihnen verborgene Dinge zu offenbaren, worin ganz Israel in die Irre gegangen war: seine heiligen Sabbate und seine herrlichen Festzeiten, 15 seine gerechten Zeugnisse

לָנוּ הִיא ׳ וְאֵל בְּרָזֵי פִלְאוֹ כִּפֶּר בְּעַד עֲוֹנָם וַיִּשָּׂא לְפִשְׁעָם
19 וַיִּבֶן לָהֶם בַּיִת נֶאֱמָן בְּיִשְׂרָאֵל אֲשֶׁר לֹא עָמַד כָּמֹהוּ לְמִלְּפָנִים
וְעַד 20 הֵנָּה ׳ הַמַּחֲזִיקִים בּוֹ לְחַיֵּי נֶצַח וְכָל כְּבוֹד אָדָם לָהֶם
הוּא כַּאֲשֶׁר 21 הֵקִים אֵל לָהֶם בְּיַד יְחֶזְקֵאל הַנָּבִיא לֵאמֹר
הַכֹּהֲנִים וְהַלְוִיִּם וּבְנֵי

IV

צָדוֹק אֲשֶׁר שָׁמְרוּ אֶת מִשְׁמֶרֶת מִקְדָּשִׁי בִּתְעוֹת בְּנֵי יִשְׂרָאֵל
2 מעליהם[a] יַגִּישׁוּ לִי חֵלֶב וָדָם ׳ הַכֹּהֲנִים הֵם שָׁבֵי יִשְׂרָאֵל
3 הַיּוֹצְאִים מֵאֶרֶץ יְהוּדָה [b]וְהַנִּלְוִים עִמָּהֶם ׳ וּבְנֵי צָדוֹק הֵם בְּחִירֵי
4 יִשְׂרָאֵל קְרִיאֵי הַשֵּׁם הָעֹמְדִים בְּאַחֲרִית הַיָּמִים ׳ הִנֵּה פֵרוּשׁ
5 שְׁמוֹתֵיהֶם לְתוֹלְדוֹתָם וְקֵץ מַעֲמָדָם וּמִסְפַּר צָרוֹתֵיהֶם וּשְׁנֵי
6 הִתְגּוֹרְרָם וּפֵירוּשׁ מַעֲשֵׂיהֶם ׳ [c]הקודש שונים[c] אֲשֶׁר כִּפֶּר
7 אֵל בַּעֲדָם וַיַּצְדִּיקוּ צַדִּיק וַיַּרְשִׁיעוּ רָשָׁע ׳ וְכָל הַבָּאִים אַחֲרֵיהֶם
8 לַעֲשׂוֹת כְּפֵרוּשׁ הַתּוֹרָה אֲשֶׁר הִתְוַסְּרוּ בוֹ הָרִאשֹׁנִים עַד [d]שלים
9 הַקֵּץ הַשָּׁנִים הָאֵלֶּה ׳ כַּבְּרִית אֲשֶׁר הֵקִים אֵל לָרִאשֹׁנִים לְכַפֵּר
10 עַל עֲוֹנוֹתֵיהֶם כֵּן יְכַפֵּר אֵל בַּעֲדָם ׳ [e]ובשלים הַקֵּץ לְמִסְפַּר
הַשָּׁנִים 11 הָאֵלֶּה אֵין עוֹד לְהִשְׁתַּפֵּחַ לְבֵית יְהוּדָה כִּי אִם
לַעֲמוֹד אִישׁ עַל 12 מְצוּדוֹ ׳ נִבְנְתָה הַגָּדֵר רָחַק הַחוֹק ׳ וּבְכָל
הַשָּׁנִים הָאֵלֶּה יִהְיֶה 13 בְלִיַּעַל מְשׁוּלָּח בְּיִשְׂרָאֵל כַּאֲשֶׁר דִּבֶּר
אֵל בְּיַד יְשַׁעְיָה הַנָּבִיא בֶּן 14 אָמוֹץ לֵאמֹר פַּחַד וָפַחַת וָפָח

[a] lies מֵעָלַי הֵם — [b] ergänze: וְהַלְוִיִּם הֵם הַנִּלְוִים — [c–c] ergänze: אַנְשֵׁי הַקֹּדֶשׁ הָרִאשׁוֹנִים — [d] lies הַשְׁלִים — [e] lies וּבְהַשְׁלִים.

und die Wege seiner Wahrheit und die Wünsche seines Willens — die der Mensch erfüllen muß, 16 damit er durch sie lebe — hat er ihnen aufgetan. Da gruben sie einen Brunnen[15] mit reichlichem Wasser; 17 und wer sie verachtet, der wird nicht leben. Sie aber hatten sich gewälzt in der Sünde der Menschen und auf Wegen der Unreinheit 18 und sprachen: Fürwahr, dies gehört uns! Aber Gott in seinen wunderbaren Geheimnissen sühnte ihre Sünde und vergab ihre Missetat 19 und baute für sie ein festes Haus in Israel, wie noch keines gestanden hat seit ehedem bis 20 jetzt. Diejenigen, die sich daran halten, sind für das ewige Leben (bestimmt), und ihnen gehört alle Herrlichkeit des Menschen, wie 21 Gott es ihnen durch den Propheten Ezechiel bestimmt hat: Die Priester und die Leviten und die Söhne

IV

Zadoqs, die die Wache über mein Heiligtum gehalten haben, als die Söhne Israels abirrten 2 von mir, sie sollen mit Fett und Blut opfern (Ez. 44, 15). Die Priester sind die Umkehrenden Israels, 3 die aus dem Lande Juda ausgezogen sind; (und die Leviten sind die,) welche sich ihnen angeschlossen haben. Und die Söhne Zadoqs sind die Erwählten 4 Israels, die bei Namen Gerufenen, die am Ende der Tage auftreten werden. Siehe, das genaue Verzeichnis 5 ihrer Namen nach ihren Geschlechtern und die Zeit ihres Auftretens und die Zahl ihrer Drangsale und die Jahre 6 ihrer Verbannung und die Aufstellung ihrer Werke[16]. [.?.] die früheren heiligen Männer, denen Gott vergeben hat 7 und die den Gerechten für gerecht und den Gottlosen für gottlos erklärt haben; und alle, die nach ihnen eingetreten sind[17], 8 um nach der genauen Bestimmung des Gesetzes zu handeln, wodurch die Früheren sich weisen ließen, bis zur Vollendung 9 der Zeit dieser Jahre. Gemäß dem Bund, den Gott den Früheren aufgerichtet hat, um zu vergeben 10 ihre Sünden, wird Gott auch ihnen vergeben. Und bei Vollendung der Zeit gemäß der Zahl dieser Jahre 11 wird sich niemand mehr dem Hause Juda anschließen; sondern jeder soll stehen 12 auf seiner Warte[18]. Die Mauer ist erbaut, fern ist die Satzung[19]. Und in allen diesen Jahren wird 13 Belial losgelassen sein gegen Israel, wie Gott durch den Propheten Jesaja, den Sohn 14 des Amos, gesprochen hat: Grauen und Grube

עָלֶיךָ יוֹשֵׁב הָאָרֶץ ׳ פִּשְׁרוֹ 15 שְׁלוֹשֶׁת מְצוּדוֹת בְּלִיַּעַל אֲשֶׁר
אָמַר עֲלֵיהֶם לֵוִי בֶן יַעֲקֹב 16 אֲשֶׁר הוּא תָפַשׂ בָּהֶם בְּיִשְׂרָאֵל
וַיִּתְּנֵם [f]פניהם לִשְׁלוֹשֶׁת מִינֵי 17 הַצֶּדֶק ׳ הָרִאשׁוֹנָה הִיא הַזְּנוּת
הַשֵּׁנִית הַהוֹן הַשְּׁלִישִׁית 18 טַמֵּא הַמִּקְדָּשׁ ׳ הָעוֹלֶה מִזֶּה יִתָּפֵשׂ
בָּזֶה וְהַנִּיצָּל מִזֶּה יִתָּפֵשׂ 19 בָּזֶה ׳ בּוֹנֵי הַחַיִץ אֲשֶׁר הָלְכוּ אַחֲרֵי
צָו ׳הַצָּו הוּא מַטִּיף 20 אֲשֶׁר אָמַר הַטֵּף יַטִּיפוּן ׳ הֵם נִיתְפָּשִׂים
בִּשְׁתַּיִם בִּזְנוּת לָקַחַת 21 שְׁתֵּי נָשִׁים בְּחַיֵּיהֶם ׳ וִיסוֹד הַבְּרִיאָה
זָכָר וּנְקֵבָה בָּרָא אוֹתָם ׳

V

וּבָאֵי הַתֵּבָה שְׁנַיִם שְׁנַיִם בָּאוּ אֶל הַתֵּבָה ׳ וְעַל הַנָּשִׂיא כָּתוּב
2 לֹא יַרְבֶּה לוֹ נָשִׁים ׳ וְדָוִיד לֹא קָרָא בְסֵפֶר הַתּוֹרָה הֶחָתוּם
אֲשֶׁר 3 הָיָה בָאָרוֹן כִּי לֹא נִפְתַּח בְּיִשְׂרָאֵל מִיּוֹם מוֹת אֶלְעָזָר
4 וִיהוֹשֻׁעַ [a]ויושוע וְהַזְּקֵנִים אֲשֶׁר עָבְדוּ אֶת הָעַשְׁתָּרֹת ׳ וַיִּטְמוֹן
5 [b]נִגְלֶה עַד עֲמוֹד צָדוֹק ׳ וַיַּעֲלוּ מַעֲשֵׂי דָוִיד מִלְּבַד דַּם אוּרִיָּה
6 וַיַּעַזְבֵם לוֹ אֵל ׳ וְגַם מְטַמְּאִים הֵם אֶת הַמִּקְדָּשׁ אֲשֶׁר אֵין הֵם
7 [c]מַבְדִּיל כַּתּוֹרָה וְשׁוֹכְבִים עִם הָרוֹאָה אֶת דַּם זוֹבָהּ ׳ וְלוֹקְחִים
8 אִישׁ אֶת בַּת אָחִיהוּ וְאֶת בַּת אֲחוֹתוֹ ׳ וּמֹשֶׁה אָמַר אֶל
9 אֲחוֹת אִמְּךָ לֹא תִקְרַב שְׁאֵר אִמְּךָ הִיא ׳ וּמִשְׁפַּט הָעֲרָיוֹת
לִזְכָרִים 10 הוּא כָתוּב וְכָהֵם הַנָּשִׁים ׳ וְאִם תְּגַלֶּה בַת הָאָח
אֶת עֶרְוַת אֲחִי 11 אָבִיהָ וְהִיא שְׁאֵר ׳ וְגַם אֶת רוּחַ קָדְשֵׁיהֶם
טִמְּאוּ וּבִלְשׁוֹן 12 גִּדּוּפִים פָּתְחוּ פֶה עַל חוּקֵי בְרִית אֵל לֵאמֹר
לֹא נָכוֹנוּ ׳ וְתוֹעֵבָה 13 הֵם מְדַבְּרִים בָּם ׳ כֻּלָּם קֹדְחֵי אֵשׁ

[f] lies לִפְנֵיהֶם.

[a] streiche ויושוע — [b] ergänze: וְלֹא נִגְלֶה — [c] lies מַבְדִּילִים.

und Garn über dich, Einwohner des Landes (Jes. 24, 17). Seine Deutung bezieht sich 15 auf die drei Netze Belials, von denen Levi, der Sohn Jakobs, gesprochen hat[20], 16 daß er[21] damit Israel fängt, und die er vor sie gestellt hat als drei Arten 17 von Recht: die erste ist die Unzucht, die zweite der Reichtum, die dritte 18 die Befleckung des Heiligtums. Wer dem einen entkommt, wird vom anderen gefangen, und wer daraus errettet wird, der wird 19 von diesem gefangen[22]. Die Erbauer der Mauer[23], das sind die, die hinter „Zaw"[24] hergehen; „Zaw" ist ein Prediger, 20 von dem er gesagt hat: Mögen sie unablässig predigen[25]. Sie sind durch zweierlei gefangen: in der Hurerei, daß sie 21 zwei Weiber zu ihren Lebzeiten[26] nahmen; aber die Grundlage der Schöpfung ist: Als Mann und Weib hat er sie erschaffen (Gen. 1, 27).

V

Und die in die Arche hineingingen, sind je zwei und zwei in die Arche gegangen[27]. Und über den Fürsten steht geschrieben: 2 Er soll sich nicht viele Weiber halten (Deut. 17, 17). Aber David hatte nicht im versiegelten Buch des Gesetzes gelesen, das 3 in der Lade war[28]; denn es war nicht geöffnet worden in Israel seit dem Tage, da Eleazar starb 4 und Josua und die Ältesten, da man den Astarten diente. Und es war verborgen 5 und wurde nicht enthüllt bis zum Auftreten Zadoqs. Und die Werke Davids wurden aufgehoben (?) mit Ausnahme des Blutes des Uria, 6 und Gott erließ sie ihm. Auch beflecken sie das Heiligtum, da sie nicht 7 unterscheiden dem Gesetz entsprechend und bei der liegen, die den Blutfluß sieht[29]. Und sie nehmen 8 jeder die Tochter seines Bruders oder die Tochter seiner Schwester. Mose aber hat gesagt: Der 9 Schwester deiner Mutter sollst du dich nicht nahen; denn sie ist Blutsverwandte deiner Mutter[30]. Und das Gesetz über Blutschande ist zwar für Männer 10 aufgeschrieben, aber ebenso für die Frauen (gültig). Und wenn die Tochter des Bruders die Blöße des Bruders 11 ihres Vaters aufdeckt, so ist sie (doch) eine Blutsverwandte. Und auch ihren heiligen Geist haben sie verunreinigt und mit Lästerzunge[31] 12 den Mund geöffnet gegen die Satzungen des Bundes Gottes und sprechen: Sie stehen nicht fest gegründet! Und Greuel 13 reden sie da gegen sie. Allesamt sind sie Feuerschürer und

וּמְבַעֲרֵי זִיקוֹת ׳ קוּרֵי 14 עַכָּבִישׁ קוּרֵיהֶם וּבֵיצֵי צִפְעוֹנִים
בֵּיצֵיהֶם ׳ הַקָּרוֹב אֲלֵיהֶם 15 לֹא יִנָּקֶה ׳ [d]כהר ביתו[d] יֶאְשַׁם
כִּי אִם נִלְחָץ ׳ [e]כי אם[e] לְמִילְפָנִים פָּקַד 16 אֵל אֶת מַעֲשֵׂיהֶם
וַיִּחַר אַפּוֹ בַּעֲלִילוֹתֵיהֶם כִּי לֹא עַם בִּינוֹת הוּא ׳ 17 הֵם גּוֹי
אֹבַד עֵצוֹת מֵאֲשֶׁר אֵין בָּהֶם בִּינָה ׳ כִּי מִלְּפָנִים עָמַד 18 מֹשֶׁה
וְאַהֲרֹן בְּיַד שַׂר הָאוּרִים וַיָּקֶם בְּלִיַּעַל אֶת יַחֲנֶה וְאֶת 19 אָחִיהוּ
בִּמְזִמָּתוֹ בְּהוֹשַׁע יִשְׂרָאֵל אֶת הָרִאשׁוֹנָה ׳ 20 וּבְקֵץ חָרְבַּן
הָאָרֶץ עָמְדוּ מַסִּיגֵי הַגְּבוּל וַיַּתְעוּ אֶת יִשְׂרָאֵל ׳ 21 וַתֵּישַׁם
הָאָרֶץ כִּי דִבְּרוּ סָרָה עַל מִצְוֹת אֵל בְּיַד מֹשֶׁה וְגַם

VI

[a]במשיחו הַקּוֹדֶשׁ וַיִּנָּבְאוּ שֶׁקֶר לְהָשִׁיב אֶת יִשְׂרָאֵל מֵאַחַר
2 אֵל ׳ וַיִּזְכֹּר אֵל בְּרִית רִאשֹׁנִים וַיָּקֶם מֵאַהֲרֹן נְבוֹנִים וּמִיִּשְׂרָאֵל
3 חֲכָמִים ׳ וַיַּשְׁמִיעֵם וַיַּחְפּוֹרוּ אֶת הַבְּאֵר בְּאֵר חֲפָרוּהָ שָׂרִים
כָּרוּהָ 4 נְדִיבֵי הָעָם בִּמְחוֹקֵק ׳ הַבְּאֵר הִיא הַתּוֹרָה וְחוֹפְרֶיהָ
הֵם 5 שָׁבֵי יִשְׂרָאֵל הַיּוֹצְאִים מֵאֶרֶץ יְהוּדָה וַיָּגוּרוּ בְּאֶרֶץ
דַּמֶּשֶׂק 6 אֲשֶׁר קָרָא אֵל אֶת כּוּלָּם שָׂרִים כִּי דְרָשׁוּהוּ וְלֹא
הוּשְׁבָה 7 [b]פארתם בְּפִי אֶחָד ׳ וְהַמְּחוֹקֵק הוּא דוֹרֵשׁ הַתּוֹרָה
אֲשֶׁר 8 אָמַר יְשַׁעְיָה מוֹצִיא כְלִי לְמַעֲשֵׂהוּ ׳ וּנְדִיבֵי הָעָם הֵם
9 הַבָּאִים לִכְרוֹת אֶת הַבְּאֵר בִּמְחוֹקְקוֹת אֲשֶׁר חָקַק הַמְּחוֹקֵק
10 לְהִתְהַלֵּךְ [c]במה בְּכָל קֵץ [d]הרשיע וְזוּלָתָם לֹא יַשִּׂיגוּ עַד עֲמֹד
11 יוֹרֵה הַצֶּדֶק בְּאַחֲרִית הַיָּמִים ׳ וְכָל אֲשֶׁר הוּבְאוּ בַּבְּרִית
12 לְבִלְתִּי בוֹא אֶל הַמִּקְדָּשׁ לְהָאִיר מִזְבְּחוֹ חִנָּם ׳ וְיִהְיוּ מְסַגְּרֵי

d–d lies כְּהַרְבּוֹתוֹ — e–e lies כִּי גַם.

a lies בִּמְשִׁיחֵי — b lies תִּפְאַרְתָּם — c lies בָּהֶם — d lies הָרֶשַׁע.

Brandstifter[32]; Spinnengewebe 14 sind ihre Gewebe, und Viperneier sind ihre Eier[33]. Wer sich ihnen nähert, 15 bleibt nicht rein; je mehr er es tut, umso mehr soll er als schuldig gelten, es sei denn, er wäre gezwungen worden. Denn schon längst hat 16 Gott ihre Werke heimgesucht, und sein Zorn entbrannte gegen ihre Taten; denn es ist ein uneinsichtiges Volk[34]. 17 Sie sind ein Volk, an dem guter Rat verloren ist[35], weil es keine Einsicht unter ihnen gibt. Denn einstmals stand 18 Mose auf und Aaron durch den Fürsten der Lichter, aber Belial ließ den Jannes aufstehen und 19 seinen Bruder in seiner Tücke, als Israel zum ersten Mal gerettet wurde[36]. 20 Und zur Zeit der Verwüstung des Landes sind Leute aufgestanden, die die Grenze verrückten und Israel in die Irre führten; 21 und das Land wurde zur Wüste; denn sie predigten Aufruhr gegen die Gebote Gottes, die (er) durch Mose

VI

und durch die heiligen Gesalbten (gegeben hatte), und weissagten Lüge, um Israel zum Abfall von Gott zu bringen. 2 Gott aber gedachte des Bundes mit den Vorfahren und erweckte aus Aaron einsichtige Männer und aus Israel 3 Weise. Und er ließ sie hören, und sie gruben den Brunnen, einen Brunnen, den Fürsten gegraben haben, den ausgeschachtet haben 4 die Edlen des Volkes mit dem Stabe (Num. 21, 18). Der Brunnen, das ist das Gesetz, und die ihn gegraben haben, 5 das sind die Bekehrten Israels, die aus dem Lande Juda ausgezogen sind und im Lande von Damaskus in der Fremde weilten, 6 die Gott alle Fürsten genannt hat; denn sie haben ihn gesucht, und nicht geschmälert 7 wurde ihr Ruhm durch eines (Menschen) Mund. Und der Stab ist der, der das Gesetz erforscht, von dem 8 Jesaja gesagt hat: Einer, der ein Werkzeug für sein Tun hervorbringt (Jes. 54, 16). Und die Edlen des Volkes sind diejenigen, 9 die gekommen sind, um den Brunnen auszuschachten mit Hilfe der 'Stäbe', die der 'Stab' vorgeschrieben hat[37], 10 in ihnen zu wandeln während der ganzen Zeit des Frevels. Und ohne sie werden sie nicht erlangen (Belehrung[38]) bis zum Auftreten 11 eines Lehrers der Gerechtigkeit am Ende der Tage. Aber alle, die in den Bund gebracht worden sind, 12 sollen nicht in das Heiligtum eintreten, auf seinem Altar vergeblich

13 הַדֶּלֶת אֲשֶׁר אָמַר אֵל מִי בָכֶם יִסְגּוֹר דַּלְתּוֹ וְלֹא תָאִירוּ מִזְבְּחִי
14 חִנָּם · אִם לֹא יִשְׁמְרוּ לַעֲשׂוֹת כְּפֵרוּשׁ הַתּוֹרָה לְקֵץ הָרֶשַׁע
וּלְהִבָּדֵל 15 מִבְּנֵי הַשַּׁחַת וּלְהִנָּזֵר מֵהוֹן הָרִשְׁעָה הַטָּמֵא בְנֶדֶר
וּבְחֵרֶם 16 וּבְהוֹן הַמִּקְדָּשׁ · [e]וְלִגְזוֹל אֶת עֲנִיֵּי עַמּוֹ לִהְיוֹת
אַלְמָנוֹת שְׁלָלָם 17 וְאֶת יְתוֹמִים יִרְצָחוּ · וּלְהַבְדִּיל בֵּין הַטָּמֵא
לַטָּהוֹר וּלְהוֹדִיעַ בֵּין 18 הַקּוֹדֶשׁ לַחוֹל וְלִשְׁמוֹר אֶת יוֹם הַשַּׁבָּת
כְּפֵרוּשָׁהּ וְאֶת הַמּוֹעֲדוֹת 19 וְאֶת יוֹם הַתַּעֲנִית כְּמִצְאַת בָּאֵי
הַבְּרִית הַחֲדָשָׁה בְּאֶרֶץ דַּמֶּשֶׂק · 20 לְהָרִים אֶת הַקֳּדָשִׁים
כְּפֵירוּשֵׁיהֶם · לֶאֱהוֹב אִישׁ אֶת אָחִיהוּ 21 כָּמֹהוּ וּלְהַחֲזִיק
בְּיַד עָנִי וְאֶבְיוֹן וָגֵר וְלִדְרוֹשׁ אִישׁ אֶת שְׁלוֹם

VII

אָחִיהוּ וְלֹא יִמְעַל אִישׁ בִּשְׁאֵר בְּשָׂרוֹ · לְהַזִּיר מִן הַזּוֹנוֹת
2 כַּמִּשְׁפָּט · לְהוֹכִיחַ אִישׁ אֶת אָחִיהוּ כַּמִּצְוָה וְלֹא לִנְטוֹר
3 מִיּוֹם לְיוֹם · וּלְהִבָּדֵל מִכָּל הַטֻּמְאוֹת כְּמִשְׁפָּטָם · וְלֹא יְשַׁקֵּץ
4 אִישׁ אֶת רוּחַ קָדְשָׁיו כַּאֲשֶׁר הִבְדִּיל אֵל לָהֶם · כָּל הַמִּתְהַלְּכִים
5 בְּאֵלֶּה בְּתָמִים קֹדֶשׁ עַל פִּי כָל [a]יְסוּרֵי בְּרִית אֵל נֶאֱמָנוֹת לָהֶם
6 לְחַיּוֹתָם אֶלֶף דּוֹר · וְאִם מַחֲנוֹת יֵשְׁבוּ כְּסֶרֶךְ הָאָרֶץ וְלָקְחוּ
7 נָשִׁים וְהוֹלִידוּ בָנִים וְהִתְהַלְּכוּ עַל פִּי הַתּוֹרָה וּכְמִשְׁפַּט
8 הַיְסוּרִים כְּסֶרֶךְ הַתּוֹרָה כַּאֲשֶׁר אָמַר בֵּין אִישׁ לְאִשְׁתּוֹ וּבֵין אָב

[e] ergänze: וְלֹא לִגְזוֹל.

[a] ergänze: יְסוּרֵי הַבְּרִית.

Feuer zu entzünden. Sie sollen die sein, die die Türe verschließen, 13 von denen Gott gesagt hat: Wer unter euch wird seine Türe verschließen? Und ihr sollt auf meinem Altar nicht vergeblich Feuer anzünden (Mal. 1, 10). 14 Wahrlich, sie sollen darauf achten, der Deutung des Gesetzes entsprechend zu handeln zur Zeit der Gottlosigkeit und sich abzusondern 15 von den Söhnen der Grube und sich zu trennen vom Besitz der Gottlosigkeit, der unrein ist durch ein Gelübde[39] oder einen Bannfluch 16 oder Besitz des Tempels; (nicht) die Armen seines Volkes zu berauben, daß Witwen ihre Beute sind 17 und sie Waisen ermorden[40]. (Sie sollen darauf achten), zu unterscheiden zwischen rein und unrein und (den Unterschied) zwischen 18 dem Heiligen und dem Profanen zu lehren und den Sabbattag zu halten entsprechend seiner genauen Bestimmung und die Festzeiten 19 und den Tag des Fastens[41] entsprechend dem Finden derer, die in den neuen Bund eingetreten sind im Lande Damaskus. 20 (Sie sollen darauf achten), die heiligen Gaben darzubringen entsprechend ihren genauen Bestimmungen; jeder seinen Bruder zu lieben 21 wie sich selbst, des Elenden und des Armen und des Fremdlings sich anzunehmen und ein jeder zu suchen die Wohlfahrt

VII

seines Bruders, und daß keiner treulos handle an dem, der Fleisch von seinem Fleisch ist; sich fernzuhalten von den Huren 2 dem Gebot gemäß; jeder seinen Bruder entsprechend dem Gebot zurechtzuweisen und ihm nicht zu grollen 3 von einem Tag auf den anderen; und sich fernzuhalten von allen Unreinheiten ihrem Gebot gemäß; daß keiner verunreinige 4 seinen heiligen Geist, wie Gott die Unterscheidung für sie getroffen hat. Für alle, die darin wandeln 5 in heiliger Vollkommenheit nach Geheiß aller Weisungen des Bundes, für sie steht der Bund Gottes fest, 6 daß sie leben sollen tausend Geschlechter hindurch. Und[42] wenn sie in Lagern wohnen entsprechend der Ordnung des Landes und Frauen nehmen 7 und Kinder zeugen, so sollen sie nach dem Geheiß des Gesetzes wandeln und gemäß der Vorschrift 8 der Weisungen entsprechend der Ordnung des Gesetzes, wie er gesagt hat: Zwischen einem Mann und seinem Weib und zwischen einem Vater 9 und seinem Sohn

9 לִבְנוֹ ׳ וְכָל הַמּוֹאֲסִים בִּפְקֹד אֵל אֵת הָאָרֶץ לְהָשִׁיב גְּמוּל
רְשָׁעִים 10 עֲלֵיהֶם בְּבוֹא הַדָּבָר אֲשֶׁר כָּתוּב בְּדִבְרֵי יְשַׁעְיָה
בֶּן אָמוֹץ הַנָּבִיא 11 אֲשֶׁר אָמַר ׳ יָבוֹא עָלֶיךָ וְעַל עַמְּךָ וְעַל
בֵּית אָבִיךָ יָמִים אֲשֶׁר[b] 12 בָּאוּ מִיּוֹם סוּר אֶפְרַיִם מֵעַל יְהוּדָה ׳
בְּהִפָּרֵד שְׁנֵי בָתֵּי יִשְׂרָאֵל 13 שָׂר אֶפְרַיִם מֵעַל יְהוּדָה ׳ וְכָל
הַנְּסוֹגִים הוּסְגְּרוּ לַחֶרֶב וְהַמַּחֲזִיקִים 14 נִמְלְטוּ לְאֶרֶץ צָפוֹן ׳
כַּאֲשֶׁר אָמַר וְהִגְלֵיתִי אֵת סִכּוּת מַלְכְּכֶם 15 וְאֵת כִּיּוּן צַלְמֵיכֶם
מֵאָהֳלֵי דַמֶּשֶׂק ׳ סִפְרֵי הַתּוֹרָה הֵם סוּכַּת 16 הַמֶּלֶךְ כַּאֲשֶׁר
אָמַר וַהֲקִימוֹתִי אֵת סוּכַּת דָּוִד הַנּוֹפֶלֶת ׳ הַמֶּלֶךְ 17 הוּא
הַקָּהָל [c]וכיניי הצלמים[c] ׳ וְכִיּוּן הַצְּלָמִים הֵם סִפְרֵי הַנְּבִיאִים
18 אֲשֶׁר בָּזָה יִשְׂרָאֵל אֵת דִּבְרֵיהֶם ׳ וְהַכּוֹכָב הוּא דוֹרֵשׁ הַתּוֹרָה
19 הַבָּא דַמֶּשֶׂק כַּאֲשֶׁר כָּתוּב דָּרַךְ כּוֹכָב מִיַּעֲקֹב וְקָם שֵׁבֶט
20 מִיִּשְׂרָאֵל ׳ הַשֵּׁבֶט הוּא נְשִׂיא כָל הָעֵדָה ׳ וּבְעָמְדוֹ וְקַרְקַר
21 אֵת כָּל בְּנֵי שֵׁת ׳ אֵלֶּה מָלְטוּ בְקֵץ הַפְּקוּדָּה הָרִאשׁוֹן

VIII

וְהַנְּסוֹגִים [a]הסגירו לֶחָרֶב ׳ וְכֵן מִשְׁפַּט כָּל בָּאֵי בְרִיתוֹ אֲשֶׁר
2 לֹא יַחֲזִיקוּ בְּאֵלֶּה לְפוֹקְדָם לְכָלָה בְּיַד בְּלִיַּעַל ׳ הוּא הַיּוֹם
3 אֲשֶׁר יִפְקֹד אֵל ׳ הָיוּ שָׂרֵי יְהוּדָה אֲשֶׁר תִּשְׁפּוֹךְ עֲלֵיהֶם הָעֶבְרָה ׳
4 כִּי יְחַלּוּ לְמַרְפֵּא [b]וידקמום ׳ כָּל מוֹרְדִים מֵאֲשֶׁר לֹא סָרוּ
מִדֶּרֶךְ 5 בּוֹגְדִים וַיִּתְגּוֹלְלוּ בְּדַרְכֵי [c]זונות וּבְהוֹן רִשְׁעָה וְנָקוֹם
וְנִיטוֹר 6 אִישׁ לְאָחִיו וְשָׂנוֹא אִישׁ אֶת רֵעֵהוּ ׳ וַיִּתְעַלְּמוּ אִישׁ

[b] ergänze לא — [c–c] zu streichen.

[a] lies הוּסְגְּרוּ (vgl. VII, 13) — [b] lies וַיִּדְבַּק מוּם — [c] lies זְנוּת.

(Num. 30, 17). Aber über alle Verächter wird, wenn Gott das Land heimsucht, die Vergeltung der Gottlosen kommen, 10 wenn das Wort eintrifft, das in den Worten des Propheten Jesaja, des Sohnes des Amos, geschrieben steht, 11 der gesagt hat: Kommen werden über dich und über dein Volk und über das Haus deines Vaters Tage, wie sie (nicht) 12 gekommen sind seit dem Tage, an dem Ephraim von Juda abgefallen ist (Jes. 7, 17). Als sich die beiden Häuser Israels trennten, 13 fiel Ephraim von Juda ab. Und alle Abtrünnigen wurden dem Schwert überliefert, aber die Standhaften 14 retteten sich in das Land des Nordens[43]; wie er gesagt hat: Und ich will verbannen Sikkut, euren König, 15 und Kijjun, euer Bild, fort über die Zelte von Damaskus hinaus (Am. 5, 26 f.). Die Bücher des Gesetzes, sie sind die Hütte[44] 16 des Königs, wie er gesagt hat: Und ich will aufrichten die zerfallene Hütte Davids (Am. 9, 11). Der König, 17 das ist die Gemeinde[45], und Kijjun der Bilder, das sind die Bücher der Propheten, 18 deren Worte Israel verachtet hat[46]. Und der Stern, das ist der Erforscher des Gesetzes, 19 der nach Damaskus kommt, wie geschrieben steht: Es geht ein Stern auf aus Jakob, und ein Szepter hat sich erhoben 20 aus Israel (Num. 24, 17)[47]. Das Szepter, das ist der Fürst der ganzen Gemeinde; und wenn er auftritt, wird er niederwerfen 21 alle Söhne Seths. Diese entrannen zur Zeit der ersten Heimsuchung,

VIII

aber die Abtrünnigen wurden dem Schwert überliefert. Und ebenso wird das Gericht über alle sein, die in seinen Bund eingetreten sind, aber 2 nicht an diesen (Geboten) festhalten, daß er sie heimsuchen wird zur Vernichtung durch Belial. Das ist der Tag, 3 an dem Gott heimsuchen wird. Die Fürsten Judas sind solche geworden, über die du Zorn ausgießen wirst[48]. 4 Denn sie hoffen auf Heilung, aber ein Gebrechen bleibt haften[49]. Alle sind sie Empörer, weil sie nicht abgegangen sind vom Weg 5 der Abtrünnigen, sondern sich wälzten auf Wegen der Hurerei und in dem Besitz der Gottlosigkeit, in Rächen und Grollen, 6 jeder gegen seinen Bruder, und indem jeder seinen Nächsten haßt. Und sie entzogen sich ein jeder seinen Blutsverwandten 7 und näherten sich schändlicher Tat und zeigten sich tüchtig

בִּשְׁאֵר בְּשָׂרוֹ 7 וַיִּגֹּשׁוּ לְזִמָּה וַיִּתְגַּבְּרוּ לְהוֹן וּלְבֶצַע וַיַּעֲשׂוּ אִישׁ
הַיָּשָׁר בְּעֵינָיו ׳ 8 וַיִּבְחֲרוּ אִישׁ בִּשְׁרִירוּת לִבּוֹ וְלֹא נִזְּרוּ מֵעָם ׳
וַיִּפְרְעוּ בְּיָד רָמָה 9 לָלֶכֶת בְּדֶרֶךְ רְשָׁעִים אֲשֶׁר אָמַר אֵל
עֲלֵיהֶם חֲמַת תַּנִּינִים יֵינָם ׳ 10 וְרֹאשׁ פְּתָנִים אַכְזָר ׳ הַתַּנִּינִים
הֵם מַלְכֵי הָעַמִּים וְיֵינָם הוּא 11 דַּרְכֵיהֶם וְרֹאשׁ הַפְּתָנִים הוּא
רֹאשׁ מַלְכֵי יָוָן הַבָּא לַעֲשׂוֹת 12 בָּהֶם נְקָמָה ׳ וּבְכָל אֵלֶּה לֹא
הֵבִינוּ בּוֹנֵי [d]הַחוּץ וְטָחֵי הַתָּפֵל ׳ כִּי 13 שׁוֹקֵל רוּחַ וּמַטִּיף כָּזָב
הִטִּיף לָהֶם אֲשֶׁר חָרָה אַף אֵל בְּכָל עֲדָתוֹ ׳ 14 וַאֲשֶׁר אָמַר
מֹשֶׁה לֹא בְצִדְקָתְךָ וּבְיֹשֶׁר לְבָבְךָ אַתָּה בָא לָרֶשֶׁת 15 אֶת
הַגּוֹיִם הָאֵלֶּה כִּי מֵאַהֲבָתוֹ אֶת אֲבוֹתֶיךָ וּמִשָּׁמְרוֹ אֶת הַשְּׁבוּעָה ׳
16 וְכֵן הַמִּשְׁפָּט לְשָׁבֵי יִשְׂרָאֵל סָרוּ מִדֶּרֶךְ הָעָם ׳ בְּאַהֲבַת אֵל אֶת
17 הָרִאשֹׁנִים אֲשֶׁר [e]הֵיעִירוּ אַחֲרָיו אָהַב אֶת הַבָּאִים אַחֲרֵיהֶם
כִּי לָהֶם 18 בְּרִית הָאָבוֹת ׳ וּבְשׂוֹנְאוֹ אֶת בּוֹנֵי [d]הַחוּץ חָרָה אַפּוֹ ׳
וְכַמִּשְׁפָּט 19 הַזֶּה לְכָל הַמּוֹאֵס בְּמִצְוֹת אֵל וַיַּעַזְבֵם וַיִּפְנוּ
בִּשְׁרִירוּת לִבָּם ׳ 20 הוּא הַדָּבָר אֲשֶׁר אָמַר יִרְמְיָהוּ לְבָרוּךְ
בֶּן נֵרִיָּה וֶאֱלִישָׁע 21 לְגֵחֲזִי נַעֲרוֹ ׳ כָּל הָאֲנָשִׁים אֲשֶׁר בָּאוּ
בַּבְּרִית הַחֲדָשָׁה בְּאֶרֶץ דַּמֶּשֶׂק

Text A 2

IX

כָּל אָדָם אֲשֶׁר יַחֲרִים אָדָם מֵאָדָם בְּחוּקֵּי הַגּוֹיִם לְהָמִית הוּא ׳
2 וַאֲשֶׁר אָמַר לֹא תִקּוֹם וְלֹא תִטּוֹר אֶת בְּנֵי עַמֶּךָ ׳ וְכָל אִישׁ

[d] lies הַחַיִץ — [e] lies הֵעִידוּ.

in Bezug auf Besitz und Gewinn und taten jeder, was in seinen Augen recht war. 8 Und sie wählten jeder die Verstocktheit seines Herzens und trennten sich nicht vom Volk. Und sie ließen sich gehen mit erhobener Hand, 9 um auf dem Weg der Gottlosen zu wandeln, über die Gott gesagt hat: Drachengift ist ihr Wein 10 und verderbliches Gift der Nattern (Deut. 32, 33). Die Drachen, das sind die Könige der Völker; und ihr Wein, das sind 11 ihre Wege; und Gift[50] der Nattern, das ist das Haupt der Könige von Jawan, das kommt, um 12 Rache an ihnen zu üben. Aber alle diese Dinge haben sie nicht begriffen, die die Mauer erbauen und sie mit Tünche verputzen[51]. Denn 13 einer, der Wind wägt und Lüge predigt, hat ihnen gepredigt, so daß Gottes Zorn gegen seine ganze Gemeinde entbrannte. 14 Und wie Mose gesagt hat: Nicht durch deine Gerechtigkeit noch durch die Aufrichtigkeit deines Herzens bist du gekommen, 15 diese Völker zu beerben, sondern weil er deine Väter liebte und den Eid bewahrte (Deut. 9, 5; 7, 8) — 16 so ist auch die Entscheidung für die Bekehrten Israels; sie sind abgewichen vom Weg des Volkes. Mit der Liebe, mit der Gott 17 die Früheren, die für ihn Zeugnis ablegten, geliebt hat, liebt er diejenigen, die nach ihnen kamen, denn ihnen gehört 18 der Bund der Väter. Aber weil er die Erbauer der Mauer[52] haßt, ist sein Zorn entbrannt. Und dieser Entscheidung entsprechend 19 ergeht es jedem, der die Gebote Gottes mißachtet und sie verläßt und die sich in der Verstocktheit ihres Herzens abwenden. 20 Das ist das Wort, das Jeremia zu Baruch, dem Sohn des Nerija, gesagt hat und Elisa 21 zu seinem Diener Gehasi[53]. Alle Männer, die in den neuen Bund eingetreten sind im Lande Damaskus —

Text A 2

IX

Jeder Mensch[54], der mit Hilfe der Gesetze der Heiden einen Bannspruch über einen Menschen verhängt, so daß er aufhört, ein (lebendiger) Mensch zu sein, soll getötet werden[55]. 2 Und so hat er gesagt: Du sollst dich nicht rächen und sollst keinen Groll bewahren gegen die Söhne deines Volkes (Lev. 19, 18). Und[56] jeder Mann von denen, die 3 in den Bund

[a]מביאו 3 הַבְּרִית אֲשֶׁר יָבִיא עַל רֵעֵהוּ דָּבָר אֲשֶׁר לֹא בְהוֹכֵחַ
לִפְנֵי עֵדִים 4 וֶהֱבִיאוֹ בַחֲרוֹן אַפּוֹ אוֹ סִפֵּר לִזְקֵנָיו לְהַבְזוֹתוֹ
נוֹקֵם הוּא וְנוֹטֵר ' 5 וְאֵין כָּתוּב כִּי אִם נוֹקֵם הוּא לְצָרָיו וְנוֹטֵר
הוּא לְאוֹיְבָיו ' 6 אִם הֶחֱרִישׁ לוֹ מִיּוֹם לְיוֹם וּבַחֲרוֹן אַפּוֹ [b]בוֹ
דִּבֵּר בּוֹ בִּדְבַר מָוֶת 7 עָנָה בוֹ יַעַן אֲשֶׁר לֹא הֵקִים אֶת מִצְוַת
אֵל אֲשֶׁר אָמַר לוֹ ' הוֹכֵחַ 8 תּוֹכִיחַ אֶת רֵעֶיךָ וְלֹא תִשָּׂא עָלָיו
חֵטְא ' עַל הַשְּׁבוּעָה אֲשֶׁר 9 אָמַר לֹא תוֹשִׁיעֲךָ יָדְךָ לָךְ ' אִישׁ
אֲשֶׁר יַשְׁבִּיעַ עַל פְּנֵי הַשָּׂדֶה 10 אֲשֶׁר לֹא [c]לפנים הַשֹּׁפְטִים אוֹ
מֵאֲמָרָם הוֹשִׁיעַ יָדוֹ לוֹ ' וְכָל הָאוֹבֵד 11 וְלֹא נוֹדַע מִי גְּנָבוֹ
מִמְּאֹד הַמַּחֲנֶה אֲשֶׁר גֻּנַּב בּוֹ יַשְׁבִּיעַ בְּעָלָיו 12 בִּשְׁבוּעַת הָאָלָה '
וְהַשּׁוֹמֵעַ אִם יוֹדֵעַ הוּא וְלֹא יַגִּיד וְאָשֵׁם ' 13 כָּל אָשָׁם מוּשָׁב
אֲשֶׁר אֵין בְּעָלִים וְהִתְוַדָּה הַמֵּשִׁיב לַכֹּהֵן 14 וְהָיָה לוֹ לְבַד
מֵאֵיל הָאָשָׁם הַכֹּל ' כֵּן כָּל אֲבֵדָה נִמְצֵאת וְאֵין 15 לָהּ בְּעָלִים
וְהָיְתָה לַכֹּהֲנִים כִּי לֹא יָדַע מוֹצְאֶיהָ אֶת מִשְׁפָּטָהּ ' 16 אִם לֹא
נִמְצָא לָהּ בְּעָלִים הֵם יִשְׁמֹרוּ ' כָּל דָּבָר אֲשֶׁר יִמְעַל 17 אִישׁ
בַּתּוֹרָה וְרָאָה רֵעֵיהוּ וְהוּא אֶחָד אִם דְּבַר מָוֶת הוּא וִידִיעֵהוּ
18 לְעֵינָיו בְּהוֹכִיחַ לַמְּבַקֵּר וְהַמְּבַקֵּר יִכְתְּבֵהוּ בְיָדוֹ עַד עֲשׂוֹתוֹ
19 עוֹד לִפְנֵי אֶחָד וְשָׁב וְהוֹדִיעַ לַמְּבַקֵּר ' אִם יָשׁוּב וְנִתְפַּשׂ לִפְנֵי
20 אֶחָד שָׁלֵם מִשְׁפָּטוֹ ' וְאִם שְׁנַיִם הֵם וְהֵם מְעִידִים עַל 21 דָּבָר
[d]אחר וְהוּבְדַּל הָאִישׁ מִן הַטָּהֳרָה לְבַד אִם נֶאֱמָנִים 22 הֵם '
וּבְיוֹם רְאוֹת הָאִישׁ יוֹדִיעָהּ לַמְּבַקֵּר ' וְעַל הַהוֹן יְקַבְּלוּ שְׁנֵי
23 עֵדִים נֶאֱמָנִים וְעַל אֶחָד לְהַבְדִּיל [e]הַטָּהֳרָה ' וְאַל יְקוּבַּל

[a] lies מְבָאֵי — [b] streiche בוֹ — [c] = לִפְנֵי — [d] lies אֶחָד — [e] ergänze מִן.

eingetreten sind, der gegen seinen Nächsten eine Sache vorbringt, ohne ihn vor Zeugen zurechtgewiesen zu haben[57], 4 oder der in grimmigem Zorn sie vorbringt oder sie seinen Ältesten erzählt, um ihn verächtlich zu machen, der ist einer, der sich rächt und Groll bewahrt. 5 Es steht aber nur geschrieben: Er[58] übt Rache an seinen Gegnern und bewahrt Groll gegenüber seinen Feinden (Nahum 1, 2). 6 Wenn er ihm gegenüber schweigt von einem Tag zum anderen[59] und (dann) in seinem grimmigen Zorn über ihn spricht, so hat er in einer todeswürdigen Sache 7 gegen ihn Zeugnis gegeben, weil er nicht das Gebot Gottes erfüllte, der ihm gesagt hat: Du sollst 8 deinen Nächsten zurechtweisen und dir nicht um seinetwillen Sünde aufladen (Lev. 19, 17). Über den Eid, wie 9 er gesagt hat: Nicht soll deine Hand dir helfen (1. Sam. 25, 26)[60]. Wenn ein Mann auf dem Feld schwören läßt 10 nicht in Gegenwart von Richtern oder auf Grund ihrer Anweisung, dem hat seine eigene Hand geholfen. Und wenn etwas verloren gegangen ist, 11 ohne daß man weiß, wer es gestohlen hat aus dem Vermögen des Lagers, in dem gestohlen wurde, dann soll man seinen Besitzer 12 einen Flucheid schwören lassen. Und wer davon hört und es weiß, es aber nicht anzeigt, der ist schuldig. 13 Wenn eine Buße entrichtet werden muß, aber es sind keine Eigentümer da[61], so soll derjenige, der sie entrichtet, dem Priester ein Bekenntnis ablegen, 14 und ihm[62] soll mit Ausnahme des Widders des Sühneopfers alles gehören. Und gleicherweise gehört jeder verlorene Gegenstand, der gefunden wird und keinen 15 Eigentümer hat, den Priestern; denn derjenige, der ihn gefunden hat, kennt das diesbezügliche Recht nicht; 16 wenn man keinen Eigentümer gefunden hat, so sollen sie es verwahren. Für jede Sache, in der sich jemand 17 gegen das Gesetz vergeht, und sein Nächster sieht es, ist aber allein, gilt: Ist es eine todeswürdige Sache, so soll er ihn 18 in seinem Beisein unter Zurechtweisung dem Aufseher anzeigen, und der Aufseher soll es eigenhändig aufschreiben, bis er es 19 abermals vor jemandem tut und der ihn wiederum dem Aufseher anzeigt. Wenn er abermals ertappt wird vor 20 jemandem, so ist seine Verurteilung vollendet. Und sind es zwei, die Zeugnis ablegen wegen 21 einer Sache, so soll der Mann ausgeschlossen werden von der Reinheit[63] — unter der Voraussetzung, daß sie glaubwürdig sind. 22 Und an demselben Tag, an dem der Mann es gesehen hat, soll er es dem Aufseher anzeigen. Und handelt es sich um eine

X

עֵיד לַשּׁוֹפְטִים לְהָמִית עַל פִּיהוּ אֲשֶׁר לֹא מָלְאוּ יָמָיו לַעֲבוֹר
2 עַל הַפְּקוּדִים יְרֵא אֵת אֵל ׳ אַל יֵאָמֵן אִישׁ עַל רֵעֵהוּ 3 לְעֵד
עוֹבֵר דָּבָר מִן הַמִּצְוָה בְּיָד רָמָה עַד זַכּוֹ לָשׁוּב ׳ 4 וְזֶה סֶרֶךְ
לְשֹׁפְטֵי הָעֵדָה ׳ עַד עֲשָׂרָה אֲנָשִׁים בְּרוּרִים 5 מִן הָעֵדָה לְפִי
הָעֵת אַרְבָּעָה לְמַטֵּה לֵוִי וְאַהֲרֹן וּמִיִּשְׂרָאֵל 6 שִׁשָּׁה מְבוֹנָנִים
בְּסֵפֶר [a]הֶהָגוּ וּבִיסוֹדֵי הַבְּרִית מִבְּנֵי חֲמִשָּׁה 7 וְעֶשְׂרִים שָׁנָה עַד
בְּנֵי שִׁשִּׁים שָׁנָה ׳ וְאַל יִתְיַצֵּב עוֹד מִבֶּן 8 שִׁשִּׁים שָׁנָה וָמַעְלָה
לִשְׁפּוֹט אֵת הָעֵדָה ׳ כִּי בְּמַעַל הָאָדָם 9 מָעֲטוּ יָמָו וּבַחֲרוֹן אַף
אֵל בְּיוֹשְׁבֵי הָאָרֶץ אָמַר לָסוּר אֵת 10 דַּעְתָּם עַד לֹא יַשְׁלִימוּ
אֵת יְמֵיהֶם ׳ עַל הִטָּהֵר בַּמָּיִם ׳ אַל 11 יִרְחַץ אִישׁ בְּמַיִם צוֹאִים
וּמְעוּטִים מִדֵּי מַרְעִיל אִישׁ ׳ 12 אַל יִטְהַר [b]במה כֶּלִי ׳ וְכָל
גֶּבֶא בַּסֶּלַע אֲשֶׁר אֵין בּוֹ דֵי 13 מַרְעִיל אֲשֶׁר נָגַע בּוֹ הַטָּמֵא
וְטָמֵא מֵימָיו [c]בְּמֵימֵי הַכֶּלִי ׳ 14 עַל הַשַּׁ[בָּ]ת לְשָׁמְרָהּ כְּמִשְׁפָּטָהּ ׳
אַל יַעַשׂ אִישׁ בַּיּוֹם 15 הַשִּׁשִּׁי מְלָאכָה מִן הָעֵת אֲשֶׁר יִהְיֶה גַלְגַּל
הַשֶּׁמֶשׁ 16 רָחוֹק מִן הַשַּׁעַר מְלוֹאוֹ ׳ כִּי הוּא אֲשֶׁר אָמַר שָׁמוֹר
אֵת 17 יוֹם הַשַּׁבָּת לְקַדְּשׁוֹ ׳ וּבְיוֹם הַשַּׁבָּת אַל יְדַבֵּר אִישׁ דָּבָר
18 נָבָל וָרֵק ׳ אַל יַשֶּׁה בְרֵעֵהוּ כֹל ׳ אַל [d]ישפוכו עַל הוֹן וָבָצַע ׳
19 אַל יְדַבֵּר בְּדִבְרֵי הַמְּלָאכָה וְהָעֲבוֹדָה לַעֲשׂוֹת לְמַשְׁכִּים ׳
20 אַל יִתְהַלֵּךְ אִישׁ בַּשָּׂדֶה לַעֲשׂוֹת אֵת עֲבוֹדַת חֶפְצוֹ 21 הַשַּׁבָּת ׳
אַל יִתְהַלֵּךְ חוּץ לְעִירוֹ עַל אֶלֶף בָּאַמָּה ׳ 22 אַל יֹאכַל אִישׁ
בְּיוֹם הַשַּׁבָּת כִּי אִם הַמּוּכָן וּמִן הָאוֹבֵד 23 בַּשָּׂדֶה ׳ וְאַל יֹאכַל
וְאַל יִשְׁתֶּה כִּי אִם הָיָה בְּמַחֲנֶה ׳

[a] lies הֶהָגִי (vgl. 1 QSa I, 7) — [b] lies בָּהֶם — [c] lies כְּמֵימֵי — [d] lies יִשְׁפּוֹט.

Vermögenssache, so sollen sie zwei 23 glaubwürdige Zeugen annehmen, aber auf Grund eines (Zeugen) kann man von der Reinheit ausschließen. Und nicht darf angenommen werden

X

ein Zeuge von den Richtern, um auf Grund seiner Aussage ein Todesurteil zu fällen, wenn er noch nicht das erforderliche Alter[64] erreicht hat, um überzutreten 2 unter die Gemusterten als einer, der Gott fürchtet. Nicht darf einer als glaubwürdig gelten gegen seinen Nächsten 3 als Zeuge, wenn er etwas von dem Gebot absichtlich übertreten hat, bis er gereinigt ist[65], um zurückkehren zu können. 4 Und dies ist die Regel für die Richter der Gemeinde: es sollen zehn Männer sein, ausgewählt 5 aus der Gemeinde für eine bestimmte Zeit, vier vom Stamm Levi und Aaron und aus Israel 6 sechs[66]; sie sollen wohlunterrichtet sein im Buche Hagi[67] und in den Grundlagen des Bundes, im Alter von fünfundzwanzig 7 Jahren bis zu sechzig Jahren[68]. Aber nicht soll einer hintreten, der im Alter 8 von sechzig Jahren und darüber ist[69], um die Gemeinde zu richten. Denn wegen der Treulosigkeit des Menschen 9 sind seine Tage verringert worden[70], und in seinem grimmigen Zorn gegen die Bewohner der Erde hat Gott befohlen, daß weichen sollte 10 ihr Verstand, bevor sie ihre Tage vollendet haben. Über die Reinigung durch Wasser: Niemand 11 soll sich waschen in Wasser, das schmutzig ist oder nicht ausreicht, um einen Mann ganz zu bedecken. 12 Nicht darf man darin ein Gefäß reinigen. Und was jede Lache in einem Felsen betrifft, in der nicht genügend Wasser ist, 13 um ganz zu bedecken, (so gilt:) wenn es ein Unreiner berührt hat, so wird sein Wasser unrein wie das Wasser eines Gefäßes. 14 Über den Sa[bb]at, daß man ihn halte entsprechend seiner Anordnung[71]. Niemand[72] soll am 15 sechsten Tage eine Arbeit ausführen von der Zeit an, zu der die Sonnenscheibe 16 von dem Tor um die Länge ihres Durchmessers entfernt ist. Denn das ist es, was er gesagt hat: Halte 17 den Sabbattag, um ihn zu heiligen (Deut. 5, 12). Und niemand darf am Sabbattag ein 18 törichtes oder eitles Wort sagen. Nicht darf man etwas an seinen Nächsten ausleihen. Nicht soll man über eine Angelegenheit von Besitz und Gewinn richten. 19 Nicht darf man über Fragen der Arbeit sprechen oder das

XI

בַּדֶּרֶךְ וְיָרַד לִרְחוֹץ יִשְׁתֶּה עַל עוֹמְדוֹ וְאַל יִשְׁאַב אֶל 2 כָּל
כְּלִ[י] ׳ אַל יִשְׁלַח אֶת בֶּן הַנֵּכָר לַעֲשׂוֹת אֶת חֶפְצוֹ בְּיוֹם הַשַּׁבָּת ׳
3 אַל יִקַּח אִישׁ עָלָיו בְּגָדִים צוֹאִים אוֹ מוּבָאִים [a]בגז כִּי אִם
4 כּוּבְּסוּ בַּמַּיִם אוֹ שׁוּפִים בַּלְּבוֹנָה ׳ אַל [b]יִתְעָרֵב אִישׁ מֵרְצוֹנוֹ
5 בַּשַּׁבָּת ׳ אַל יֵלֵךְ אִישׁ אַחַר הַבְּהֵמָה לִרְעוֹתָהּ חוּץ מֵעִירוֹ כִּי
6 אִם אַלְפַּיִם בָּאַמָּה ׳ אַל יָרֵם אֶת יָדוֹ לְהַכּוֹתָהּ בָּאֶגְרוֹף ׳ אִם
7 סוֹרֶרֶת הִיא אַל יוֹצִיאָהּ מִבֵּיתוֹ ׳ אַל יוֹצִיא אִישׁ מִן הַבַּיִת
8 לַחוּץ וּמִן הַחוּץ אֶל בָּיִת ׳ וְאִם בְּסוּכָּה יִהְיֶה אַל יוֹצֵא מִמֶּנָּה
9 וְאַל יָבֵא אֵלֶיהָ ׳ אַל [c]פָּתַח כְּלִי טוּחַ בַּשַּׁבָּת ׳ אַל יִשָּׂא אִישׁ
10 עָלָיו סַמָּנִים לָצֵאת וְלָבוֹא בַּשַּׁבָּת ׳ אַל יִטּוֹל בְּבֵית [d]מושבת
11 סֶלַע וְעָפָר ׳ אַל יִשָּׂא הָאוֹמֵן אֶת הַיּוֹנֵק לָצֵאת וְלָבוֹא בַּשַּׁבָּת ׳
12 אַל יַמְרֵא אִישׁ אֶת עַבְדּוֹ וְאֶת אֲמָתוֹ וְאֶת [e]שׁוֹכְרוֹ בַּשַּׁבָּת ׳
13 אַל יְיַלֵּד אִישׁ בְּהֵמָה בְּיוֹם הַשַּׁבָּת ׳ וְאִם תִּפּוֹל אֶל בּוֹר
14 וְאֶל פַּחַת אַל יְקִימָהּ בַּשַּׁבָּת ׳ אַל [f]ישבית אִישׁ בְּמָקוֹם קָרוֹב
15 לַגּוֹיִם בַּשַּׁבָּת ׳ אַל יַחֵל אִישׁ אֶת הַשַּׁבָּת עַל הוֹן וָבֶצַע בַּשַּׁבָּת ׳
16 וְכָל נֶפֶשׁ אָדָם אֲשֶׁר תִּפּוֹל אֶל מְקוֹם מַיִם וְאֶל מָקוֹם 17 אַל
יַעֲלֶהָ אִישׁ בְּסוּלָּם וְחֶבֶל וָכְלִי ׳ אַל יַעַל אִישׁ לַמִּזְבֵּחַ בַּשַּׁבָּת
18 כִּי אִם עוֹלַת הַשַּׁבָּת ׳ כִּי כֵן כָּתוּב מִלְּבַד שַׁבְּתוֹתֵיכֶם ׳ אַל

[a] lies בַּגּוֹ — [b] = יִתְרָעֵב (?) — [c] lies יִפְתַּח — [d] lies מוֹשָׁבוֹ — [e] lies שְׂכִירוֹ — [f] lies יִשְׁבּוֹת.

Werk, das am nächsten Tag zu tun ist. 20 Nicht darf man auf das Feld hinausgehen, um eine Arbeit nach seinem Gutdünken zu verrichten 21 am Sabbat. Nicht darf man aus seiner Stadt weiter hinausgehen als tausend Ellen. 22 Niemand soll am Sabbattag etwas essen außer dem, was schon vorbereitet ist, und von dem, was verdirbt 23 auf dem Feld. Man darf nichts essen und nichts trinken außer dem, was sich im Lager befindet.

XI

Auf dem Weg, wenn man hinabsteigt, um zu baden, darf man da trinken, wo man steht, aber man darf nicht schöpfen 2 in irgendein Gefäß. Man darf nicht einen Fremden schicken, daß er seinen Wunsch am Sabbattage ausführe. 3 Niemand darf schmutzige Kleider oder in einer Kammer aufbewahrte tragen, ohne daß 4 sie mit Wasser gewaschen oder mit Weihrauch abgerieben worden sind. Niemand darf nach eigenem Gutdünken einen 'Erub anlegen[73] 5 am Sabbat. Niemand soll hinter dem Vieh hergehen, um es außerhalb der Stadt zu weiden, es 6 sei denn 2000 Ellen weit. Man soll seine Hand nicht heben, um es mit der Faust zu schlagen. Wenn 7 es störrisch ist, soll man es nicht aus dem Haus führen. Niemand darf etwas aus dem Haus 8 nach draußen bringen oder von draußen in das Haus. Und wenn man sich in einer Hütte befindet, soll man nichts aus ihr hinausbringen 9 und nichts in sie hineinbringen. Nicht darf man ein zugeklebtes Gefäß am Sabbat öffnen. Niemand soll 10 bei sich Medikamente tragen, um damit aus- und einzugehen am Sabbat. Man darf nicht in seinem Wohnhaus 11 einen Stein oder Erde aufheben. Ein Pfleger darf nicht den Säugling tragen, um aus- und einzugehen am Sabbat. 12 Niemand darf seinen Knecht oder seine Magd oder seinen Tagelöhner erzürnen am Sabbat. 13 Niemand soll Vieh beim Werfen helfen am Sabbattag. Und wenn es in einen Brunnen fällt 14 oder in eine Grube, so soll er es nicht am Sabbat wieder herausholen. Niemand soll den Sabbat an einem Ort in der Nähe 15 der Heiden verbringen. Niemand darf den Sabbat entweihen wegen Besitz oder Gewinn am Sabbat. 16 Einen lebendigen Menschen, der in ein Wasserloch fällt oder sonst in einen Ort, 17 soll niemand heraufholen mit einer Leiter oder einem Strick oder einem (anderen) Gegenstand. Niemand soll am Sabbat etwas auf

יִשְׁלַח 19 אִישׁ לַמִּזְבֵּחַ עוֹלָה וּמִנְחָה וּלְבוֹנָה וָעֵץ בְּיַד אִישׁ
טָמֵא בְּאַחַת 20 מִן הַטֻּמְאוֹת לְהַרְשׁוֹתוֹ לְטַמֵּא אֶת הַמִּזְבֵּחַ ·
כִּי כָתוּב זֶבַח 21 רְשָׁעִים תּוֹעֵבָה וּתְפִלַּת צַדִּקִם כְּמִנְחַת
רָצוֹן · וְכָל הַבָּא אֶל 22 בֵּית הִשְׁתַּחֲוֺת אַל יָבֹא טָמֵא כִּבּוּס ·
וּבְהָרַע חֲצוֹצְרוֹת הַקָּהָל 23 יִתְקַדֵּם אוֹ יִתְאַחֵר וְלֹא יַשְׁבִּיתוּ
אֶת הָעֲבוֹדָה כוּלָּהּ · [הַשַּׁבָּ]ת

XII

קוֹדֶשׁ הוּא · אַל יִשְׁכַּב אִישׁ עִם אִשָּׁה בְּעִיר הַמִּקְדָּשׁ לְטַמֵּא
2 אֶת עִיר הַמִּקְדָּשׁ בְּנִדָּתָם · כָּל אִישׁ אֲשֶׁר יִמְשְׁלוּ בוֹ רוּחוֹת
בְּלִיַּעַל 3 וְדִבֶּר סָרָה כְּמִשְׁפַּט הָאוֹב וְהַיִּדְּעוֹנִי יִשָּׁפֵט · וְכָל
אֲשֶׁר יִתְעֶה 4 לְחַלֵּל אֶת הַשַּׁבָּת וְאֶת הַמּוֹעֲדוֹת לֹא יוּמַת כִּי
עַל בְּנֵי הָאָדָם 5 מִשְׁמָרוֹ · וְאִם יֵרָפֵא מִמֶּנָּה וְשָׁמְרוּהוּ עַד
שֶׁבַע שָׁנִים וְאַחַר 6 יָב[וֹ]א אֶל הַקָּהָל · אַל יִשְׁלַח אֶת יָדוֹ
לִשְׁפּוֹךְ דָּם לְאִישׁ מִן הַגּוֹיִם 7 בַּעֲבוּר הוֹן וָבֶצַע · וְגַם אַל יִשָּׂא
מֵהוֹנָם כֹּל בַּעֲבוּר 8 אֲשֶׁר לֹא יְגַדְּפוּ כִּי אִם בַּעֲצַת חִבּוּר
יִשְׂרָאֵל · אַל יִמְכֹּר אִישׁ בְּהֵמָה 9 וְעוֹף טְהוֹרִים לַגּוֹיִם בַּעֲבוּר
אֲשֶׁר לֹא יִזְבְּחוּם · וּמִגּוֹרְנוֹ 10 וּמִגִּתּוֹ אַל יִמְכֹּר לָהֶם בְּכָל
מְאֹדוֹ · וְאֶת עַבְדּוֹ וְאֶת אֲמָתוֹ אַל יִמְכּוֹר 11 לָהֶם אֲשֶׁר בָּאוּ
עִמּוֹ בִּבְרִית אַבְרָהָם · אַל יְשַׁקֵּץ אִישׁ אֶת נַפְשׁוֹ 12 בְּכָל הַחַיָּה
וְהָרֶמֶשׂ לֶאֱכֹל מֵהֶם מֵעֶגְלֵי הַדְּבוֹרִים עַד כָּל נֶפֶשׁ 13 הַחַיָּה
אֲשֶׁר תִּרְמוֹשׂ בַּמָּיִם · וְהַדָּגִים אַל יֹאכְלוּ כִּי אִם נִקְרְעוּ 14 חַיִּים
וְנִשְׁ[פַּ]ךְ [דָּמָ]ם · וְכָל הַחֲגָבִים בְּמִינֵיהֶם יָבֹאוּ בָאֵשׁ אוֹ בַמַּיִם
15 עַד הֵם חַיִּ[ים] כִּי הוּא מִשְׁפַּט בְּרִיאָתָם · וְכָל הָעֵצִים וְהָאֲבָנִים

den Altar bringen 18 außer dem Sabbatbrandopfer; denn so steht geschrieben: ausgenommen eure Sabbate (Lev. 23, 38). Niemand soll 19 zum Altar ein Brandopfer oder ein Speisopfer oder Räucherwerk oder Holz schicken durch einen Mann, der unrein ist durch eine 20 der Unreinheiten, indem er ihm dadurch gestattet, den Altar zu verunreinigen[74]. Denn es steht geschrieben: Das Schlachtopfer 21 der Gottlosen ist ein Greuel, aber das Gebet der Gerechten ist ein wohlgefälliges Speisopfer (Prov. 15, 8). Und keiner, der in 22 ein Bethaus geht, darf im Zustand der Unreinheit, der eine Waschung erfordert, kommen. Und wenn die Trompeten der Gemeindeversammlung blasen, 23 soll er es vorher oder nachher tun, aber nicht soll man den ganzen Gottesdienst aufhalten. [Der Sabba]t

XII

ist heilig. Nicht darf ein Mann bei einer Frau liegen in der Stadt des Heiligtums[75], um nicht 2 die Stadt des Heiligtums durch ihre Unreinheit zu verunreinigen. Jeder Mann, über den die Geister Belials herrschen, 3 so daß er Abfall predigt, soll nach der Satzung für Totenbeschwörer und Wahrsagegeister gerichtet werden[76]. Und jeder, der irregeht, 4 den Sabbat oder die Feste zu entweihen, soll nicht getötet werden; sondern Leuten soll 5 seine Bewachung übertragen werden. Und wenn er davon geheilt ist, soll man ihn sieben Jahre lang überwachen, und dann 6 darf er wieder in die Gemeindeversammlung ko[m]men. Man soll nicht seine Hand ausstrecken, um Blut eines Mannes von den Heiden zu vergießen 7 um Besitzes oder Gewinnes willen. Und man soll auch nicht etwas von ihrem Besitz wegnehmen, damit 8 sie nicht lästern — es sei denn auf Beschluß der Gemeinschaft Israels. Nicht darf ein Mann reine Tiere 9 oder Vögel an Heiden verkaufen, damit sie sie nicht opfern. Von seiner Tenne 10 und von seiner Kelter soll er ihnen unter keinen Umständen verkaufen. Und seinen Knecht und seine Magd soll er ihnen nicht verkaufen, 11 denn sie sind mit ihm in den Bund Abrahams eingetreten[77]. Niemand darf sich verunreinigen 12 durch irgendein Tier oder Kriechtier, indem er davon ißt, von den Larven der Bienen bis zu allen 13 lebendigen Wesen, die im Wasser wimmeln. Und Fische soll man nicht essen, wenn sie nicht lebendig aufgeschlitzt wurden,

16 וְהֶעָפָר אֲשֶׁר יְגוֹאֲלוּ בְטֻמְאַת הָאָדָם [a]לגאולי שמו[a] כָּהֶם כְּפִי
17 טֻמְאָתָם יִטְמָא הַנּוֹגֵעַ בָּם ׳ וְכָל כְּלִי מִסְמָר אוֹ יָתֵד בַּכּוֹתֶל
18 אֲשֶׁר יִהְיוּ עִם הַמֵּת בַּבַּיִת יִטְמְאוּ בְטֻמְאַת אַחַד כְּלֵי מַעֲשֶׂה ׳
19 סֶרֶךְ מוֹשַׁב עָרֵי יִשְׂרָאֵל ׳ עַל הַמִּשְׁפָּטִים הָאֵלֶּה לְהַבְדִּיל בֵּין
20 הַטָּמֵא לַטָּהוֹר וּלְהוֹדִיעַ בֵּין הַקּוֹדֶשׁ לַחוֹל ׳ וְאֵלֶּה הַחֻקִּים
21 לַמַּשְׂכִּיל לְהִתְהַלֵּךְ בָּם עִם כָּל חַי לְמִשְׁפַּט עֵת וָעֵת ׳ וְכַמִּשְׁפָּט
22 הַזֶּה יִתְהַלְּכוּ זֶרַע יִשְׂרָאֵל וְלֹא יוּאָרוּ ׳ וְזֶה סֶרֶךְ מוֹשַׁב
23 [הַ]מַּ[חֲ]נוֹת] ׳ הַמִּתְהַלְּכִים בָּאֵלֶּה בְּקֵץ הָרִשְׁעָה עַד עֲמוֹד
[b]מְשׁוּחַ אַהֲרֹן

XIII

וְיִשְׂרָאֵל עַד עֲשָׂרָה אֲנָשִׁים לְמוּעָט לַאֲלָפִים וּמְאָיוֹת וַחֲמִשִּׁים
2 וַעֲשָׂרוֹת ׳ וּבִמְקוֹם עֲשָׂרָה אַל יָמֵשׁ אִישׁ כֹּהֵן מְבוֹנָן בְּסֵפֶר
[a]הֶהָגוֹ ׳ עַל 3 פִּיהוּ יִשָּׁקוּ כוּלָּם ׳ וְאִם אֵין הוּא בָּחוּן בְּכָל אֵלֶּה
וְאִישׁ מֵהַלְוִיִּם בָּחוּן 4 בָּאֵלֶּה וְיָצָא הַגּ[וֹ]רָל לָצֵאת וְלָבוֹא
עַל פִּיהוּ כָּל בָּאֵי הַמַּחֲנֶה ׳ וְאִם 5 מִשְׁפָּט לְתוֹרַת נֶגַע יִהְיֶה
בְּאִישׁ וּבָא הַכֹּהֵן וְעָמַד בַּמַּחֲנֶה וַהֲבִינוֹ 6 הַמְּבַקֵּר בְּפֵרוּשׁ
הַתּוֹרָה ׳ וְאִם פֶּתִי הוּא הוּא יַסְגִּירֶנּוּ כִּי לָהֶם 7 הַמִּשְׁפָּט ׳ וְזֶה
סֶרֶךְ הַמְּבַקֵּר לַמַּחֲנֶה ׳ יַשְׂכִּיל אֶת הָרַבִּים בְּמַעֲשֵׂי 8 אֵל
וְיִבִינֵם בִּגְבוּרוֹת פְּלָאוֹ וִיסַפֵּר לִפְנֵיהֶם נִהְיוֹת עוֹלָם בפרתיה ׳

[a–a] lies לְגוֹאֵל יוּשְׁמוּ — [b] = מְשִׁיחַ.

[a] lies הֶהָגִי (vgl. 1 QSa I, 7).

14 so daß ihr [Blut] ausge[gos]sen wurde. Und alle Heuschrecken in ihren verschiedenen Arten sollen ins Feuer oder ins Wasser kommen, 15 während sie noch le[ben]; denn das ist die Bestimmung ihrer Natur. Und alle Bäume und Steine 16 und der Sand, die befleckt worden sind durch Unreinheit von Menschen, sollen als unrein gelten wie sie[78]; entsprechend 17 ihrer Unreinheit verunreinigt sich, wer sie berührt. Und jedes Gerät, ein Nagel oder ein Pflock in der Wand, 18 die mit einem Toten zusammen im Hause waren[79], sind unrein mit der Unreinheit eines Werkzeugs. 19 Regel des Wohnens für die Städte Israels: Nach diesen Satzungen sollen sie unterscheiden zwischen dem 20 Unreinen und Reinen und den Unterschied zwischen dem Heiligen und Profanen bekannt machen[80]. Und das sind die Satzungen 21 für den Unterweiser, in ihnen zu wandeln zusammen mit allen Lebenden, entsprechend der Rechtsordnung für jede Zeit. Und nach dieser Vorschrift 22 soll die Nachkommenschaft Israels wandeln, damit sie nicht verflucht werden. Und dies ist die Regel des Wohnens 23 für [die] La[ger]: Darin sollen sie wandeln in der Zeit der Gottlosigkeit bis zum Auftreten des Gesalbten aus Aaron

XIII

und Israel[81], in Gruppen zu mindestens zehn Mann, nach Tausenden, Hunderten, Fünfzig 2 und Zehn (gegliedert)[82]. Und an einem Ort von zehn Leuten soll nicht ein Priester fehlen, der im Buch Hagi[83] bewandert ist; 3 seinem Geheiß sollen sie sich alle fügen[84]. Und wenn er nicht in allen diesen Dingen erfahren ist, aber einer von den Leviten darin erfahren ist, 4 dann soll das L[o]s nach seinem Geheiß entscheiden für das Ein- und Ausgehen aller Lagerangehörigen. Und wenn 5 bei einem Mann ein Rechtsfall über den Aussatz vorliegt, so soll der Priester kommen und sich im Lager hinstellen, und es soll ihn 6 der Aufseher unterweisen über die genaue Bedeutung des Gesetzes. Und selbst wenn er[85] ein Tor ist, soll er ihn ausschließen, denn ihnen 7 steht das Urteil zu. Und dies ist die Regel für den Aufseher[86] des Lagers: Er soll die Vielen unterweisen in den Werken 8 Gottes und soll sie unterrichten über seine wunderbaren Machttaten und soll vor ihnen die ewigen Ereignisse erzählen[87]. 9 Und er soll Erbarmen mit ihnen haben wie ein Vater mit seinen Söhnen und

9 וירחם עֲלֵיהֶם כְּאָב לְבָנָיו וְיָשִׁ[יב] לְכָל [b]מדהובם כְּרוֹעֶה
עֶדְרוֹ ׳ 10 יַתִּר כָּל חַרְצוּבוֹת קִשְׁרֵיהֶם לְבִלְתִּי הֱיוֹת עָשׁוּק
וְרָצוּץ בַּעֲדָתוֹ ׳ 11 וְכָל הַנּוֹסָף לַעֲדָתוֹ יִפְקְדֵהוּ לְמַעֲשָׂיו
וְשִׂכְלוֹ וְכוֹחוֹ וּגְבוּרָתוֹ וְהוֹנוֹ ׳ 12 וּכְתָבוּהוּ בִמְקוֹמוֹ כְּפִי הֱיוֹתוֹ
בְּגוֹרַל הָאֹ[וֹר] ׳ אַל יִמְשׁוֹל אִישׁ 13 מִבְּנֵי הַמַּחֲנֶה לְהָבִיא אִישׁ
אֶל הָעֵדָה [לְמִרוֹ]ת פִּי הַמְּבַקֵּר אֲשֶׁר לַמַּחֲנֶה ׳ 14 וְאִישׁ מִכָּל
בָּאֵי בְרִית אֵל אַל יִשָּׂא וְאַל יִתֵּן לִבְנֵי הַשַּׁחַת כִּ[י] 15 אִם כַּף
לְכַף ׳ וְאַל יַעַשׂ אִישׁ חֶבֶר לְמֶקַח וּלְמִמְכָּר כִּי אִם הוֹדִיעַ
16 לַמְּבַקֵּר אֲשֶׁר בַּמַּחֲנֶה וְעָשָׂה אֲמָנָה ׳ וְלֹא יִשׁ[ ]ח אש[ ]
17 [הָ]עֵצָה ׳ וְכֵן לַמְּגָרֵשׁ וְהוּא יִשׁ[ ]
18 [יְ]עַנּוּהוּ וּבְאַהֲבַת חֶסֶד אַל יִטּוֹר לָהֶ[ם]
19 [ ]שהם וְאֵת אֲשֶׁר אֵינֶנּוּ נִקְשָׁר בּ[ ]
20 [ ] וְזֶה מוֹשַׁב הַמַּחֲנוֹת לְכָל [קֵץ הָרִשְׁעָה ׳
וַאֲשֶׁר] 21 [לֹא יַחֲזִיקוּ בָּאֵ]לֶּה לֹא יַצְלִיחוּ לָשֶׁבֶת בָּאָרֶץ
[ ] 22 [וְאֵ]לֶּה הַ[מִּשְׁפָּטִ]ים לַמַּשְׂכִּיל
[ ]

XIV

אֲשֶׁר לֹא בָאוּ מִיּוֹם סוּר אֶפְרַיִם מֵעַל יְהוּדָה ׳ וְכָל הַמִּתְהַלְּכִים
בָּאֵלֶּה 2 בְּרִית אֵל נֶאֱמָנוּת לָהֶם לְהַצִּילָם מִכָּל מוֹקְשֵׁי
שַׁחַת כִּי [a]פתאום וְנֶעֱנָשׁ[וּ] ׳ 3 וְסֶרֶךְ מוֹשַׁב כָּל הַמַּחֲנוֹת ׳ יִפָּקְדוּ
כֻּלָּם בִּשְׁמוֹתֵיהֶם הַכֹּ[הֲנִי]ם לָרִאשׁוֹנָה 4 וְהַלְוִיִּם שְׁנַיִם וּבְנֵי
יִשְׂרָאֵל שְׁלִשְׁתָּם וְהַגֵּר רְבִיעַ ׳ וְיִכָּתְבוּ בִשְׁ[מוֹתֵ]יהֶם 5 אִישׁ
אַחַר אָחִיהוּ הַכֹּהֲנִים לָרִאשׁוֹנָה וְהַלְוִיִּם שְׁנַיִם וּבְנֵי יִשְׂרָאֵל
6 שְׁלוֹשְׁתָּם וְהַגֵּר רְבִיעַ ׳ וְכֵן יֵשְׁבוּ וְכֵן יִשָּׁאֲלוּ לַכֹּל ׳ וְהַכֹּהֵן אֲשֶׁר

b lies נִידְחֵיהֶם.

a lies פְּתָאִים.

alle ihre Verstreuten zurück[bringen] wie ein Hirt seine Herde. 10 Und er soll alle ihre fesselnden Bande lösen, damit kein Bedrückter und Zerschlagener in seiner Gemeinde sei. 11 Und jeden, der sich seiner Gemeinde anschließt, soll er auf seine Werke, seine Einsicht, seine Kraft, seine Stärke und sein Vermögen hin prüfen. 12 Und sie sollen ihn an seiner Stelle einschreiben entsprechend seinem Stand im Los des Li[chtes][88]. Nicht darf ein Mann 13 von den Angehörigen des Lagers beanspruchen, jemanden in die Gemeinde einzuführen [ohne] die Weisung des Aufsehers über das Lager. 14 Und keiner von denen, die in den Bund Gottes eingetreten sind, soll Handel treiben mit den Söhnen der Grube, abgesehen 15 (vom Kauf) von Hand zu Hand[89]. Und niemand soll Verbindung aufnehmen zum Kauf und Verkauf, ohne daß er es 16 dem Aufseher, der im Lager ist, anzeigt und eine (schriftliche) Vereinbarung trifft. Und nicht [...] 17 [... des] Rates. Und ebenso soll es sein für den, der verstößt, und er [...] 18 [... sie] sollen ihm antworten, und in zärtlicher Liebe soll er ihnen nicht grollen [...] 19 [...] und den, der nicht gebunden ist [...] 20 [...] Und dies ist (die Regel des) Wohnen(s) für die Lager für die ganze [Zeit der Gottlosigkeit, und die] 21 [nicht daran festhalten,] denen wird es nicht gelingen, im Lande zu wohnen [...] 22 [... Und d]ies sind die [Satzun]gen für den Unterweiser [...][90]

XIV

wie sie nicht gekommen sind seit dem Tage, an dem Ephraim von Juda abgefallen ist (Jes. 7, 17). Und für alle, die in diesen (Geboten) wandeln, 2 ist der Bund Gottes die Versicherung, daß er sie aus allen Fallstricken der Grube erretten wird, doch die Törichten, sie werden bestraf[t]. 3 Und die Regel des Wohnens für alle Lager: Sie alle sollen namentlich gemustert werden; die P[riest]er zuerst, 4 die Leviten an zweiter Stelle, die Söhne Israels an dritter und die Proselyten an vierter Stelle[91]. Sie sollen mit ihren N[am]en eingeschrieben werden, 5 einer nach dem anderen: die Priester zuerst, die Leviten an zweiter, die Söhne Israels 6 an dritter und die Proselyten an vierter Stelle. Und so sollen sie sitzen, und so sollen sie befragt werden nach allen Dingen. Und der Priester, der die Aufsicht hat 7 über die Vielen, soll zwischen dreißig und sechzig Jahren alt sein,

יִפְקֹד 7 [b]אִישׁ הָרַבִּים מִבֶּן שְׁלוֹשִׁים שָׁנָה עַד בֶּן שִׁשִּׁים מְבוֹנָן
בְּסֵפֶר 8 [הֶהָגִי] וּבְכָל מִשְׁפְּטֵי הַתּוֹרָה לְדַבְּרָם כְּמִשְׁפָּטָם ׳
וְהַמְבַקֵּר אֲשֶׁר 9 לְכָל הַמַּחֲנוֹת מִבֶּן שְׁלֹשִׁים שָׁנָה עַד בֶּן חֲמִשִּׁים
שָׁנָה בָּעוּל בְּכָל 10 סוֹד אֲנָשִׁים וּלְכָל לָשׁוֹן לְמִשְׁפְּחוֹתָם ׳
עַל פִּיהוּ יָבֹאוּ בָּאֵי הָעֵדָה 11 אִישׁ בְּתֹרוֹ ׳ וּלְכָל דָּבָר
אֲשֶׁר יִהְיֶה לְכָל הָאָדָם לְדַבֵּר לַמְבַקֵּר יְדַבֵּר 12 לְכָל רִיב
וּמִשְׁפָּט ׳ וְ[זֶה] סֶרֶךְ הָרַבִּים לְהָכִין כָּל חֶפְצֵיהֶם ׳ שְׂכַר 13 [שְׁ]נֵי
יָמִים לְכָל חֹדֶשׁ לְמַ[מְ]עַט וְנָתְנוּ עַל יַד הַמְבַקֵּר וְהַשּׁוֹפְטִים ׳
14 מִמֶּנּוּ יִתְּנוּ בְּעַד [יְתוֹ]מִים וּמִמֶּנּוּ יַחֲזִיקוּ בְּיַד עָנִי וְאֶבְיוֹן ׳ וְלַזָּקֵן
אֲשֶׁר 15 [יִגְוַ]ע וְלָאִישׁ אֲשֶׁר יָנוּעַ וְלַאֲשֶׁר יִשָּׁבֶה לְגוֹי נֵכָר
וְלַבְּתוּלָה אֲשֶׁר 16 [אֵין] לָהּ גּוֹאֵל ולע[אֲ]שֶׁר אֵין
לָהּ דּוֹרֵשׁ ׳ כָּל עֲבוֹדַת הַחֶבֶר וְלֹא 17 [ ]ם וְזֶה
פֵּרוּשׁ מוֹשַׁב ה[ ] 18 [ ] הל
וְזֶה פֵּרוּשׁ הַמִּשְׁפָּטִים אֲשֶׁר [יִתְהַלְּכוּ בָהֶם בְּקֵץ] 19 [הָרִשְׁעָה
עַד עֲמוֹד מְשִׁי]חַ אַהֲרֹן וְיִשְׂרָאֵל וִיכַפֵּר עֲוֹנָם [ ] 20 [ ]
א[ ]ר [ ]ק[ ] בְּמָמוֹן וְהוּא יוֹדֵעַ ומ[ ] 21 [
וְ[נֶ]עֱנַשׁ יָמִים שִׁשָּׁה ׳ וַאֲשֶׁר יְדַבֵּ[ר] 22 [
] לֹא בְּמִשְׁפָּט[וְנֶעֱנַשׁ] שָׁנָה [אַחַת]

XV

[יִשָּׁ]בַע וְגַם בְּאָלֶף וְלָמֶד וְגַם בְּאָלֶף וְדָלֶת כִּי אִם שְׁבוּעַת
הָ[ ]ם 2 בְּאָלוֹת הַבְּרִית ׳ וְאֶת תּוֹרַת מֹשֶׁה אַל יַזְכּוֹר כִּי
בת ל פ[ ] 3 וְאִם יִשָּׁבַע וְעָבַר וְחִלֵּל אֶת הַשֵּׁם ׳ וְאִם
בְּאָלוֹת הַבְּרִית [נִ]שְׁ[בַּע לִפְנֵי] 4 הַשֹּׁפְטִים ׳ אִם עָבַר אָשֵׁם
הוּא וְהִתְוַדָּה וְהֵשִׁיב וְלֹא יִשָּׂא [חֵטְא וְלֹא] 5 [יָ]מוּת ׳ וְהַבָּא

[b] lies אֵת.

bewandert im Buche 8 [Hagi] und in allem Bestimmungen des Gesetzes, um sie in ihrer rechten Weise darzulegen. Und der Aufseher 9 über alle Lager soll zwischen dreißig und fünfzig Jahren alt sein, kundig in jedem 10 Geheimnis der Menschen und in jeder Sprache entsprechend ihren Stämmen. Nach seiner Weisung sollen die Glieder der Gemeinde eintreten, 11 jeder der Reihe nach. Und jede Sache, die jemand vorzubringen hat, soll er dem Aufseher sagen 12 in jedem Streit und jeder Rechtsangelegenheit. Und [dies] ist die Ordnung der Vielen, um all ihre Belange festzusetzen: den Lohn 13 von we[nig]stens [z]wei Tagen je Monat sollen sie in die Hände des Aufsehers und der Richter abgeben[92]. 14 Davon soll man den W[ai]sen geben, und davon soll man den Elenden und Armen unterstützen; und (weiterhin) für den Greis, 15 [der im Sterben liegt,] und für den Mann, der heimatlos ist, und für denjenigen, der in ein fremdes Volk gefangen weggeführt wird, und für die Jungfrau, 16 die [keinen] Löser hat [... d]ie keiner sucht. Den ganzen Dienst der Gemeinschaft, und nicht [...] 17 [...] Und dies ist die genaue Bestimmung über das Wohnen [...] 18 [...] Und dies ist die genaue Bestimmung der Rechtssätze, in [denen sie wandeln sollen während der Zeit] 19 [der Gottlosigkeit, bis aufsteht der Gesalb]te Aarons und Israels, und ihre Sünde wird er entsühnen [...] 20 [...] mit dem Geld, und er weiß es [...] 21 [... und er soll] bestraft werden mit sechs Tagen. Und wer rede[t ...] 22 [...] in ungerechter Weise, [der soll büßen ein] Jahr [...][93]

XV

[94][schw]ören, weder bei Aleph und Lamed[95], noch bei Aleph und Dalet[96], sondern mit dem Eid des [...] 2 mit den Flüchen des Bundes. Und das Gesetz des Mose soll man nicht erwähnen; denn [...] 3 Und wenn er schwört und übertritt, entweiht er den Namen. Und wenn er bei den Flüchen des Bundes [schw]ö[rt, so sei es vor] 4 den Richtern. Wenn er übertritt, so macht er sich schuldig, und er soll ein Bekenntnis ablegen und wiedergutmachen, dann trägt er keine [Sünde und soll nicht] 5 [st]erben. Und für jeden, der in den Bund eingetreten ist[97], der für ganz Israel bestimmt ist, sei es ewige Satzung: ihren Söhnen, die das Alter erreicht haben, 6 um zu den Gemusterten hinüberzugehen[98],

בַּבְּרִית לְכָל יִשְׂרָאֵל לְחוֹק עוֹלָם אֵת בְּנֵיהֶם אֲשֶׁר יַגִּיעוּ
6 לַעֲבוֹר עַל הַפְּקוּדִים בִּשְׁבוּעַת הַבְּרִית יָקִימוּ עֲלֵיהֶם ׳ וְכֵן
7 הַמִּשְׁפָּט בְּכָל קֵץ הָרֶשַׁע לְכָל הַשָּׁב מִדַּרְכּוֹ הַנִּשְׁחָתָה ׳ בְּיוֹם
דַּבְּרוֹ 8 עִם הַמְּבַקֵּר אֲשֶׁר לָרַבִּים יִפְקְדוּהוּ בִשְׁבוּעַת הַבְּרִית
אֲשֶׁר כָּרַת 9 מֹשֶׁה עִם יִשְׂרָאֵל ׳ אֵת הַבְּרִית לָשׁ[וּב אֶ]ל תּוֹרַת
מֹשֶׁה בְּכָל לֵב [וּבְכָל] 10 נֶפֶשׁ אֶל הַנִּמְצָא לַעֲשׂוֹת בְּכָ[ל קֵ]ץ
[הָרֶשַׁע] ׳ וְאַל יוֹדִיעֵהוּ אִישׁ אֵת 11 הַמִּשְׁפָּטִים עַד עָמְדוֹ לִפְנֵי
הַמְּבַקֵּר שֶׁמָּה יִתְפַּתֶּה בוֹ בְּדָרְשׁוֹ אֹתוֹ ׳ 12 וְכַאֲשֶׁר יָקִים אוֹתוֹ
עָלָיו לָשׁוּב אֶל תּוֹרַת מֹשֶׁה בְּכָל לֵב וּבְכָל נֶפֶשׁ 13 [ ]ים
א[ ] ממנו אם ימ[ ]ל[ ]וְכָל אֲשֶׁר נִגְלָה מִן הַתּוֹרָה לְדַעַ[ת]
14 [ ]ה והוא שוה בו י[ ] הַמְּבַקֵּר אוֹתוֹ וְצִוָּה עָלָיו ויס[ ]
15 עַד שָׁנָה תְמִימָה עַל פִּי דֵעוֹ[ת] הֱיוֹתוֹ אֱוִיל וּמְשׁוּגָּע ׳ וְכָל
פֶּתִ[י וּ]מְ[שׁוּ]גָּע

XVI

עִמָּכֶם בְּרִית וְעִם כָּל יִשְׂרָאֵל ׳ עַל כֵּן יָקִים הָאִישׁ עַל [a]נפשך
לָשׁוּב אֶל 2 תּוֹרַת מֹשֶׁה כִּי בָהּ הַכֹּל מְדוּקְדָּק ׳ וּפֵרוּשׁ קִצֵּיהֶם
לְעִוְרוֹן 3 יִשְׂרָאֵל מִכָּל אֵלֶּה הִנֵּה הוּא מְדוּקְדָּק עַל סֵפֶר
מַחְלְקוֹת הָעִתִּים 4 לְיוֹבְלֵיהֶם וּבְשָׁבוּעוֹתֵיהֶם ׳ וּבְיוֹם אֲשֶׁר
יָקִים הָאִישׁ עַל נַפְשׁוֹ לָשׁוּב 5 אֶל תּוֹרַת מֹשֶׁה יָסוּר מַלְאַךְ
הַמַּשְׂטֵמָה מֵאַחֲרָיו אִם יָקִים אֵת דְּבָרָיו ׳ 6 עַל כֵּן נִימּוֹל
אַבְרָהָם בְּיוֹם דַּעְתּוֹ ׳ וַאֲשֶׁר אָמַר מוֹצָא שְׂפָתֶיךָ 7 תִּשְׁמוֹר
לְהָקִים ׳ כָּל שְׁבוּעַת אִסָּר אֲשֶׁר יָקִים אִישׁ עַל נַפְשׁוֹ 8 לַ[עֲשׂ]וֹת
דָּבָר מִן הַתּוֹרָה עַד מְחִיר מָוֶת אַל יִפְדֵּהוּ ׳ כָּל אֲשֶׁר 9 [יָקִי]ם
אִישׁ עַל נַפְשׁוֹ לָסוּר מִ[ן הַתּוֹ]רָה עַד מְחִיר מָוֶת אַל יְקִימֵהוּ ׳
10 [עַ]ל שְׁבוּעַת הָאִשָּׁה אֲשֶׁר אָמַ[ר לְ]אִישָׁהּ לְהָנִיא אֵת

[a] lies נַפְשׁוֹ.

sollen sie den Eid des Bundes auferlegen. Und so 7 ist die Anordnung in der ganzen Zeit der Gottlosigkeit für jeden, der von seinem verderbten Weg umkehrt. An dem Tag, an dem er 8 mit dem Aufseher der Vielen spricht, soll man ihn mustern mit dem Schwur des Bundes, den Mose 9 mit Israel geschlossen hat — nämlich den Bund, umzuke[hren zu]m Gesetz des Mose mit ganzem Herzen [und mit ganzer] 10 Seele zu dem, was (darin) gefunden wird, daß man es tun muß während der gan[zen Ze]it [der Gottlosigkeit]. Und niemand darf ihn wissen lassen 11 die Rechtssatzungen, bevor er vor dem Aufseher steht, für den Fall, daß er von ihm[99] als einfältig beurteilt wird, wenn er[100] ihn prüft. 12 Aber wenn er sich verpflichtet hat, umzukehren zum Gesetz des Mose mit ganzem Herzen und mit ganzer Seele 13 [...] und alles, was vom Gesetz offenbart ist für das Wiss[en] 14 [...] ihn der Aufseher und gibt seinetwegen Befehl [...] 15 bis zu einem vollen Jahr auf Grund der bekannt[en] Tatsache, daß er ein Tor und Verrückter ist. Und jeder Törich[te und] Ver[rückte...][101]

XVI

mit euch einen Bund und mit ganz Israel[102]. Deshalb soll sich der Mann verpflichten, umzukehren zum 2 Gesetz des Mose; denn darin ist alles genau festgelegt. Und die genaue Bestimmung ihrer Zeiten hinsichtlich der Blindheit 3 Israels für alles dieses, siehe, das ist genau dargelegt im Buch der Einteilungen der Zeiten 4 nach ihren Jubiläen und ihren (Jahr-)Wochen[103]. Und an dem Tage, an dem sich der Mann verpflichtet, umzukehren 5 zum Gesetz des Mose, wird der Engel der Feindschaft von ihm weichen, wenn er seine Worte einhält. 6 Deswegen ist Abraham beschnitten worden am Tage seiner Erkenntnis[104]. Und wie er gesagt hat: Das, was über deine Lippen kommt, 7 sollst du halten (Deut. 23, 24), es einzuhalten: Jeden bindenden Eid, den jemand auf sich genommen hat, 8 um etwas vom Gesetz zu [tu]n, soll er selbst um den Preis des Todes nicht lösen. Alles, wofür 9 sich jemand [verpfli]chtet, um v[om Ge]setz abzuweichen, soll er selbst um den Preis des Todes nicht ausführen. 10 [Üb]er den Eid des Weibes; wie er gesagt [hat]: Ihr Mann muß ihren Eid ungültig machen[105] — (so gilt:) Nicht 11 soll der Mann einen Eid ungültig machen, von dem [er] nicht

שְׁבוּעָתָהּ · אַל 11 יָנִיא אִישׁ שְׁבוּעָה אֲשֶׁר לֹא [יֵ]דָעֶנָּה אִם
לְהָקִים הִיא וְאִם לְהָנִיא · 12 אִם לַעֲבוֹר בְּרִית הוּא יְנִיאֶהָ
וְאַל יְקִימֶנָּה · וְכֵן הַמִּשְׁפָּט לְאָבִיהָ · 13 עַל מִשְׁפַּט הַנְּדָבוֹת
אַל יִדּוֹר אִ[ישׁ] לַמִּזְבֵּחַ מְאוּם אָנוּס · וְגַם 14 [הַכֹּ]הֲנִים אַל
יִקְחוּ מֵאֵת יִשְׂרָאֵל [אָנוּס · אַל] יַקְדֵּשׁ אִישׁ אֵת מַאֲכַל 15 פִּ[יהוּ
לָאֵ]ל · כִּי הוּא אֲשֶׁר אָמַר אִישׁ אֵת רֵעֵיהוּ יָצ[וּ]דוּ חֵרֶם · וְאַל
16 יַקְדֵּ[שׁ אִי]שׁ מִכֹּל[ ] אֲחֻזָּתוֹ
17 יַקְדֵּשׁ ל[ ]ב ה[ ] יֵעָנֵשׁ ·
18 הַנּוֹדֵר [ ]
19 לַשּׁוֹפֵט [ ]

Text B

XIX

נֶאֱמָנוּת לָהֶם לְחַיּוֹתָם לְאַלְפֵי דוֹרוֹת · [a]ככ שׁוֹמֵר הַבְּרִית
וְהַחֶסֶד 2 [b]לאהב וּלְשֹׁמְרֵי [c]מצותיי לְאֶלֶף דּוֹר · וְאִם מַחֲנוֹת
יֵשְׁבוּ כְּסֶרֶךְ 3 הָאָרֶץ אֲשֶׁר הָיָה מִקֶּדֶם וְלָקְחוּ נָשִׁים כְּמִנְהַג
הַתּוֹרָה וְהוֹלִידוּ בָנִים 4 וְיִתְהַלְּכוּ עַל פִּי הַתּוֹרָה וּכְמִשְׁפַּט
[d]היסודים כְּסֶרֶךְ הַתּוֹרָה 5 כַּאֲשֶׁר אָמַר בֵּין אִישׁ לְאִשְׁתּוֹ וּבֵין
אָב לִבְנוֹ · וְכָל הַמֹּאֲסִים בְּמִצְוֹת 6 וּבְחֻקִּים לְהָשִׁיב גְּמוּל
רְשָׁעִים עֲלֵיהֶם בִּפְקֹד אֵל אֵת הָאָרֶץ 7 בְּבוֹא הַדָּבָר אֲשֶׁר
כָּתוּב בְּיַד זְכַרְיָה הַנָּבִיא · חֶרֶב עוּרִי עַל 8 רוֹעִי וְעַל גֶּבֶר
עֲמִיתִי נְאֻם אֵל · הַךְ אֵת הָרֹעֶה וּתְפוּצֶינָה הַצֹּאן 9 וַהֲשִׁיבוֹתִי
יָדִי עַל הַצּוֹעֲרִים · וְהַשּׁוֹמְרִים אוֹתוֹ הֵם עֲנִיֵּי הַצֹּאן · 10 אֵלֶּה
יִמָּלְטוּ בְּקֵץ הַפְּקֻדָּה וְהַנִּשְׁאָרִים יִמָּסְרוּ לַחֶרֶב בְּבוֹא מְשִׁיחַ
11 אַהֲרֹן וְיִשְׂרָאֵל · כַּאֲשֶׁר הָיָה בְּקֵץ פְּקֻדַּת הָרִאשׁוֹן אֲשֶׁר אָמַר

a = כַּכָּתוּב — b = לְאֹהֲבָיו — c lies מִצְוֹתָיו — d lies הַיִּסּוּרִים.

weiß, ob er eingehalten oder ungültig gemacht werden muß. 12 Wenn er dazu führt, den Bund zu übertreten, so soll er ihn ungültig machen und ihn nicht einhalten. Und ebenso ist es die Bestimmung für ihren Vater. 13 Was die Bestimmung der freiwilligen Gaben betrifft, so soll [niem]and dem Altar etwas Erzwungenes geloben. Und auch 14 [die Pr]iester sollen von Israel nichts [Erzwungenes] annehmen. [Nie]mand soll die Speise 15 [seines] Mu[ndes Got]t weihen; denn so hat er gesagt: Sie jagen einander mit dem Netz[106] (Mi. 7, 2). Und nie[mand] 16 soll etwas von allem [wei]hen [...] sein Eigentum 17 soll er weihen [...] er wird bestraft. 18 Wer gelobt [...] 19 dem Richter [...]

Text B

XIX

Gewähr[107] haben sie, daß sie tausend Geschlechter lang leben werden; so wie geschrieben steht: Er bewahrt den Bund und die Gnade 2 denen, die ihn lieben und seine Gebote befolgen, in tausend Geschlechter (Deut. 7, 9). Und wenn sie in Lagern wohnen entsprechend der Ordnung 3 des Landes, die seit alters besteht, und Frauen nehmen entsprechend der Sitte des Gesetzes und Söhne zeugen, 4 so sollen sie nach dem Geheiß des Gesetzes wandeln und gemäß der Vorschrift der Weisungen, nach der Regel des Gesetzes, 5 wie er gesagt hat: Zwischen einem Mann und seinem Weib und zwischen einem Vater und seinem Sohn (Num. 30, 17). Aber allen, die die Gebote 6 und Satzungen verachten, soll die Vergeltung der Gottlosen heimgezahlt werden, wenn Gott das Land heimsucht, 7 wenn das Wort eintrifft, das geschrieben ist durch den Propheten Sacharja[108]: Schwert, wache auf 8 wider meinen Hirten und wider den Mann, der mir nahe steht, ist der Spruch Gottes. Schlage den Hirten, und die Schafe sollen sich zerstreuen, 9 und ich will meine Hand wider die Kleinen wenden (Sach. 13, 7). Und die, welche ihn bewahren, sind die Armen der Herde[109]. 10 Diese werden gerettet werden zur Zeit der Heimsuchung, aber die übrigen werden dem Schwert ausgeliefert werden, wenn der Gesalbte kommt 11 aus Aaron und Israel;

12 בְּיַד יְחֶזְקֵאל לְהַתּוֹת הַתָּיו עַל מִצְחוֹת נֶאֱנָחִים וְנֶאֱנָקִים '
13 וְהַנִּשְׁאָרִים הֻסְגְּרוּ לַחֶרֶב נוֹקֶמֶת נְקַם בְּרִית ' וְכֵן מִשְׁפָּט לְכָל
בָּאֵי 14 בְרִיתוֹ אֲשֶׁר לֹא יַחֲזִיקוּ בָאֵלֶּה הַחֻקִּים לְפָקְדָם לְכָלָה
בְּיַד בְּלִיָּעַל ' 15 הוּא הַיּוֹם אֲשֶׁר יִפְקֹד אֵל כַּאֲשֶׁר דִּבֶּר הָיוּ
שָׂרֵי יְהוּדָה כְּמַשִּׂיגֵי 16 גְבוּל עֲלֵיהֶם אֶשְׁפֹּךְ כַּמַּיִם עֶבְרָה ' כִּי
בָאוּ בִּבְרִית תְּשׁוּבָה 17 וְלֹא סָרוּ מִדֶּרֶךְ בּוֹגְדִים וַיִּתְגּוֹלְלוּ
בְּדַרְכֵי זְנוּת וּבְהוֹן הָרִשְׁעָה 18 וְנָקוֹם וְנָטוֹר אִישׁ לְאָחִיהוּ
וְשָׂנֹא אִישׁ אֶת רֵעֵהוּ ' וַיִּתְעַלְּמוּ אִישׁ 19 בִּשְׁאֵר בְּשָׂרוֹ וַיִּגְּשׁוּ
לְזִמָּה וַיִּתְגַּבְּרוּ לְהוֹן וּלְבֶצַע וַיַּעֲשׂוּ 20 אִישׁ הַיָּשָׁר בְּעֵינָיו '
וַיִּבְחֲרוּ אִישׁ בִּשְׁרִירוּת לִבּוֹ וְלֹא נִזְּרוּ מֵעָם 21 וּמֵחַטָּאתָם '
וַיִּפְרְעוּ בְּיָד רָמָה לָלֶכֶת בְּדַרְכֵי רְשָׁעִים אֲשֶׁר 22 אָמַר אֵל
עֲלֵיהֶם חֲמַת תַּנִּינִם יֵינָם וְרֹאשׁ פְּתָנִים אַכְזָר ' הַתַּנִּינִים 23 מַלְכֵי
הָעַמִּים וְיֵינָם הוּא דַרְכֵיהֶם וְרֹאשׁ פְּתָנִים הוּא רֹאשׁ 24 מַלְכֵי
יָוָן הַבָּא עֲלֵיהֶם לִנְקֹם נְקָמָה ' וּבְכָל אֵלֶּה לֹא הֵבִינוּ בּוֹנֵי
25 הַחַיִץ וְטָחֵי תָפֵל ' כִּי הוֹלֵךְ רוּחַ וְשֹׁקֵל סוּפוֹת וּמַטִּיף אָדָם
26 לְכָזָב אֲשֶׁר חָרָה אַף אֵל בְּכָל עֲדָתוֹ ' וַאֲשֶׁר אָמַר מֹשֶׁה
27 לְיִשְׂרָאֵל לֹא בְצִדְקָתְךָ וּבְיוֹשֶׁר לְבָבְךָ אַתָּה בָא לָרֶשֶׁת אֶת
הַגּוֹיִם 28 הָאֵלֶּה כִּי מֵאַהֲבָתוֹ אֶת אֲבוֹתֶיךָ וּמִשָּׁמְרוֹ אֶת
הַשְּׁבוּעָה ' כֵּן 29 מִשְׁפָּט לְשָׁבֵי יִשְׂרָאֵל סָרוּ מִדֶּרֶךְ הָעָם '
בְּאַהֲבַת אֵל אֶת הָרִאשֹׁנִים 30 אֲשֶׁר הֵעִידוּ עַל הָעָם אַחֲרֵי
אֵל וְאָהַב אֶת הַבָּאִים אַחֲרֵיהֶם כִּי לָהֶם 31 בְּרִית אָבוֹת '
וְשׂוֹנֵא וּמְתָעֵב אֵל אֶת בּוֹנֵי הַחַיִץ וְחָרָה אַפּוֹ בָם וּבְכָל
32 הַהֹלְכִים אַחֲרֵיהֶם ' וְכַמִּשְׁפָּט הַזֶּה לְכָל הַמֹּאֵס בְּמִצְוֹת אֵל
33 וַיַּעַזְבֵם וַיִּפְנוּ בִּשְׁרִירוּת לִבָּם ' כֵּן כָּל הָאֲנָשִׁים אֲשֶׁר בָּאוּ
בַּבְּרִית 34 הַחֲדָשָׁה בְּאֶרֶץ דַּמֶּשֶׂק וְשָׁבוּ וַיִּבְגְּדוּ וַיָּסוּרוּ מִבְּאֵר
מַיִם הַחַיִּים 35 לֹא יֵחָשְׁבוּ בְּסוֹד עָם וּבִכְתָבָם לֹא יִכָּתֵבוּ מִיּוֹם
הֵאָסֵף

wie es gewesen ist zur Zeit der ersten Heimsuchung, von der 12 er durch Ezechiel gesagt hat: Das Zeichen zu zeichnen auf die Stirn derer, die seufzen und stöhnen (Ez. 9, 4). 13 Aber die übrigen wurden dem Schwert übergeben, das die Bundesrache vollstreckt. Und ebenso wird das Gericht über alle sein, 14 die in seinen Bund eingetreten sind, aber nicht an diesen Gesetzen festhalten, daß er sie heimsuchen wird zur Vernichtung durch Belial. 15 Das ist der Tag, an dem Gott heimsuchen wird, wie er gesagt hat: Die Fürsten von Juda sind wie Grenzverrücker, 16 über sie will ich Zorn wie Wasser ausgießen (Hos. 5, 10). Denn sie sind wohl in den Bund der Umkehr eingetreten, 17 aber sie sind nicht abgegangen vom Weg der Abtrünnigen, sondern haben sich gewälzt auf Wegen der Hurerei und in dem Besitz der Gottlosigkeit, 18 in Rächen und Grollen, jeder gegen seinen Bruder, und indem jeder seinen Nächsten haßt. Und sie entzogen sich ein jeder 19 seinen Blutsverwandten und näherten sich schändlicher Tat und zeigten sich tüchtig in Bezug auf Besitz und Gewinn und taten 20 jeder, was in seinen Augen recht war. Und sie wählten jeder die Verstocktheit seines Herzens und trennten sich nicht vom Volk 21 und ihrer Sünde. Und sie ließen sich gehen mit erhobener Hand, um auf den Wegen der Gottlosen zu wandeln, über die 22 Gott gesagt hat: Drachengift ist ihr Wein und verderbliches Gift der Nattern (Deut. 32, 33). Die Drachen, 23 das sind die Könige der Völker; und ihr Wein, das sind ihre Wege; und das Gift der Nattern, das ist das Haupt 24 der Könige von Jawan, das zu ihnen kommt, um Rache zu üben. Aber alle diese Dinge haben sie nicht begriffen, die die Mauer erbauen 25 und sie mit Tünche verputzen. Denn er geht nach dem Wind und trägt Sturmwinde und predigt den Menschen 26 lügnerisch, so daß Gottes Zorn gegen seine ganze Gemeinde entbrannte. Und wie Mose gesagt hat 27 zu Israel: Nicht durch deine Gerechtigkeit noch durch die Aufrichtigkeit deines Herzens bist du gekommen, diese Völker zu beerben, 28 sondern weil er deine Väter liebte und den Eid bewahrte (Deut. 9, 5; 7, 8) — so ist 29 auch die Entscheidung für die Bekehrten Israels; sie sind abgewichen vom Weg des Volkes. Mit der Liebe, mit der Gott die Früheren geliebt hat, 30 die Zeugnis gegen das Volk für Gott ablegten, liebt er diejenigen, die nach ihnen kommen; denn ihnen gehört 31 der Bund der Väter. Aber es haßt und verabscheut Gott die Erbauer der Mauer, und sein Zorn ist über sie entbrannt und über alle, die 32 ihnen nachfolgen. Und dieser Entscheidung entsprechend ergeht es jedem, der die Gebote

XX

[a]מוֹרֶה הַיָּחִיד[a] עַד עֲמוֹד מָשִׁיחַ מֵאַהֲרוֹן וּמִיִּשְׂרָאֵל ׳ וְכֵן הַמִּשְׁפָּט
2 לְכָל בָּאֵי עֲדַת אַנְשֵׁי תְּמִים הַקֹּדֶשׁ ׳ וְיָקוּץ מֵעֲשׂוֹת פִּקּוּדֵי
יְשָׁרִים 3 הוּא הָאִישׁ הַנִּתָּךְ בְּתוֹךְ כּוּר ׳ בְּהוֹפִעַ מַעֲשָׂיו יִשָּׁלַח
מֵעֵדָה 4 כְּמִי שֶׁלֹּא נָפַל גּוֹרָלוֹ בְּתוֹךְ לִמּוּדֵי אֵל ׳ כְּפִי מַעֲלוֹ
יוֹכִיחוּהוּ אַנְשֵׁי 5 דֵעוֹת עַד יוֹם יָשׁוּב לַעֲמֹד בְּמַעֲמַד אַנְשֵׁי
תְּמִים קֹדֶשׁ ׳ 6 וּבְהוֹפִעַ מַעֲשָׂיו כְּפִי מִדְרַשׁ הַתּוֹרָה אֲשֶׁר
יִתְהַלְּכוּ 7 בוֹ אַנְשֵׁי תְּמִים הַקֹּדֶשׁ אַל יֵאוֹת אִישׁ עִמּוֹ בְּהוֹן
וּבַעֲבוֹדָה 8 כִּי אֵרְרוּהוּ כָּל קְדוֹשֵׁי עֶלְיוֹן ׳ וְכַמִּשְׁפָּט הַזֶּה
לְכָל הַמֹּאֵס בָּרִאשׁוֹנִים 9 וּבָאַחֲרוֹנִים אֲשֶׁר שָׂמוּ גִלּוּלִים עַל
לִבָּם וַיֵּלְכוּ בִּשְׁרִירוּת 10 לִבָּם ׳ אֵין לָהֶם חֵלֶק בְּבֵית הַתּוֹרָה ׳
כְּמִשְׁפַּט רֵעֵיהֶם אֲשֶׁר שָׁבוּ 11 עִם אַנְשֵׁי הַלָּצוֹן יִשָּׁפֵטוּ ׳ כִּי
דִבְּרוּ תוֹעָה עַל חֻקֵּי הַצֶּדֶק וּמָאֲסוּ 12 בִּבְרִית וַאֲמָנָה אֲשֶׁר
קִיְּמוּ בְּאֶרֶץ דַּמֶּשֶׂק וְהוּא בְּרִית הַחֲדָשָׁה ׳ 13 וְלֹא[יִהְ]יֶה לָהֶם
וּלְמִשְׁפְּחוֹתֵיהֶם חֵלֶק בְּבֵית הַתּוֹרָ[ה] ׳ וּמִיּוֹם 14 הֵאָסֵף [b]יוֹרֶה
הַיָּחִיד[b] עַד תֹּם כָּל אַנְשֵׁי הַמִּלְחָמָה אֲשֶׁר שָׁבוּ 15 [עִ]ם אִישׁ
הַכָּזָב כְּשָׁנִים אַרְבָּעִים ׳ וּבַקֵּץ הַהוּא יֶחֱרֶה 16 אַף אֵל
בְּיִשְׂרָאֵל כַּאֲשֶׁר אָמַר אֵין מֶלֶךְ וְאֵין שָׂר וְאֵין שׁוֹפֵט וְאֵין
17 מוֹכִיחַ בְּצֶדֶק ׳ וְשָׁבֵי פֶשַׁע יַ[עֲ]קֹ[ב] שָׁמְרוּ בְּרִית אֵל ׳ אָז
יְדַ[בֵּר] אִישׁ 18 אֶל רֵעֵהוּ לְהַצְדִּיק אִישׁ אֵת אָחִיו לִתְמוֹךְ

a–a lies מוֹרֵה הַיַּחַד — b–b lies יוֹרֵה הַיַּחַד.

Gottes mißachtet 33 und sie verläßt und die sich in der Verstocktheit ihres Herzens abwenden. Ebenso[110] werden alle Männer, die eingetreten sind in den neuen Bund 34 im Lande Damaskus, aber wieder abgefallen und abgewichen sind von dem Brunnen des lebendigen Wassers[111], 35 nicht zur Versammlung des Volkes gerechnet werden, und in ihr Verzeichnis werden sie nicht eingeschrieben[112] werden vom Tage, da hinweggenommen wurde

XX

der Lehrer der Gemeinschaft[113], bis zum Auftreten des Gesalbten aus Aaron und Israel. Ebenso ist auch die Entscheidung 2 über alle, die in die Gemeinde der Männer der vollkommenen Heiligkeit eintreten. Scheut er zurück, die Vorschriften der Aufrichtigen auszuführen, 3 so ist er der Mann, der mitten im Ofen geschmolzen wird. Wenn seine Taten offenbar werden, soll er aus der Gemeinde fortgeschickt werden 4 wie einer, dessen Los nicht inmitten der Jünger Gottes gefallen ist. Entsprechend seiner Treulosigkeit sollen ihn die Männer des Wissens zurechtweisen 5 bis zu dem Tage, da er wieder an dem Platz der Männer vollkommener Heiligkeit stehen darf. 6 Und wenn seine Taten offenbar werden entsprechend der Auslegung des Gesetzes, nach welchem 7 die Männer vollkommener Heiligkeit wandeln, so darf niemand mit ihm Umgang pflegen im Besitz und in der Arbeit[114]; 8 denn alle Heiligen des Höchsten haben ihn verflucht. Und nach dieser Entscheidung soll es geschehen mit jedem Verächter unter den Früheren 9 oder den Späteren, die da Götzen in ihr Herz genommen haben und in der Verstocktheit 10 ihres Herzens wandeln. Für sie gibt es keinen Anteil am Haus des Gesetzes. Nach dem Urteil über ihre Genossen, die sich umgewandt haben 11 mit den Männern des Spottes, sollen sie gerichtet werden; denn sie haben Irriges gegen die Satzungen der Gerechtigkeit geredet und 12 den Bund und das Bündnis verworfen, die sie im Lande Damaskus aufgerichtet haben, welches der neue Bund ist. 13 Und weder sie noch ihre Sippen [werden] Anteil haben am Haus des Gesetz[es]. Und vom Tage, an dem 14 der Lehrer der Gemeinschaft hinweggenommen wurde, bis zum Ende aller Männer des Kampfes, die 15 [m]it dem Mann der Lüge[115] sich umgewandt haben, sind es etwa vierzig Jahre. Und in dieser Zeit 16 entbrennt der Zorn Gottes gegen

צַעֲדָם בְּדֶרֶךְ אֵל · וַיַּקְשֵׁב 19 אֵל אֶל דִּבְרֵיהֶם וַיִּשְׁמַע וַיִּכָּתֵב
סֵפֶר זִכָּרוֹן [לְפָנָיו] לְיִרְאֵי אֵל וּלְחוֹשְׁבֵי 20 שְׁמוֹ עַד יִגָּלֶה
יֶשַׁע וּצְדָקָה לְיִרְאֵי[אֵל · וְ]שַׁבְתֶּם[וּרְאִיתֶם]בֵּין צַדִּיק 21 וְרָשָׁע
בֵּין עֹבֵד [אֵ]ל לַאֲשֶׁר לֹא עֲבָדוֹ · וְעֹשֶׂה חֶסֶד לַ[אֲלָפִים] לְאֹהֲבָיו
22 וּלְשֹׁמְרָיו לְאֶלֶף דּוֹר · [ ]בֵּית פֶּלֶג אֲשֶׁר יָצְאוּ מֵעִיר
הַקֹּדֶשׁ 23 וַיִּשָּׁעֲנוּ עַל אֵל בְּקֵץ מַעַל יִשְׂרָאֵל וַיְטַמְּאוּ אֶת
הַמִּקְדָּשׁ וְשָׁבוּ עַד 24 אֵל · ו[ ]ד הָעָם בִּדְבָרִים מְעַטְ[ים ·
כּוּ]לָּם אִישׁ לְפִי רוּחוֹ יִשָּׁפְטוּ בַּעֲצַת 25 הַקֹּדֶשׁ · וְכָל אֲשֶׁר
פָּרְצוּ אֶת גְּבוּל הַתּוֹרָה מִבָּאֵי הַבְּרִית בְּהוֹפִעַ 26 כְּבוֹד אֵל
לְיִשְׂרָאֵל יִכָּרְתוּ מִקֶּ[רֶב] הַמַּחֲנֶה וְעִמָּהֶם כָּל מַרְשִׁיעֵי
27 יְהוּדָה בִּימֵי מִצְרְפוֹתָיו · וְכָל הַמַּחֲזִיקִים בַּמִּשְׁפָּטִים הָאֵלֶּה
לָצֵאת 28 וְלָבוֹא עַל פִּי הַתּוֹרָה וְיִשְׁמְעוּ לְקוֹל מוֹרֶה וְיִתְוַדּוּ
לִפְנֵי אֵל · כִּי אֲנוּ 29 רָשַׁעְנוּ גַּם אֲנַחְנוּ גַּם אֲבוֹתֵינוּ בְּלֶכְתֵּנוּ
קֶרִי בְּחֻקֵּי הַבְּרִית · צֶדֶק 30 וֶאֱמֶת מִשְׁפָּטֶיךָ בָּנוּ · וְלֹא יָרִימוּ
יָד עַל חֻקֵּי קָדְשׁוֹ וּמִשְׁפְּטֵי 31 צִדְקוֹ וְעֵדְוֹות אֲמִתּוֹ · וְהִתְיַסְּרוּ
בַּמִּשְׁפָּטִים הָרִאשׁוֹנִים אֲשֶׁר 32 נִשְׁפְּטוּ בָם אַנְשֵׁי [c]הַיָּחִיד ·
וְהֶאֱזִינוּ לְקוֹל מוֹרֵה צֶדֶק וְלֹא יָשִׁיבוּ 33 אֶת חֻקֵּי הַצֶּדֶק
בְּשָׁמְעָם אֹתָם · יָשִׂישׂוּ וְיִשְׂמְחוּ וְיָעֹז לִבָּם וְיִתְגַּבְּרוּ 34 עַל כָּל
בְּנֵי תֵבֵל · וְכִפֶּר אֵל בַּעֲדָם וְרָאוּ בִישׁוּעָתוֹ כִּי חָסוּ בְּשֵׁם קָדְשׁוֹ ·

[c] lies הַיַּחַד.

Israel, wie er gesagt hat: Kein König und kein Fürst (Hos. 3, 4) und kein Richter und keiner, 17 der in Gerechtigkeit zurechtweist. Doch die, die umgekehrt sind von der Sünde Ja[kobs], haben den Bund Gottes bewahrt. Dann wird ein Mann 18 zum anderen spre[chen], damit ein jeder seinen Bruder gerecht mache, um ihre Schritte auf dem Weg Gottes zu halten. Und Gott wird merken 19 auf ihre Worte und wird hören, und ein Buch des Gedächtnisses wird [vor ihm] geschrieben werden für die, welche Gott fürchten und seinen Namen achten[116], 20 bis daß Heil und Gerechtigkeit offenbar wird für die, die [Gott] fürchten. [Und dann] werdet ihr wieder den Unterschied [sehen] zwischen einem Gerechten 21 und einem Gottlosen, zwischen einem, der [Go]tt dient, und einem, der ihm nicht dient[117]. Und er wird [Tausenden] Barmherzigkeit erweisen, denen, die ihn lieben 22 und die auf ihn merken, in tausend Geschlechter[118]. [...] Haus des Peleg[119], die ausgezogen sind aus der heiligen Stadt 23 und sich auf Gott stützten zur Zeit, da Israel treulos handelte und sie das Heiligtum für unrein erklärten und umkehrten 24 zu Gott. [...] das Volk mit weni[gen] Worten. Sie [al]le, jeder entsprechend seinem Geist, sollen gerichtet werden in 25 der heiligen Ratsversammlung. Und alle von denen, die in den Bund eingetreten sind, aber die Grenze des Gesetzes durchbrochen haben, werden, 26 wenn die Herrlichkeit Gottes für Israel offenbar werden wird, ausgerottet werden au[s] dem Lager und mit ihnen alle Frevler 27 Judas in den Tagen seiner Läuterungen. Aber alle, die an diesen Satzungen festhielten, um aus- 28 und einzugehen nach Geheiß des Gesetzes, hörten auf die Stimme des Lehrers und bekannten vor Gott: Wir 29 haben gottlos gehandelt, wir und unsere Väter, da wir entgegen den Satzungen des Bundes gewandelt sind. Gerechtigkeit 30 und Wahrheit sind deine Gerichte über uns![120] Sie erheben nicht die Hand gegen seine heiligen Gesetze und seine 31 gerechten Gebote und seine wahren Zeugnisse. Sondern sie ließen sich weisen in den früheren Geboten[121], nach welchen 32 die Männer der Gemeinschaft gerichtet wurden. Und sie hören auf die Stimme des Lehrers der Gerechtigkeit und weisen nicht 33 die gerechten Gesetze zurück, wenn sie sie vernehmen. Sie werden fröhlich sein und sich freuen, und ihr Herz soll stark sein, und sie werden sich überlegen erweisen 34 gegenüber allen Söhnen der Welt. Und Gott wird sie entsühnen, und sie werden sein Heil schauen; denn sie haben Zuflucht genommen zu seinem heiligen Namen.

DIE LOBLIEDER

1 QH

Die Rolle der Loblieder ist von zwei Schreibern aufgezeichnet worden und teilweise in recht schlechtem Zustand erhalten, so daß einige Stücke nur sehr schwer oder gar nicht mehr wiederhergestellt werden können. Ferner sind in Höhle 1 noch 66 meist kleine Fragmente (zu diesen vgl. die Erstausgabe des Textes) und in Höhle 4 weitere Stücke anderer Handschriften desselben Werkes (noch nicht veröffentlicht) gefunden worden. Die Lieder beginnen stets mit einer festgeprägten Einleitung „Ich preise dich, Herr“ u.ä., schildern Not und Verlorenheit des Beters, aus der Gott ihn erlöst hat, preisen die Rettung, die Gott gewährt hat, loben die rechte Erkenntnis, die den Frommen verliehen wurde, und richten an Gott die Bitte um gnädige Bewahrung und Führung. Die Sammlung der Loblieder stellt keine literarische Einheit dar. In einigen Stücken werden leidvolle Erfahrungen und der Anspruch, durch die übermittelte Lehre das Heil zu bringen, ausgesprochen, so daß diese wahrscheinlich auf den Lehrer der Gerechtigkeit zurückgeführt werden können (vgl. z.B. VII, 6–25). In anderen Liedern dagegen finden sich in weit stärkerem Maße Anklänge an die Psalmen und prophetischen Bücher des Alten Testaments sowie formelhafte Wendungen. In diesen Stücken wird ausgesagt, was jeder Fromme, der zur Gemeinde des Bundes gehört, im Dank gegen Gott bekennen kann und soll, so daß hier das „Ich“ so zu verstehen sein wird, daß die Glieder der Gemeinde von Qumran diese Psalmen (vgl. z.B. XIII–XVII) als Danklieder und Bekenntnisse beteten und dabei jeder Beter die Aussagen des Textes auf sich beziehen konnte und sollte. Denn die betende Gemeinde ist die Schar derer, die Gott in den endzeitlichen Schrecken schützt und bewahrt.

Erstausgabe des Textes: E. L. Sukenik, אוצר המגילות הגנוזות שבידי האוניברסיטה העברית (The Dead Sea Scrolls of the Hebrew University), Jerusalem 1954, S. 35–58, Tafel 35–58; zum Text vgl. ferner Habermann, S. 115–133. Übersetzungen bei Bardtke, Burrows, Carmignac II, Dupont-Sommer, Gaster, Maier und Vermes. Zur kritischen Wiederherstellung des Textes, Übersetzung und Erklärung der Loblieder sind zu vergleichen: J. Licht, The Thanksgiving Scroll (hebr.), Jerusalem 1957; J. Carmignac, Remarques sur le texte des Hymnes de Qumran, Biblica 39 (1958), S. 139–155; derselbe, Compléments au texte des Hymnes de Qumran, R.Q. 2 (1959/60), S. 267–276. 550–558; Maier II, S. 63–110; S. Holm-Nielsen, Hodayot — Psalms from Qumran, Aarhus 1960; M. Mansoor, The Thanksgiving Hymns. Translated and Annotated with an Introduction, Studies on the Texts of the Desert of Judah III, Leiden 1961; G. Morawe, Aufbau und Abgrenzung der Loblieder von Qumran, Theologische Arbeiten 16, Berlin 1961; M. Delcor, Les Hymnes de Qumran, Paris 1962; G. Jeremias, Der Lehrer der Gerechtigkeit, St. U.N.T. 2, Göttingen 1963, S. 168–267.

I

[ ]
2 [ ]
3 עולם א[ ] ם [ ]
4 בם ומש[ ] ם כיא[ ]ומקה[ ]מ[ ]מ[ ]
5 וּמַעְיַן הַגְּב[וּ]רָה] גָּדוֹל הָעֵצָה [ ] אֵין מִסְפָּר
וְקִנְאָתְכָ[ה] 6 לִפְנֵי ח[ ] מ[ ] וַאֲרוֹךְ אַפַּיִם
בְּמִשְׁפָּ[ט · וְאַתָּה] צְדַקְתָּה בְּכָל מַעֲשֶׂיכָה 7 וּבְחָכְמָתְכָ[ה]
הֲ[כִינוֹתָה דוֹרוֹת] עוֹלָם · וּבְטֶרֶם בְּרָאתָם יָדַעְתָּה [a]כוֹל מַעֲשֵׂיהֶם
8 לְעוֹלְמֵי עַד · [כִּיא מִבַּלְעָדֶיכָה לֹא] יֵעָשֶׂה כוֹל וְלֹא יִוָּדַע בְּלוֹא
רְצוֹנְכָה · אַתָּה יָצַרְתָּה 9 כוֹל רוּחַ וּ[פְ]עֻ[וּ]לָּתָה הֲכִינוֹתָ[ה]
וּמִשְׁפָּט לְכוֹל מַעֲשֵׂיהֶם · וְאַתָּה נָטִיתָה שָׁמַיִם 10 לִכְבוֹדְכָה
כוֹל [צְבָאוֹתָם תִּכַּ[נְ]תָּה לִרְצוֹנְכָה וְרוּחוֹת עוֹז לְחוּקֵּיהֶם בְּטֶרֶם
11 הֱיוֹתָם לְמַלְאֲכֵי [קָדְשְׁכָה] לְרוּחוֹת עוֹלָם בְּמֶמְשְׁלוֹתָם
מְאוֹרוֹת לְרָזֵיהֶם 12 כּוֹכָבִים לִנְתִיבוֹתָ[ם וְכוֹל רוּחוֹת
סְעָרָה] לְמַשָּׂאָם זִקִּים וּבְרָקִים לַעֲבוֹדָתָם וְאוֹצְרוֹת 13 מַחֲשֶׁבֶת
לְחֶפְצֵיהֶ[ם] לְרָזֵיהֶם · אַתָּה בָּרָאתָה אֶרֶץ בְּכוֹחֲכָה
14 יַמִּים וּתְהוֹמוֹת [ ]בִיהֵם הֲכִינוֹתָה בְחוֹכְמָתְכָה
וְכוֹל אֲשֶׁר בָּם 15 תִּכַּ[נְ]תָּה לִרְצוֹנְכָ[ה · וַתִּתְּנֵם לְמֶמְשָׁלָ[ה]
לְרוּחַ אָדָם אֲשֶׁר יָצַרְתָּ בְּתֵבֵל לְכוֹל יְמֵי עוֹלָם 16 וְדוֹרוֹת
נֶצַח לְמ[ ] בְּקִצֵּיהֶם פִּלַּגְתָּה עֲבוֹדָתָם בְּכוֹל
דּוֹרֵיהֶם וּמִשְׁ[פָּ]ט 17 [b]בְּמוֹעדיה לְמֶמְשַׁ[לְ]תָּם [ ]יהם
[ ] לְדוֹר וָדוֹר · וּפְקוּדַּת שְׁלוֹמָם עִם 18 [c]עִם כּוֹל
נִגְעֵיהֶם [ ]ה וַתְּפַלְּגָהּ לְכוֹל צֶאֱצָאֵיהֶם לְמִסְפַּר
דּוֹרוֹת עוֹלָם 19 וּלְכוֹל שְׁנֵי נֶצַח [ ]ה וּבְחָכְמַת
דַּעְתְּכָה הֲכִ[י]נוֹתָה תְּעוּ[וּ]דָתָם בְּטֶרֶם 20 הֱיוֹתָם · וְעַל פִּי

[a] Durch Punkte getilgt — [b] lies בְּמוֹעֲדֵיהֶם — [c] Dittographie.

I

5 und[1] Quell der Stär[ke...] groß an Rat[...] ohne Zahl und dein Eifer 6 vor [...] und langmütig im Gerich[t. Und du] bist gerecht in allen deinen Werken 7 und in deiner Weisheit [hast du gegründet Geschlechter] der Ewigkeit. Und bevor du sie erschufst, kanntest du ihre Werke 8 für alle Ewigkeit. [Denn ohne dich] wird [nichts] getan, und ohne deinen Willen wird nichts erkannt. Du hast gebildet 9 jeden Geist und [bestimmtest sein Werk] und rechte Satzung für all ihre Taten. Du hast die Himmel ausgespannt 10 zu deiner Ehre, all [ihre Heere hast du ge]setzt nach deinem Willen und die mächtigen Winde nach ihren Gesetzen, ehe 11 sie zu Engeln [deiner Heiligkeit] wurden[2], zu ewigen Geistern in ihren Herrschaftsbereichen, Leuchten für ihre Geheimnisse, 12 Sterne in ihren Bahnen [und alle Sturmwinde] für ihre Last, Brandpfeile und Blitze für ihr Werk und Schatzkammern 13 des Planes für ihre Zwecke [...] für ihre Geheimnisse. Du hast die Erde geschaffen durch deine Kraft, 14 Meere und Urfluten [...] du bestimmst in deiner Weisheit, und alles, was darinnen ist, 15 besti[mm]st du nach deinem Willen. [Und du übergabst sie zur Herrschaft] dem Geist des Menschen, den du auf Erden gebildet hast für alle ewigen Tage 16 und ewigen Geschlechter [...] Zu ihren Zeiten hast du ihren Dienst eingeteilt in all ihren Geschlechtern und rechte Satzung 17 zu ihren Zeiten für [ihre] Herr[schaft...] von Geschlecht zu Geschlecht. Und Heimsuchung ihres Heils mit 18 all ihren Plagen [...] und teiltest es all ihren Sprößlingen zu nach der Zahl der fortwährenden Geschlechter 19 und für alle ewigen Jahre [...] und in der Weisheit deiner Erkenntnis hast du ihre Bestimmung festgesetzt, bevor 20 sie entstanden. Und nach [deinem Willen ent]stand alles, und ohne dich wird nichts getan. 21 Dieses erkannte ich auf Grund deiner Einsicht; denn du hast mein Ohr aufgetan für wunderbare Geheimnisse. Aber ich bin ein Gebilde von Lehm[3] und mit Wasser Geknetetes, 22 ein Ausbund von Schande und Quelle der Unreinheit, ein Schmelzofen der Schuld und Gebäude der Sünde, ein Geist des Irrtums und verdreht ohne 23 Einsicht und erschreckt durch gerechte Gerichte[4]. Wie soll ich reden, ohne daß es schon erkannt wäre? Und wie sollte ich vernehmen lassen, das noch nicht erzählt worden wäre? Alles 24 ist aufgezeichnet vor dir mit einem Griffel des Gedächtnisses

[רְצוֹנְכָה נִהְ]יָה כוֹל וּמִבַּלְעָדֶיךָ לֹא יֵעָשֶׂה ' 21 אֵלֶּה יָדַעְתִּי
מִבִּינָתְכָה כִיא גִלִּיתָה אוֹזְנִי לְרָזֵי פֶלֶא ' וַאֲנִי יֵצֶר הַחֵמָר וּמְגַבַּל
הַמַּיִם 22 סוֹד הָעֶרְוָה וּמְקוֹר הַנִּדָּה כּוּר הֶעָווֹן וּמִבְנֵה הַחַטָּאָה
רוּחַ הַתּוֹעָה וְנַעֲוָה בְלֹא 23 בִינָה וְנִבְעָתָה בְּמִשְׁפְּטֵי צֶדֶק '
מָה אֲדַבֵּר בְּלֹא נוֹדָע וְאַשְׁמִיעָה בְלֹא סוּפָּר ' הַכּוֹל 24 חָקוּק
לְפָנֶיכָה בְּחֶרֶת זִכָּרוֹן לְכוֹל קִצֵּי נֵצַח וּתְקוּפוֹת מִסְפַּר שְׁנֵי עוֹלָם
בְּכוֹל מוֹעֲדֵיהֶם 25 וְלוֹא נִסְתְּרוּ וְלֹא נֶעְדְּרוּ מִלְּפָנֶיכָה ' וּמַה
יְסַפֵּר אֱנוֹשׁ חַטָּאתוֹ וּמַה יוֹכִיחַ עַל עֲווֹנוֹתָיו ' 26 וּמַה יָּשִׁיב
עַוָּל עַל מִשְׁפַּט הַצֶּדֶק ' לְכָה אַתָּה אֵל הַדֵּעוֹת כּוֹל מַעֲשֵׂי
הַצְּדָקָה 27 וְסוֹד הָאֱמֶת וְלִבְנֵי הָאָדָם עֲבוֹדַת הֶעָוֹן וּמַעֲשֵׂי
הָרְמִיָּה ' אַתָּה בָרָאתָה 28 רוּחַ בַּלָּשׁוֹן וַתֵּדַע דְּבָרֶיהָ וַתָּכֶן
פְּרִי שְׂפָתַיִם בְּטֶרֶם הֱיוֹתָם וַתָּשֶׂם דְּבָרִים עַל קַו 29 וּמַבַּע
רוּחַ שְׂפָתַיִם בְּמִדָּה ' וַתּוֹצֵא קַוִּים לְרָזֵיהֶם וּמַבָּעֵי רוּחוֹת
לְחֶשְׁבּוֹנָם לְהוֹדִיעַ 30 כְּבוֹדְכָה וּלְסַפֵּר נִפְלְאוֹתֶיכָה בְּכוֹל
מַעֲשֵׂי אֲמִתְּכָה וּ[מִשְׁפְּטֵי צִ]דְקְכָה וּלְהַלֵּל שִׁמְכָה 31 בְּפֶה
כוֹל יוֹדְעֶיכָה ' לְפִי שִׂכְלָם יְבָרְכוּכָה לְעוֹלְמֵי [עַד] ' וְאַתָּה
בְרַחֲמֶיכָה 32 וּגְדוֹל חֲסָדֶיכָה חִזַּקְתָּה רוּחַ אֱנוֹשׁ לִפְנֵי נֶגַע
[ ] ' טִהַ[רְתָּה] מֵרוֹב עָווֹן 33 לְסַפֵּר נִפְלְאוֹתֶיכָה
לְנֶגֶד כּוֹל מַעֲשֶׂיכָה [ ] מִשְׁפְּטֵי נְגִיעַי 34 וְלִבְנֵי
אֱנוֹשׁ כּוֹל נִפְלְאוֹתֶיכָה אֲשֶׁר הִגְבַּרְתָּה [ ] ' שִׁמְעוּ
35 חֲכָמִים וְשָׂחֵי דַעַת וְנִמְהָרִים וִהְיוּ לְיֵצֶר סָמוּךְ ' [ ]
הוֹסִיפוּ עָרְמָה 36 צַדִּיקִים הַשְׁבִּיתוּ עַוְלָה ' וְכוֹל תְּמִימֵי דֶרֶךְ
הַחֲזִיק[וּ]א עָנִי הַאֲרִיכוּ 37 אַפַּיִם וְאַל תִּמְאֲסוּ בְכ[וֹל
מִשְׁפְּטֵי אֵל אֱוִ]ילֵי לֵב לֹא יָבִינוּ 38 אֵלֶּה
[ ]ד אמ[ ]
39 [וְעָרִ]יצִים יַחֲרוֹ[קוּ שִׁנַּיִם]

für alle ewigen Zeiten, und die Wenden der Zahl der Jahre auf ewig mit all ihren bestimmten Zeiten, 25 nicht sind sie verborgen und fehlen sie vor dir. Wie soll ein Mensch seine Sünde aufzählen, und wie soll er sich verteidigen wegen seiner Vergehen? 26 Und was soll der Ungerechte erwidern auf gerechtes Gericht? Bei dir, du Gott der Erkenntnisse, sind alle Werke der Gerechtigkeit 27 und der Rat der Wahrheit, aber bei den Menschenkindern sind Dienst der Sünde und Taten des Trugs. Du hast geschaffen 28 den Hauch auf der Zunge und erkanntest ihre Worte und setztest Frucht der Lippen fest, bevor sie entstanden, und bestimmtest Worte mit einer Meßschnur 29 und den Klang des Hauches der Lippen nach Maß. Und du ließest Laute hervorgehen nach ihren Geheimnissen und die Klänge der Atemstöße nach ihrer Berechnung[5], um kundzutun 30 deine Herrlichkeit und deine Wunder zu erzählen in allen Taten deiner Treue und [Gerichte] deiner [Ge]rechtigkeit und zu rühmen deinen Namen 31 durch den Mund aller, die dich kennen. Gemäß ihrer Einsicht sollen sie dich preisen in alle E[wigkeit]. Du aber in deinem Erbarmen 32 und deiner großen Barmherzigkeit hast den Geist des Menschen stark gemacht gegenüber der Plage[...] Du hast gerein[igt] von der Menge der Schuld, 33 daß er deine Wunder erzähle vor all deinen Werken [...] die Gerichte meiner Plagen 34 und den Menschenkindern all deine Wunder, mit denen du dich groß erwiesen hast [...] Hört, 35 ihr Weisen, und ihr, die ihr über Erkenntnis nachsinnt, ihr Voreiligen, und seid festen Sinnes! [...] Mehret die Klugheit, 36 Gerechte, macht dem Frevel ein Ende! Alle, die ihr vollkommenen Wandel führt, haltet fest [...] elend, habt 37 Geduld, verachtet nicht al[le Gesetze Gottes... die tö]richten Herzens sind, verstehen 38 dies nicht[...] 39 [und Ge]walttätige knir[schen mit Zähnen...]

II

]]דו [[
2]]עזי [ ] ע [[
3]]כול מַעֲשֵׂי עָוֶל [[
4]]שם [רו]חֵי[a] צֶדֶק בְּכָל ח[[
5]]מָחַץ מ[ ] וּמַשְׁמִיעֵי שִׂמְחָה לְאֵבֶל
יָג]וֹן [ ]6 [ ]לים לְכוֹל הוֹוֹת שְׁמוּעָ[ה [
חֲזָקִים לְמוֹס לְבָבִי וּמְאַמְּצֵי [כוֹחַ] 7 לִפְנֵי [נֶג]ע ׳ וַתִּתֵּן מַעֲנֵה
לָשׁוֹן לַעֲ[רוֹל] שְׂפָתַי וַתִּסְמוֹךְ נַפְשִׁי בַּחֲזוֹק מוֹתְנַיִם 8 וַאֲמוּץ
כּוֹחַ וַתַּעֲמֵד פְּעָמַי בִּגְבוּל רִשְׁעָה ׳ וָאֶהְיֶה פַּח לְפוֹשְׁעִים וּמַרְפֵּא
לְכוֹל 9 שָׁבֵי פֶשַׁע עָרְמָה לִפְתָאיִם וְיֵצֶר סָמוּךְ לְכוֹל נִמְהֲרֵי
לֵב ׳ וַתְּשִׂימֵנִי חֶרְפָּה 10 וָקֶלֶס לְבוֹגְדִים סוֹד אֱמֶת וּבִינָה
לְיִשְׁרֵי דֶרֶךְ ׳ וָאֶהְיֶה עַל עֲוֹן רְשָׁעִים 11 דִּבָּה בִּשְׂפַת עָרִיצִים
לֵצִים יַחֲרוֹקוּ שִׁנַּיִם ׳ וַאֲנִי הָיִיתִי נְגִינָה לַפּוֹשְׁעִים 12 וְעָלַי
קְהִלַּת רְשָׁעִים תִּתְרַגָּשׁ ׳ וַיֶּהֱמוּ כְּנַחְשׁוֹלֵי יַמִּים בַּהֲרָגֵשׁ גַּלֵּיהֶם
רֶפֶשׁ 13 וָטִיט יַגְרִישׁוּ ׳ וַתְּשִׂימֵנִי נֵס לְבְחִירֵי צֶדֶק וּמֵלִיץ דַּעַת
בְּרָזֵי פֶלֶא לִבְחוֹן 14 [אַנְשֵׁי] אֱמֶת וּלְנַסּוֹת אוֹהֲבֵי מוּסָר ׳
וָאֶהְיֶה אִישׁ רִיב לִמְלִיצֵי תָעוּת [וּבַעַל] 15 [שָׁל]וֹם לְכוֹל חוֹזֵי
נְכוֹחוֹת ׳ וָאֶהְיֶה לְרוּחַ קִנְאָה לְנֶגֶד כָּל דּוֹרְשֵׁי חֲלָ[קוֹת] ׳
16 [וְכוֹל] אַנְשֵׁי רְמִיָּה עָלַי יֶהֱמוּ כְּקוֹל הֲמוֹן מַיִם רַבִּים וּמְזִמּוֹת
בְּלִיַּעַל [כּוֹל] 17 [מַחְ]שְׁבוֹתָם ׳ וַיַּהֲפוֹכוּ לְשׁוּחָה חַיֵּי גֶבֶר אֲשֶׁר
הֲכִינוֹתָה [b]בפי וַתְּלַמְּדֵנוּ בִינָה ׳ 18 שַׂמְתָּה בִלְבָבוֹ לִפְתּוֹחַ
מְקוֹר דַּעַת לְכוֹל מְבִינִים ׳ וַיְמִירוּם בַּעֲרוֹל שָׂפָה 19 וְלָשׁוֹן
אַחֶרֶת לְעַם לֹא בִינוֹת לְהִלָּבֵט בְּמִשְׁגָּתָם ׳
20 אוֹדְכָה אֲדוֹנָי ׳ כִּי שַׂמְתָּה נַפְשִׁי
בִצְרוֹר הַחַיִּים 21 וַתָּשׂוֹךְ בַּעֲדִי מִכּוֹל מוֹקְשֵׁי שָׁחַת ׳ [כִּי]

[a] Statt eines getilgten אֱמֶת — [b] lies בְּפִיו.

II

[...] 2 [...] 3 [...] alle frevelhaften Taten [...]....
4 [...Gei]ster der Gerechtigkeit in allem [...] 5 [...] zerschmettert [...] und die Freude verkündigen, geraten in kummer[volle] Trauer[...] 6 [...] zu allerlei verderblicher Kunde[...] Starke, daß mein Herz zerfließt und Anstrengungen [der Kraft] 7 vor der [Pla]ge. Und du gabst Antwort der Zunge meinen unbe[schnittenen] Lippen und stütztest meine Seele durch Festigung der Lenden 8 und kraftvolle Stärke, und du machtest standhaft meine Schritte im Gebiet der Bosheit. Und ich wurde zur Falle für die Übeltäter, aber zur Heilung für alle, 9 die umkehren von der Sünde, zur Klugheit für die Einfältigen und zum festen Sinn für alle, die bestürzten Herzens sind. Und du machtest mich zu Schmach 10 und Spott für die Treulosen, zum Rat der Wahrheit und Einsicht für die, die rechtschaffen wandeln. So wurde ich um der Sünde der Gottlosen willen 11 zum Gerede auf der Lippe der Gewalttätigen, Spötter knirschten mit den Zähnen. Und ich bin geworden zu einem Spottlied für die Übeltäter, 12 und gegen mich strömte die Versammlung der Gottlosen herbei. Sie lärmen wie Stürme des Meeres, wenn seine Wogen branden, Schlamm 13 und Kot werfen sie aus. Du aber setztest mich zum Zeichen für die Erwählten der Gerechtigkeit und zum Dolmetsch der Erkenntnis in wunderbaren Geheimnissen, um 14 die [Männer] der Wahrheit zu prüfen und diejenigen auf die Probe zu stellen, die Zucht lieben. Ein Mann des Streites bin ich geworden gegen die Dolmetscher des Irrtums, [aber ein Herr] 15 [des Frie]dens für alle Seher des Rechten. Und ich wurde zu einem Geist des Eifers gegen alle, die glat[te Dinge] suchen. 16 [Und alle] Männer des Trugs stürmen gegen mich an wie der Lärm einer Menge gewaltiger Wasser, und Ränke Belials sind [alle] 17 ihre [Ge]danken. Und sie kehrten zur Grube das Leben des Mannes, in dessen Mund du gelegt hast und den du gelehrt hast Einsicht. 18 Du hast in sein Herz gegeben, eine Quelle der Erkenntnis zu öffnen für alle Verständigen. Aber sie haben es eingetauscht gegen eine unbeschnittene Lippe 19 und eine fremde Zunge für das unverständige Volk, auf daß sie ins Verderben stürzen durch ihren Irrtum[6].

20 Ich preise dich, Herr! Denn du hast meine Seele in das Bündel des Lebens[7] gelegt 21 und beschütztest mich vor allen

עָרִיצִים בִּקְשׁוּ נַפְשִׁי בְּתוֹמְכִי 22 [c]בִּבְרִיתֶךָה ׳ וְהֵמָּה סוֹד שָׁוְא
וַעֲדַת בְּלִיַּעַל ׳ לֹא יָדְעוּ כִּיא מֵאִתְּכָה מַעֲמָדִי 23 וּבַחֲסָדֶיכָה
תּוֹשִׁיעַ נַפְשִׁי כִּיא מֵאִתְּכָה מִצְעָדַי ׳ וְהֵמָּה מֵאִתְּכָה גָּרוּ 24 עַל
נַפְשִׁי בַּעֲבוּר הִכָּבֶדְכָה בְּמִשְׁפַּט רְשָׁעִים וְהַגְבִּירְכָה בִּי נֶגֶד בְּנֵי
25 אָדָם כִּיא בְּחַסְדְּכָה עָמְדִי ׳ וַאֲנִי אָמַרְתִּי חָנוּ עָלַי גִּבּוֹרִים
[d]סְבָבוּם בְּכָל 26 כְּלֵי מִלְחֲמוֹתָם ׳ וַיָּפֵרוּ חִצִּים לְאֵין מַרְפֵּא
וְלַהוֹב חֲנִית [e]בְּאֵשׁ אוֹכֶלֶת עֵצִים ׳ 27 וְכַהֲמוֹן מַיִם רַבִּים שְׁאוֹן
קוֹלָם נֶפֶץ וְזֶרֶם לְהַשְׁחִית רַבִּים ׳ לְמְזוּרוֹת יְבֻקְעוּ 28 אֶפְעֶה
וְשָׁוְא בְּהִתְרוֹמֵם גַּלֵּיהֶם ׳ וַאֲנִי בְּמוֹס לִבִּי כַּמַּיִם וַתֶּחֱזַק נַפְשִׁי
בִּבְרִיתֶךָ ׳ 29 וְהֵם רֶשֶׁת פָּרְשׂוּ לִי תִּלְכּוֹד רַגְלָם ׳ וּפַחִים טָמְנוּ
לְנַפְשִׁי נָפְלוּ בָם ׳ וְרַגְלִי עָמְדָה בְּמִישׁוֹר ׳ 30 מִקְּהָלָם
אֲבָרְכָה שִׁמְכָה ׳

31 אוֹדְכָה אֲדוֹנָי ׳ כִּיא עֵינְכָה עָ[מְדָה] עַל נַפְשִׁי וַתַּצִּילֵנִי
מִקִּנְאַת מְלִיצֵי כָזָב ׳ 32 וּמֵעֲדַת דּוֹרְשֵׁי חֲלָקוֹת פָּדִיתָ[ה]
נֶפֶשׁ אֶבְיוֹן אֲשֶׁר חָשְׁבוּ לְהָתֵם דָּמוֹ 33 לִשְׁפּוֹךְ עַל עֲבוֹדָתֶכָה ׳
אֶפֶס כִּי [לוֹא יָדְ]עוּ כִי מֵאִתְּךָ מִצְעָדַי ׳ וַיְשִׂימוּנִי לְבוּז
34 וְחֶרְפָּה בְּפִי כָל דּוֹרְשֵׁי רְמִיָּה ׳ וְאַתָּה אֵלִי עָזַרְתָּה נֶפֶשׁ עָנִי
וָרָשׁ 35 מִיַּד חָזָק מִמֶּנּוּ ׳ וַתִּפְדֶּ נַפְשִׁי מִיַּד אַדִּירִים וּבְגִדְּפוֹתָם
לֹא הֶחְתִּתַנִי 36 לַעֲזוֹב עֲבוֹדָתְכָה מִפַּחַד הוֹוֹת רְ[שָׁעִי]ם
וּלְהָמִיר בְּהוֹלֵל יֵצֶר סָמוּךְ אֲשֶׁר 37 ה[ ]מוּ
חוּקִים וּבִתְעוּדוֹת [f]נְתַתְּנוּ לְאָזְנַיִם 38 [ ]חת
לְכוֹל צֶאֱצָאֵי[הֶם] 39 [ ]
בְּלִמּוּדֶיכָה ו[ ]

c = בִּבְרִיתְךָ — d lies סְבָבוּנִי — e lies כְּאֵשׁ — f = נִתְּנוּ.

Fallen der Grube. [Denn] Gewalttätige suchten mein Leben, weil ich mich stützte 22 auf deinen Bund. Sie aber sind ein Rat des Trugs und Gemeinde Belials. Sie haben nicht erkannt, daß von dir her mein Stand ist 23 und durch deine Gnade du meiner Seele hilfst, daß von dir her meine Schritte kommen. Sie aber sind mit deiner Zulassung 24 gegen meine Seele versammelt, auf daß du dich verherrlichst durch das Gericht über die Gottlosen und dich mächtig erzeigst an mir 25 vor den Menschenkindern; denn durch deine Gnade ist mein Stand. Ich sprach: Starke haben sich gegen mich gelagert, sie haben mich umzingelt mit all 26 ihren Waffen. Und Pfeile schlagen ein, ohne daß einer heilt, und Flammen der Lanze gleich Feuer, das Bäume verzehrt. 27 Und wie das Tosen gewaltiger Wasser ist das Dröhnen ihres Schalls, prasselnder Sturzregen, um viele zu verderben. Bis zu den Gestirnen brechen hervor 28 Wahn und Trug[8], wenn ihre Wellen sich erheben. Aber was mich betrifft, wenn auch mein Herz zerschmolz wie Wasser, meine Seele hält an deinem Bund fest. 29 Sie spannten ein Netz gegen mich aus, es fing ihren Fuß. Sie stellten Fallen gegen meine Seele, sie fielen hinein. Aber mein Fuß steht auf ebenem Boden. 30 Mitten aus ihrer Versammlung will ich deinen Namen preisen.

31 Ich preise dich Herr! Denn dein Auge hat [schützend gestanden] über meiner Seele, und du errettetest mich vor dem Eifer der Lügendeuter. 32 Und aus der Gemeinde derer, die glatte Dinge suchen, hast d[u] die Seele des Armen erlöst, den sie vernichten wollten, sein Blut 33 zu vergießen wegen des Dienstes für dich. Nur [wis]sen sie [nicht], daß von dir her meine Schritte kommen. Und sie machten mich zu Verachtung 34 und Schande im Munde aller, die nach Täuschung suchen. Aber du, mein Gott, hast der Seele des Elenden und Geringen geholfen 35 aus der Hand dessen, der stärker war als er. Und du erlöstest meine Seele aus der Hand der Mächtigen und durch ihre Schmähungen ließest du mich nicht verzagt werden, 36 den Dienst für dich aufzugeben aus Furcht vor dem Terror der Go[tt]losen und zu vertauschen gegen Verblendung festen Sinn, den 37 [...] Gesetze und durch Bestimmungen sind den Ohren gegeben worden 38 [...] allen [ihren] Sprößlingen 39 [...] durch deine Jünger [...]

III

[ ] ובי [ ]

2 [ ] הב[ ] לו [ ]

3 [ ]לִי הֲאִירוֹתָה פָּנַי [ ]

4 [ ]לְכָה בִּכְבוֹד עוֹלָם עִם כּוֹל [ ]

5 [ ] פִּיכָה וַתַּצִּילֵנִי מ[ ]ומ[ ]

6 [ ]עתה נֶפֶשׁ [ ] יַחְשִׁיבוּנִי וַיָּשִׂימוּ נַפְשִׁ[י] כְּאוֹנִיָּה
בְּ[מְ]צוּלוֹת [יָם] 7 וּכְעִיר מִבְצָר מִלִּפְ[נֵי אוֹיֵב] · אֱהְיֶה בְצוּקָה
כְּמוֹ אֵשֶׁת לֵדָה [a]מבכריה · כִּיא נֶהֶפְכוּ צִירֶ[יהָ] 8 וְחֶבֶל נִמְרָץ
עַל מִשְׁבָּרֶיהָ לְהָחִיל בְּכוּר הֲרָיֶה · כִּיא בָאוּ בָנִים עַד מִשְׁבְּרֵי
מָוֶת 9 וַהֲרַיַּת גֶּבֶר הֵצֵרָה בַּחֲבָלֶיהָ · כִּיא בְמִשְׁבְּרֵי מָוֶת
תַּמְלִיט זָכָר וּבְחֶבְלֵי שְׁאוֹל יָגִיחַ 10 מִכּוּר הֲרִיָּה פֶּלֶא יוֹעֵץ
עִם גְּבוּרָתוֹ וְיִפַּלֵּט גֶּבֶר מִמִּשְׁבָּרִים · בַּהֲרָיָתוֹ הֵחִישׁוּ כּוֹל
11 מִשְׁבָּרִים [b]וחבלי מרץ[b] בְּמוֹלְדֵיהֶם וּפַלָּצוּת לְהוֹרוֹתָם ·
וּבְמוֹלָדָיו יָהָפְכוּ כּוֹל צִירִים 12 בְּכוּר הֲרָיֶה · וַהֲרַיַּת אֶפְעֶה
לְחֶבֶל נִמְרָץ וּמִשְׁבְּרֵי שַׁחַת לְכוֹל מַעֲשֵׂי פַלָּצוּת · וַיָּרוֹעוּ
13 אוּשֵׁי קִיר כְּאוֹנִיָּה עַל פְּנֵי מַיִם וַיֶּהֱמוּ שְׁחָקִים בְּקוֹל הָמוֹן ·
וְיוֹשְׁבֵי עָפָר 14 כְּיוֹרְדֵי יַמִּים נִבְעָתִים מֵהֲמוֹן מָיִם · וַחֲכָמֶיהֶם
לָמוֹ כְּמַלָּחִים בִּמְצוּלוֹת · כִּי תִתְבַּלַּע 15 כּוֹל חָכְמָתָם בַּהֲמוֹת
יַמִּים בִּרְתוֹחַ תְּהוֹמוֹת עַל נְבוּכֵי מַיִם [יִתְגָּרְ]שׁוּ לְרוּם גַּלִּים
16 וּמִשְׁבְּרֵי מַיִם בַּהֲמוֹן קוֹלָם · וּבְהִתְרַגְּשָׁם יִפָּתְחוּ שְׁ[אוֹ]ל
[וַאֲבַדּוֹן כּוֹ]ל חִצֵּי שַׁחַת 17 עִם מִצְעָדָם · לַתְּהוֹם יַשְׁמִיעוּ
קוֹלָם וַיִּפָּתְחוּ שַׁעֲרֵי [שְׁאוֹל לְכוֹל] מַעֲשֵׂי אֶפְעֶה · 18 וַיִּסָּגְרוּ
דַּלְתֵי שַׁחַת בְּעַד הֲרַיַּת עָוֶל וּבְרִיחֵי עוֹלָם בְּעַד כּוֹל רוּחֵי
אֶפְעֶה

[a] lies מַבְכִּירָה — [b–b] lies וְחֶבֶל נִמְרָץ.

III

[...] 2 [...] 3 [...] mir hast du erleuchtet mein Angesicht [...] 4 [...] für dich in ewiger Herrlichkeit mit allen [...] 5 [...] deines Mundes, und du rettetest mich [...] 6 [...] Seele [...] Sie achteten mich und machten meine Seele gleich einem Schiff auf ho[h]er [See][9] 7 und gleich einer befestigten Stadt im Angesicht [des Feindes]. Ich war in Bedrängnis wie ein Weib, das seinen Erstgeborenen gebiert[10]; denn schnell kommen [ihre] Wehen, 8 und schlimmer Schmerz kommt über ihren Muttermund, Beben hervorzurufen im Schoß der Schwangeren. Denn Söhne kommen zum Ort todbringender Krampfwellen, 9 und die mit einem Männlichen schwanger ist, leidet Pein in ihren Wehen. Denn unter todbringenden Krampfwellen gebiert sie ein Männliches, und unter höllischen Wehen bricht hervor 10 aus dem Schoß der Schwangeren ein Wunder von einem Ratgeber mit seiner Heldenkraft, und ein Mann entrinnt aus den Krampfwellen. In der, die mit ihm schwanger ist, beschleunigen sich alle 11 Krampfwellen, und schlimmer Schmerz ist bei ihrer Geburt, und Beben packt die, die mit ihnen schwanger sind[11]. Und bei seiner Geburt brechen alle Wehen los 12 im Schoß der Schwangeren. Und die schwanger ist mit Wahn[12], gerät in schlimmen Schmerz, und Krampfwellen der Grube führen zu allerlei Werken des Bebens[13]. Und es zerbrechen 13 Mauerfundamente wie ein Schiff auf dem Wasser, und Wolken brausen mit lautem Schall. Und die auf dem Trockenen wohnen, 14 sind wie solche, die auf dem Meer fahren, die erschrecken vor dem Tosen des Wassers. Und ihre Weisen sind wie Seeleute auf Meerestiefen; denn verschlungen wird 15 all ihre Weisheit durch das Tosen der Meere, wenn Urfluten emporschäumen über die Wasserquellen und zu hohen Wellen [emporge]worfen werden 16 und die Wasserfluten mit tosendem Schall. Und bei ihrem Branden öffnen sich Unter[welt und Abgrund, al]le Pfeile der Grube 17 sind bei ihrem Schritt; bis zur Meerestiefe lassen sie ihren Schall hören, und es öffnen sich die Tore [der Unterwelt für alle] Werke des Wahns. 18 Und es werden verschlossen die Tore der Grube hinter der Unheilsschwangeren und die ewigen Riegel hinter allen Geistern des Wahns.

19 Ich preise dich, Herr! Denn du hast meine Seele erlöst aus der Grube und aus der Unterwelt des Abgrundes 20 hast du

19 אוֹדְכָה אֲדוֹנָי ׳ כִּי פְדִיתָה נַפְשִׁי
מִשַּׁחַת וּמִשְּׁאוֹל אֲבַדּוֹן 20 הֶעֱלִיתַנִי לְרוּם עוֹלָם ׳ וָאֶתְהַלְּכָה
בְּמִישׁוֹר לְאֵין חֵקֶר וָאֵדְעָה כִּיא יֵשׁ מִקְוֶה לַאֲשֶׁר 21 יָצַרְתָּה
מֵעָפָר לְסוֹד עוֹלָם ׳ וְרוּחַ נַעֲוָה טִהַרְתָּה מִפֶּשַׁע רָב לְהִתְיַצֵּב
בְּמַעֲמָד עִם 22 צְבָא קְדוֹשִׁים וְלָבוֹא בְּיַחַד עִם עֲדַת בְּנֵי
שָׁמַיִם ׳ וַתַּפֵּל לְאִישׁ גּוֹרָל עוֹלָם עִם רוּחוֹת 23 דַּעַת לְהַלֵּל
שִׁמְכָה בְּיַחַד רִ[נָּ]ה וּלְסַפֵּר נִפְלְאוֹתֶיכָה לְנֶגֶד כּוֹל מַעֲשֶׂיכָה ׳
וַאֲנִי יֵצֶר 24 הַחֵמֶר מָה אֲנִי ׳ מְגֻבָּל בַּמַּיִם ׳ וּלְמִי נֶחְשַׁבְתִּי וּמַה
כּוֹחַ לִי ׳ כִּיא הִתְיַצַּבְתִּי בִּגְבוּל רִשְׁעָה 25 וְעִם חֵלְכָּאִים
בַּגּוֹרָל ׳ וַתָּגוּר נֶפֶשׁ אֶבְיוֹן עִם מְהוּמוֹת רַבָּה וְהַוּוֹת מַדְהֵבָה עִם
מִצְעָדַי ׳ 26 בְּהִפָּתֵחַ כָּל פַּחֵי שַׁחַת וַיִּפָּרְשׂוּ כוֹל מְצוּדוֹת
רִשְׁעָה וּמִכְמֶרֶת חֵלְכָּאִים עַל פְּנֵי מָיִם ׳ 27 בְּהִתְעוֹפֵף כּוֹל
חִצֵּי שַׁחַת לְאֵין הָשֵׁב וְיָפֵרוּ לְאֵין תִּקְוָה ׳ בִּנְפוֹל קַו עַל מִשְׁפָּט
וְגוֹרַל אַף 28 עַל נֶעֱזָבִים וּמַתַּךְ חֵמָה עַל נַעֲלָמִים וְקֵץ חָרוֹן
לְכוֹל בְּלִיַּעַל וְחֶבְלֵי מָוֶת אָפְפוּ לְאֵין פָּלֶט ׳ 29 וַיֵּלְכוּ נַחֲלֵי
בְלִיַּעַל עַל כּוֹל אַגְפֵּי רוּם כְּאֵשׁ אוֹכֶלֶת בְּכוֹל [c]שנאביהם
לְהָתֵם כּוֹל עֵץ לַח 30 וְיָבֵשׁ מִפַּלְגֵיהֶם ׳ וַתָּשׁוּט בְּשְׁבִיבֵי לְהוֹב
עַד אֶפֶס כּוֹל שׁוֹתֵיהֶם ׳ בְּאוֹשֵׁי חֵמָר תֹּאוֹכַל 31 וּבִרְקוּעַ
יַבָּשָׁה ׳ יְסוֹדֵי הָרִים לִשְׂרֵפָה וְשׁוֹרְשֵׁי חַלָּמִישׁ לְנַחֲלֵי זֶפֶת ׳
וַתֹּאוֹכַל עַד תְּהוֹם 32 רַבָּה וַיִּבָּקְעוּ לַאֲבַדּוֹן נַחֲלֵי בְלִיַּעַל
וַיֶּהֱמוּ מַחְשְׁבֵי תְהוֹם בַּהֲמוֹן גּוֹרְשֵׁי רֶפֶשׁ ׳ וְאֶרֶץ 33 תִּצְרַח עַל
הַהוֹוָה הַנִּהְיָה בְּתֵבֵל וְכוֹל מַחְשְׁבֶיהָ יָרוֹעוּ ׳ וַיִּתְהוֹלְלוּ כּוֹל אֲשֶׁר
עָלֶיהָ 34 וַיִּתְמוֹגְגוּ בְּהוֹוָה גְ[דוֹ]לָה ׳ כִּיא יַרְעֵם אֵל בַּהֲמוֹן
כּוֹחוֹ וַיְּהֶם זְבוּל קוּדְשׁוֹ בֶּאֱמֶת 35 כְּבוֹדוֹ וּצְבָא הַשָּׁמַיִם יִתְּנוּ
בְּקוֹלָם [וַ]יִּתְמוֹגְגוּ וַיִּרְעֲדוּ אוֹשֵׁי עוֹלָם ׳ וּמִלְחֶמֶת גִּבּוֹרֵי
36 שָׁמַיִם תָּשׁוּט בְּתֵבֵל וְלֹא תָשׁוּב עַד כָּלָה וְנֶחֱרָצָה לָעַד וְאֶפֶס
כָּמוֹהָ ׳

c lies שׁוֹאֲבֵיהֶם.

mich hinaufgehoben zu ewiger Höhe. Ich will auf ebener Bahn wandeln, die nicht auszuforschen ist, und erkannte, daß es Hoffnung gibt für den, welchen 21 du aus Staub gebildet hast zu ewigem Rat. Und den verkehrten Geist hast du gereinigt von großer Missetat, daß er sich stelle an den Standort mit 22 dem Heer der Heiligen und in die Gemeinschaft eintrete mit der Gemeinde der Himmelssöhne. Und du warfst dem Mann ein ewiges Los mit den Geistern 23 des Wissens, daß er deinen Namen preise in gemeinsamem J[ub]el und deine Wunder erzähle vor all deinen Werken. Und ich, das Gebilde 24 von Lehm[14], was bin ich schon? Mit Wasser Geknetetes. Und was gelte ich schon? Und was an Kraft habe ich schon? Denn ich stehe im Gebiet des Frevels 25 und mit den Bösewichten im selben Los. Und es weilte die Seele des Armen bei großen Verirrungen, und bedrückendes Verderben war mit meinen Schritten[15]; 26 wo alle Fallen der Grube sich auftun und alle Fangschnüre der Gottlosigkeit sich ausbreiten und das Netz der Bösewichte auf dem Wasser ist; 27 wo alle Pfeile der Grube unabwendbar fliegen und hoffnungslos vernichten; wo die Meßschnur fällt auf Gericht und Zorneslos 28 auf Verlassene und Ergießen des Grimms auf Verborgene und die Zeit des Zornes anhebt über alles, was Belial heißt, und Stricke des Todes rettungslos umfangen. 29 Und Ströme Belials treten über die hohen Böschungen wie ein verzehrendes Feuer in all ihren Flußarmen(?), um zu venichten jeden grünen Baum 30 und jeden dürren an ihren Bächen. Und es schweift umher mit zuckenden Flammen, bis alle, die von ihnen trinken, nicht mehr da sind. Es frißt an den Fundamenten von Ton 31 und an der Wölbung des Festlandes. Die Grundfesten der Berge verfallen dem Brand und die Wurzeln des Gesteins den Strömen von Pech. Und es frißt sich hindurch bis zur großen Urflut, 32 und es dringen zum Abgrund Belials Ströme, und die Tiefen der Urflut toben unter dem Tosen der schlammigen Strudel. Und die Erde 33 schreit auf wegen des Verderbens, das auf dem Erdkreis geschieht, und alle ihre Tiefen brüllen. Und es rasen alle ihre Bewohner 34 und wanken durch das gr[oß]e Verderben. Denn Gott donnert in der Fülle seiner Kraft, und seine heilige Wohnstatt hallt wider von seiner herrlichen Wahrheit, 35 und die Heerschar des Himmels erhebt ihre Stimme, [und] es wanken und beben ewige Fundamente. Und der Krieg der Helden 36 des Himmels rast über den Erdkreis und hört nicht auf bis zur Vernichtung und ewigem Strafgericht, das unvergleichlich sein wird.

37 אוֹדְכָה אֲדוֹנָי ׳

כִּיא הָיִיתָה לִּי לְחוֹמַת עוֹז 38 [כּוֹ]ל מַשְׁחִיתִים וְכוֹל

[ ] תַּסְתִּירֵנִי מֵהוֹוֹת מְהוּמָה א[ ]ד[ ]

39 [ ]ל[ ]ל בַּל יָבוֹא

[ ]ב[ ]

IV

[ ]ם פאיר [ ]ה[ ]

2 [ ]מו [ ]ו מ[ ]

3 [ ]וַתָּכֶן]עַל סֶלַע רַגְלִי[ ]פְּעָמַ[י]

4 [ ]דֶּרֶךְ עוֹלָם וּבִנְתִיבוֹת אֲשֶׁר בָּחַרְתָּה מ[ ]

5 אוֹדְכָה אֲדוֹנָי ׳ כִּיא הֵאִירוֹתָה פָּנַי לִבְרִיתְכָה

ומ[ ] [ ] 6 [ ] אֲדוֹרְשֶׁכָה ׳ וְכַשַׁחַר נָכוֹן לְאוֹ[רָתַ]ם

הוֹפַעְתָּה לִּי ׳ וְהֵמָּה עַמְּכָה [יַתְעוּ] 7 [כִּיא דְבָ]רִים הֶחֱלִיקוּ

לָמוֹ ׳ וּמְלִיצֵי רְמִיָּה [הִתְעוּ]ם וַיִּלָּבְטוּ בְלֹא בִינָה ׳ כִּיא [ ]

8 בְּהוֹלֵל מַעֲשֵׂיהֶם ׳ כִּי [a]נמאסו לָמוֹ וְלֹא יַחְשְׁבוּנִי בְהַגְבִּירְכָה

בִי ׳ כִּיא יַדִּיחֻנִי מֵאַרְצִי 9 כְּצִפּוֹר מִקִּנָּהּ ׳ וְכוֹל רֵעַי וּמוֹדָעַי

נִדְּחוּ מִמֶּנִּי וַיַּחְשְׁבוּנִי לִכְלִי אוֹבֵד ׳ וְהֵמָּה מְלִיצֵי 10 כָזָב וְחוֹזֵי

רְמִיָּה זָמְמוּ עָלַי בְלִיַּעַל לְהָמִיר תּוֹרָתְכָה אֲשֶׁר שִׁנַּנְתָּה בִלְבָבִי

בַּחֲלָקוֹת 11 לְעַמְּכָה ׳ וַיַּעְצוֹרוּ מַשְׁקֵה דַעַת מִצְּמֵאִים וְלִצְמָאָם

יַשְׁקוּם חוֹמֶץ [b]למע הַבֵּט אֶל 12 תָּעוּתָם לְהִתְהוֹלֵל

בְּמוֹעֲדֵיהֶם לְהִתָּפֵשׂ בִּמְצוּדוֹתָם ׳ כִּי אַתָּה אֵל תִּנְאַץ כָּל מַחֲשֶׁבֶת

13 בְּלִיַּעַל וַעֲצָתְכָה הִיא תָקוּם וּמַחֲשֶׁבֶת לִבְּכָה תִכּוֹן לָנֶצַח ׳

וְהֵמָּה נַעֲלָמִים זִמּוֹת בְּלִיַּעַל 14 יַחֲשׁוֹבוּ וַיִּדְרְשׁוּכָה בְלֵב וָלֵב

[a] lies נִמְאַסְתִּי — [b] lies לְמַעַן.

37 Ich preise dich, Herr! Denn du bist mir eine feste Mauer gewesen[16] 38 [... al]le Verderber und alles [...] du hast mich verborgen vor schrecklichem Verderben [...] 39 [...] nicht wird kommen [...]

IV

[...] 2 [...] 3 [... und du setztest] auf Fels meinen Fuß [...] Schrit[te...] 4 [...] einen ewigen Weg und auf Pfaden, die du erwählt hast [...]

5 Ich preise dich, Herr! Denn du hast mein Angesicht erleuchtet für deinen Bund [...] 6 [...] will ich dich suchen; und gewiß wie die Morgenröte zu vollkom[mener Erleuch]tung bist du mir erschienen. Aber sie [verführen] dein Volk; 7 [denn] glatte [Re]den sprechen sie zu ihnen. Und Lügendeuter haben sie [verfüh]rt, und sie wurden niedergeworfen ohne Erkenntnis; denn [...] 8 in Torheit geschehen ihre Taten. Denn ich wurde von ihnen verworfen, und sie achteten meiner nicht, obwohl du dich an mir mächtig erzeigst; denn sie verstoßen mich aus meinem Lande 9 wie einen Vogel aus seinem Nest. Und alle meine Freunde und Verwandten haben sich von mir abbringen lassen und halten mich für ein untaugliches Gerät. Aber sie sind Deuter 10 der Lüge und Seher von Trug, sie sinnen wider mich Belials(ränke), damit ich dein Gesetz, das du in mein Herz gegraben hast, vertausche gegen glatte Dinge 11 für dein Volk. Und sie verschlossen den Trank der Erkenntnis vor den Dürstenden, und gegen ihren Durst gaben sie ihnen Essig zu trinken, dami[t] man schaut auf 12 ihren Irrtum, um zu rasen bei ihren Festen, sich zu verfangen in ihren Netzen. Denn du, o Gott, verschmähst jedes Vorhaben 13 Belials, aber dein Rat, er bleibt bestehen, und das Vorhaben deines Herzens steht für immer fest. Sie aber sind hinterhältig, planen Ränke Belials 14 und suchen dich mit geteiltem Herzen und stehen nicht fest in deiner Wahrheit. Eine Wurzel, die Gift und Wermut hervorbringt, ist in ihren Plänen, 15 und in der Verstocktheit ihres Herzens halten sie Ausschau und suchen dich

וְלֹא נָכוֹנוּ בַאֲמִתְּכָה · שׁוֹרֶשׁ פּוֹרֶה רוֹשׁ וְלַעֲנָה בְּמַחְשְׁבוֹתָם
15 וְעִם שְׁרִירוּת לִבָּם יָתוּרוּ וַיִּדְרְשׁוּכָה בְּגִלּוּלִים · וּמִכְשׁוֹל
עֲווֹנָם שָׂמוּ לְנֶגֶד פְּנֵיהֶם וַיָּבֹאוּ 16 לִדְוֹרְשֶׁכָה מִפִּי נְבִיאֵי כָזָב
מְפוּתֵּי תְעוּת · וְהֵם [בְּ]ל[וֹעַ]ג שָׂפָה וְלָשׁוֹן אַחֶרֶת יְדַבְּרוּ לְעַמְּךָ
17 לְהוֹלֵל בִּרְמִיָּה כוֹל מַעֲשֵׂיהֶם · כִּי לֹא [שָׁמְעוּ בְקוֹלְ]כָה וְלֹא
הֶאֱזִינוּ לִדְבָרֶכָה · כִּי אָמְרוּ 18 לַחֲזוֹן דַּעַת לֹא נָכוֹן וּלְדֶרֶךְ
לִבְּכָה לֹא הִיאָה · כִּי אַתָּה אֵל תַּעֲנֶה לָהֶם לְשׁוֹפְטָם
19 בִּגְבוּרָתְכָה [כְּ]גִלּוּלֵיהֶם וּכְרוֹב פִּשְׁעֵיהֶם לְמַעַן יִתָּפְשׂוּ
בְּמַחְשְׁבוֹתָם אֲשֶׁר נָזוֹרוּ מִבְּרִיתֶכָה · 20 וַתַּכְרֵת בְּמִ[שְׁפָּ]ט
כוֹל אַנְשֵׁי מִרְמָה וְחוֹזֵי תְעוּת לֹא יִמָּצְאוּ עוֹד · כִּי אֵין הוֹלָל בְּכוֹל
מַעֲשֶׂיךָ 21 וְלֹא רְמִיָּה [בְּ]מְזִמַּת לִבֶּכָה · וַאֲשֶׁר כְּנַפְשֶׁכָה
יַעֲמוֹדוּ לְפָנֶיכָה לָעַד וְהוֹלְכֵי בְּדֶרֶךְ לִבְּכָה 22 יִכּוֹנוּ לָנֶצַח ·
[וַאֲ]נִי בְּתוֹמְכִי בְכָה אֶתְעוֹדְדָה וְאָקוּמָה עַל מְנַאֲצַי וְיָדִי עַל כּוֹל
בּוֹזַי · כִּיא 23 לֹא יַחְשְׁבוּ[נִי עַ]ד הַגְבִּירְכָה בִּי · וַתּוֹפַע לִי
בְּכוֹחֲכָה לְאוֹרְתוֹם וְלֹא טַחְתָּה בְּבוֹשֶׁת פְּנֵי 24 כוֹל
הַנִּדְרָשׁ[ים] לִי הַנּוֹעָדִים יַחַד לִבְרִיתְכָה וַיִּשׁוֹמְעוּנִי הַהוֹלְכִים
בְּדֶרֶךְ לִבֶּכָה · וַיַּעֲרוֹכוּ לְכָה 25 בְּסוֹד קְדוֹשִׁים וַתּוֹצֵא לָנֶצַח
מִשְׁפָּטָם וּלְמֵישָׁרִים אֱמֶת · וְלֹא תַתְעֵם בְּיַד חֵלְכָּאִים 26 כְּזוֹמֵם
לָמוֹ · וַתִּתֵּן מוֹרָאָם עַל עַמְּכָה וּמַפָּץ לְכוֹל עַמֵּי הָאֲרָצוֹת לְהַכְרִית
בַּמִּשְׁפָּט כּוֹל 27 עוֹבְרֵי פִיכָה · וּבִי הֵאִירוֹתָה פְּנֵי רַבִּים וַתִּגְבַּר
עַד לְאֵין מִסְפָּר · כִּי הוֹדַעְתַּנִי בְּרָזֵי 28 פִּלְאֲכָה וּבְסוֹד
פִּלְאֲכָה הִגְבַּרְתָּה עִמָּדִי וְהַפְלֵא לְנֶגֶד רַבִּים בַּעֲבוּר כְּבוֹדְכָה
וּלְהוֹדִיעַ 29 לְכוֹל הַחַיִּים גְּבוּרוֹתֶיכָה · מִי בָשָׂר כָּזֹאת וּמַה
יֵּצֶר חֵמָר לְהַגְדִּיל פְּלָאוֹת · וְהוּא בְעָווֹן 30 מֵרֶחֶם וְעַד שֵׂיבָה
בְּאַשְׁמַת מַעַל · וַאֲנִי יָדַעְתִּי כִּי לוֹא לֶאֱנוֹשׁ צְדָקָה וְלוֹא לְבֶן אָדָם
תוֹם 31 דָּרֶךְ · לְאֵל עֶלְיוֹן כּוֹל מַעֲשֵׂי צְדָקָה וְדֶרֶךְ אֱנוֹשׁ לוֹא

bei den Götzen. Und den Anstoß ihrer Sünde stellen sie vor sich hin[17] und kommen, 16 um dich zu suchen aus dem Mund von Lügenpropheten, die durch Irrtum verführt sind. Und sie, [mit] spo[tten]der Lippe und fremder Zunge reden sie zu deinem Volk, 17 um durch Trug alle ihre Werke zum Spott zu machen. Denn nicht [hörten sie auf] deine [Stimme] und nicht lauschten sie auf dein Wort. Denn sie sagen 18 zur Schau von Erkenntnis: Es ist nicht gewiß! und zum Weg deines Herzens: Das ist er nicht! Doch du, o Gott, du wirst ihnen antworten, indem du sie richtest 19 in deiner Macht [entsprechend] ihren Götzen und entsprechend der Menge ihrer Sünden, damit sie gefangen werden in ihren Plänen, weil sie abgewichen sind von deinem Bund. 20 Und du wirst ausrotten im Ger[icht] alle Männer des Trugs, und Seher des Irrtums werden nicht mehr gefunden werden. Denn keine Torheit ist in all deinen Werken 21 und kein Trug [im] Sinnen deines Herzens. Und die nach deiner Seele sind, werden vor dir stehen auf ewig; und die auf dem Wege deines Herzens wandeln, 22 werden feststehen für immer. [Aber i]ch, während ich mich festhalte an dir, will mich aufrichten und will aufstehen gegen die, die mich schmähen, und meine Hand wird gegen alle sein, die mich verachten. Denn 23 sie achten [mich] nicht, [bis] daß du dich stark an mir erzeigst. Und du erschienst mir in deiner Kraft zu vollkommenem Licht, du hast nicht mit Schande bedeckt das Angesicht 24 aller derer, die sich von mir suchen lassen, die sich gemeinsam zusammenfanden zu deinem Bund, so daß auf mich hörten, die auf dem Wege deines Herzens wandeln. Und sie rüsteten sich für dich 25 im Kreis der Heiligen, und du bringst auf immer ihr Recht hervor und zur Richtigkeit die Wahrheit. Du läßt sie nicht verführen durch Bösewichte, 26 wie sie es gegen sie geplant haben. Du legst Furcht vor ihnen[18] auf dein Volk und Zerschmetterung auf alle Völker der Länder, um auszurotten im Gericht alle, 27 die dein Wort übertreten. Und durch mich hast du das Angesicht vieler erleuchtet und dich stark erwiesen zu unzähligen Malen. Denn du hattest mich unterwiesen in deinen wunderbaren Geheimnissen, 28 und durch dein wunderbares Geheimnis hast du dich stark an mir erwiesen, wunderbar zu handeln vor vielen um deiner Ehre willen und kundzutun 29 deine Machttaten allen Lebendigen. Was ist Fleisch im Vergleich dazu? Und was ist ein Lehmgebilde, um Wundertaten groß zu machen? Es ist in Sünde 30 von Mutterleib an und bis zum Alter in der

תִּכּוֹן [כִּי אִם] בְּרוּחַ יָצַר אֵל לוֹ 32 לְהָתֵם דֶּרֶךְ לִבְנֵי אָדָם
לְמַעַן יֵדְעוּ כוֹל מַעֲשָׂיו בְּכוֹחַ גְּבוּרָתוֹ וְרוֹב רַחֲמָיו עַל כּוֹל בְּנֵי
33 רְצוֹנוֹ · וַאֲנִי רַעַד וּרְתֵת אֲחָזוּנִי וְכוֹל גְּרָמַי יֵרוֹעוּ · וַיִּמַּס לְבָבִי
כַּדּוֹנַג מִפְּנֵי אֵשׁ וַיֵּלְכוּ בִרְכַּי 34 כְּמַיִם מוּגָּרִים בַּמּוֹרָד · כִּי
זָכַרְתִּי אַשְׁמוֹתַי עִם מַעַל אֲבוֹתַי בְּקוּם רְשָׁעִים עַל בְּרִיתְךָ
35 וְחֵלְכָּאִים עַל דְּבָרֶךָה · וַאֲנִי אָמַרְתִּי בְּפִשְׁעִי נֶעֱזַבְתִּי
מִבְּרִיתֶךָה · וּבְזוֹכְרִי כוֹחַ יָדְכָה עִם 36 הֲמוֹן רַחֲמֶיכָה
הִתְעוֹדַדְתִּי וָאָקוּמָה וְרוּחִי הֶחֱזִיקָה בְמַעֲמָד לִפְנֵי נֶגַע כִּי
נִשְׁעַנְ[תִּי] 37 בַּחֲסָדֶיכָה וַהֲמוֹן רַחֲמֶיכָה · כִּי תְכַפֵּר עָווֹן
וּלְטַ[הֵר אֱנוֹ]שׁ מֵאַשְׁמָה בְּצִדְקָתֶךָה · 38 וְלֹא לָאָדָם
[לִכְבוֹדְכָה] עָשִׂיתָה · כִּי אַתָּה בָרָאתָה צַדִּיק וְרָשָׁע [ ]
39 [ ] אֶתְחַזְּקָה בִּבְרִיתְכָה עַד [ ]
40 [לְפָנֶ]יכָה · כִּי אֱמֶת אַתָּה וְצֶדֶק כּוֹל [מַעֲשֶׂיכָה]

V

לְיוֹם עִם חד [
2 סְלִיחוֹתֶיכָה וַהֲמוֹן [
3 וּבְדַעְתִּי אֵלֶּה נִחַמְ[תִּי
4 עַל פִּי רְצוֹנְכָה וּבְיָ[דְ]כָה מִשְׁפַּט כּוּלָּם [ ]
5 אוֹדְכָה אֲדוֹנָי · כִּי לֹא עֲזַבְתַּנִי בְּגוּרִי בְעָם [
וְלֹא] כְאַשְׁמָתִי 6 שְׁפַטְתַּנִי וְלֹא עֲזַבְתַּנִי בְזִמּוֹת יִצְרִי · וַתַּעֲזוֹר

Schuld der Treulosigkeit. Und ich erkannte, daß beim Menschen keine Gerechtigkeit ist und nicht beim Menschenkind vollkommener Wandel[19]. 31 Beim höchsten Gott sind alle Werke der Gerechtigkeit, aber der Wandel des Menschen steht nicht fest, es sei denn durch den Geist, den Gott ihm schuf, 32 um den Wandel der Menschenkinder vollkommen zu machen, damit sie alle seine Werke erkennen in der Kraft seiner Stärke und die Fülle seines Erbarmens über alle Söhne 33 seines Wohlgefallens[20]. Ich aber, mich hatten Zittern und Schrecken ergriffen, und alle meine Gebeine zerbrachen. Es zerfloß mein Herz wie Wachs vor dem Feuer, und meine Knie bewegten sich 34 wie Wasser, das am Abhang hinunterstürzt. Denn ich gedachte meiner Verschuldungen zusammen mit dem Treubruch meiner Väter, als Gottlose gegen deinen Bund aufstanden 35 und Bösewichte gegen dein Wort. Ich sprach: In meiner Sünde bin ich verloren für deinen Bund. Aber als ich der Kraft deiner Hand gedachte mit 36 der Fülle deines Erbarmens, da richtete ich mich auf und erhob mich, und mein Geist gewann wieder Festigkeit gegenüber der Plage; denn [ich] stützte mich 37 auf deine Barmherzigkeit und die Fülle deines Erbarmens. Denn du sühnst Sünde und rei[nigst den Men]schen von Verschuldung durch deine Gerechtigkeit. 38 Aber nicht für den Menschen, [sondern nur für deine Ehre] tust du(es). Denn du hast den Gerechten und den Gottlosen erschaffen [...] 39 [...] ich will festhalten an deinem Bund bis [...] 40 [... vor] dir; denn Wahrheit bist du und Gerechtigkeit sind all [deine Werke ...]

V

für einen Tag mit [...] 2 deine Vergebungen und die Menge [...] 3 Und als ich dies erkannte, reu[te es mich ...] 4 nach deinem Willen, und in deiner Hand ist das Gericht über sie alle [...]

5 Ich preise dich, Herr! Denn du hast mich nicht verlassen, als ich weilte im Volk [... und nicht] nach meiner Schuld 6 hast du mich gerichtet und mich nicht im Trachten meines Verlangens gelassen. Sondern du halfst meinem Leben aus der Grube und gabst [...] inmitten 7 von Löwen, die bestimmt sind für die Söhne der Verschuldung, Löwen, die die Knochen der Mächtigen zerbrechen und das Bl[ut] der Starken trinken. Du versetztest mich 8 in Fremdlingsaufenthalt mit vielen Fischern, die das

מִשַּׁחַת חַיַּי וַתִּתֵּן [ ] בְּתוֹךְ 7 לְבִיאִים מוּעָדִים
לִבְנֵי אַשְׁמָה אֲרָיוֹת שׁוֹבְרֵי עֶצֶם אַדִּירִים וְשׁוֹתֵי דַ[ם] גִּבּוֹרִים ׳
וַתְּשִׂמֵנִי 8 בְּמָגוּר עִם דַּיָּגִים רַבִּים פּוֹרְשֵׂי מִכְמֶרֶת עַל פְּנֵי
מַיִם וְצַיָּדִים לִבְנֵי עַוְלָה ׳ וְשָׁם לַמִּשְׁפָּט 9 יִסַּדְתַּנִי וְסוֹד אֱמֶת
אִמַּצְתָּה בִּלְבָבִי [a]ומיה בְּרִית לְדוֹרְשֶׁיהָ ׳ וַתִּסְגּוֹר פִּי כְפִירִים
אֲשֶׁר 10 כְּחֶרֶב שִׁנֵּיהֶם וּמְתַלְּעוֹתָם כַּחֲנִית חַדָּה ׳ חֲמַת תַּנִּינִים
כּוֹל מְזִמּוֹתָם [b]לַחְתֹּף [c]ויירבו ׳ וְלֹא 11 פָצוּ עָלַי פִּיהֶם כִּי אַתָּה
אֵלִי סִתַּרְתַּנִי נֶגֶד בְּנֵי אָדָם וְתוֹרָתְכָה חִבֵּאתָה [בִּי עַ]ד קֵץ
12הִגָּלוֹת יִשְׁעֲכָה לִי ׳ כִּי בְצָרַת נַפְשִׁי לֹא עֲזַבְתַּנִי וְשַׁוְעָתִי שָׁמַעְתָּה
בִּמְרוֹרֵי נַפְשִׁי 13 וְדִנְתָּ יְגוֹנִי הִכַּרְתָּה בְּאַנְחָתִי ׳ וַתַּצֵּל נֶפֶשׁ עָנִי
בִּמְעוֹן אֲרָיוֹת אֲשֶׁר שִׁנְּנוּ כַּחֶרֶב לְשׁוֹנָם ׳ 14 וְאַתָּה אֵלִי סָגַרְתָּה
בְּעַד שִׁנֵּיהֶם פֶּן יִטְרְפוּ נֶפֶשׁ עָנִי וָרָשׁ ׳ וַתּוֹסֶף לְשׁוֹנָם 15 כְּחֶרֶב
אֶל תַּעְרָהּ בְּלִי [הִכּוֹ]תָה נֶפֶשׁ עַבְדְּכָה ׳ וּלְמַעַן הַגְבִּירְכָה בִּי
לְנֶגֶד בְּנֵי אָדָם הִפְלֵתָה 16 בָאֶבְיוֹן וַתְּבִיאֵהוּ בְּמַצְרֵ[ף כַּזָּהָ]ב
בְּמַעֲשֵׂי אֵשׁ וְכַכֶּסֶף מְזוּקָק בְּכוּר נוֹפְחִים לְטַהֵר שִׁבְעָתָיִם ׳
17 וַיְמַהֲרוּ עָלַי רִשְׁעֵי עַמִּים בִּמְצוּקוֹתָם וְכוֹל הַיּוֹם יְדַכְּאוּ נַפְשִׁי ׳
18 וְאַתָּה אֵלִי תָּשִׁיב סְעָרָה לִדְמָמָה וְנֶפֶשׁ אֶבְיוֹן פִּלַּטְתָּה כַ[
]טֶרֶף מִכֹּחַ 19 אֲרָיוֹת ׳

20 [d]בָּרוּךְ אַתָּה[d] אֲדוֹנָי ׳ כִּי לֹא עָזַבְתָּה יָתוֹם וְלֹא בָזִיתָה רָשׁ ׳
כִּי גְבוּרָתְכָה [לְאֵין חֵקֶר] וּכְבוֹדְכָה 21 לְאֵין מִדָּה וְגִבּוֹרֵי
פֶלֶא מְשָׁרְתֶיכָה ׳ וְעִם עֲנָוִים בְּטַאטְאֵיי רַגְלֵי[הֶם הָיִיתָה] עִם
נִמְהָרֵי 22 צֶדֶק לְהַעֲלוֹת מִשָּׁאוֹן יַחַד כּוֹל אֶבְיוֹנֵי חֶסֶד ׳ וַאֲנִי
הָיִיתִי עַל עַ[ ]דְנֵי לְרִיב 23 וּמְדָנִים לְרֵעַי קִנְאָה וְאַף
לְבָאֵי בְרִיתִי וָרֶגֶן וּתְלוּנָּה לְכוֹל נוֹעָדַי ׳ גַּ[ם אוֹ]כְלֵי לַחְמִי

[a] lies וּמִזָּה — [b] zwischen ת und ף ist ein ו getilgt worden — [c] lies וַיֶּאֶרְבוּ — [d–d] über getilgtes אוֹדְכָה geschrieben.

Netz auf dem Wasser ausbreiten, und (mit) den Jägern für die Söhne des Frevels[21]. Und da hast du mich zum Recht 9 bestimmt und den Rat der Wahrheit in meinem Herzen stark gemacht, und von da an gehört der Bund denen, die ihn suchen. Und du verschlossest das Maul junger Löwen, deren 10 Zähne wie ein Schwert und deren Hakenzähne wie ein scharfer Wurfspieß sind. Drachengift sind alle ihre Ränke[22], um dahinzuraffen, und sie liegen auf der Lauer. Aber nicht 11 sperrten sie gegen mich ihr Maul auf; denn du, mein Gott, hast mich verborgen vor den Menschenkindern und hast dein Gesetz [in mir] verborgen [bi]s zur Zeit, 12 da deine Hilfe mir offenbart wurde. Denn in der Bedrängnis meiner Seele hast du mich nicht verlassen und mein Schreien hast du gehört in den bitteren Erfahrungen meiner Seele 13 und hast Recht verschafft meinem Kummer, hast auf mein Seufzen geachtet. Und du rettetest die Seele des Armen am Ort der Löwen, die ihre Zunge geschärft hatten wie ein Schwert. 14 Und du, mein Gott, hast um ihre Zähne herum verschlossen gehalten, damit sie nicht das Leben des Armen und Geringen zerrissen. Du ließest ihre Zunge 15 wie ein Schwert in seine Scheide zurückkehren, ohne daß es das Leben deines Knechtes [traf]. Und damit du dich stark erzeigtest an mir vor den Menschenkindern, hast du wunderbar gehandelt 16 am Armen. Du brachtest ihn in Läute[rung wie Go]ld in den Werken des Feuers und wie Silber, das im Ofen der Schmelzer geläutert wird, um es siebenfach zu reinigen. 17 Und es eilten gegen mich die Gottlosen der Völker mit ihren Drangsalen heran, und den ganzen Tag bedrücken sie meine Seele. 18 Aber du, mein Gott, hast den Sturmwind zur Windstille gekehrt, und die Seele des Armen hast du gerettet [...] Raub aus der Kraft 19 von Löwen.

20 Gepriesen seist du, Herr! Denn du hast nicht verlassen die Waise und den Geringen nicht verachtet. Denn deine Macht ist [unerforschlich] und deine Herrlichkeit 21 ohne Maß, und wunderbare Helden sind deine Diener. Und mit den Demütigen [bist du], wenn [ihre] Füße versinken (?), mit denen, die Gerechtigkeit 22 fürchten, um emporzuführen aus dem Getümmel miteinander alle Armen der Gnade. Ich wurde zu [...] zu einem Gegenstand von Streit 23 und Hader für meine Freunde, von Eifer und Zorn für die, die in meinen Bund eingetreten waren, von Mäkeln und Tadeln für alle, die sich um mich versammeln. Au[ch die, die] mein Brot [aß]en, 24 haben die

24 עָלַי הִגְדִּילוּ עָקֵב · וַיָּלִיזוּ עָלַי בִּשְׂפַת עָוֶל כּוֹל נִצְמָדֵי סוֹדִי ·
וְאַנְשֵׁי [עֲצָ]תִי סוֹרְרִים 25 וּמַלִּינִים סָבִיב · וּבְרָז חִבֵּתָה בִּי
יֵלְכוּ רָכִיל לִבְנֵי הַוּוֹת · וּבַעֲבוּר הַגְדִּ[ילְכָה] בִּי וּלְמַעַן
26 אַשְׁמָתָם סָתַרְתָּ מַעְיַן בִּינָה וְסוֹד אֱמֶת · וְהֵמָּה הַוּוֹת לִבָּם
יַחֲשׁוֹבוּ [בְּזִמּוֹת בְּ]לִיַּעַל פָּתְחוּ 27 לְשׁוֹן שֶׁקֶר כַּחֲמַת תַּנִּינִים
פּוֹרַחַת לְקִצִּים וּכְזוֹחֲלֵי עָפָר יוֹרוּ לַחֲ[מָתָם וְרֹאשׁ] פְּתָנִים
28 לְאֵין חָבֵר · וַתְּהִי לִכְאֵיב אָנוּשׁ וְנֶגַע נִמְאָר בְּתַכְמֵי עַבְדְּכָה
לְהַכְשִׁיל [רוּחַ] וּלְהָתֵם 29 כּוֹחַ לְבִלְתִּי הַחֲזִק מַעֲמָד · וַיַּשִּׂיגוּנִי
בַּמְּצָרִים לְאֵין מָנוֹס וְלֹא בהב[ ]פחות וַיֶּהֱמוּ 30 בְּכִנּוֹר
רִיבִי וּבִנְגִינוֹת יַחַד תְּלוּנָּתָם עִם שׁוֹאָה וּמְשׁוֹאָה · זַ[לְ]עוּפוֹת
[אֲחָזוּנִי] וַחֲבָלִים כְּצִירֵי 31 יוֹלֵדָה וַיֶּהֱם עָלַי לִבִּי · קַ[דְ]רוּת
לָבַשְׁתִּי וּלְשׁוֹנִי לַחֵךְ תִּדְבַּק [ ]נב[ ] לִבָּם וְיִצְרָם
32 הוֹפִיעַ לִי לִמְרוֹרִים · וַיֶּחְשַׁךְ מְאוֹר פָּנַי לַאֲפֵלָה וְהוֹדִי נֶהְפַּךְ
לְמַשְׁחוֹר · וְאַתָּה אֵלִי 33 מֶרְחָב פָּתַחְתָּה בִלְבָבִי · וַיּוֹסִיפוּהָ
לְצוּקָה וַיָּשׂוֹכּוּ בַעֲדִי בְּצַלְמָוֶת · וָאוֹכְלָה בְלֶחֶם [f]אֲנָחָה
34 וְשִׁקּוּי בְּדִמְעוֹת אֵין כָּלָה · כִּי עָשְׁשׁוּ מִכַּעַס עֵינַי וְנַפְשִׁי בִּמְרוֹרֵי
יוֹם · [אֲ]נָחָ[וֹת] וְיָגוֹן 35 יְסוֹבְבוּנִי וּבוֹשֶׁת עַל פָּנַי · וַיֶּהְפֵּךְ לִי
לַ[חְמִ]י לְרִיב וְשִׁקּוּי לְבַעַל מְדָנִים · וַיָּבוֹא בַעֲצָ[מַי] 36 לְהַכְשִׁיל
רוּחַ וּלְכַלּוֹת כּוֹחַ כְּרָזֵי פֶּשַׁע מְשַׁנִּים מַעֲשֵׂי אֵל בְּאַשְׁמָתָם · כִּי
נֶאֱסַר[תִּי] בַעֲבוֹתִים 37 לְאֵין נֶתֶק וְזִקִּים לְלוֹא יְשׁוּבְּרוּ וְחוֹמַת
עוֹ[ז ו]בְרִיחֵי בַרְזֶל וְדַלְתוֹ[ת] נְחוֹשֶׁת] · 38 [כְּ]לְאִי
עִם תְּהוֹם נֶחְשַׁב לְאֵין [[וְנַחֲלֵי]
39 [בְּ]לִ[יַּ]עַל אָפְפוּ נַפְשִׁי ל [ ]

[f] oder lies: אֲנַחְתִּי (?).

Ferse gegen mich erhoben[23]. Und es redeten Übles wider mich mit frevelhafter Lippe alle, die meinem Kreise verbunden waren. Und die Menschen meines [Anhang]s waren störrisch 25 und murrten ringsum. Und über das Geheimnis, das du in mir verborgen hattest, treiben sie Verleumdung bei den Söhnen des Unheils. Damit [du dich groß] erwiesest an mir und um 26 ihrer Schuld willen hast du verborgen die Quelle der Einsicht und den Rat der Wahrheit. Sie aber, sie planen das Verderben ihres Herzens, [mit Ränken Bel]ials öffnen sie 27 lügnerische Zunge wie Schlangengift, das zu bestimmten Zeiten ausbricht, und wie Staubkriecher zielen sie mit [ihrem] G[ift, Gift] von Ottern, 28 das man nicht bannen kann. Und es wurde zu unheilbarem Schmerz und bösartiger Plage im Inneren deines Knechtes, um zum Straucheln zu bringen [den Geist] und zu vernichten 29 die Kraft, so daß man den Standort nicht festhalten konnte. Und sie holten mich ein in Bedrängnis, so daß keine Zuflucht blieb, und nicht [...] und sie lärmten 30 auf der Zither meines Streites und auf dem Saitenspiel ihr Murren gemeinsam bei Unwetter und Verödung. Erregungen [erfassen mich] und Schmerzen wie Wehen 31 einer Gebärenden[24], und unruhig war mein Herz. Mit Dunkel umkleidete ich mich, und meine Zunge klebte am Gaumen [...] ihr Herz und ihr Sinnen 32 erschien mir zu Bitternissen. Es verfinsterte sich die Leuchte meines Angesichtes zum Dunkel, und meine Würde wurde zur Schwärze verkehrt. Aber du, mein Gott, 33 hast eine Weite aufgetan in meinem Herzen. Aber sie ziehen sie zurück zur Drangsal und schließen mich rings mit Finsternis ein. Und ich aß vom Brot des Seufzens, 34 und (mein) Trank waren Tränen ohne Ende. Denn matt wurden meine Augen vor Gram, und meine Seele befand sich in den täglichen Bitternissen. [S]eufz[er] und Kummer 35 umgaben mich, und Schande bedeckte das Antlitz. Und es wandelte sich mir mein Br[ot] in Streit und (mein) Trank zum Streitgegenstand. Es drang in [meine] Gebeine, 36 um den Geist zu Fall zu bringen und die Kraft zu verzehren entsprechend den Geheimnissen der Sünde, die die Werke Gottes durch ihre Verschuldung verändern. Denn [ich] wurde gebunden mit Stricken, 37 die unzerreißbar waren, und mit Ketten, die man nicht brechen konnte; und eine sta[rke] Mauer [...und] eiserne Riegel und To[re von Erz ...] 38 Mein [Gefäng]nis ist vergleichbar der Urtiefe, ohne daß [... und die Bäche] 39 [Be]l[i]als haben meine Seele umringt [...]

VI

] [

2 לִבִּי בְּנֶאָצ]וֹת]

3 וְהוֹוָה לְאֵין חֵקֶר וְכָלָה לְאֵין [[

4 גִּלִּיתָה אוֹזְנִי [לְמוּ]סַ[ר] מוֹכִיחֵי צֶדֶק עִם [[

5 מֵעֲדַת [שָׁ]וְא וּמִסּוֹד חָמָס ׳ וַתְּבִיאֵנִי בַּעֲצַת [קוֹדְשְׁכָה

] אַשְׁמָה ׳ 6 וָאֵדְעָה כִּי יֵשׁ מִקְוֶה לְשָׁבֵי פֶשַׁע וְעוֹזְבֵי

חַטָּאָה בה [לְ]הִתְהַלֵּךְ 7 בְּדֶרֶךְ

לִבְּכָה לְאֵין עָוֶל ׳ וָאֶנָּחֲמָה עַל הֲמוֹן עָם וְעַל שְׁאוֹן מַ[מְלָ]כוֹת

בְּהֵאָסְפָם ׳ [כִּיא יָדַ]עְתִּי אֲשֶׁר 8 תָּרִים לַמִּצְעָר מִחְיָה בְעַמְּכָה

וּשְׁאֵרִית בְּנַחֲלָתֶכָה ׳ וַתְּזַקְּקֵם לְהִטָּהֵר מֵאַשְׁמָה כִּיא כוֹל

9 מַעֲשֵׂיהֶם בַּאֲמִתֶּכָה ׳ וּבַחֲסָדֶיךָ תִּשְׁפְּטֵם בַּהֲמוֹן רַחֲמִים וְרוֹב

סְלִיחָה וּכְפִיכָה לְהוֹרוֹתָם 10 וּכְיוֹשֶׁר אֲמִתְּכָה לַהֲכִינָם

בַּעֲצָתֶכָה ׳ לִכְבוֹדְכָה וּלְמַעַנְכָה עָשִׂ[יתָה] לְ[גַדֵּ]ל תּוֹרָה

וְ[אֱמֶת] ל[ ] 11 אַנְשֵׁי עֲצָתְכָה בְּתוֹךְ בְּנֵי אָדָם לְסַפֵּר

לְדוֹרוֹת עוֹלָם נִפְלְאוֹתֶיכָה וּבִגְבוּרוֹתֶ[יכָה יָשׂ]וֹחֲחוּ 12 לְאֵין

הַשְׁבֵּת ׳ וְיֵדְעוּ כוֹל גּוֹיִם אֲמִתְּכָה וְכוֹל לְאוּמִּים כְּבוֹדֶכָה ׳ כִּי

הֲבִיאוֹתָה [אֲמִתְּכָה וּכְב]וֹדְכָה 13 לְכוֹל אַנְשֵׁי עֲצָתְכָה

וּבְגוֹרָל יַחַד עִם מַלְאֲכֵי פָנִים ׳ וְאֵין מֵלִיץ בֵּנַיִם לִקְ[דוֹשֶׁיכָה]

שיב 14 כרו[ ]כי[ ]ל[ ] תד [ ]בה וְהֵם יָשִׁיבוּ בְּפִי

כְּבוֹדְכָה וְיִהְיוּ שָׂרֶיכָה בְּגוֹרַ[ל עוֹלָם] 15 פֶּרַח כְּצִ[יץ

עַ]ד עוֹלָם לְגַדֵּל נֵצֶר לְעוֹפֵי מַטַּעַת עוֹלָם ׳ וַיָּצֶל צֵל עַל כוֹל

[תֵּבֵל] 16 עַד שׁ[ ]שָׁרָשָׁיו עַד תְּהוֹם וְכוֹל נַהֲרוֹת עֵדֶן

[יַשְׁקוּ אֶת דָּ]לִ[יּ]וֹתָיו ׳ וְהָיָה ל[ ] 17 חֵקֶר [ ]עַל

תֵּבֵל לְאֵין אֶפֶס וְעַד שְׁאוֹל [ ]הָיָה מַעְיַן אוֹר לְמְקוֹר

18 עוֹלָם לְאֵין הֶסֵר ׳ בְּשַׁבִיבֵי נוֹגְהוֹ יִבְעֲרוּ כוֹל ב[[

לְאֵשׁ בּוֹעֶרֶת בְּכוֹל אַנְשֵׁי 19 אַשְׁמָה עַד כָּלָה ׳ וְהֵמָּה נִצְמְדֵי

תְעוּדָתִי פּוּתּוּ בְּמ[ ]בַּעֲבוֹדַת צֶדֶק ׳ 20 וְאַתָּה

VI

[...] 2 mein Herz mit Schmä[hungen ...] 3 und unermeßliches Verderben und Vernichtung ohne [...] 4 Du hast mein Ohr geöffnet [für die Zu]ch[t] derer, die mit Gerechtigkeit zurechtweisen zusammen [...] 5 aus der Gemeinde des [Tru]gs und dem Kreis der Gewalttat. Du brachtest mich in die Gemeinde [deiner Heiligkeit ...] Verschuldung. 6 Und ich erkannte, daß es eine Hoffnung gibt für diejenigen, die von Missetat umkehren und die Sünde lassen [..., um] zu wandeln 7 auf dem Weg deines Herzens ohne Frevel. Und ich wurde getröstet angesichts des Tosens des Volks und des Tobens der Kö[nig]-reiche, wenn sie sich versammeln. [Denn] ich [we]iß, daß 8 du in Kürze Lebendes aufrichten wirst in deinem Volk und einen Rest in deinem Erbe. Und du läuterst sie zur Reinigung von der Verschuldung, denn all 9 ihre Taten bestehen durch deine Treue. Und in deiner Gnade richtest du sie in reichem Erbarmen und großer Vergebung, sie nach den Worten deines Mundes zu unterweisen 10 und nach der Geradheit deiner Wahrheit sie aufzustellen in deinem Rat. Zu deiner Ehre und um deinetwillen [hast du] gehandelt, um [groß zu ma]chen das Gesetz und [die Wahrheit ...] 11 die Männer deines Rates inmitten der Menschenkinder, um ewigen Geschlechtern deine Wunder zu erzählen, und über [deine] Machttaten werden sie [nach]sinnen 12 ohne Aufhören. Und alle Völker werden deine Treue erkennen und alle Nationen deine Herrlichkeit; denn du läßt kommen [deine Treue und] deine [Herr]lichkeit 13 zu allen Männern deines Rates und in ein Los gemeinsam mit den Engeln des Angesichtes[25]. Und keinen Mittlerdolmetsch gibt es für [deine Heiligen ...] 14 [...] und sie antworten auf das Wort deiner Herrlichkeit und sind deine Fürsten in [ewigem] Lo[se ...]. 15 Sproß wie eine Blu[me ... b]is in Ewigkeit, um einen Schößling zu treiben für das Gezweig einer ewigen Pflanzung. Er wirft Schatten auf den ganzen [Erdkreis] 16 bis [...] seine Wurzeln bis zur Urflut, und alle Ströme Edens [tränken] seine [Zweige]. Und er wird sein [...] 17 Erforschung [...] auf dem Erdkreis ohne Ende und bis zur Unterwelt [...] es wird der Quellort des Lichtes zur ewigen Quelle 18 ohne Aufhören. In den Flammen seines Glanzes brennen alle [....] zum sengenden Feuer unter allen Männern 19 der Schuld bis zur Vernichtung[26]. Und sie, die meinem Zeugnis verbunden sind, ließen sich ver-

אֵל צִוִּיתָם לְהוֹעִיל מִדַּרְכֵיהֶם בְּדֶרֶךְ קוֹ[דְשְׁכָה אֲשֶׁר יֵ]לְכוּ
בָהּ וְעָרֵל וְטָמֵא וּפָרִיץ 21 בַּל יְעוֹבְרֶנָּה · וְיִתְמוֹטְטוּ מִדֶּרֶךְ
לִבְכָה וּבְהוֹוָה [ ] וכמוא יוֹעֵץ בְּלִיַּעַל 22 עִם
לְבָבָם [ ] מַחֲשֶׁבֶת רִשְׁעָה יִתְגּוֹלְלוּ בְּאַשְׁמָה · [וָהָיִ]תִי
כְּמַלָּח בְּאוֹנִיָּה בְּזַעַף 23 יַמִּים גַּלֵּיהֶם וְכוֹל מִשְׁבְּרֵיהֶם עָלַי
הָמוּ · רוּחַ עִוְעִיים [לְאֵין] דְּמָמָה לְהָשִׁיב נֶפֶשׁ וְאֵין 24 נְתִיבַת
לְיַשֵּׁר דֶּרֶךְ עַל פְּנֵי מָיִם · וַיֶּהֶם תְּהוֹם לְאַנְחָתִי וְ[נַפְשִׁי תַּגִּיעַ] עַד
שַׁעֲרֵי מָוֶת · וָאֶהְיֶה 25 כְּבָא בְּעִיר מָצוֹר וְנָעוֹז בְּחוֹמָה נִשְׂגָּבָה
עַד פָּלֶט · וָאֶשְׁ[עֲנָה] בַ[אֲמִתְּכָה אֵלִי · כִּי אַתָּה 26 תָּשִׂים סוֹד
עַל סֶלַע וְכָפִיס עַל קַו מִשְׁפָּט וּמִשְׁקֶלֶת אֱ[מֶת] לְ[נַסּ]וֹת אַבְנֵי
בֹחַן לִבְ[נ]וֹ[ת חוֹמַת] 27 עוֹז לְלוֹא תִתְזַעְזַע וְכוֹל בָּאֶיהָ בַּל
יִמּוֹטוּ · כִּי לֹא יָבוֹא זָר [בִּשְׁעָרֶ]יהָ דַּלְתֵי מָגֵן לְאֵין 28 מָבוֹא
וּבְרִיחֵי עוֹז לְלוֹא יְשׁוּבָּרוּ · בַּל יָבוֹא גְדוּד בִּכְלֵי מִלְחַמְתּוֹ עִם
תּוֹם כּוֹל חַ[רְבוֹת] 29 מִלְחֲמוֹת רִשְׁעָה · וְאָז תָּחִישׁ חֶרֶב אֵל
בְּקֵץ מִשְׁפָּט וְכוֹל בְּנֵי אֲ[מִ]תּוֹ יֵעוֹרוּ לְ[הָתֵם בְּנֵי] 30 רִשְׁעָה
וְכוֹל בְּנֵי אַשְׁמָה לֹא יִהְיוּ עוֹד · וְיִדְרוֹךְ גִּבּוֹר קַשְׁתּוֹ וְיִפְתַּח מָצוֹר
[ ] 31 לְמֶרְחָב אֵין קֵץ וְשַׁעֲרֵי עוֹלָם לְהוֹצִיא כְּלֵי
מִלְחָמוֹת · וְיַעֲצוּ[מ]וּ מִקָּצֶה עַד[קָצֶה] · 32 [ ] וְאֵין
פֶּ[לֶ]ט לְיֵצֶר אַשְׁמָה לְכָלָה יִרְמוֹסוּ וְאֵין שְׁ[אֵרִית וְ]תִקְוָה בְּרוֹב
[ ] 33 וּלְכוֹל גִּבּוֹרֵי מִלְחָמוֹת אֵין מָנוֹס · כִּי לְאֵל עֶלְיוֹן
הַ[ ]רן[ ] 34 וְשׁוֹכְבֵי עָפָר הֵרִימוּ תֹרֶן ·
וְתוֹלַעַת מֵתִים נָשְׂאוּ נֵס לחן[ ] כרתון[ ]
35 בְּמִלְחֲמוֹת זֵדִים · וּמַעֲבִיר שׁוֹט שׁוֹטֵף בַּל יָבוֹא בְמִבְצָר
[ ] 36 [ ]לן[ ]
לְתָפֵל וּכְכָפִיס לֹא[ ]

führen [...] am Dienst der Gerechtigkeit. 20 Du aber, o Gott, hast ihnen befohlen, zu erreichen — fern von ihrem Weg — den Weg [deiner] Hei[ligkeit,] den [sie wandeln sollten], aber kein Unbeschnittener und Unreiner und Gewalttätiger 21 soll ihn betreten. Aber sie wanken vom Weg deines Herzens und im Unheil [...] Belial berät 22 mit ihrem Herzen [...] Plan des Frevels, sie wälzen sich in Schuld. [Und] ich [war] wie ein Seemann im Schiff im Toben 23 der Meere, ihre Wogen und all ihre Wellen stürmten gegen mich heran[27]. Ein Wirbelwind [ohne] Stille zur Erquickung der Seele, kein 24 Pfad, geraden Weg zu bahnen auf dem Wasser. Und es brauste die Urflut zu meinem Stöhnen, und [meine Seele gelangte] bis an die Tore des Todes. Und ich war 25 wie einer, der in eine befestigte Stadt kommt und sich hinter einer hohen Mauer verschanzt zur Rettung. Und ich [freute mich über] deine Wahrheit, mein Gott; denn du 26 legst ein Fundament auf Fels und einen Querbalken nach rechtem Maß und re[chter] Setzwaage, [um zu prüfen] die bewährten Steine[28], zu ba[uen eine] starke [Mauer], 27 die nicht erschüttert wird; und alle, die hineintreten, werden nicht wanken. Denn kein Fremdling wird [zu] ihren [Tor]en eingehen, schützende Tore, durch die man nicht 28 hereinkommt, und feste Riegel, die nicht zerbrochen werden. Nicht wird eine Schar mit ihren Kriegswaffen hereinkommen, solange unversehrt sind alle Schwe[rter] 29 ruchloser Kriege. Und dann wird herbeieilen das Schwert Gottes in der Zeit des Gerichts, und alle Söhne seiner Wa[hr]heit werden sich aufrichten, um [zu vernichten die Söhne] 30 des Frevels[29], und alle Söhne der Schuld werden nicht mehr sein. Aber der Held spannt seinen Bogen und öffnet die Festung [...] 31 zur Weite ohne Ende und die ewigen Pforten, um die Kriegsgeräte herauszuführen. Und sie sind mä[ch]tig von einem Ende bis zum [anderen]. 32 [... und kein Ent]rinnen für das Gebilde der Schuld, zur Vernichtung zertreten sie, und es bleibt kein Re[st und] Hoffnung wegen der Menge [...] 33 und für alle Kriegshelden keine Zuflucht. Denn beim höchsten Gott [...] 34 und die im Staube liegen, heben ein Panier auf. Und der Wurm der Toten[30] richtet ein Banner auf [...] 35 in den Kriegen gegen die Frechen. Wenn er die sausende Geißel schwingt, daß sie nicht in die Festung eindringe [...] 36 [...] zur Tünche und wie ein Balken nicht[31] [...]

VII

[ ] אֲנִי נֶאֱלַמְתִּי [ ]ץ
אל[ ] 2 [זרו]ע נִשְׁבֶּרֶת מִקָּנֶיהָ וַתִּטְבַּע [a]בבבץ
רַגְלִי · שָׁעוּ עֵינַי מֵרְאוֹת 3 רַע אוֹזְנַי מִשְּׁמוֹעַ דָּמִים · הָשַׁם
לְבָבִי מִמַּחֲשֶׁבֶת רוֹעַ כִּי בְלִיַּעַל עִם הוֹפַע יֵצֶר 4 הַוּוֹתָם ·
וַיֵּרוֹעוּ כוֹל אוֹשֵׁי מַבְנִיתִי וַעֲצָמַי יִתְפָּרְדוּ וּתְכָמַי עָלַי כְּאוֹנִיָּה
בְּזַעַף 5 חֲרִשִׁית וַיֶּהֱם לִבִּי לְכָלָה וְרוּחַ עִוְעִיִּים תְּבַלְּעֵנִי
מֵהוּוֹת פִּשְׁעָם ·

6 אוֹדְכָה אֲדוֹנָי · כִּי
סְמַכְתַּנִי בְעוּזְּכָה וְרוּחַ 7 קוֹדְשְׁכָה הֲנִיפוֹתָה בִּי בַל אֶמּוֹט ·
וַתְּחַזְּקֵנִי לִפְנֵי מִלְחֲמוֹת רִשְׁעָה וּבְכוֹל הַוּוֹתָם 8 ל[ֹא] הַחִתֹּתָה
מִבְּרִיתְכָה · וַתְּשִׂימֵנִי כְּמִגְדַּל עוֹז כְּחוֹמָה נִשְׂגָּבָה וַתָּכֶן עַל סֶלַע
9 מַבְנִיתִי וְאוֹשֵׁי עוֹלָם לְסוֹדִי וְכוֹל קִירוֹתַי לְחוֹמַת בֹּחַן לְלוֹא
תִזְדַּעְזָע · 10 [וְ]אַתָּה אֵלִי [b]נתתו לַעֲיֵפִים לַעֲצַת קוֹדֶשׁ
וַתְּ[לַמְּ]דֵנִי בִּ]בְרִיתְכָה וּלְשׁוֹנִי כְּלִמּוּדֶיךָ · 11 וְאֵין פֶּה לְרוּחַ
הַוּוֹת וְלֹא מַעֲנֵה לָשׁוֹן לְכוֹל [בְּ]נֵי אַשְׁמָה כִּי תֵאָלַמְנָה שִׂפְתֵי
12 [c]שִׂפְתֵי שָׁקֶר · כִּי כוֹל גָּרַי לַמִּשְׁפָּט תַּרְשִׁיעַ [לְ]הַבְדִּיל בִּי בֵין
צַדִּיק לְרָשָׁע · 13 כִּי אַתָּה יָדַעְתָּה כוֹל יֵצֶר מַעֲשֶׂה וְכוֹל מַעֲנֵה
לָשׁוֹן הִכַּרְתָּה וַתָּכֶן לִבִּי 14 [כְּלִי]מּוּדֶיכָה וְכַאֲמִתְּכָה לְיַשֵּׁר
פְּעָמַי לִנְתִיבוֹת צְדָקָה לְהִתְהַלֵּךְ לְפָנֶיךָ בִּגְבוּל 15 [צַדִּיקִי]ם
לִשְׁבִילֵי כָבוֹד [d]וחיים וְשָׁלוֹם לְאֵין [הָסֵר וְ]לֹ[א] לְהַשְׁבִּת לָנֶצַח ·
16 וְאַתָּה יָדַעְתָּה יֵצֶר עַבְדֶּכָה · כִּי לֹא[ ] ענתי
לְהָרִים ל[ ] 17 [וּ]לְהָעִיז בְּכוֹחַ [e]וּמַחְסִי בָשָׂר אֵין לִי [
] אֵין צְדָקוֹת לְהִנָּצֵל מפ[ ] 18 [בְּלֹ]וֹא סְלִיחָה · וַאֲנִי
נִשְׁעַנְתִּי בְּ[רוֹב רַחֲמֶיכָה וּבַהֲמוֹן] חַסְדְּכָה אוֹחִיל לְהָצִיץ

[a] lies בַּבֹּץ — [b] lies נְתַתַּנִי — [c] Dittographie — [d] in der Handschrift nachträglich wieder getilgt — [e] = וּמַחְסֶה.

VII

[...] ich verstummte [...] 2 [... Der Ar]m ist aus seinem
Gelenk gebrochen, und mein Fuß versank im Sumpf. Verklebt
waren meine Augen vom Sehen 3 des Bösen und meine Ohren
vom Hören von Bluttaten. Mein Herz ist entsetzt vom Planen
der Bosheit; denn Belial ist bei der Erscheinung ihres verderb-
4 lichen Trachtens. Und es krachten alle Fundamente meines
Baus[32], und meine Gebeine fielen auseinander, und meine Glieder
waren an mir wie ein Schiff im wilden Sturm, 5 und mein Herz
erbebte zur Vernichtung, ein Wirbelwind wollte mich verschlingen wegen des Verderbens ihrer Sünde.

6 Ich preise dich Herr! Denn du stütztest mich durch deine
Kraft, und deinen heiligen Geist 7 hast du auf mich ausge-
gossen, daß ich nicht wanke. Und du stärktest mich vor den
Kämpfen des Frevels, und in all ihrem Verderben 8 hast du
(mich) nicht abschrecken lassen von deinem Bund. Du stelltest
mich hin wie einen starken Turm, wie eine hohe Mauer, und
gründetest auf Felsen 9 meinen Bau, und ewige Fundamente
dienen mir als Grund, und alle meine Wände zur bewährten
Mauer[33], die nicht erschüttert wird. 10 Aber du, mein Gott,
hast mich gegeben ins Astwerk, in die heilige Gemeinde[34], und
be[lehrtest mich in] deinem Bund, und meine Zunge war wie
die deiner Jünger[35]. 11 Aber es gibt keinen Mund für den
Geist des Verderbens und keine Antwort der Zunge für alle
[S]öhne der Schuld; denn verstummt sind die Lippen 12 des
Trugs. Denn alle meine Gegner sprichst du schuldig zum Gericht, [um zu] scheiden durch mich zwischen gerecht und gottlos.
13 Denn du kennst jedes Vorhaben einer Tat, und jede Antwort
einer Zunge nimmst du wahr, und du machtest mein Herz fest
14 [wie das] deiner Jünger und entsprechend deiner Wahrheit,
um meine Schritte zu lenken auf die Pfade der Gerechtigkeit,
auf daß ich wandle vor dir im Gebiet 15 [der Gerech]ten,
nach den Wegen der Herrlichkeit und des Friedens ohne En[de
und ohne] Aufhören für immer. 16 Aber du kennst das
Sinnen deines Knechtes; denn nicht [...] zu erheben [...]
17 [und] stark zu machen durch Kraft, und fleischliche Zuflucht
war nicht bei mir vorhanden [...] nicht gerechte Taten, um gerettet zu werden [...] 18 [oh]ne Vergebung. Ich aber
stützte mich auf [die Fülle deines Erbarmens und auf den Reichtum]
deiner Gnade harrte ich, um aufblühen zu lassen 19 [eine

19 [מַטָּ]ע וּלְגַדֵּל נֵצֶר לְהָעִיז בְּכוֹחַ וּ[׳ כִּיא בְּ]צִדְקָתְכָה
הֶעֱמַדְתַּנִי 20 לִבְרִיתְכָה וְאֶתְמוֹכָה בַּאֲמִתְּכָה וְאַתָּ[ה]
וַתְּשִׂימֵנִי אָב לִבְנֵי חֶסֶד 21 וּכְאוֹמֵן לְאַנְשֵׁי מוֹפֵת ׳ וַיִּפְצוּ פֶה
כְּיוֹנֵ[ק] וּכְשַׁעֲשַׁע [f]עוֹלוֹל בְּחֵיק 22 אוֹמְנָיו ׳ וַתָּרֶם קַרְנִי
עַל כּוֹל מְנָאֲצַי וַיִּתְפַּ[צְצוּ שְׁ]אֵרִית אַנְשֵׁי מִלְחַמְתִּי וּבַעֲלֵי
23 רִבִי כְמוֹץ לִפְנֵי רוּחַ וּמֶמְשַׁלְתִּי עַל ב[׳ אֵ]לִי עֲזַרְתָּה
נַפְשִׁי וַתָּרֶם קַרְנִי 24 לְמַעְלָה וְהוֹפַעְתִּי בְּאוֹ[ר] שִׁבְעָתַיִם
בְּ[אוֹר אֲשֶׁר הֲכִי]נוֹתָה לִכְבוֹדֶכָה ׳ 25 כִּי אַתָּה לִי לְמָאוֹר
[עוֹ]לָם וַתָּכֶן רַגְלִי בְּ[מִישׁוֹר נֶצַח] ׳

26 אוֹ[דְכָה אֲדוֹנָי] ׳ כִּי
הִשְׂכַּלְתַּנִי בַּאֲמִתְּכָה 27 וּבְרָזֵי פִלְאֲכָה הוֹדַעְתַּנִי וּבַחֲסָדֶיכָה
לְאִישׁ [ ] בְּרוֹב רַחֲמֶיכָה לְנַעֲוֵי לֵב ׳ 28 מִי כָמוֹכָה בָאֵלִים
אֲדוֹנָי ׳ וּמִי כַאֲמִתֶּכָה ׳ וּמִי יִצְ[דַּ]ק לְפָנֶיכָה בְּהִשָּׁפְטוֹ ׳ וְאֵין
29 לְהָשִׁיב עַל תּוֹכַחְתְּכָה ׳ כּוֹל צְבִי רוּחַ וְלֹא יוּכַל כּוֹל
לְהִתְיַצֵּב לִפְנֵי [g]חֲמָתְךָה ׳ וְכוֹל בְּנֵי 30 אֲמִתְּכָה [g]תָּבִיא
בִסְלִיחוֹת לְפָנֶיכָה [לְטַהֲ]רֵם מִפְּשָׁעֵיהֶם בְּרוֹב טוּבְכָה וּבַהֲמוֹן
רַ[חֲ]מֶיכָה 31 לְהַעֲמִידָם לְפָנֶיכָה לְעוֹלְמֵי עַד ׳ כִּי אֵל עוֹלָם
אַתָּה וְכוֹל דְּרָכֶיכָה יִכּוֹנוּ לְנֵצַח 32 [נְ]צָחִ[ים] וְאֵין זוּלָתֶכָה ׳
וּמַה הוּא אִישׁ תֹּהוּ וּבַעַל הֶבֶל לְהִתְבּוֹנֵן בְּמַעֲשֵׂי פִלְאֲךָ
33 [הַגְּדוֹ]לִ[י]ם ׳

34 [אוֹדְכָ]ה אֲדוֹנָי ׳ כִּי לוֹא הִפַּלְתָּה גּוֹרָלִי בַּעֲדַת שָׁו וּבְסוֹד
נַעֲלָמִים לֹא שַׂמְתָּה חוּקִּי ׳ 35 [ ]אֲנִי לַחֲסָדֶיכָה
וּלִסְלִיחֹ[וֹ]תֶיכָה [ ] וּבַהֲמוֹן רַחֲמֶיכָה ׳ לְכוֹל מִשְׁפְּטֵי
36 [ ] שׁר[ ] עוֹלָה וּבְחֵיק

[f] lies עוֹלֵל — [g] = חֲמָתֶךָ.

Pflan]zung und groß zu machen einen Schößling, um stark zu machen in Kraft [... Denn in] deiner Gerechtigkeit hast du mich
hingestellt 20 für deinen Bund, und ich stützte mich auf deine 20
Wahrheit und [du ...] und du setztest mich zum Vater für die
Söhne der Gnade 21 und als Pfleger für die Männer des
Zeichens[36]. Sie öffneten den Mund wie ein Säug[ling ...] und
wie ein Kind sich ergötzt am Busen 22 seiner Pfleger. Und
du erhöhtest mein Horn wider alle meine Verächter, und es zer-
[streute sich der R]est der Männer, die gegen mich kämpfen, und
derer, 23 die mit mir streiten, wie Spreu vor dem Wind, aber
meine Herrschaft ist über [...] Mein [G]ott, du hast meiner
Seele geholfen und mein Horn erhöht 24 hoch empor, und
ich bin erstrahlt in siebenfältigem L[icht], im [Licht, das du auf-]
gestellt hast zu deiner Ehre. 25 Denn du bist mir eine [ew]ige 25
Leuchte und stelltest meinen Fuß auf eine Wei[te ohne Ende].

26 Ich [preise dich, Herr!] Denn du hast mich unterwiesen in
deiner Wahrheit 27 und in deinen wunderbaren Geheimnissen
mir Wissen gegeben, und durch deine Barmherzigkeit gegen den
Mann [...], durch dein reiches Erbarmen mit denen, die ein
verkehrtes Herz haben. 28 Wer ist wie du unter den Göttlichen, Herr? Und wer ist deiner Wahrheit gleich? Und wer
ist ge[re]cht vor dir, wenn er gerichtet wird? Und nichts
29 ist zu erwidern auf deine Züchtigung. Alle Herrlichkeit ist
Wind, und nicht kann einer bestehen vor deinem Zorn. Aber alle
Söhne 30 deiner Wahrheit führst du durch Vergebung vor 30
dich, sie [zu reinig]en von ihren Sünden in deiner reichen Güte
und in der Fülle deines Er[ba]rmens, 31 sie hinzustellen vor
dich in alle Ewigkeit. Denn ein ewiger Gott bist du, und alle
deine Wege stehen fest für immer 32 und [e]w[ig], und keiner
ist außer dir. Aber was ist der Mensch, ein Nichts und ein Herr
des Hauches, um zu verstehen deine wunderbaren Werke,
33 [die gr]oß[e]n?

34 [Ich preise] dich, Herr! Denn nicht hast du mein Los fallen
lassen in die Gemeinde der Nichtigkeit und in den Kreis der
Verschlagenen nicht meine Bestimmung gesetzt. 35 [...] ich 35
auf deine Barmherzigkeit und [deine] Vergebung [...] und in der
Fülle deines Erbarmens. In allen Gerichten [...] 36 [...]
ihr Kind, und am Busen

VIII

[ ]
2[ ] צִדְקָתְכָה תִּכּוֹן לָעַד
כִּי לֹא [ ] 3 [ ]תה
4 או[דְכָה אֲדוֹנָי · כִּי נְ]תַתַּנִי בִּמְקוֹר נוֹזְלִים בַּיַּבָּשָׁה וּמַבּוּעַ
מַיִם בְּאֶרֶץ צִיָּה וּ[מַ]שְׁקֵי 5 גַן [נְטַעְתָּ]ה מַטַּע
בְּרוֹשׁ וְתִדְהָר עִם תְּאַשּׁוּר יַחַד לִכְבוֹדְכָה עֲצֵי 6 חַיִּים בְּמַעְיַן
רָז מְחוּבָּאִים בְּתוֹךְ כּוֹל עֲצֵי מָיִם · וְהָיוּ לְהַפְרִיחַ נֵצֶר לְמַטַּעַת
עוֹלָם 7 לְהַשְׁרִישׁ טֶרֶם יַפְרִיחוּ וְשׁוֹרְשֵׁיהֶם לְיוּבָ[ל] יְשַׁלֵּחוּ ·
וְיִפָּתַח לְמַיִם חַיִּים [a]וְגֶזְעוֹ 8 וִיהִי לִמְקוֹר עוֹלָם · וּבְנֵצֶר עָלָיו
יִרְעוּ כּוֹל [חַיַּת] יַעַר וּמִרְמָס גִּיזְעוֹ לְכָל עוֹבְרֵי 9 דֶרֶךְ וְדָלִיֹּתָו
לְכָל עוֹף כָּנָף · וַיָּרֻמוּ עָלָיו כּוֹל עֲ[צֵי] מַיִם כִּי בְּמַטַּעְתָּם יִתְשַׂגְשָׂגוּ
10 וְאֶל יוּבַל לֹא יְשַׁלְּחוּ שׁוֹרֶשׁ · וּמַפְרִיחַ נֵצֶר קֹ[ו]דֶשׁ לְמַטַּעַת
אֱמֶת סוֹתֵר בְּלוֹא 11 נֶחְשָׁב וּבְלֹא נוֹדָע חוֹתֵם רָזוֹ ·
וְאַתָּ[ה אֵ]ל שַׂכְתָּה בְּעַד פִּרְיוֹ בְּרָז גִּבּוֹרֵי כוֹחַ 12 וְרוּחוֹת
קוֹדֶשׁ וְלַהַט אֵשׁ מִתְהַפֶּכֶת בַּל יָ[בוֹא בְּ]מַעְיַן חַיִּים וְעִם עֲצֵי
עוֹלָם 13 לֹא יִשְׁתֶּה מֵי קוֹדֶשׁ בַּל יְנוֹבֵב פִּרְיוֹ עִם [ ]ע
שְׁחָקִים · כִּי רָאָה בְלֹא הִכִּיר 14 וַיַּחֲשׁוֹב בְּלֹא הֶאֱמִין לִמְקוֹר
חַיִּים · וַיִּתֵּן י[ ]ח עוֹלָם וַאֲנִי הָיִיתִי לְ[בִ]זְאֵי נְהָרוֹת
15 שׁוֹטְפִים כִּי גָרְשׁוּ עָלַי רִפְשָׁם · 16 וְאַתָּה אֵלִי שַׂמְתָּה בְּפִי
כְּיוֹרֶה גֶשֶׁם לְכוֹל [צָמֵא] וּמַבּוּעַ מַיִם חַיִּים וְלֹא יְכַזֵּב לִפְתּוֹחַ
17 הַשָּׁ[מַ]יִם · לֹא יָמִישׁוּ וְיִהְיוּ לְנַחַל שׁוֹטֵף עַ[ל]מַיִם וּלְיַמִּים
לְאֵין חֵ[קֶר] · 18 פִּיתְאוֹם יַבִּיעוּ מְחוּבָּאִים בַּסֵּתֶר [
]וְיִהְיוּ ל[ ] 19 לַח וְיָבֵשׁ מְצוּלָה לְכוֹל חַיָּה
וע[כְּ]עוֹפֶרֶת בְּמַיִם אַדִּירִי[ם] 20 [ ] אֵשׁ
וְיִבָשׁוּ · וּמַטַּע פְּרִי [ ]ר עוֹלָם לְעֵדֶן כָּבוֹד וּפר[ ]

[a] lies גִּזְעוֹ.

VIII

[...] 2 [...] deine Gerechtigkeit bleibt bestehen für immer, denn nicht [...] 3 [...]

4 Ich [preise dich Herr! Denn du] hast mich an einen Quellort von Bächen im trockenen Lande versetzt, eine Wasserquelle im dürren Land und Be[wä]sserung 5 eines Gartens [...] du [pflanztest] eine Pflanzung von Wacholder und Pappeln mit Zedern zusammen zu deiner Ehre[37], Bäume 6 des Lebens sind an geheimnisvollem Quell[38] verborgen inmitten aller Bäume am Wasser[39]. Und sie sollen Schößlinge treiben zu einer ewigen Pflanzung, 7 um Wurzeln zu schlagen, ehe sie sprossen, und ihre Wurzeln sollen sie zum Wasserla[uf] strecken. Und es hat freien Zugang zum Lebenswasser sein Wurzelstock, 8 und es wird zur ewigen Quelle. Und an seinem sprießenden Laub werden alle [Tiere] des Waldes weiden, und ein Tretplatz ist sein Wurzelstock für alle, 9 die des Weges vorbeiziehen, und seine Zweige für alle Vögel. Aber es werden sich über ihn alle Bä[ume] am Wasser erheben; denn in ihrer Pflanzung wachsen sie empor, 10 aber zum Wasserlauf strecken sie ihre Wurzel nicht hin. Aber der hei[li]ge Schößling treibt Blüten zur Pflanzung der Wahrheit, verborgen, nicht 11 geachtet und nicht erkannt, sein geheimnisvolles Siegel. Aber d[u, o Go]tt, hast rings seine Frucht beschützt[40] durch das Geheimnis kraftvoller Helden 12 und heiliger Geister und der zuckenden Feuerflamme, damit niemand [an] die Quelle des Lebens [herankomme] und mit den ewigen Bäumen 13 nicht heiliges Wasser trinke, seine Frucht nicht sprießen lasse zusammen mit [...] des Himmels. Denn man sieht, ohne zu erkennen, 14 und plant, ohne der Quelle des Lebens zu glauben. Und er gab [...] der Ewigkeit, und ich war ausgesetzt St[rö]men (?) flutender Flüsse, 15 denn sie haben auf mich ihren Schlamm geworfen[41]. 16 Aber du, mein Gott, hast in meinen Mund (etwas) gelegt wie Frühregen für alle [Durstigen] und eine Quelle lebendigen Wassers, die nicht trügt, um zu öffnen 17 den Hi[mm]el (?). Sie weichen nicht und werden zum flutenden Strom ge[gen ...] Wasser und zu Meeren ohne En[de]. 18 Plötzlich sprudeln hervor, die im Verborgenen versteckt waren [...] und sie werden [...] 19 grün oder dürr, eine Tiefe für jedes Lebewesen [... wie] Blei in mächtig[en] Wassern 20 [...] Feuer und verdorrten. Aber die Pflanzung der Frucht [...] Ewigkeit zu herrlicher Wonne [...] 21 und

21 וּבְיָדִי פָּתַחְתָּה מְקוֹרָם עִם מִפְלַגֵּי[הֶ]ם]ם לִפְנוֹת עַל
קַו נָכוֹן וּמַטַּע 22 עֲצֵיהֶם עַל מִשְׁקֶלֶת הַשֶּׁמֶשׁ לֹא[ ]נוּ
לְפֹאֲרַת כָּבוֹד · בַּהֲנִיפִי יָד לַעֲזוֹק 23 פְּלָגָיו יַכּוּ שָׁרָשָׁיו בְּצוּר
חַלָּמִישׁ · וּ[ ] בָּאָרֶץ גִּזְעָם וּבְעֵת חוֹם יַעֲצוֹר 24 מָעוֹז ·
וְאִם אָשִׁיב יָד יִהְיֶה כַעֲר[עֵ]ר בַּעֲרָבָה וְ[גִ]זְעוֹ כַחֲרֻלִּים בִּמְלֵחָה ·
[b]וּפְלָגָיו 25 יַעַל קוֹץ וְדַרְדַּר · לְשָׁמִיר וָשַׁיִת [
בְּ]שְׂפָתוֹ · יֶהֶפְכוּ כַעֲצֵי בְאוּשִׁים לִפְנֵי 26 חוֹם יִבּוֹל עָלָיו
וְלֹא נִפְתַּח עִם מַ[בּ]וּעַ]מָגוֹר עִם חוֹלָיִים וּמִ[ ]ע
ל[ ] 27 בַּנְּגִיעִים · וָאֶהְיֶה כְּאִישׁ נֶעֱזָב בּ[ ]
אֵין מָעוֹז לִי · כִּי פָּ[רַ]ח נִ[גְ]עִי 28 לִמְרוֹרִים וּכְאֵיב אָנוּשׁ לְאֵין
עֲצוֹר · [יֶהֱ]מֶה עָלַי כְּיוֹרְדֵי שְׁאוֹל · וְעִם 29 מֵתִים
יֶחְפֵּשׂ רוּחִי כִּי הִגִּיעוּ לַשַּׁחַת ח[ ] תִּתְעַטֵּף נַפְשִׁי יוֹמָם
וָלַיְלָה 30 לְאֵין מָנוֹחַ · וַיִּפְרַח כְּאֵשׁ בּוֹעֵר עָצוּר בַּעֲ[צָ]מַי] ·
עַד יָמִימָה תּוֹאכַל [c]שלבתה 31 לְהָתֵם כּוֹחַ לַקִּצִּים וּלְכַלּוֹת
בָּשָׂר עַד מוֹעֲדִים · וַיִּתְעוֹפְפוּ[עָלַי] מִשְׁבָּרִים 32 וְנַפְשִׁי עָלַי
תִּשְׁתּוֹחַח לְכָלָה · כִּי נִשְׁבַּת מָעוֹז מִגְוִיָּתִי וַיִּנָּגֵר כַּמַּיִם לִבִּי וַיִּמַּס
33 כַּדּוֹנַג בְּשָׂרִי וּמָעוֹז מוֹתְנַי הָיָה לַבֶּהָלָה · וַתִּשָּׁבֵר זְרוֹעִי
מִקָּנֶיהָ [וְאֵי]ן לְהָנִיף יָד · 34 [וְרַגְ]לִי נִלְכְּדָה בְכֶבֶל וַיֵּלְכוּ
כַמַּיִם בִּרְכַּי · וְאֵין לִשְׁלוֹחַ פַּעַם וְלֹא מִצְעָד לְקוֹל רַגְלָי ·
35 [ ]ע[ ]תקו בְּזִקֵּי מִכְשׁוֹל · וְלָשׁוֹן הִגְבַּרְתָּה
בְּפִי בְּלֹא נֶאֱסָפָה וְאֵין לְהָ[ר]ִים 36 קוֹל[ ] לְשׁוֹ[ן]
לְ[י]מּוּדַי [ ] לְחַיּוֹת רוּחַ כּוֹשְׁלִים וְלָעוּת לְעָאֵף דָּבָר · נֶאֱלָם
כּוֹל שְׂפָתַי 37 מפ[ ] בְּזִקֵּי מִשְׁפָּט ל[ ]לבי פות[
]אוֹ בִּמְרוֹרֵי[ ] לבב[ ]רים ממשל 38 [
]לים וא[ ]ש
התבל[ ] 39 [ ] נֶאֱלְמוּ כְאַיִן
40 [ ] אנוש לא [ ]

b lies וּבִפְלָגָיו — c lies שַׁלְהֶבֶת.

durch meine Hand hast du ihre Quelle geöffnet mit [ihren] Bächen [...], um zu wenden nach zuverlässiger Meßschnur und die Pflanzung 22 ihrer Bäume nach der Waage der Sonne [...] zu herrlichem Gezweig. Wenn ich die Hand ausstrecke, um 23 ihre Gräben zu hacken, schlagen sie ihre Wurzeln in Kieselgestein. [...] in der Erde ihr Wurzelstock, und in der heißen Zeit behält er 24 Kraft. Und wenn ich die Hand abwende, dann wird er wie Wachol[der in der Wüste und] sein Wurzelstock wie Unkraut in salzigem Boden. Und in seinen Gräben 25 wachsen Dornen und Disteln. Dem Gestrüpp und den Dornen (verfallen sie) [... an] seinem Ufer. Sie werden verwandelt wie Bäume mit Herlingen, infolge 26 der Hitze verdorren seine Blätter, und nicht wird eine Öffnung aufgetan mit einer Qu[elle ...] Schrecken mit Krankheiten [...] 27 in den Plagen. Und ich bin wie ein Mann, der verlassen ist [...], ohne Zuflucht für mich. Denn es spri[eß]t meine P[lag]e 28 zu Bitternissen und unstillbarem Schmerz, der nicht zu heilen ist. [...] es [schau]derte mich wie die, die zur Unterwelt fahren. Und bei 29 den Toten ist mein Geist bestürzt; denn es reichten zur Grube [...] es verzagte meine Seele Tag und Nacht 30 ohne Ruhe. Es schoß auf wie ein brennendes Feuer, verhalten in [meinen Gebeinen]. Viele Tage lang fraß eine Flamme, 31 um die Kraft auf lange Zeit zu vernichten und das Fleisch auf dauernde Zeiten zu zerstören. Und es flogen Wellen [auf mich zu], 32 und meine Seele war verstört bei mir bis zur Vernichtung. Denn geschwunden war meine Kraft aus meinem Leibe, und es zerfloß wie Wasser mein Herz, und es zerschmolz 33 wie Wachs mein Fleisch, und die Kraft meiner Hüften verfiel dem Untergang. Und mein Arm war aus meinen Gelenken gebrochen[42], [so daß es nicht mög]lich [war], die Hand zu bewegen. 34 Und mein [Fu]ß war in einer Fessel gefangen, und es gingen meine Knie wie Wasser. Und es war nicht möglich, einen Schritt zu tun, und kein Schritt geschah beim Schall meiner Füße. 35 [...] mit Fesseln zum Stolpern. Aber die Zunge hast du gestärkt in meinem Mund, ohne daß sie verging, aber es war nicht möglich, zum Schw[ei]gen zu bringen 36 die Stimme [... Zunge] der Jünger[43] [...] zu beleben den Geist der Strauchelnden und zu erquicken den, der zu müde ist zum Reden. Verstummt sind alle Lippen 37 [...] in Fesseln des Gerichts [...] oder in Bitternissen [...] 38 [...] 39 [...] sie verstummten wie nichts 40 [...]

IX

1 [ ] אפ [ ] [
2 [ ]ע[ ]נום בַּלַּיְלָה [ ]
3 [ ] לְאֵין רַחֲמִים · בְּאַף יְעוֹרֵר קִנְאָה וּלְכָלָה [ ]
4 מִשְׁבְּרֵי מָוֶת וּשְׁאוֹל עַל יְצוּעֵי עַרְשִׂי · בְּקִינָה תִשָּׂא [נַפְשִׁי] בְקוֹל
אֲנָחָה · 5 עֵינִי כְעָשׁ בְּכִבְשָׁן וְדִמְעָתִי כְּנַחֲלֵי מָיִם · כָּלוּ לְמָנוֹחַ
עֵינַי [ ] עָמַד לִי 6 מֵרָחוֹק וְחַיַּי מִצַּד · וַאֲנִי מִשָּׁאָה לִמְשׁוֹאָה
וּמִמַּכְאוֹב לְנֶגַע וּמֵחֲבָלִים 7 לְמִשְׁבָּרִים · תָּשׂוֹחַ נַפְשִׁי
בְנִפְלְאוֹתֶיכָה וְלֹא הִזְנַחְתַּנִי בַּחֲסָדֶיכָה · [מִ]קֵּץ 8 לְקֵץ
תִּשְׁתַּ[עֲ]שַׁע נַפְשִׁי בַּהֲמוֹן רַחֲמֶיכָה · וְאָשִׁיבָה לִמְבַלְּעַי דָּבָר
9 וּלְמִשְׁתּוֹחֲחַי בִּי תוֹכָחַת · וָאַרְשִׁיעָה דִינִי וּמִשְׁפָּטְכָה אַצְדִּיק
כִּי יָדַעְתִּי 10 בַּאֲמִתֶּכָה · וָאֶבְחֲרָה בְּמִשְׁפָּטִי וּבִנְגִיעַי רָצִיתִי
כִּי יִחַלְתִּי לַחֲסָדֶיכָה · וַתִּתֵּן 11 תְּחִנָּה בְּפִי עַבְדְּכָה וְלֹא
גָעַרְתָּה חַיַּי וּשְׁלוֹמִי לֹא הִזְנַחְתָּה וְלֹא עֲזַבְתָּה 12 תִקְוָתִי וְלִפְנֵי
נֶגַע הֶעֱמַדְתָּה רוּחִי · כִּי אַתָּה יְסַּדְתָּה רוּחִי וַתֵּדַע מְזִמָּתִי
13 וּבְצוּקוֹתַי נִחַמְתַּנִי וּבִסְלִיחוֹת אֶשְׁתַּעֲשֵׁעַ וְאֶנָּחֲמָה עַל פֶּשַׁע
רִאשׁוֹן · 14 וָאֵדְעָה כִּ[י] יֵשׁ מִקְוֶה בַּ[חֲ]סָדֶיכָה וְתוֹחֶלָה בְּרוֹב
כּוֹחֶכָה · כִּי לֹא יִצְדַּק 15 כּוֹל בְּמִ[שְׁפָּ]טְכָה וְלֹא יִ[זְ]כֶּה
בְ]רִיבְכָה · אֱנוֹשׁ מֵאֱנוֹשׁ יִצְדַּק וְגֶבֶר [מִגֶּבֶר] 16 יַשְׂכִּיל וּבָשָׂר
מִיֵּצֶר [חֵמֶר] יִכְבַּד וְרוּחַ מֵרוּחַ תִּגְבָּר · וְכִגְבוּ[רָ]תְכָה אֵין
17 בְּכוֹחַ וְלִכְבוֹדְכָה אֵין [חֵקֶר וּ]לְחָכְמָתְכָה אֵין מִדָּה וְלֹא[
[ ] 18 וּלְכוֹל הַנֶּעֱזָב מִמֶּנָּה [ ] וַאֲנִי
בְּכָה הצ[ ] 19 עָמְדִי וְלֹא ה[
[ ]שי[ ] 20 וּכְזוֹמֵם לִי ת[ ]
וְאִם לְבוֹשֶׁת פָּנִים כו[ ] 21 לִי וְאַתָּה בר[
[ ]תַּגְבֵּר צָרַי עָלַי לְמִכְשׁוֹל ל[ ] 22 אַנְשֵׁי מִלְחָמָ]ה
בו]שֶׁת פָּנִים וּכְלִמָּה לְנִרְגָּנַי בִּי · 23 כִּי אַתָּה אֵלִי
לְמ[ ] תָּרִיב רִיבִי כִּי בְּרָז חָכְמָתְכָה הוֹכַחְתָּה בִי

IX

[...] 2 [...] in der Nacht [...] 3 [...] ohne Erbarmen. Im Zorn erweckt er Eifer, und zur Vernichtung [...] 4 Wellen des Todes, und die Unterwelt ist am Lager meines Bettes. Im Leichenlied erhebt [meine Seele] mit seufzender Stimme. 5 Mein Auge ist wie eine Motte im Ofen, und meine Tränen sind wie Wasserbäche. Meine Augen schmachten nach Ruhe [...] steht bei mir 6 von fern und mein Leben abseits. Ich komme vom Verderben zur Verwüstung, vom Schmerz zur Plage und aus den Wehen 7 in Krämpfe[44]. Meine Seele bedenkt deine Wunder, und du in deiner Barmherzigkeit hast mich nicht verstoßen. [Von] einer Zeit 8 zur anderen fre[u]t sich meine Seele an der Fülle deines Erbarmens. Und ich gebe Antwort denen, die mich verschlingen wollten, 9 und Zurechtweisung denen, die sich auf mich stürzten. Und ich habe für Unrecht erklärt mein Urteil und erkannte dein Gericht als gerecht an; denn ich weiß 10 um deine Wahrheit. Und ich wählte das Gericht über mich und stimmte meinen Plagen zu; denn ich harre auf deine Barmherzigkeit. Und du gabst 11 Flehen in den Mund deines Knechtes und hast mein Leben nicht bedroht, und meinen Frieden hast du nicht verstoßen und nicht verlassen 12 meine Hoffnung, und gegen Plage ließest du meinen Geist fest stehen. Denn du hast meinen Geist fest gegründet und kennst mein Sinnen, 13 und in meinen Bedrängnissen hast du mich getröstet, und an den Vergebungen freue ich mich und bereue die frühere Sünde. 14 Und ich erkannte, da[ß] es Hoffnung gibt durch deine [Ba]rmherzigkeit und Erwartung durch die Fülle deiner Kraft. Denn niemand ist gerecht 15 in deinem Ge[richt], und niemand un[schuldig in] deinem Prozeß. Ein Mensch ist gerechter als der andere und ein Mann 16 klüger [als der andere] und ein Fleisch(eswesen) würdiger als ein Gebilde von [Ton] und ein Geist stärker als der andere. Aber nichts gibt es wie deine Mach[tta]ten 17 an Kraft, und deine Ehre ist un[erforschlich und] deine Weisheit ohne Maß und nicht [...] 18 und jedem, der davon verlassen ist [...] und ich, durch dich [...] 19 an mir und nicht [...] 20 Und gemäß ihrem Planen wider mich [...] und wenn zur Schande des Angesichtes [...] 21 mir und du [...] du stärkst meine Feinde wider mich zum Fallstrick [...] 22 Männer des Kampf[es ... Scha]nde des Angesichtes und Schmach für die, die gegen mich murrten.

24 וַתְּחַבֵּא אֱמֶת לְקֵ[ץ הַגְּלוֹתָהּ] מוֹעֲדוֹ ׳ וַתְּהִי תוֹכַחְתְּכָה
לִי לְשִׂמְחָה וְשָׂשׂוֹן 25 וּנְגִיעַי לְמַרְפֵּא ע[ ] נֵצַח וּבוּז
צָרַי לִי לִכְלִיל כָּבוֹד וְכִשְׁלוֹנִי לִגְבוּרַת 26 עוֹלָם ׳ כִּי בְשׂ[
] וּבִכְבוֹדְכָה הוֹפִיעַ אוֹרִי כִּי מָאוֹר מֵחוֹשֶׁךְ
27 הֶאִירוֹתָה לִ[י וַתְּרַפֵּא מַחַ]ץ מַכָּתִי וּלְמִכְשׁוֹלִי גְבוּרַת
פֶּלֶא וּרְ[ח]וֹב 28 עוֹלָם בְּצָרַת נַפְשִׁ[י] מְנוּסִי
מִשְׂגַּבִּי סֶלַע עוּזִּי וּמְצוּדָתִי בְכָה 29 אֶחֱסָיָה מִכּוֹל מ[
]לִי לְפַלֵּט עַד עוֹלָם ׳ כִּי אַתָּה מֵאָבִי 30 יְדַעְתַּנִי
וּמֵרֶחֶם [הִקְדַּשְׁתַּנִי וּמִבֶּטֶן] אִמִּי גָּמַלְתָּה עָלָי ׳ וּמִשְּׁדֵי הוֹרִיָּתִי
רַחֲמֶיךָ 31 לִי וּבְחֵיק אוֹמַנְתִּי [ ] וּמִנְּעוּרַי
הוֹפַעְתָּה לִי בְּשֵׂכֶל מִשְׁפָּטֶכָה ׳ 32 וּבֶאֱמֶת נָכוֹן סְמַכְתַּנִי
וּבְרוּחַ קוֹדְשְׁכָה תְּשַׁעְשְׁעֵנִי ׳ וְעַד הַיּוֹם [ ] הל[ ]י
33 וְתוֹכַחַת צִדְקְכָה עִם [ ]ותי וּמִשְׁמַר שְׁלוֹמְכָה לְפַלֵּט נַפְשִׁי ׳
וְעִם מִצְעָדַי 34 רוֹב סְלִיחוֹת וַהֲמוֹן [רַחֲ]מִים בְּהִשָּׁפְטְכָה בִּי ׳
וְעַד שֵׂיבָה אַתָּה תְּכַלְכְּלֵנִי ׳ כִּיא 35 אָבִי לֹא יְדָעַנִי וְאִמִּי
עָלֶיכָה עֲזָבַתְנִי ׳ כִּי אַתָּה אָב לְכוֹל [בְּנֵי] אֲמִתְּכָה וְתָגֵל
36 עֲלֵיהֶם כְּמְרַחֶמֶת עַל עוּלָהּ וּכְאוֹמֵן בְּחֵיק תְּכַלְכֵּל לְכוֹל
מַעֲשֶׂ[י]כָה ׳
37 [ ] אוֹדְכָה אֲדוֹנָי ׳ כִּי[
38 [ ] הִגְבַּרְתָּה עַד אֵין מִסְ[פָּר] ׳
39 [ ] [ ] שִׁמְכָה בְּהַפְלֵא מ[ ]
]ן השבת [ ]
40 [ ]כלו והלל [ ]

X

[מְ]זִמַּת לִבְּכָה [ ]
2 [ ]ל וּבִלוֹא רְצוֹנְכָה לֹא יִהְיֶה וְלֹא יִתְבּוֹנֵן כּוֹל בחו[
[3] [ ]יכה לֹא יַבִּיט כּוֹל ׳ וּמָה [a]אֵפֹהוּ אָדָם ׳

[a] lies אַף הוּ.

23 Denn du, mein Gott, [...] führst meinen Streit; denn im Geheimnis deiner Weisheit hast du mich zurechtgewiesen, 24 und die Wahrheit verbargst du für [die Zeit, sie zu enthüllen ...] seine Frist. Und es wurde mir deine Zurechtweisung zur Freude und Wonne 25 und meine Plagen zur Heilung [...] Dauer und die Verachtung meiner Feinde zur Ehrenkrone und mein Straucheln zu ewiger Stärke. 26 Denn [...] und in deiner Herrlichkeit leuchtete mein Licht auf; denn ein Licht aus der Finsternis 27 hast du mi[r] aufleuchten lassen [... und du heiltest die Wun]de, die mir geschlagen wurde, und bei meinem Stolpern war Wunderkraft da und unendlicher R[a]um 28 in der Not [meiner] Seele [...] meine Zuflucht, meine Burg, Fels meiner Kraft und meine Feste, auf dich 29 will ich trauen vor allem [...] zu retten auf ewig. Denn von meinem Vater her 30 hast du mich erkannt und vom Mutterschoß her [mich geheiligt[45] und von] Mutter[leib] an mir Gutes getan. Und von Mutterbrust an ist dein Erbarmen 31 bei mir gewesen, und am Busen meiner Amme [...] und von meiner Jugend an erschienst du mir in der Einsicht in dein Gericht. 32 Und durch gewisse Wahrheit hast du mich gestützt und durch deinen heiligen Geist mich erfreut. Und bis auf den Tag [...] 33 und deine gerechte Zurechtweisung war bei [...] und deine heilvolle Obhut ist da, um meine Seele zu retten. Und mit meinen Schritten 34 ist reiche Vergebung und Fülle des [Er]barmens, als du mit mir ins Gericht gingst. Und bis ins Alter hinein wirst du mich umsorgen. Denn 35 mein Vater kennt mich nicht und meine Mutter hat mich dir überlassen. Ja, du bist ein Vater für alle [Söhne] deiner Wahrheit und freust dich 36 über sie wie eine Mutter über ihr Kind, und wie ein Pfleger versorgst du auf dem Schoß alle deine Ges[ch]öpfe[46].

37 [Ich preise dich, Herr! Denn] du hast dich stark erwiesen unzä[hlig oft]. 38 [...] dein Name durch Wunderbarmachen [...] 39 [...] 40 [...]

X

[... T]rachten deines Herzens [...] 2 [...] und ohne deinen Willen geschieht nichts[47], und keiner gewinnt Einsicht in [...] 3 [...] wird niemand blicken. Und was ist er denn, der Mensch? Erde ist er, [...] 4 abgekniffener Ton, und zum

וַאֲדָמָה הוּא[ ] 4 קוֹרָץ וְלֶעָפָר תְּשׁוּבָתוֹ כִּי תַשְׂכִּילֶנּוּ
בְּנִפְלָאוֹת כָּאֵלֶּה וּבְסוֹד אֲ[מִתְּכָה] 5 תוֹדִיעֶנּוּ ' וַאֲנִי עָפָר
וָאֵפֶר ' מָה אֶזּוֹם בְּלוֹא חֲפַצְתָּה ' וּמָה אֶתְחַשֵּׁב 6 בְּאֵין רְצוֹנְכָה '
מָה אֶתְחַזֵּק בְּלֹא הֶעֱמַדְתָּנִי ' וְאֵיכָה [b]אכשיל בְּלֹא יְצַרְתָּה
7 לִי ' וּמָה אֲדַבֵּר בְּלֹא פְּתַחְתָּה פִי ' וְאֵיכָה אָשִׁיב בְּלוֹא הִשְׂכַּלְתָּנִי '
8 הִנֵּה אַתָּה שַׂר אֵלִים וּמֶלֶךְ נִכְבָּדִים וַאֲדוֹן לְכוֹל רוּחַ וּמוֹשֵׁל
בְּכָל מַעֲשֶׂה ' 9 וּמִבַּלְעָדֶיכָה לֹא יֵעָשֶׂה כוֹל וְלוֹא יִוָּדַע בְּלוֹא
רְצוֹנֶכָה ' וְאֵין זוּלָתְךָ 10 וְאֵין עִמְּכָה בְּכוֹחַ ' וְאֵין לְנֶגֶד
כְּבוֹדְכָה וְלִגְבוּרָתְכָה אֵין מְחִיר ' וּמִי 11 בְּכוֹל מַעֲשֵׂי פִלְאֲכָה
הַגְּדוֹלִים יַעֲצוֹר כּוֹחַ לְהִתְיַצֵּב לִפְנֵי כְבוֹדֶכָה ' 12 וּמָה
[c]אפהוא שָׁב לַעֲפָרוֹ כִּי יַעֲצוֹר [כּוֹחַ] ' רַק לִכְבוֹדְכָה עָשִׂיתָה
כוֹל אֵלֶּה '

14 בָּרוּךְ אַתָּה אֲדוֹנָי אֵל הָרַחֲמִים [וְרַב הֶ]חָסֶד ' כִּי
הוֹדַעְתַּ[נִי]ל[ ]ל[ ] 15 נִפְלְאוֹתֶכָה ' וְלֹא לָהַס יוֹמָם
וָ[לַיְלָה]ל[ ]ל[ ]ל[ ] 16 לְחַסְדְּכָה בְּגוֹדֶל
טוּבְכָה וְרַ[חֲמֶיךָ]
17 כִּי נִשְׁעַנְתִּי בַּאֲמִתְּכָה [ ]
18 מִצְּבַ[וּתְ]כָה וּבְלֹא [ ]גַּעֲרָתְךָ אֵין
מִכְשׁוֹל [ ] 19 נֶגַע בְּלוֹא יְדַעְתָּה [
]כה 20 וַאֲנִי לְפִי דַעְתִּי בַּאֲמִ[תְּכָה]
וּבְהַבִּיטִי בִּכְבוֹדְכָה אֲסַפְּרָה 21 נִפְלְאוֹתֶיכָה וּבַהֲבִינִי
בְּ[הֲ]מוֹן רַחֲמֶיכָה וְלִסְלִיחוֹתֶיכָה 22 אֲקַוֶּה ' כִּי
אַתָּה יְצַרְתָּה [רוּחַ עַבְדְּכָה וּבִרְצוֹ]נְכָה הֲכִינוֹתַנִי וְלֹא נָתַתָּה
23 מִשְׁעָנִי עַל בֶּצַע וּבְהָ[וֹן]בִי וְיֵצֶר בָּשָׂר לֹא
שַׂמְתָּה לִי מָעוֹז ' 24 חֵיל גִּבּוֹרִים עַל רוֹב עֹד[ר]וֹב

[b] lies אַשְׂכִּיל — [c] lies אַף הוּא.

Staube geht seine Rückkehr[48], daß du ihm Einsicht in Wunder wie diese gibst und ihn im Rat [deiner] Wa[hrheit] 5 belehrst. Ich bin Staub und Asche. Was soll ich denken, ohne daß du es willst? Und was sollte ich planen 6 ohne deinen Willen? Wie soll ich Festigkeit gewinnen, ohne daß du mich aufstellst? Und wie soll ich einsichtig sein, ohne daß du es mir bereitest? 7 Und wie soll ich reden, ohne daß du mir den Mund auftust? Und wie soll ich antworten, ohne daß du mich belehrst? 8 Siehe, du bist der Fürst der Göttlichen und der König der Angesehenen und der Herr jeglichen Geistes und der Herrscher über jedes Geschöpf. 9 Und ohne dich wird nichts getan, und nichts wird ohne deinen Willen erkannt. Und außer dir ist niemand, 10 und niemand ist dir vergleichbar an Kraft. Und nichts ist etwas vor deiner Herrlichkeit, und für deine Macht gibt es keinen Preis. Und welches 11 unter allen deinen wunderbaren, großen Werken hätte die Kraft, vor deiner Herrlichkeit zu bestehen? 12 Und was ist er also — er kehrt zu seinem Staub zurück —, daß er [Kraft] aufbrächte? Nur zu deiner Ehre hast du alle diese geschaffen!

14 Gepriesen seist du, Herr, Gott der Barmherzigkeit [und reich] an Gnade! Denn du hast [mich] wissen lassen [...] 15 deiner Wunder. Tag und [Nacht] soll nicht verstummen [...] 16 deiner Gnade in deiner großen Güte und [deines Erbarmens ...] 17 Denn ich stützte mich auf deine Wahrheit [...] 18 ohne deinen W[ill]en, und ohne [...] dein Schelten gibt es kein Fallen [...] 19 Plage, ohne daß du es weißt [...] 20 Und ich, entsprechend meiner Erkenntnis in [deiner] Wahr[heit ...], und indem ich auf deine Herrlichkeit schaue, will ich erzählen 21 deine Wunder, und indem ich verstehe [...], dein reiches Erbarmen, und auf deine Vergebungen 22 harre ich. Denn du hast [den Geist deines Knechtes] gebildet, [und nach] deinem [Wil]len hast du mich bereitet, und nicht hast du gegeben 23 meine Stütze auf Gewinn und auf Be[sitz ...], und fleischliches Gebilde hast du mir nicht zur Zuflucht gemacht. 24 Die Kraft der Helden (ruht) auf der Fülle [... F]ülle von Korn, Most und Öl. 25 Und sie[49] brüsteten sich mit Besitz und Vermögen [... gr]ünender [Baum] am Rand von Wassern, um Laub zu tragen 26 und viele Zweige zu haben; denn [...] Menschen, und daß sich alles erquicke von der Erde. 27 Aber den Söhnen deiner Wahrheit gibst du Wi[ssen ...] ewig. [Und]

דָּגָן תִּירוֹשׁ וְיִצְהָר ׳ 25 וַיִּתְרוֹמְמוּ [בְּ]מִקְנֶה וְקִנְיָן [עֵץ
רַ]עֲנָן עַל פַּלְגֵי מַיִם לָשֵׂאת עָלֶה 26 וּלְהַרְבּוֹת עָנָף כִּי בח[
]אָדָם וּלְהַדְשֵׁן כּוֹל מֵאָרֶץ ׳ 27 וְלִבְנֵי אֲמִתְּכָה
נָתַתָּה שֵׂ[כֶל] עַד ׳ [וּ]לְפִי דַעְתָּם יְכֻבְּד[וּ]
28 אִישׁ מֵרֵעֵהוּ ׳ וְכֵן לְבֶן א[ ]שׁ הִרְבֵּיתָה
נַ[חֲ]לָתוֹ 29 בְּדַעַת אֲמִתְּכָה וּלְפִי דַעְתּוֹ ו[ ]בו נֶפֶ[שׁ]
עַבְדְּכָה תִעֲבָה [הוֹן] 30 וָבֶצַע וּבְרוּם עֲדָנִים לֹא[ ]
שָׂשׂ לִבִּי בִּבְרִיתְכָה וַאֲמִתְּכָ[ה] 31 תְּשַׁעֲשַׁע נַפְשִׁי ׳ וְאֶפְרְחָה
[כְּשׁוֹ]שַׁנָּ[ה] וְלִבִּי נִפְתַּח לִמְקוֹר עוֹלָם 32 וּמִשְׁעַנְתִּי בְּמָעוֹז
מָרוֹם ו[ ] עָמָל וַיִּבּוֹל כְּנֵץ לִפְנֵי [ ]
33 וַיִּתְהוֹלֵל לִבִּי בְּחַלְחָלָה וּמוֹתְנַי בִּרְעָדָה ׳ וַנֲהֲמָתִי עַד תְּהוֹם
תָּבוֹא 34 וּבְחַדְרֵי שְׁאוֹל תִּתְחַפֵּשׂ יַחַד ׳ וְאֶפְחֲדָה בְּשׁוֹמְעִי
מִשְׁפָּטֶיכָה עִם גִּבּוֹרֵי 35 כוֹחַ וְרִיבְכָה עִם צְבָא קְדוֹשֶׁיכָה
ב[ ]שה 36 וּמִשְׁפָּט בְּ[כ]וֹל מַעֲשֶׂיכָה
וְצֶדֶק [ ]
37 [ ]
38 [ ]תי
39 [ ]עתי

XI

בְּפַחַ[ד]ה[ ] עָ[מָ]ל מֵעֵינַי וְיָג[וֹן
2 בַּהֲגִי לִבִּי ׳ [
3 אוֹדְכָה אֵלִי ׳ כִּי הִפְלֵתָה עִם עָפָר וּבְיֵצֶר חֵמֶר הִגְבַּרְתָּה
[a]מְוֹדָה [b]מוֹדָה ׳ וַאֲנִי מַה כִּיא 4 [הֲבִינוֹ]תַנִי בְּסוֹד אֲמִתְּכָה
וַתַּשְׂכִּילֵנִי בְּמַעֲשֵׂי פִלְאֶכָה ׳ וַתִּתֵּן בְּפִי הוֹדוֹת וּבִלְשׁוֹנִי
5 [תְהִלָּ]ה ׳ וּמַ[ו]ל שְׂפָתַי בִּמְכוֹן רִנָּה וַאֲזַמְּרָה בַחֲסָדֶיכָה

[a] = מְאֹדָה — [b] Dittographie.

entsprechend ihrer Erkenntnis genießen sie Ansehen 28 untereinander. Und so wird dem Sohn [...] du hast sein E[r]be gemehrt 29 durch Erkenntnis deiner Wahrheit, und entsprechend seiner Erkenntnis [...] die [See]le deines Knechts verabscheut [Besitz] 30 und Gewinn und an hohen Wonnen nicht [...]. Es freut sich mein Herz an deinem Bund, und dein[e] Wahrheit 31 erfreut meine Seele. Und ich sproßte auf [wie eine Lilie], und mein Herz öffnete sich der ewigen Quelle, 32 und meine Stütze war beim Zufluchtsort der Höhe [...] Mühsal und welkte wie die Blüte vor [...] 33 und es zitterte mein Herz in Angst und meine Lenden bebten. Und mein Seufzen drang bis zur Urtiefe 34 und breitete sich zugleich aus in den Kammern der Unterwelt. Ich erschrak, als ich hörte von deinen Gerichten an den Helden 35 der Kraft und von deinem Rechtsstreit mit dem Heer deiner Heiligen[50] [...] 36 und Gericht über all deine Werke, und Recht [...] 37 [...] 38 [...] 39 [...]

XI

in Schreck[en ... M]ühsal von meinen Augen und Kum[mer ...] 2 im Sinnen meines Herzens.

3 Ich preise dich, mein Gott! Denn du hast wunderbar am Staube gehandelt und am Gebilde von Lehm dich überaus herrlich erwiesen. Was aber bin ich, daß 4 du mich [belehrt] hast im Rat deiner Wahrheit und mich unterwiesest in deinen wunderbaren Werken? Und du gabst mir Loblieder in den Mund und auf meine Zunge 5 [Lobpr]eis. Und was von meinen Lippen kommt, (ist) am Orte des Jubels, und ich will deine Barmherzigkeit besingen und deine Macht bedenken den ganzen 6 Tag. Ständig will ich deinen Namen preisen und deine Ehre erzählen unter den Menschenkindern, und am Reichtum deiner Güte

וּבִגְבוּרָתְכָה אֲשׁוֹחֲחָה כול 6 הַיּוֹם ' תָּמִיד אֲבָרְכָה שִׁמְכָה
וַאֲסַפְּרָה כְבוֹדְכָה בְּתוֹךְ בְּנֵי אָדָם וּבְרוֹב טוּבְכָה 7 תִּשְׁתַּעֲשַׁע
נַפְשִׁי ' וַאֲנִי יָדַעְתִּי כִּי אֱמֶת פִּיכָה וּבְיָדְכָה צְדָקָה וּבְמַחֲשַׁבְתְּכָה
8 כול דֵּעָה וּבְכוֹחֲכָה כול גְּבוּרָה וְכוֹל כָּבוֹד אִתְּכָה הוּא '
בְּאַפְּכָה כול מִשְׁפְּטֵי נֶגַע 9 וּבְטוּבְכָה רוֹב סְלִיחוֹת וְרַחֲמֶיכָה
לְכוֹל בְּנֵי רְצוֹנֶכָה ' כִּי הוֹדַעְתָּם בְּסוֹד אֲמִתְּכָה 10 וּבְרָזֵי
פִּלְאֲכָה הִשְׂכַּלְתָּם ' וּלְמַעַן כְּבוֹדְכָה טִהַרְתָּה אֱנוֹשׁ מִפֶּשַׁע
לְהִתְקַדֵּשׁ 11 לְכָה מִכּוֹל תּוֹעֲבוֹת נִדָּה וְאַשְׁמַת מָעַל ' לְהִוָּחֵד
[עִם] בְּנֵי אֲמִתְּךָ וּבְגוֹרָל עִם 12 קְדוֹשֶׁיכָה ' לְהָרִים מֵעָפָר
תּוֹלַעַת מֵתִים לְסוֹד [עוֹלָם] וּמֵרוּחַ נַעֲוָה לְבִינָתְ[כָה]
13 וּלְהִתְיַצֵּב בְּמַעֲמָד לְפָנֶיכָה עִם צְבָא עַד וְרוּחֵי [דַעַת]
לְהִתְחַדֵּשׁ עִם כּוֹל 14 נִהְיָה וְעִם יֹדְעִים בְּיַחַד רִנָּה '
15 אוֹדְכָה אֵלִי אֲרוֹמִמְכָה צוּרִי וּבְהַפְלֵא[ ]
16 [ ] ' כִּי הוֹדַעְתַּנִי סוֹד אֱמֶת [ ]
17 [וְנִפְלְא]וֹתֶי[כָ]ה גִּלִּיתָה לִי וָאַבִּיט [ ]י
חֶסֶד ' וָאֵדְעָה 18 [כִּי] לְכָה הַצֶּדֶק וּבַחֲסָדֶיכָה יֵשׁ[
]ה וְכָלָה בְּלוֹא רַחֲמֶיךָ ' 19 וַאֲנִי נִפְתַּח לִי מָקוֹר לְאֵבֶל
מְרוֹרִים [ ] לֹא נִסְתַּר עָמָל מֵעֵינַי 20 בְּדַעְתִּי
יִצְרֵי גֶבֶר וּתְשׁוּבַת אֱנוֹשׁ [לֶעָפָר] לְחַטָּאָה וִיגוֹן
21 אַשְׁמָה ' וַיָּבוֹאוּ בִלְבָבִי וַיִּגְּעוּ בַעֲצָמַ[י]ים וְלַהֲגוֹת
הֲגִי 22 יָגוֹן וַאֲנָחָה בְּכִנּוֹר קִינָה לְכוֹל אֵבֶל יָג[וֹן] וּמִסְפַּד
מְרוֹרִים עַד כַּלּוֹת עַוְלָה ' וא[ ] וְאֵין נֶגַע לְהַחֲלוֹת ' וְאָז
23 אֲזַמְּרָה בְכִנּוֹר יְשׁוּעוֹת וְנֵבֶל שִׂמְ[חָה]לה וַחֲלִיל
תְּהִלָּה לְאֵין 24 הַשְׁבֵּת ' וּמִי בְכוֹל מַעֲשֶׂיכָה יוּכַל לְסַפֵּר
[נִפְלְאוֹתֶי]כָה ' בְּפִי כוּלָּם יְהוּלַּל 25 שִׁמְכָה לְעוֹלְמֵי עַד '
יְבָרְכוּכָה כְּפִי שִׂכְ[לָם]ים יַשְׁמִיעוּ יַחַד 26 בְּקוֹל

7 ergötzt sich meine Seele. Und ich habe erkannt, daß Wahrheit dein Mund ist und in deiner Hand Gerechtigkeit und in deinem Denken 8 alle Erkenntnis und in deiner Kraft alle Gewalt und alle Herrlichkeit, bei dir ist sie. Durch deinen Zorn kommen alle Plagegerichte 9 und durch deine Güte die Fülle der Vergebungen, und dein Erbarmen gilt allen Söhnen deines Wohlgefallens. Denn du hast sie belehrt im Rat deiner Wahrheit, 10 und in deinen wunderbaren Geheimnissen hast du sie unterwiesen. Um deiner Ehre willen hast du den Menschen von Sünde gereinigt, daß er sich heilige 11 für dich von allen unreinen Greueln und von schuldhafter Untat; daß er vereint sei [mit] den Söhnen deiner Wahrheit und im Los mit 12 deinen Heiligen; um aus dem Staub zu erhöhen den Wurm der Toten[51] zu [ewigem] Rat und vom verkehrten Geist zu [deiner] Einsicht, 13 daß er hintrete an den Standort vor dir mit dem ewigen Heer und den Geistern [des Wissens], um sich zu erneuern mit allem, 14 was ist, und mit den Wissenden in gemeinsamem Jubel.

15 Ich preise dich, mein Gott, ich will dich erheben, mein Fels, und auf wunderbare Weise [...] 16 [...] Denn du hast mich den Rat deiner Wahrheit wissen lassen [...] 17 [und] deine [Wun]der hast du mir offenbart, und ich schaute [...] der Gnade. Und ich erkannte, 18 [daß] bei dir die Gerechtigkeit ist und bei deiner Gnade [...] und Vernichtung ohne dein Erbarmen. 19 Mir aber wurde aufgetan eine Quelle zu bitterer Trauer [...] nicht bleibt Mühsal meinen Augen verborgen, 20 da ich erkannte das Streben des Mannes und die Rückkehr des Menschen [zum Staube ...] zu Sünde und Kummer 21 über die Schuld. Und sie kamen in mein Herz und drangen in [mein] Gebein [...] und zu nachdenklichem Sinnen 22 voller Kummer, zu Seufzen auf der Klageleier für alle kum[mervolle] Trauer und zu bitterer Wehklage bis zum Ende des Frevels. [...] und keine Plage zum Krankmachen. Und dann 23 will ich spielen auf der Zither der Hilfen und der Harfe der Freu[de ...] und der Flöte des Lobes ohne 24 Ende. Und welches unter all deinen Werken ist imstande, deine [Wunder] zu erzählen? Durch aller Mund wird gelobt 25 dein Name in alle Ewigkeit. Es preisen dich entsprechend ihrer [Ein]sicht [...] sie lassen vereint erklingen 26 mit dem Schall des Jauchzens. Kein Kummer und kein Seufzen und kein Unrecht [...] und deine Wahrheit strahlt auf 27 zu ewiger Herrlichkeit und immerwährendem Frieden. Gepriesen seist du, [Herr, d]er du [deinem Knechte]

רִנָּה ׳ וְאֵין יָגוֹן וַאֲנָחָה וְעַוְלָה [ ]וַאֲמִתְּכָה
תּוֹפִיעַ 27 לִכְבוֹד עַד וּשְׁלוֹם ᶜעולום ׳ בָּרוּךְ אַתָּ]ה אֲדוֹנָי
אֲ]שֶׁר נָתַתָּה לְ]עַבְדְּךָ] 28 שֵׂכֶל דֵּעָה לְהָבִין בְּנִפְלְאוֹתֶיכָה
[וּלְ]סַפֵּר בְּרוֹב חֲסָדֶיכָה ׳ 29 בָּרוּךְ אַתָּה אֵל
הָרַחֲמִים וְהַחֲנִינָה כִּגְדוֹ[ל כּוֹחֲ]כָה וְרוֹב אֲמִתְּכָה וַהֲמוֹ[ן]
30 חֲסָדֶיכָה בְּכוֹל מַעֲשֶׂיכָה ׳ שַׂמַּח נֶפֶשׁ עַבְדְּכָה בַּאֲמִתְּכָה
וְטַהֲרֵנִי 31 בְּצִדְקָתְכָה כַּאֲשֶׁר יִחַלְתִּי לְטוּבְכָה וְלַחֲסָדֶיכָה
אֲקַוֶּה ׳ וְלִסְלִיחוֹתֶ[יכָה] 32 פָּתַחְתָּה מִשְׁבָּרַי וּבִיגוֹנִי נִחַמְתָּנִי
כִּיא ᵈנשנתי בְּרַחֲמֶיכָה ׳ בָּרוּךְ אַתָּ[ה] 33 אֲדוֹנָי כִּי אַתָּה
פָּעַלְתָּה אֵלֶּה וַתָּשֶׂם בְּפִי עַבְדְּכָה [ ]
34 וּתְחִנָּה וּמַעֲנֵה לָשׁוֹן ׳ וַהֲכִינוֹתָה לִי[ ]עול [ ]
35 וְאֶעֱצוֹ[ר]ל[ ]ב[ ]
36 וְאַתָּה [ ]
37 אמ[ ]
38 וא[ ]

XII

[ ] תִּרְחַ[ב] נַפְשִׁ[י]
2 [ ]ה לָבֶטַח בִּמְעוֹן קֹ[וֹדֶשׁ בְּשֶׁ]קֶט
וְשַׁלְוָה 3 [ ]אהלו ב[ ] וִישׁוּעָה ׳ וַאֲהַלְלָה
שִׁמְכָה בְּתוֹךְ יְרֵאֶיכָה ׳ 4 [הֹ]וֹדוֹת וּתְפִלָּה לְהִתְנַפֵּל
וְהִתְחַנֵּן תָּמִיד מִקֵּץ לְקֵץ עִם מְבוֹא אוֹר 5 מִמְּ[עוֹנָתוֹ]
בִּתְקוּפוֹת יוֹם לְתִכּוּנוֹ לְחוּקוֹת מָאוֹר גָּדוֹל ׳ בִּפְנוֹת עֶרֶב וּמוֹצָא
6 אוֹר בְּרֵשִׁית מֶמְשֶׁלֶת חוֹשֶׁךְ לְמוֹעֵד לָיְלָה ׳ בִּתְקוּפָתוֹ לִפְנוֹת
בּוֹקֶר וּבְקֵץ 7 הֵאָסְפוֹ אֶל מְעוֹנָתוֹ מִפְּנֵי אוֹר לְמוֹצָא לַיְלָה
וּמְבוֹא יוֹמָם ׳ תָּמִיד בְּכוֹל 8 מוֹלְדֵי עֵת יְסוֹדֵי קֵץ וּתְקוּפַת
מוֹעֲדִים בְּתִכּוּנָם בְּאוֹתוֹתָם לְכוֹל 9 מֶמְשַׁלְתָּם בְּתִכּוּן נֶאֱמָנָה

ᶜ = עוֹלָם — ᵈ lies נִשְׁעַנְתִּי.

gegeben hast 28 die Einsicht der Erkenntnis, um deine Wunder zu verstehen [... und zu] erzählen von der Fülle deiner Gnadentaten. 29 Gepriesen seist du, Gott der Barmherzigkeit und der Huld entsprechend deiner groß[en Kraft] und der Fülle deiner Wahrheit und dem Reichtum 30 deiner Gnade an allen deinen Werken. Erfreue die Seele deines Knechtes in deiner Wahrheit und reinige mich 31 durch deine Gerechtigkeit, wie ich harre auf deine Güte und auf deine Gnade hoffe. Und durch [deine] Vergebungen 32 hast du meine Schmerzen gelöst, und in meinem Kummer hast du mich getröstest; denn ich habe mich auf dein Erbarmen gestützt. Gepriesen seist du, 33 Herr, daß du dieses getan hast und in den Mund deines Knechtes gelegt hast [...] 34 und Flehen und Antwort der Zunge, und du bereitest mir [...] 35 und ich werde bewahren [...] 36 und du [...] 37 [...] 38 [...]

XII

[...] weit [ist meine] Seele [...] 2 [...] sicher in [heiliger] Wohnung [in R]uhe und Sorglosigkeit [...] 3 [...] und Heil. Und ich will rühmen deinen Namen unter denen, die dich fürchten. 4 [... Lo]blieder und Gebet, niederzufallen und zu flehen, beständig von Zeit zu Zeit[52]: wenn das Licht kommt 5 aus [seiner] Wo[hnung], an den Wenden des Tages nach seiner Ordnung gemäß den Gesetzen der großen Leuchte; wenn es Abend wird und sich zurückzieht 6 das Licht, zu Beginn der Herrschaft der Finsternis für die Zeit der Nacht; an ihrer Wende, wenn es Morgen wird und zur Zeit, 7 da sie sich zurückzieht in ihre Wohnung vor dem Licht, zum Ausgang der Nacht und Anbruch des Tages; ständig zu allen 8 Anfängen der Zeit, den Grundlagen der Zeit und der Wende der Festzeiten in ihrer Ordnung, bei ihren Zeichen für all 9 ihre Herrschaft, in der Ordnung, die von Gottes Mund festgesetzt ist, und der Bestimmung dessen, was ist. Und sie wird bleiben 10 ohne Ende, und außer ihr ist nichts und wird nichts sein. Denn der Gott der Erkenntnis 11 hat sie

מִפִּי אֵל וּתְעוּדַת הוֹוֶה ׳ וְהִיאָה תִהְיֶה 10 וְאֵין אֶפֶס וְזוּלָתָהּ
לוֹא הָיָה וְלוֹא יִהְיֶה עוֹד ׳ כִּי אֵל הַדֵּעוֹת 11 הֱכִינָהּ וְאֵין אַחֵר
עִמּוֹ ׳ וַאֲנִי מַשְׂכִּיל יְדַעְתִּיכָה אֵלִי בָּרוּחַ 12 אֲשֶׁר נָתַתָּה בִּי
וְנֶאֱמָנָה שָׁמַעְתִּי לְסוֹד פִּלְאֲכָה בְּרוּחַ קוֹדְשֶׁכָה ׳ 13 [פָּ]תַחְתָּה
לְתוֹכִי דַעַת בְּרָז שִׂכְלְכָה וּמַעְיַן גְּבוּרָ[תְכָה]יך
14 [ ]ה לְרוֹב חֶסֶד וְקִנְאַת כָּלָה והשב[ ]
15 [ ] הֲדַר כְּבוֹדְכָה לְאוֹר ע[וֹלָם]
16 [פֶּ]חַד רִשְׁעָה וְאֵין רְמִיָּה [ ]
17 [מוֹ]עֲדֵי שְׁמָמָה כִּיא אֵין ע[ ]
18 [אֵ]ין עוֹד מַדְהֵבָה כִּיא לִפְנֵי אַפְּ[כָה]
19 [ ] חָפְזִי וְאֵין צַדִּיק עִמְּכָה [ ]ה
20 [לְ]הַשְׂכִּיל בְּכוֹל רָזֵיכָה [a] וְלָשִׁיב דָּבָר [ ]
21 [לְ]תוֹכַחְתְּכָה וּלְטוּבְכָה יְצַפּוּ ׳ כִּיא בְחַסְ[דְּךָ]
22 וִידָעוּכָה ׳ וּבְקֵץ כְּבוֹדְכָה יָגִילוּ וּלְפִי [ ]
כְּשִׂכְלָם 23 הִגַּשְׁתָּם וּלְפִי מֶמְשַׁלְתָּם יְשָׁרְתוּכָה לְמִפְלַ[גֵ]יהֶם
[ ]ב מִמְּכָה ׳ 24 לוֹא לַעֲבוֹר עַל דְּבָרֶכָה ׳ וַאֲנִי מֵעָפָר
לֻקַּ[חְ]תִּי וּמֵחֹמֶר קוֹ[רַ]צְתִּי 25 לִמְקוֹר נִדָּה וְעֶרְוַת קָלוֹן [b]מִקְוֵי
עָפָר וּמְגֻבַּ[ל מַיִם]ה וּמְדוֹר 26 חוֹשֶׁךְ ׳ וּתְשׁוּבַת עָפָר
לְיֵצֶר חֵמֶר בְּקֵץ ע[ ] בְּעָפָר 27 אֶל אֲשֶׁר לֻקַּח
מִשָּׁם ׳ וּמָה יָשִׁיב עָפָר וּ[וּמַה] יָבִין 28 [בְּמַעֲ]שָׂיו ׳
וּמַה יִתְיַצֵּב לִפְנֵי מוֹכִיחַ ׳ בּוֹ[ק]וֹדֶשׁ 29 [ ] [ ]
עוֹלָם וּמִקְוֵה כָבוֹד וּמְקוֹר דַּעַת וּגְבוּ[רָ]ה [ ]א[ ]המה ל[ ]א
30 [ ] לְסַפֵּר כּוֹל כְּבוֹדְכָה וּלְהִתְיַצֵּב לִפְנֵי אַפֶּכָה ׳ וְאֵין
לְהָשִׁיב 31 עַל תּוֹכַחְתְּכָה ׳ כִּיא צָדַקְתָּה וְאֵין לְנֶגְדְּכָה ׳ וּמָה
[c]אפהו שָׁב אֶל עֲפָרוֹ ׳ 32 וַאֲנִי נֶאֱלַמְתִּי וּמָה אֲדַבֵּר עַל [d]זוֹת ׳
כְּדַעְתִּי דִּבַּרְתִּי מצירוק יֵצֶר חֵמֶר ׳ וּמָה 33 אֲדַבֵּר כִּיא אִם

[a] = וּלְהָשִׁיב — [b] lies מִקְוֵה — [c] lies אֲפֵהוּ — [d] = זאת.

festgesetzt, und es ist kein anderer neben ihm. Und als ein Einsichtiger habe ich dich erkannt, mein Gott, durch den Geist, 12 den du in mich gegeben hast, und Zuverlässiges habe ich gehört hinsichtlich deines wunderbaren Rates durch deinen heiligen Geist. 13 Du hast mir Erkenntnis im Geheimnis deines Verstandes [er]öffnet und die Quelle [deiner] Stärke [...] 14 [...] zu reicher Gnade und Eifer der Vernichtung [...] 15 [...] Pracht deiner Herrlichkeit zu e[wigem] Licht [...] 16 [... Schre]cken des Frevels und kein Trug [...] 17 [... Zei]ten der Verwüstung, denn kein [...] 18 [k]eine Drangsal gibt es mehr, denn vor [deinem] Zorn [...] 19 [...] meiner Bestürzung, kein Gerechter ist neben dir [...] 20 [um] zu verstehen alle deine Geheimnisse und Antwort zu geben [...] 21 [an] deiner Zurechtweisung, und sie spähen nach deiner Güte aus; denn in [deiner] Gnade [...] 22 und sie erkennen dich. Zur Zeit deiner Herrlichkeit werden sie frohlocken [...] entsprechend ihrer Einsicht 23 läßt du sie nahe kommen, und entsprechend ihrer Herrschaft[53] dienen sie dir in [ihren] Abtei[lungen ...] vor dir; 24 nicht zu übertreten dein Wort. Und ich bin vom Staube gen[ommen und aus Lehm ge]formt 25 zu einer Quelle der Unreinheit und schmachvoller Schande, ein Häufchen Staub und [mit Wasser] geknetet [...] und Behausung 26 der Finsternis. Und Rückkehr zum Staub ist dem Lehmgebilde (bestimmt) zur Zeit [...] im Staub, 27 dorthin, woher er genommen ist. Und was soll der Staub erwidern [... und wie] soll er verstehen 28 seine [Wer]ke? Und wie soll er hintreten vor den, der ihn zur Rechenschaft zieht? [... Hei]ligkeit 29 [...] Ewigkeit und Sammlung der Herrlichkeit und Quelle der Erkenntnis und Stär[ke ...] 30 [...] zu erzählen alle deine Herrlichkeit und hinzutreten vor deinen Zorn. Nichts ist zu erwidern 31 auf deine Zurechtweisung; denn du bist im Recht und niemand besteht vor dir. Und was ist er denn? Er kehrt zu seinem Staub zurück. 32 Ich aber bin verstummt, und was soll ich darüber sprechen? Entsprechend meiner Erkenntnis habe ich gesprochen, [. ?.] ein Lehmgebilde. Und was 33 soll ich reden, wenn du mir nicht den Mund öffnest? Und wie kann ich verstehen, wenn du mich nicht belehrst? Und was soll ich sa[gen], 34 ohne daß du mein Herz aufdeckst? Und wie soll ich den Weg gerade gehen, wenn du nicht [meine Schritte] besti[mmst? ...] 35 du wirst stehen [... soll ich sta]rk sein in Kraft, und wie soll ich mich erheben [...] 36 und alle [...]

פָּתַחְתָּה פִּי ׳ וְאֵיכָה אָבִין כִּיא אִם הִשְׂכַּלְתָּנִי ׳ וּמָה אוֹ[מַר]
34 בְּלוֹא גִּלִּיתָה לִבִּי ׳ וְאֵיכָה אֲיַשֵּׁר דֶּרֶךְ כִּיא אִם הֲכִי[נוֹתָה
מִצְעָדַי ׳] 35 תַּעֲמוֹד פ[אֶתְ]חַזֵּק בְּכוֹחַ וְאֵיכָה אֶתְקוֹמֵם
] [36 וְכוֹל [ ]ו במי
ב[ ]

XIII

[ ]ה קוֹדֶשׁ מִקֶּדֶם עֹ[וֹלָם [a]לְעוֹלְמֵי עַד אַתָּה
הוּא[a] [2] [ ]וּבְרָזֵי פִלְאֲךָ
[[a]בַּעֲבוּר כְּבוֹדְכָה וּבְעוֹמֶק[a] [3] [
אַתָּה גִּלִּיתָה יְדַכָּה [ ] מַעֲשֵׂי[[a]רַע חוֹכְמָה וְאִוֶּלֶת[a] [
4 [ ]מַעֲשֵׂיהֶם אֱמֶת [ ]וְאִוֶּ[לֶ]ת [
5 [ ]וְחַסְדֵי עוֹלָם לְכוֹל [ ]לְשָׁלוֹם וְשַׁחַת [[
6 [מַעֲ]שֵׂיהֶם ׳ כְּבוֹד עוֹלָם [שִׂ]מְחַת עַד לְמַעֲשֵׂה [[
7 [ ]ע [ ]וְאֵלֶּה אֲשֶׁר הֲכִ[ינוֹתָה [
8 אֵת כּוֹל מַעֲשֶׂיךָ בְּטֶרֶם בְּרָאתָם עִם צְבָא רוּחֶיךָ וַעֲדַת [ ]
9 צִבְאוֹתָיו עִם הָאָרֶץ וְכוֹל צֶ[אֱצָאֶי]הָ בַּיַּמִּים וּבַתְּהוֹמוֹת [[b]כְּכוֹל
מַחְשְׁבוֹתֶךָ לְכוֹל קִצֵּי עוֹלָם[b]] 10 וּפְקוּדַּת עַד ׳ כִּי אַתָּה
הֲכִינוֹתָמָה מִקֶּדֶם עוֹלָם וּמַעֲשֵׂה [ ]
11 יְסַפְּרוּ כְבוֹדְךָ בְּכוֹל מֶמְשַׁלְתֶּךָ ׳ כִּי הֶרְאִיתָם אֵת אֲשֶׁר לֹא
[ ]שֶׁר קֶדֶם וְלִבְרוֹא 12 חֲדָשׁוֹת לְהָפֵר קַיָּמֵי קֶדֶם
וּלְ[הָקִ]ים נִהְיוֹת עוֹלָם ׳ כִּי א[ ]וְאַתָּה תִּהְיֶה
13 לְעוֹלְמֵי עַד ׳ וּבְרָזֵי שִׂכְלְכָה פִּלַּ[גְתָּה] כּוֹל אֵלֶּה לְהוֹדִיעַ
כְּבוֹדְךָ [ ]א רוּחַ בָּשָׂר לְהָבִין 14 בְּכוֹל אֵלֶּה
וּלְהַשְׂכִּיל בס[ ]גָּדוֹל ׳ וּמַה יְּלוּד אִשָּׁה בְּכוֹל [מַעֲשֶׂיכָה]

a–a Ergänzungen aus 1 QH fr. 17 — b–b Ergänzung aus 1 QH fr. 20.

XIII

[...] Heiligkeit von e[wiger] Urzeit an [bis in alle Ewigkeit; du bist ...] 2 [...] und in deinen wunderbaren Geheimnissen [... um deiner Ehre willen und in der Tiefe ...] 3 [...] du hast deine Hand enthüllt [... böse] Werke [,Weisheit und Torheit ...] 4 [...] ihre Werke Wahrheit [...] und Torhei[t ...] 5 [...] und ewige Gnadenerweisungen allen [...] zum Heil, aber Verderben [...] 6 ihre [We]rke. Ewige Herrlichkeit [...] ewige [Fr]eude dem Werk [...] 7 [...] und diese sind es, die [du] gegr[ündet hast ...] 8 alle deine Werke, bevor du sie geschaffen hast, mit dem Heer deiner Geister und der Gemeinde [...] 9 seine Heerscharen mit der Erde und allem, was sie [hervorbringt] in den Meeren und in den Urfluten [entsprechend all deinen Plänen in alle ewigen Zeiten] 10 und ewige Heimsuchung. Denn du hast sie von ewiger Urzeit her gegründet und das Werk [...] 11 sie erzählen deine Ehre in all deiner Herrschaft. Denn du hast sie sehen lassen, was nicht [...] der Urzeit, und zu schaffen 12 Neues[54], zu zerbrechen das, was von einst besteht, und um das aufzu[rich]ten, was ewig ist. Denn [...] und du bleibst 13 in alle Ewigkeiten. Und in den Geheimnissen deiner Einsicht [hast du] alles dieses einget[eilt], um deine Herrlichkeit kundzutun [...] Geist des Fleisches, um zu erkennen 14 all dieses und einzusehen [...] groß. Und was ist der vom Weib Geborene unter allen [deinen] furchtbaren [Werken]? Er ist 15 ein Gebäude von Staub und mit Wasser geknetet [...] sein Rat ist schmachvolle Schande [...] und ein verkehrter Geist herrscht 16 in ihm. Und wenn er frevelt, so wird er [...] Ewigkeit und ein Zeichen für Geschlechter [...] Fleisch. Nur durch deine Güte 17 wird ein Mann gerecht und durch [dein] reiches Erb[armen ...] Mit deiner Pracht stattest du ihn herrlich aus [... F]ülle der Wonnen mit ewigem

הַנּוֹרָאִים ׳ וְהוּא 15 מִבְנֵה עָפָר וּמִגְבַּל מַיִם [ ]ה
סוֹדוֹ עֶרְוַת קָלוֹן [ ]ה וְרוּחַ נַעֲוָה מָשְׁלָה 16 בוֹ ׳ וְאִם
יִרְשַׁע וְהָיָה [ ] עוֹלָם וּמוֹפֵת דוֹרוֹת דרי֯[ ] בָּשָׂר ׳ רַק
בְּטוּבְךָ 17 יִצְדַּק אִישׁ וּבְרוֹב רַחֲ[מֶ]יךָ [ ] ׳ בַּהֲדָרְךָ
תְּפָאֲרֶנּוּ ותמ[ר]וֹב עֲדָנִים עִם שְׁלוֹם 18 עוֹלָם וְאוֹרֶךְ
יָמִים ׳ כִּי [ ]דְּבָרְךָ לֹא יָשׁוּב אָחוֹר ׳ וַאֲנִי עַבְדְּךָ יָדַעְתִּי
19 בָרוּחַ אֲשֶׁר נָתַתָּה בִי [ ] וָצֶדֶק כּוֹל מַעֲשֶׂיךָ
וּדְ[בָ]רְךָ לֹא יָשׁוּב אָחוֹר [ ] 20 קִצֶּיךָ מוֹעֵד[ ] ל[
]רוּרִים לְחֶפְצֵיהֶם ׳ וָאֵדְעָ[ה]
21 וָרֶשַׁע שׁ[ ]

XIV

[ ] בְּעַמְּךָ וח[ ]
2 [ ] אַנְשֵׁי אֱמֶת וּב[ ]
3 [ ]בי רַחֲמִים וְעַנְוֵי רוּחַ מְזוּקָקֵי
4 [מְ]תְאַפְּקִים עַד [ ] מִשְׁפָּטֶיכָה
5 [ ] וְחִזַּקְתָּה חוּקֶּיךָ [בָהֶם] לַעֲשׂוֹת
6 [ ] קוֹדֶשׁ לְדוֹרוֹת עַ[וֹלָם] וְכוֹל
7 [ ] אַנְשֵׁי חֲזוֹנֶכָה ׳
8 [אוֹדְכָה] אֲדוֹנָי הַנּוֹתֵן בְּלֵב עַבְ[דְּכָה] בִּינָה ׳
9 [ ] וּלְהִתְאַפֵּק עַל עֲלִי[לוֹת] רֶשַׁע וּלְבָרֵךְ
10 [אֲשֶׁ]ר אָהַבְתָּה וּלְתָעֵב אֶת כּוֹל אֲשֶׁר
11 [שָׂנֵאתָה]ת אֱנוֹשׁ ׳ כִּי לְפִי רוּחוֹת [יַבְדִּ]ילֵם
בֵּין 12 טוֹב לָרָשָׁע [ ]תם פְּעוּלָּתָם ׳ וַאֲנִי
יָדַעְתִּי מִבִּינָתְךָ 13 כִּי בִרְצוֹנְכָה בא[ר]וּחַ
קוֹדְשְׁךָ וְכֵן תַּגִּישֵׁנִי לְבִינָתֶךָ ׳ וּלְפִי 14 קוּרְבִי קִנֵּאתִי עַל כּוֹל
פּוֹעֲלֵי רֶשַׁע וְאַנְשֵׁי רְמִיָּה ׳ כִּי כוֹל קְרוֹבֶיךָ לֹא יַמְרוּ פִיךָ

Frieden 18 und Länge der Tage. Denn [...] dein Wort wendet sich nicht zurück. Und ich, dein Knecht, ich habe erkannt 19 durch den Geist, den du in mich gegeben hast [...] und Gerechtigkeit sind alle deine Taten, und [dein] W[ort] wendet sich nicht zurück [...] 20 deine Zeiten [...] für ihren Bedarf. Und ich erkannte [...] 21 und Frevel [...]

XIV

[...] in deinem Volk [...] 2 [...] Männer der Wahrheit [...] 3 [...] Erbarmen und Demütige, Geläuterte 4 [... die sich] zusammennehmen bis [...] deiner Gerichte 5 [...] und machtest fest deine Gebote [unter ihnen], um zu tun 6 [...] Heiligkeit für ew[ige] Geschlechter und alle 7 [...] die Männer deiner Schau [...]

8 [Ich preise dich], Herr, der du in das Herz [deines] Knechtes Einsicht gibst. 9 [...] und um sich zusammenzunehmen gegen die Ta[ten] des Frevels und zu preisen 10 [... wa]s du liebst und zu verabscheuen alles, was 11 [du hassest[55] ...] des Menschen; denn entsprechend den Geistern [scheidet] er sie zwischen 12 dem Guten und dem Frevelhaften [...] ihr Werk. Und ich habe erkannt aus deiner Einsicht heraus, 13 daß durch deinen Willen [...] deinen heiligen [G]eist, und so hast du mich nahegebracht zu deiner Einsicht. Und dementsprechend, wie 14 ich mich nähere, eifere ich gegen alle, die Frevel tun, und die Männer des Trugs. Denn alle, die dir nahe sind, widerstreben deinem Munde nicht, 15 und alle, die dich kennen, ändern deine Worte nicht. Denn du bist gerecht, und Wahrheit sind alle deine Erwählten. Alle Ungerechtigkeit aber 16 [und F]revel wirst du auf ewig vertilgen, und deine Gerechtigkeit wird offenbar vor den Augen all deiner Werke. 17 [Und i]ch habe durch

15 וְכוֹל יוֹדְעֶיךָ לֹא יְשַׁנּוּ דְבָרֶיךָ · כִּי אַתָּה צַדִּיק וֶאֱמֶת כּוֹל
בְּחִירֶיךָ · וְכוֹל עַוְלָה 16 [וָרֶ]שַׁע תַּשְׁמִיד לָעַד וְנִגְלְתָה צִדְקָתְךָ
לְעֵינֵי כּוֹל מַעֲשֶׂיךָ · 17 [וַאֲ]נִי יָדַעְתִּי בְּרוֹב טוּבְךָ וּבִשְׁבוּעָה
הֲקִימוֹתִי עַל נַפְשִׁי לְבִלְתִּי חֲטוֹא לָךְ 18 [וּלְ]בִלְתִּי עֲשׂוֹת
מִכּוֹל הָרַע בְּעֵינֶיךָ · וְכֵן הוּגַּשְׁתִּי בְּיַחַד כּוֹל אַנְשֵׁי סוֹדִי · לְפִי
19 [שִׂ]כְלוֹ אַגִּישֶׁנּוּ וּכְרוֹב נַחֲלָתוֹ אֹהֲבֶנּוּ · וְלֹא אֶשָּׂא פְּנֵי רַע
וְשֹׁ[וֹחַד רְשָׁעִים] לֹא אַכִּיר · 20 [וְלֹא] אָמִיר בְּהוֹן אֲמִתְּךָ
וּבְשׁוֹחַד כּוֹל מִשְׁפָּטֶיךָ · כִּי אִם לְפִ[י קָרְבְךָ אִי]שׁ 21 [אֹהֲבֶ]נּוּ
וּכְרַחֶקְךָ אוֹתוֹ כֵּן אֲתַעֲבֶנּוּ · וְלֹא אָבִיא בְּסוֹד [ ]שָׁבֵי
22 [אֵל בְּרִ]יתֶךָ ·

23 [אוֹדְ]ךָ אֲדוֹנָי כִּגְדוֹל כּוֹחֲךָ וְרוֹב נִפְלְאוֹתֶיךָ מֵעוֹלָם וְעַד
[עוֹלָ]ם · וְגָדוֹל 24 [ ]ים הַסּוֹלֵחַ לְשָׁבֵי פֶשַׁע וּפוֹקֵד עֲוֹן
רְשָׁעִים [ ]בְּנִדְבַת 25 [ ]וַתִּשְׂנָא עַוְלָה לָעַד ·
וַאֲנִי עַבְדְּךָ חַנּוֹתַנִי בְּרוּחַ דֵּעָה [ ]מת 26 [ ] וּלְתָעֵב
כּוֹל דֶּרֶךְ עַוְלָה · וְאַהֲבְכָה נְדָבָה וּבְכוֹל לְבַ[ב]י אֲבָרְכָ[ךָ]
27 [ ]שִׂכְלֶיךָ · כִּי מִיָּדְךָ הָיְתָה זֹאת וּבִלוֹא [ ]לְ[ ]ל
28 [ ]ל[ ]שׁ ות[ ]שב

XV

ת[ ]
2 ו[ ]
3 תחת [ ]
4 ק[ ]
5 רחמי [ ]
6 בעד[ ]
7 כיא [ ]
8 בָּ[רוּךְ אַתָּה]

deine reiche Güte erkannt und mit einem Eid[56] habe ich es auf meine Seele gestellt, nicht zu sündigen an dir 18 [und n]icht etwas von all dem zu tun, das böse ist in deinen Augen. Und so bin ich nahegebracht worden in die Gemeinschaft aller Männer meines Rates. Entsprechend 19 seinem [Ver]ständnis lasse ich ihn herantreten, und entsprechend der Größe seines Erbteils will ich ihn lieben[57]. Und nicht will ich das Antlitz eines Bösen erheben und Be[stechung der Gottlosen] nicht kennen. 20 Und ich will [nicht] gegen Besitz deine Wahrheit eintauschen und gegen Bestechung alle deine Satzungen. Sondern wie [du einen Mann nahebringst], 21 will [ich] ihn [lieben], und wie du einen entfernst, so will ich ihn verabscheuen. Und nicht will ich in den Rat bringen [...] umgekehrt 22 [zu] deinem [Bu]nd.

23 [Ich preise] dich, Herr, gemäß der Größe deiner Kraft und der Fülle deiner Wunder von Ewigkeit zu [Ewigk]eit. Und groß 24 [...] der vergibt denen, die von der Sünde umkehren, und heimsucht die Sünde der Gottlosen [...] in Willigkeit 25 [...] und du hassest das Unrecht auf ewig. Und mir, deinem Knecht, bist du gnädig gewesen durch den Geist der Erkenntnis [...] 26 [...] und zu verabscheuen jeden Weg der Trugs. Und freiwillig will ich dich lieben und mit [meinem] ganzen Herzen [will ich] dich [preisen] 27 [...] deine Einsicht; denn von deiner Hand ist dieses geschehen, und ohne [...] 28 [...]

XV

8 Ge[priesen[58] seist du ...] 9 [...] dich alle Tage [...] 10 [...] und ich will dich in Freiwilligkeit lieben und mit ganzem Herzen und mit ganzer Seele, ich habe geläutert [...] 11 [...] weichen von allem, was du befohlen hast, und ich will festhalten an vielen [...] 12 lassen von allen deinen Gesetzen. Und ich habe erkannt durch deine Einsicht, daß nicht in der Hand des Fleisches [... und nicht beim] Menschen 13 steht sein Weg, und nicht kann ein Mensch seinen Schritt bestimmen[59]. Und ich erkannte, daß in deiner Hand das Gebilde jeglichen Geistes liegt [...] 14 hast du bestimmt, bevor du ihn geschaffen. Und wie sollte jemand deine Worte ändern können? Nur du [hast gesch]affen 15 den Gerechten und ihn von

9 [ ]הבו אותְךָ כול הַיָּמִים וא[ ]
10 אמ[ ] וְאֹהַבְכָה בִּנְדָבָה וּבְכוֹל לֵב וּבְכוֹל נֶפֶשׁ
בֵּרַרְתִּי [ ] 11 הק[ ]סוּר מִכּוֹל אֲשֶׁר
צִוִּיתָה וְאַחֲזִיקָה עַל רַבִּים מ[ ] 12 עֲזוֹב
מִכּוֹל חוּקֶּיךָ · וַאֲנִי יָדַעְתִּי בְּבִינָתְךָ כִּיא לֹא בְּיַד בָּשָׂר [
וְלֹא לָ]אָדָם 13 דַּרְכּוֹ וְלֹא יוּכַל אֱנוֹשׁ לְהָכִין צַעֲדוֹ · וָאֵדְעָה
כִּי בְיָדְךָ יֵצֶר כּוֹל רוּחַ [ ]וֹ 14 הֲכִינוֹתָה בְּטֶרֶם
בְּרָאתוֹ · וְאֵיכָה יוּכַל כּוֹל לְהַשְׁנוֹת אֵת דְּבָרֶיכָה · רַק אַתָּה
[בָּרָא]תָה 15 צַדִּיק וּמֵרֶחֶם הֲכִינוֹתוֹ לְמוֹעֵד רָצוֹן לְהִשָּׁמֵר
בִּבְרִיתְךָ [a]וְלִתְהַלֵּךְ בַּכּוֹל וּלְהַ[גְדִּיל] עָלָיו 16 בַּהֲמוֹן רַחֲמֶיךָ
וְלִפְתּוֹחַ כּוֹל צָרַת נַפְשׁוֹ לִישׁוּעַת עוֹלָם וּשְׁלוֹם עַד וְאֵין מַחְסוֹר ·
וַתָּרֶם 17 מִבָּשָׂר כְּבוֹדוֹ · וּרְשָׁעִים בָּרָאתָה לְ[קֵץ חֲר]וֹנְכָה
וּמֵרֶחֶם הִקְדַּשְׁתָּם לְיוֹם הֲרֵגָה · 18 כִּי הָלְכוּ בְדֶרֶךְ לֹא טוֹב
וַיִּמְאֲסוּ בִּבְ[רִיתֶ]ךָ · וַאֲמִתְּ]ךָ תִּעֲבָה נַפְשָׁם וְלֹא רָצוּ בְכוֹל אֲשֶׁר
19 צִוִּיתָה וַיִּבְחֲרוּ בַּאֲשֶׁר שָׂנֵאתָה · כּוֹל[ ]ךָ הֲכִינוֹתָם
לַעֲשׂוֹת בָּם שְׁפָטִים גְּדוֹלִים 20 לְעֵינֵי כּוֹל מַעֲשֶׂיךָ וְלִהְיוֹת
לְאוֹת [ ] עוֹלָם לָדַעַת [כּוֹל] אֵת כְּבוֹדְךָ וְאֵת כּוֹחֲךָ
21 הַגָּדוֹל · וּמָה אַף הוּא בָּשָׂר כִּי יַשְׂכִּיל [ ] עָפָר אֵיךְ
יוּכַל לְהָכִין צַעֲדוֹ · 22 אַתָּה יָצַרְתָּה רוּחַ וּפְעוּלָּתָהּ הֲכִינוֹ[תָה
] וּמֵאִתְּךָ דֶּרֶךְ כּוֹל חָי · וַאֲנִי יָדַעְתִּי כִּיא 23 לֹא יִשְׁוֶה
כּוֹל הוֹן בַּאֲמִתְּךָ ואי[ק]וֹדְשֶׁךָ · וָאֵדְעָה כִּי בָם
בָּחַרְתָּה מִכּוֹל 24 וְלָעַד הֵם יְשָׁרְתוּךָ · וְלֹא תִקַ[ח
לֹא תִקַּח כּוֹפֶר לַעֲלִילוֹת רִשְׁעָה · כִּיא 25 אֵל אֱמֶת אַתָּה
וְכוֹל עַוְלָה ת[ ] לֹא תִהְיֶה לְפָנֶיךָ · [וַ]אֲנִי
יָדַעְתִּ[י] 26 כִּי לְךָ [ ]ל[ ] עשה וא[
[ ]ל[ ]

[a] = וּלְהִתְהַלֵּךְ.

Mutterleib an bestimmt für die Zeit des Wohlgefallens, damit er in deinem Bund bewahrt werde und in allem wandle und um [Großes zu tun] an ihm 16 in deinem reichen Erbarmen und jegliche Bedrängnis seiner Seele zu öffnen zu ewigem Heil und dauerndem Frieden und keinerlei Mangel. Und du richtest 17 aus dem Fleisch seine Herrlichkeit auf, aber die Gottlosen hast du geschaffen für [die Zeit] deines [Zor]nes, und von Mutterleib an hast du sie geweiht für den Schlachttag. 18 Denn sie wandelten auf einem Weg, der nicht gut ist, und verwarfen [deinen] Bu[nd. Und] deine [Wahrheit] verabscheut ihre Seele, und nicht haben sie Wohlgefallen an allem, was 19 du befohlen hast, und sie erwählen sich das, was du hassest. [...] du hast sie bestimmt, um an ihnen große Gerichte zu vollziehen 20 vor den Augen aller deiner Werke, damit sie zum Zeichen würden [...] Ewigkeit, damit [alle] erkennen deine Herrlichkeit und deine große Kraft. 21 Und was ist es denn auch, das Fleisch, daß es verstehen sollte [...] Staub, wie sollte er seinen Schritt bestimmen können? 22 Du hast den Geist gebildet und sein Werk bestim[mt ...] und von dir her kommt der Weg alles Lebendigen. Und ich habe erkannt, daß 23 keinerlei Besitz deiner Wahrheit gleichkommt [...] deiner [Heil]igkeit. Und ich weiß, daß du sie erwählt hast von allen, 24 und auf ewig werden sie dir dienen. Und nicht ni[mm]st du [...] und nicht nimmst du Lösegeld für die Taten des Frevels; denn 25 du bist der Gott der Wahrheit, und alles Unrecht [...] nicht wird es vor dir sein. Ich [aber] habe erkannt, 26 daß dir [...]

XVI

[ ]יק ו[ ]
2 בְּרוּחַ קוֹ[דְשְׁךָ]ה [ ] וְלֹא
יוכל[ ] 3 רוּחַ קוֹד[שְׁךָ] מְלוֹא הַ[שָּׁמַ]יִם
[וְהָ] אָרֶץ כְּ]בוֹדְךָ מְלוֹא כ[ ]
4 וָאֵדְעָה כִּי בִרְצוֹ[נְכָה] בָּאִישׁ הִרְבֵּיתָה [ ]ד
אֲמִתְּךָ בְּכוֹל[ ] 5 וּמַעֲמַד צֶדֶק א[ ] אֲשֶׁר
הִפְקַדְתָּה בוֹ פ[ ]י[ ]י כְּשׁוֹל בְּכוֹל מ[ ]
6 בְּדַעְתִּי בְּכוֹל אֵלֶּה [ ] מַעֲנֵה לָשׁוֹן לְהִתְנַפֵּל ולה[
עַ]ל פְּשָׁעַי וּלְבַקֵּשׁ רוּחַ[ ] 7 וּלְהִתְחַזֵּק בְּרוּחַ
קָ[דְשְׁךָ] וְלִדְבּוֹק בֶּאֱמֶת בְּרִיתְךָ וּלְ[עוֹבְדְ]ךָ בֶּאֱמֶת וְלֵב שָׁלֵם
וְלֶאֱהוֹב אֶת [שְׁמֶךָ] · 8 בָּרוּךְ אַתָּה אֲדוֹנָי גְדוֹל הָ[עֵ]צָה וְרַ[ב]
[a]הָעֲלִילִיָּה אֲשֶׁר מַעֲשֶׂיךָ הַכֹּל · הִנֵּה הוֹאַלְתָּה לַעֲ[שׂוֹת בִּי]
9 חֶסֶד וַתְּחוּנֵּנִי בְּרוּחַ רַחֲמֶיךָ ו[ ]וּר כְּבוֹדֶךָ · לְךָ אַתָּה הַצְּדָקָה
כִּי אַתָּה עָשִׂיתָה אֶת כּוֹ[ל אֵלֶּ]ה ·] 10 וּבְדַעְתִּי כִּי אַתָּה רָשַׁמְתָּה
רוּחַ צַדִּיק וַאֲנִי בָחַרְתִּי לְהָבֵר כַּפַּי כִּרְצוֹ[נֶךָ] · וְנֶפֶשׁ עַבְדְּךָ
תִּ[עֲבָ]ה כוֹל 11 מַעֲשֵׂה עַוְלָה · וָאֵדְעָה כִּי לֹא יִצְדַּק אִישׁ
מִבַּלְעָדֶיךָ · וָאֲחַלֶּה פָנֶיךָ בְּרוּחַ אֲשֶׁר נָתַתָּה [בִּי] לְהַשְׁלִים
12 [חֲסָ]דֶיךָ עִם עַבְ[דְּ]ךָ לָ[עַד] לְטַהֲרֵנִי בְּרוּחַ קוֹדְשֶׁךָ וּלְהַגִּישֵׁנִי
בִרְצוֹנְךָ כְּגוֹדֶל חֲסָדֶיךָ [ ] בשות[ ] 13 עָמְדִ[י
] מַעֲמַד רְצ[וֹנְךָ] אֲשֶׁר בָּחַ[רְתָּה] לְאוֹהֲבֶיךָ וּלְשׁוֹמְרֵי
מִ[צְווֹ]תֶ[יךָ] · 14 לְפָנֶיךָ [ ]לם [ ]ד[ ]ע[ ]
הִתְעָרֵב בְּרוּחַ עַבְדְּךָ וּבְכוֹל מַעֲשׂ[ ]ל[ ] 15 [ ]עיה
ל[ ]וְאַל י[ ] לְפָנָיו כוֹל נֶגַע מִכְשׁוֹל מֵחוּקֵּי
בְרִיתְךָ כִּי [ ] 16 כָּ[ב]וֹד וא[ ] וְרַחוּם
אֶ[רוֹ]ךְ אַ[פַּ]יִם [ ] חֶסֶד וֶאֱמֶת וְנוֹשֵׂא פֶשַׁע [ ]

a – הָעֲלִילִיָּה.

XVI

[...] 2 durch [deinen] hei[ligen] Geist [...] und nicht [...] 3 [deinen] hei[ligen] Geist [...] Fülle des [Him]mels [und der] Erde [...] deiner [Herr]lichkeit, Fülle [...] 4 Und ich erkannte, daß durch [dein] Wohlgefallen am Manne du großgemacht hast [...] deiner Wahrheit in allen [...] 5 und der Standort der Gerechtigkeit [...] welchen du ihm bestellt hattest [...] Straucheln in allen [...] 6 dadurch, daß ich dies alles erkenne [...] eine Antwort der Zunge, um niederzufallen [...] wegen meiner Missetat und zu trachten nach dem Geist [...] 7 und sich zu stärken durch [deinen] hei[ligen] Geist und anzuhangen der Wahrheit deines Bundes und dir zu [dienen] in Wahrheit und mit ganzem Herzen und [deinen Namen] zu lieben. 8 Gepriesen seist du, Herr, der du groß von [R]at und rei[ch] an Tat bist, dessen Werk alles ist. Siehe, du hast es unternommen, zu t[un an mir] 9 Barmherzigkeit, und hast dich mir gnädig erwiesen im Geist deines Erbarmens [...] deiner Herrlichkeit. Dir, ja dir gehört die Gerechtigkeit, denn du hast [dies] al[les] getan. 10 Und dadurch, daß ich erkenne, daß du den Geist des Gerechten bestimmt hast, habe ich erwählt, meine Hände zu reinigen nach [deinem] Willen. Und die Seele deines Knechtes ver[absch]eut jedes 11 Werk des Frevels. Und ich weiß, daß ein Mann nicht gerecht wird ohne dich. Und ich will dein Angesicht besänftigen durch den Geist, den du [in mich] gegeben hast, um vollständig zu machen 12 deine [Gnaden]erweise an [deinem] Knecht auf [ewig], um mich zu reinigen durch deinen heiligen Geist und mich in deinem Wohlgefallen nahe zu bringen nach deiner großen Gnade [...] 13 mit [mir...] Standort [deines] Wohlgefal[lens], den [du] erw[ählt hast] für die, die dich lieben und [deine] Ge[bo]te halten. 14 Vor dir [...] sich zu verbinden mit dem Geist deines Knechtes und in allen [...] 15 [...] vor ihm irgendeine Plage, eine Ursache zum Abfall von den Satzungen deines Bundes; denn [...] 16 He[rr]lichkeit [...] und barmherzig, la[ng]m[üt]ig [...] Gnade und Treue und Sünde vergebend [...] 17 mitleidig mit [...] und die, die [deine] Ge[bote] halten, die umkehren zu dir in Treue und mit ganzem Herzen [...] 18 dir zu dienen [und zu tun, was] gut in deinen Augen ist. Weise nicht zurück das Antlitz deines Knechtes [...] den Sohn [deiner] Wahrheit [...] 19 [...] und ich auf deine Worte [...]

17 וְנָחַם עַל[ ]וְשׁוֹמְרֵי מִצְוֹ[וֹתֶיךָ] שָׁבִים אֵלֶיךָ בֶּאֱמוּנָה
וְלֵב שָׁלֵם[ ] 18 לְעוֹבְדְךָ [וְלַעֲשׂוֹת אֵת הַ]טּוֹב
בְּעֵינֶיךָ · אַל תָּשֵׁב פְּנֵי עַבְדְּךָ[ ]לֹ[ ]בֶּן אֲמָתְ[ךָ]
19 [ ]ה וַאֲנִי עַל דְּבָרֶיךָ קר[ ]

XVII

[ ]מַשְׁפֶּלֶת מִדָּה מ[ ]
2 [ ]מְגוּלָּה בְלוֹא מִשְׁפָּ[ט]
3 [ ]בִים אוֹכֶלֶת[ ]שׁ[ ]
4 [ ]ת בְּיָבוּשָׁה ומכש[ ]
5 [ ]פוֹגְעוֹת פֶּתַע פִּתְאוֹ[ם]
6 [ ]מִשְׁפָּט מֵרוּחַ דוֹרְשָׁ[ה]
7 [ ]תרמה ב[ ]מִצְוָה מֵרוּחַ כו[ ]
8 [ ]בְּנִגְיעֵי ב[ ]
9 [ ]מִנִּסְתָּרוֹת אֲשֶׁ[ר אֲ]שֶׁר לֹא הִשִּׂיגוּם במ[ ]
10 [ ]וּמִמִּשְׁפָּט קצ[מַחֲ]שְׁבוֹת רִשְׁעָה נער[ ]
11 [ ]ין וּמִמִּשְׁפָּט אח[ ]עַבְדְּךָ מִכּוֹל
פְּשָׁעָיו [ ]רַחֲמֶיךָ 12 [כַּאֲשֶׁר דִּ]בַּרְתָּה בְּיַד מוֹשֶׁה ·
[לָשֵׂאת פֶּשַׁע] עָווֹן וְחַטָּאָה וּלְכַפֵּר בע[ ]וּמַעַל
13 [ ]מוֹסְדֵי הָרִים וְאֵשׁ[ ]ה בִשְׁאוֹל תַּחְתִּיָּה · וְאֵת
הנו[ ]בְּמִשְׁפָּטֶיךָ 14 [ ]ה לְעוֹבְדֶיךָ בֶּאֱמוּנָה
[לִהְ]יוֹת זַרְעָם לְפָנֶיךָ כּוֹל הַיָּמִים ושׁם[ ]הֲקִימוֹתָה
15 [ ]שׁע וּלְהַשְׁלִיךְ כּוֹל עֲ[וֹנוֹתֵיהֶ]ם וּלְהַנְחִילָם בְּכוֹל
כְּבוֹד אָדָם [בְּ]רוֹב יָמִים ·

17 [אוֹדְךָ אֲדוֹנָי] מֵרוּחוֹת אֲשֶׁר נָתַתָּה בִּי · אֶ[מְצְ]אָה מַעֲנֵה
לָשׁוֹן לְסַפֵּר צִדְקוֹתֶיךָ וַאֲרוֹךְ אַפַּיִם 18 [ ]וּמַעֲשֵׂי יְמִין

XVII

[...] von geringem Maß [...] 2 [...] unverhüllt ohne Ger[icht ...] 3 [...] verzehrend [...] 4 [...] im Trockenen [...] 5 [...] ganz plötzlich schlagen [...] 6 [...] Gericht, vom suchenden Geist [...] 7 [...] Gebot von einem Geist [...] 8 [...] in den Plagen [...] 9 [...] von verborgenen Dingen, di[e ... d]ie sie nicht erreicht haben [...] 10 [...] und aus dem Gericht [... Plä]ne des Frevels [...] 11 [...] und aus dem Gericht [...] deinen Knecht von allen seinen Sünden [...] dein Erbarmen, 12 [wie] du [ge]sagt hast durch Mose[60]: [Sünde zu vergeben], Schuld und Missetat, und zu sühnen [...] und Treubruch 13 [...] Fundamente der Berge, aber ein Feuer [...] bis in die Tiefen der Unterwelt[61]. Aber die [...] in deinen Gerichten 14 [...] denen, die dir in Treue dienen, [auf daß] ihr Same vor dir sei alle Tage [...] du hast aufgerichtet 15 [...] und alle ihre S[ünden] fortzuwerfen und ihnen Erbteil zu geben an aller Herrlichkeit des Menschen[62] [in] der Fülle der Tage.

17 [Ich preise dich, Herr,] wegen der Geister, die du in mich gegeben hast. Ich will eine Antwort der Zunge fi[nd]en, um deine gerechten Taten zu erzählen und langmütig 18 [...] und die Werke deiner mächtigen Rechten [und die Vergebungen] der Sünden der Früheren und zu [bit]ten und zu flehen für 19 [...] meiner Werke und der Verkehrtheit [meines] Her[zens]. Denn in Unreinheit habe ich mich gewälzt und aus dem Rat [...] und nicht [...] 20 [...] Dir, ja dir gehört die Gerechtigkeit und deinem Namen gebührt ewiger Lobpreis [...] deine Gerechtigkeit, und erlöse 21 [...] die Gottlosen mögen verschwinden. Ich aber habe eingesehen, daß du demjenigen, den du erwählst, seinen Weg [bereitest] und in der Einsicht 22 [...] hältst du ihn zurück, daß er nicht an dir sündige [...] zu ihm,

עוּזְּךָ [וּסְלִיח]וֹת עַל פִּשְׁעֵי רִאשׁוֹנִים וּלְהִ[תְפַּלֵּ]ל וּלְהִתְחַנֵּן עַל
19 [ ] מַעֲשַׂי וְנַעֲוַיַּת לְ[בָבִי] · כִּי בְנִדָּה הִתְגּוֹלַלְתִּי וּמִסּוֹד
[ ]תִי וְלֹא נִל[ ]תִי 20 [ ] · לְךָ אַתָּה הַצְּדָקָה
וּלְשִׁמְךָ הַבְּרָכָה לְעוֹלָ[ם] צִדְקָתְךָ וּפְדֵה 21 [ ]תַּמּוּ
רְשָׁעִים · וַאֲנִי הֲבִינוֹתִי כִּי אֵת אֲשֶׁר בָּחַרְתָּה [תָּתֵם] דַּרְכּוֹ וּבְשֵׂכֶל
22 [תְּמָ]שְׁכֵהוּ מֵחֲטוֹא לָךְ וּלְ[ ]וּב לוֹ עֲנָוָתוֹ בְּיִסּוּרֶיךָ
וּבְנִס[ ]ה לִבּוֹ · 23 [ ] עַבְדְּךָ מֵחֲטוֹא לָךְ וּמִכְשׁוֹל
בְּכוֹל דִּבְרֵי רְצוֹנֶךָ · חַזֵּק מ[ ]ד עַל רוּחוֹת 24 [לְהִ]תְהַלֵּךְ
בְּכוֹל אֲשֶׁר אָהַבְתָּה וְלִמְאוֹס בְּכוֹל אֲשֶׁר שָׂנֵא[תָה וְלַעֲשׂוֹת] הַטּוֹב
בְּעֵינֶיךָ · 25 [ ]לתם בְּתָכְמֵי · כִּי רוּחַ בָּשָׂ[ר לְ]עַבְדֶּךָ ·
26 [אוֹדְכָה אֲדוֹנָי · כִּי] הֲנִיפוֹתָה רוּחַ קוֹדְשְׁ[כָה] עַל עַבְדְּךָ
[ ]הר מ[ ]ת לִבּוֹ 27 [ ]שׁ וְאֶל כּוֹל בְּרִית
אָדָם אַבִּיט[ ]ה יִמְצָאוּהָ 28 [ ]יגיה
וְאוֹהֲבֶיהָ [לְ]עוֹלְמֵי עַד ·

XVIII

אוֹרְכָה וַתַּעֲמֵד מא[ ]
2 אוֹרְכָה לְאֵין הַשְׁבֵּ[ת]
3 כִּיא אִתְּכָה אוֹר לְ[ ]
4 וַתְּגַל אוֹזֶן עָפָר [ ]ת ול[ ]
5 מְזִמָּה אֲשֶׁר הוּ[ ] אפו ע[ ]ך וְתֵאָמְנָה
בא[ ] 6 עַבְדְּכָה עַד עוֹלָם [שְׁ]מוּעוֹת
פְּלָאֲכָה לְהוֹפִיעַ 7 לְעֵינֵי כוֹל שׁוֹמְעֶ[יכָה]
בִּימִין עוּזְּכָה לְנַהֵל [ ]ל[ ] 8 בְּכוֹחַ גְּבוּרָתְכָה [ ]
לְשִׁמְכָה וְיִתְגַּבֵּר בִּכְבוֹ[דְכָה] · 9 אַל תָּשֵׁב יָדְכָה [ ]
לְ]הְיוֹת לוֹ מִתְחַזֵּק בִּבְרִיתְכָה 10 וְעוֹמֵד לְפָנֶיכָה [
מָקְ]וֹר פָּתַחְתָּה בְּפִי עַבְדְּכָה וּבִלְשׁוֹנוֹ 11 חָקַקְתָּה ·

seine Demut bei deinen Zurechtweisungen [...] sein Herz.
23 [...] deinen Knecht, daß er nicht an dir sündige, und vor dem
Straucheln in allen Worten deines Wohlgefallens. Er ist fest [...]
über die Geister 24 [...] zu wandeln in allem, was du liebst,
und zu verwerfen alles, was [du] hassest, [und zu tun], was gut
ist in deinen Augen. 25 [...] in meinem Innern; denn einen 25
fleisch[lichen] Geist[63] hat dein Knecht.

26 [Ich preise dich, Herr! Denn] du hast deinen heiligen Geist
auf deinen Knecht gesprengt [...] sein Herz 27 [...] und
auf jeglichen menschlichen Bund will ich blicken [...] sie werden
ihn finden 28 [...] und die sie lieben [...] bis in alle Ewigkeit.
[...]

XVIII

dein Licht, und du stellst [...] 2 dein Licht ohne Aufhör[en
...] 3 Denn bei dir ist Licht [...] 4 und du enthülltest
das Ohr des Staubes[64] [...] 5 Sinnen, welches [...] und 5
festbleiben [...] 6 deines Knechtes bis in Ewigkeit [...]
deine wunderbaren [Bot]schaften, daß aufstrahle 7 vor den
Augen aller, die [dich] hören [...] durch deine kraftvolle Rechte,
zu führen [...] 8 in der Kraft deiner Stärke [...] für deinen
Namen, und er wird sich stark erweisen durch [deine] Herrlich-
[keit]. 9 Wende deine Hand nicht ab [... damit] etwas da sei
für es, das sich fest an deinen Bund hält 10 und vor dir steht [... 10
Eine Qu]elle hast du aufgetan durch den Mund deines Knechtes,
und durch seine Zunge 11 hast du eingegraben nach Maß [...
damit] er verkünde dem Gebilde[65] aus seiner Einsicht heraus
und Dolmetsch sei in diesen Dingen 12 für Staub, wie ich es
bin. Und du öffnetest eine Quel[le], um dem Lehmgebilde seinen
Weg zurechtzuweisen und die Verschuldungen des 13 Weib-

עַל קַו [לְהַ]שְׁמִיעַ לְיֵצֶר מְבִינָתוֹ וּלְמֵלִיץ בָּאֵלֶּה
12 לְעָפָר כָּמוֹנִי ׳ וַתִּפְתַּח מְקֹ[וֹר] לְהוֹכִיחַ לְיֵצֶר חֵמֶר דַּרְכּוֹ
וְאַשְׁמוֹת יְלוּד 13 אִשָּׁה כְּמַעֲשָׂיו וְלִפְתֹּחַ מ[ ]אֲמִתְּכָה
לְיֵצֶר אֲשֶׁר סְמַכְתָּה בְּעוּזְכָה 14 ל[ ] כַּאֲמִתְּכָה מְבַשֵּׂר
[ ]טוּבְכָה לְבַשֵּׂר עֲנָוִים לְרוֹב רַחֲמֶיכָה ׳ 15 [ ]ע
מִמְּקוֹר [לְנִדְכָּ]אֵי רוּחַ וַאֲבֵלִים לְשִׂמְחַת עוֹלָם
16 [ ]תים ל[ ] ל[ ]שע יְלוּד אִ[שָּׁה]
17 [ ]כה[ ] צִדְקָתְכָה
18 [ ]א רָאִיתִי [a]זוֹת
19 [אֵיכָה] אַבִּיט בְּלוֹא גִלִּיתָה עֵינַי וְאֶשְׁמְעָה
20 [ ] הָשֵׂם [לְ]בָבִי ׳ כִּיא לַעֲרַל אוֹזֶן נִפְתַּח
דָּבָר וְלֵב 21 [ ] וָאֵדְעָה כִיא לְכָה
עָשִׂיתָה אֵלֶּה אֵלִי ׳ וּמַה בָּשָׂר 22 [לְהַ]פְלִיא
וּבְמַחֲשַׁבְתְּכָה לְהַגְבִּיר וּלְהָכִין כּוֹל לִכְבוֹדֶכָה ׳ 23 [
] צְבָא דַעַת לְסַפֵּר לְבָשָׂר גְּבוּרוֹת וְחוּקֵּי נְכוֹנוֹת לִילוּד
24 [אִשָּׁה ׳ הֲבִי]אוֹתָה בִּבְרִית עִמְּכָה וַתְּגַלֶּה לֵב עָפָר
לְהִשָּׁמֵר 25 [ ] מִפַּחֵי מִשְׁפָּט לְעוּמַּת
רַחֲמֶיכָה ׳ וַאֲנִי יֵצֶר 26 [חֵמָר]ר וְלֵב הָאֶבֶן ׳ לְמִי
נֶחְשַׁבְתִּי עַד [a]זוֹת ׳ כִּיא 27 [נָ]תַתָּה בְאוֹזֶן
עָפָר וְנִהְיוֹת עוֹלָם חַקּוֹתָה בְלֵב 28 [הָאֶבֶן]
הִשְׁבַּתָּה לְהָבִיא בִּבְרִית עִמְּכָה וְלַעֲמוֹד 29 [ ]
בְּמָכוֹן עוֹלָם לְאוֹר אוֹרְתּוֹם עַד נֵצַח ו[ ] חוֹשֶׁךְ 30 [ ]
] סוֹף וְקִצֵּי שָׁלוֹם לְאֵין חֵ[קֶר] ׳ [
31 [ ] וַאֲנִי יֵצֶר הֶעָפָר [ ]
32 [ ]ה אֶפְתַּח [ ]
33 [ ]צ[ ]

[a] = זאת.

geborenen gemäß seinen Taten und um zu öffnen [...] deiner Wahrheit für das Gebilde, das du stütztest mit deiner Kraft 14 [...] gemäß deiner Wahrheit aus dem Fleisch [...] deine Güte, den Demütigen zu verkündigen nach der Fülle deiner Barmherzigkeit. 15 [...] aus der Quelle [... die zerschla]-genen Geistes sind und Trauernde zu ewiger Freude 16 [... We]ibgeborener 17 [...] deine Gerechtigkeit 18 [...] ich habe dies gesehen 19 [... wie] soll ich erblicken, ohne daß du meine Augen auftust, und wie soll ich hören 20 [...] verstört ist mein [H]erz; denn einem unbeschnittenen Ohr wurde ein Wort aufgetan und ein Herz 21 [...] und ich erkannte, daß du für dich dies getan hast, mein Gott. Und was ist schon Fleisch? 22 [...] wunderbar [zu han]deln; aber in deinem Plan liegt es, alles großzumachen und festzusetzen zu deiner Ehre. 23 [...] Heer der Erkenntnis, zu erzählen dem Fleische die Machttaten und gültige Gesetze dem [Weib]geborenen. 24 [... du brach]test in den Bund mit dir und decktest auf das Herz von Staub, daß es bewahrt wurde [...] 25 [...] aus den Fallen des Gerichtes entsprechend deinem Erbarmen. Und ich bin ein Gebilde 26 [aus Lehm ...] und ein Herz aus Stein. Wofür bin ich geachtet worden bis jetzt? Denn 27 [... du g]abst in das Ohr aus Staub, und Geschehnisse der Ewigkeit grubst du ein in das Herz 28 [aus Stein ...] vertilgst du, um in den Bund mit dir zu bringen und zu stehen 29 [...] an der ewigen Stätte, zum Licht vollkommener Erleuchtung auf ewig und [...] Finsternis 30 [...] Ende und Zeiten des Friedens ohne Gr[enze]. 31 [...] und ich bin ein Gebilde des Staubes [...] 32 [...] will ich öffnen [...] 33 [...]

DIE KRIEGSROLLE

1 QM

Der Text des Buches, das den Krieg der Söhne des Lichtes gegen die Söhne der Finsternis beschreibt, ist von einer guten Schreiberhand sorgfältig aufgezeichnet worden, aber leider nicht unversehrt erhalten. Am Ende jeder der 19 Kolumnen sind einige Zeilen verloren gegangen, der Schluß des Buches fehlt ganz. Der Kampf, der in der letzten Zeit bestanden werden muß, wird weithin mit alttestamentlichen Wendungen geschildert, in denen Motive des heiligen Krieges aufgenommen werden, die in der Makkabäerzeit in den Kreisen der Gesetzesfrommen wieder lebendig geworden waren. Für Ausrüstung, Aufstellung und Kampfesweise der Truppen werden recht genaue Anweisungen erteilt, aus denen hervorgeht, daß der Krieg als ein wirklicher Kampf dargestellt werden soll. Dessen Ausmaße sind jedoch in den Rahmen des apokalyptischen Endgeschehens eingespannt: Belial und sein Heer stehen auf der einen Seite, Michael und seine Engel auf der anderen, der Sieg aber wird allein Gottes Tat sein.

Die Kriegsrolle bildet keine literarische Einheit. Die Schilderung des Krieges wird immer wieder von liturgischen Texten, Dankgebeten, Hymnen und priesterlichen Ansprachen unterbrochen. An manchen Stellen finden sich auffällige Wiederholungen, ein längerer Hymnus kehrt sogar in einer fast wörtlichen Dublette wieder (XII, 7ff.; XIX, 1ff.). Daraus ist zu schließen, daß in der Kriegsrolle Überlieferungen verschiedenen Ursprungs zusammengefaßt und locker miteinander verbunden worden sind. Kleinere Fragmente anderer Handschriften des Buches sind in Höhle 1 gefunden worden (vgl. Barthélemy-Milik, S. 135f.). Unter den Funden der Höhle 4 enthält ein größeres Fragment eine kürzere, ohne Zweifel ältere Fassung des Textes von 1 QM XIV (vgl. C.-H. Hunzinger, Fragmente einer älteren Fassung des Buches Milḥama aus Höhle 4 von Qumrān, Z.A.W. 69 [1957], S. 131–151). Damit ist zwingend erwiesen, daß die Gestalt der Kriegsrolle, wie sie in 1 QM vorliegt, auf älteren Traditionen und Vorlagen fußt, die überarbeitet und weiterentwickelt worden sind. Da die in der Kriegsrolle vorausgesetzte Waffentechnik der des römischen Heeres entspricht, wird man die endgültige Redaktion des Buches nicht zu früh, vielleicht erst in den Anfang des ersten Jahrh. n. Chr. anzusetzen haben.

Erstausgabe des Textes: E. L. Sukenik, אוצר המגילות הגנוזות שבידי האוניברסיטה העברית (The Dead Sea Scrolls of the Hebrew University), Jerusalem 1954, S. 16—34, Tafel 16—34; zum Text vgl. ferner Habermann, S. 95—108; P. Boccaccio–G. Berardi, Regula Belli, ²Fano 1960. Übersetzungen bei Bardtke, Burrows, Carmignac I, Dupont-Sommer, Gaster, Maier und Vermes. Zur kritischen Wiederherstellung des Textes, Übersetzung und Erklärung der Kriegsrolle sind zu vergleichen: Y. Yadin, The Scroll of the War of the Sons of Light against the Sons of Darkness (hebr.), ²Jerusalem 1957, engl. Ausgabe Oxford 1962; J. Carmignac, La Règle de la Guerre des Fils de Lumière contre les Fils de Ténèbres. Texte restauré, traduit, commenté, Paris 1958; J. van der Ploeg, Le Rouleau de la Guerre, traduit et annoté avec une introduction, Leiden 1959; Maier II, S. 111–136; B. Jongeling, Le Rouleau de la Guerre, Assen 1962.

I

לַמַּ[שְׂכִּיל סֶרֶךְ] הַמִּלְחָמָה ׳ רֵאשִׁית מִשְׁלוֹחַ יַד בְּנֵי אוֹר לְהָחֵל
בְּגוֹרַל בְּנֵי חוֹשֶׁךְ בְּחֵיל בְּלִיַּעַל בִּגְדוּד אֱדוֹם וּמוֹאָב וּבְנֵי עַמּוֹן
2 וְחֵ[יל] פְּלֶשֶׁת וּבִגְדוּדֵי כִּתִּיֵּי אַשּׁוּר וְעִמָּהֶם בְּעֵזֶר מַרְשִׁיעֵי
בְּרִית ׳ בְּנֵי לֵוִי וּבְנֵי יְהוּדָה וּבְנֵי בִנְיָמִין גּוֹלַת הַמִּדְבָּר יִלָּחֲמוּ בָם
3 כ[ ] לְכוֹל גְּדוּדֵיהֶם בְּשׁוּב גּוֹלַת בְּנֵי אוֹר מִמִּדְבַּר הָעַמִּים
לַחֲנוֹת בְּמִדְבַּר יְרוּשָׁלָיִם ׳ וְאַחַר הַמִּלְחָמָה יַעֲלוּ מִשָּׁם 4 עַ[ל
כּוֹל גְּדוּדֵי] הַכִּתִּיִּים בְּמִצְרָיִם ׳ וּבְקִצּוֹ יֵצֵא בְּחֵמָה גְדוֹלָה
לְהִלָּחֵם בְּמַלְכֵי הַצָּפוֹן וְאַפּוֹ לְהַשְׁמִיד וּלְהַכְרִית אֶת קֶרֶן
5 [בְּלִיַּעַל ׳ וְהִי]אָה עֵת יְשׁוּעָה לְעַם אֵל וְקֵץ מִמְשָׁל לְכוֹל אַנְשֵׁי
גוֹרָלוֹ וְכָלַת עוֹלָמִים לְכוֹל גּוֹרַל בְּלִיַּעַל ׳ וְהָיְתָה מְהוּמָה
6 גְ[דוֹלָה בִּ]בְנֵי יֶפֶת ׳ וְנָפַל אַשּׁוּר וְאֵין עוֹזֵר לוֹ ׳ וְסָרָה מֶמְשֶׁלֶת
כִּתִּיִּים לְהַכְנִי[עַ] רִשְׁעָה לְאֵין שְׁאֵרִית וּפְלֵטָה לוֹא תִהְיֶה
7 [לְכוֹל בְּנֵ]י חוֹשֶׁךְ ׳
8 [דַּעַת וָצֶדֶ]ק יָאִירוּ לְכוֹל קַצְווֹת תֵּבֵל הָלוֹךְ וָאוֹר עַד תּוֹם
כּוֹל מוֹעֲדֵי חוֹשֶׁךְ ׳ וּבְמוֹעֵד אֵל יָאִיר רוּם גּוֹדְלוֹ לְכוֹל קִצֵּי
9 [עוֹלָמִים] לְשָׁלוֹם וּבְרָכָה כָבוֹד וְשִׂמְחָה וְאוֹרֶךְ יָמִים לְכוֹל
בְּנֵי אוֹר ׳ וּבְיוֹם נְפוֹל בּוֹ כִּתִּיִּים קְרָב וְנַחְשִׁיר חָזָק לִפְנֵי אֵל
10 יִשְׂרָאֵל כִּיא הוּאָה יוֹם יָעוּד לוֹ מֵאָז לְמִלְחֶמֶת כָּלָה לִבְנֵי
חוֹשֶׁךְ ׳ בּוֹ יִתְקָרְבוּ לְנַחְשִׁיר גָּדוֹל עֲדַת אֵלִים וּקְהִלַּת
11 אֲנָשִׁים ׳ בְּנֵי אוֹר וְגוֹרַל חוֹשֶׁךְ נִלְחָמִים יַחַד לִגְבוּרַת אֵל בְּקוֹל
הָמוֹן גָּדוֹל וּתְרוּעַת אֵלִים וַאֲנָשִׁים לְיוֹם הוֹוֶה ׳ וְהִיאָה עֵת
12 צָרָה עַ[ל כּוֹ]ל עַם פְּדוּת אֵל ׳ וּבְכוֹל צָרוֹתֵמָּה לוֹא נִהְיְתָה
כָמוֹהָ מְחִישָׁה עַד תּוּמָּהּ לִפְדוּת עוֹלָמִים ׳ וּבְיוֹם מִלְחַמְתָּם
בַּכִּתִּיִּים 13 יֵצְ[אוּ לְנַחְ]שִׁיר בַּמִּלְחָמָה ׳ שְׁלוֹשָׁה גוֹרָלוֹת יֶחֱזְקוּ
בְנֵי אוֹר לִנְגּוֹף רִשְׁעָה ׳ וּשְׁלוֹשָׁה יִתְאַזְּרוּ חֵיל בְּלִיַּעַל לְמְשׁוֹב
גּוֹרַל 14 [אוֹר ׳ וְנוֹפְ]לֵי הַבֵּנַיִם יִהְיוּ לְהָמֵס לֵבָב וּגְבוּרַת אֵל
מְאַמֶּ[צֶת] לְ[בַב בְּנֵי אוֹר ׳ וּ]בַגּוֹרָל הַשְּׁבִיעִי יַד אֵל הַגְּדוֹלָה

I

Für den Ein[sichtigen: Bestimmung] des Krieges. Der Anfang ist, wenn die Söhne des Lichtes Hand anlegen, um zu beginnen gegen das Los der Söhne der Finsternis, gegen das Heer Belials, gegen die Schar von Edom und Moab und der Söhne Ammons 2 und das Hee[r ...] der Philister und gegen die Scharen der Kittäer von Assur, und mit ihnen sind zur Unterstützung die Frevler am Bunde[1]. Die Söhne Levis und die Söhne Judas und die Söhne Benjamins[2], die Verbannten der Wüste, kämpfen gegen sie 3 [...] mit all ihren Scharen, wenn die Verbannten der Söhne des Lichtes aus der Wüste der Völker[3] zurückkehren, um in der Wüste von Jerusalem[4] zu lagern. Und nach dem Krieg ziehen sie von dort 4 ge[gen alle Scharen] der Kittäer in Ägypten. Und zu seiner Zeit zieht er aus mit großem Grimm, um zu kämpfen gegen die Könige des Nordens, und sein Zorn (sucht) zu vernichten und auszurotten das Horn 5 [Belials[5]. Das] ist die Zeit des Heils für das Volk Gottes und die Zeit der Herrschaft für alle Männer seines Loses, aber ewige Vernichtung für das ganze Los Belials. Und es wird g[roße] Bestürzung sein 6 [bei] den Söhnen Japhets. Es fällt Assur, aber keiner ist da, der ihm hilft. Die Herrschaft der Kittäer weicht, damit Gottlosigkeit gedemütigt werde ohne Rest und es Rettung nicht gebe 7 [für alle Söh]ne der Finsternis.

8 [Erkenntnis und Gerechtig]keit werden alle Enden des Erdkreises erleuchten in immer hellerem Licht, bis alle Zeiten der Finsternis zu Ende sind. Aber zur Zeit Gottes wird seine erhabene Größe leuchten für alle Zeiten 9 [der Ewigkeiten] zu Frieden und Segen, Ehre und Freude und Länge der Tage für alle Söhne des Lichtes. Aber an dem Tage, an dem die Kittäer fallen, gibt es Kampf und gewaltiges Gemetzel vor dem Gott 10 Israels; denn dies ist der Tag, der von ihm seit ehedem bestimmt wurde für den Vernichtungskrieg gegen die Söhne der Finsternis. An ihm kämpfen zu einem großen Gemetzel die Gemeinde der Göttlichen[6] und die Versammlung 11 der Menschen. Die Söhne des Lichtes und das Los der Finsternis kämpfen miteinander für (den Erweis der) Stärke Gottes beim Lärm einer großen Menge und dem Geschrei der Göttlichen[6] und Menschen am Tage des Verderbens. Und dies ist die Zeit 12 der Drangsal für [das ganze] Volk der Erlösung Gottes. Und unter allen ihren Drangsalen war keine wie diese, die ihrem Ende zueilt, zur

מַכְנַעַת 15 [בְּלִיַּעַל וְכוֹ]ל מַלְאֲכֵי מֶמְשַׁלְתּוֹ וּלְכוֹל אַנְשֵׁי
[ ]
16 [ ] קְדוֹשִׁים יוֹפִיעַ בְּעֵזֶר[הָ]אֱמֶת
לְכַלַּת בְּנֵי חוֹשֶׁךְ [ ] 17 [הָמ]וֹן
גָּדוֹל [ ]ם יִתְּנוּ יָד בְּכָל[ ]

II

אֲבוֹת הָעֵדָה שְׁנַיִם וַחֲמִשִּׁים ׳ וְאֵת רָאשֵׁי הַכּוֹהֲנִים יִסְרוֹכוּ אַחַר
כּוֹהֵן הָרֹאשׁ וּמִשְׁנֵהוּ רָאשִׁים שְׁנֵים עָשָׂר לִהְיוֹת מְשָׁרְתִים
2 בְּתָמִיד לִפְנֵי אֵל ׳ וְרָאשֵׁי הַמִּשְׁמָרוֹת שִׁשָּׁה וְעֶשְׂרִים בְּמִשְׁמְרוֹתָם
יְשָׁרֵתוּ ׳ וְאַחֲרֵיהֶם רָאשֵׁי הַלְוִיִּים לְשָׁרֵת תָּמִיד שְׁנֵים עָשָׂר אֶחָד
3 לַשֵּׁבֶט ׳ וְרָאשֵׁי מִשְׁמְרוֹתָם אִישׁ בְּמַעֲמָדוֹ יְשָׁרֵתוּ ׳ וְרָאשֵׁי
הַשְּׁבָטִים וַאֲבוֹת הָעֵדָה אַחֲרֵיהֶם לְהִתְיַצֵּב תָּמִיד בְּשַׁעֲרֵי
הַמִּקְדָּשׁ ׳ 4 וְרָאשֵׁי מִשְׁמְרוֹתָם עִם פְּקוּדֵיהֶם יִתְיַצְּבוּ לְמוֹעֲדֵיהֶם
לְחוֹדְשֵׁיהֶם וְלַשַּׁבָּתוֹת וּלְכוֹל יְמֵי הַשָּׁנָה מִבֶּן חֲמִשִּׁים שָׁנָה וָמָעְלָה ׳
5 אֵלֶּה יִתְיַצְּבוּ עַל הָעוֹלוֹת וְעַל הַזְּבָחִים לַעֲרוֹךְ מִקְטֶרֶת נִיחוֹחַ
לִרְצוֹן אֵל לְכַפֵּר בְּעַד כּוֹל עֲדָתוֹ וּלְהִדַּשֵּׁן לְפָנָיו תָּמִיד
6 בְּשׁוּלְחַן כָּבוֹד ׳ אֵת כּוֹל אֵלֶּה יִסְרוֹכוּ בְּמוֹעֵד שְׁנַת הַשְּׁמִטָּה ׳
וּבְשָׁלוֹשׁ וּשְׁלוֹשִׁים שְׁנֵי הַמִּלְחָמָה הַנּוֹתָרוֹת יִהְיוּ אַנְשֵׁי הַשֵּׁם
7 קְרִיאֵי הַמּוֹעֵד ׳ וְכוֹל רָאשֵׁי אֲבוֹת הָעֵדָה בֹּחֲרִים לָהֶם אַנְשֵׁי
מִלְחָמָה לְכוֹל אַרְצוֹת הַגּוֹיִים ׳ מִכּוֹל שִׁבְטֵי יִשְׂרָאֵל יַחֲלוֹצוּ
8 לָהֶם אַנְשֵׁי חַיִל לָצֵאת לַצָּבָא כְּפִי תְעוּדוֹת הַמִּלְחָמָה שָׁנָה
בְּשָׁנָה ׳ וּבִשְׁנֵי הַשְּׁמִטִּים לוֹא יַחֲלוֹצוּ לָצֵאת לַצָּבָא כִּיא שַׁבַּת
9 מָנוֹחַ הִיאָה לְיִשְׂרָאֵל ׳ בְּחָמֵשׁ וּשְׁלוֹשִׁים שְׁנֵי הָעֲבוֹדָה תֵּעָרֵךְ

ewigen Erlösung. Und am Tage ihres Kampfes mit den Kittäern 13 zie[hen sie aus zum Ge]metzel im Kampf. Drei Lose[7] sind die Söhne des Lichtes stark, um die Gottlosigkeit niederzuwerfen. Und drei (Lose) wird sich die Streitmacht Belials gürten, so daß sich das Los [des Lichtes] zurückzieht. 14 [Die Fal]lenden der Zwischentruppen dienen dazu, das Herz zerschmelzen zu lassen, aber die Stärke Gottes krä[ftigt] das H[erz der Söhne des Lichtes. Und] im siebten Los wird die große Hand Gottes unterwerfen 15 [Belial und all]e Engel seiner Herrschaft und allen Männern [...] 16 [...] der Heiligen erscheint mit Hilfe [... der] Wahrheit zur Vernichtung der Söhne der Finsternis [...] 17 [...] einer großen [Me]nge [...] legen Hand an alle [...]

II

[Häupter] der Familien der Gemeinde sind zweiundfünfzig[8]. Und die Häupter der Priester soll man nach dem Hauptpriester und seinem Stellvertreter anordnen, zwölf Häupter, um zu dienen 2 ununterbrochen vor Gott. Und die sechsundzwanzig Häupter der Dienstabteilungen sollen in ihren Abteilungen dienen. Und nach ihnen die Häupter der Leviten, zwölf (an Zahl), um ununterbrochen zu dienen, einer 3 für jeden Stamm. Und die Häupter ihrer Dienstabteilungen sollen jeder an seinem Platz Dienst tun. Und die Häupter der Stämme und Familien der Gemeinde (kommen) nach ihnen, um ununterbrochen an den Toren des Heiligtums zu stehen. 4 Und die Häupter ihrer Dienstabteilungen sollen zusammen mit ihren Ausgehobenen sich einstellen zu ihren Festzeiten, Neumonden, Sabbaten und zu allen Tagen des Jahres, vom Alter von fünfzig Jahren an aufwärts. 5 Diese sollen sich einstellen zu den Brandopfern und zu den Schlachtopfern, um wohlriechendes Räucherwerk zu bereiten zum Wohlgefallen Gottes, um zu entsühnen für seine ganze Gemeinde und sich vor ihm beständig zu erquicken 6 am Tisch der Herrlichkeit. Dieses alles sollen sie anordnen zur Zeit des Jahres der Freilassung[9]. Und in den dreiunddreißig übrigen Jahren des Krieges[10] sind sie die angesehenen Männer, 7 die zur Versammlung Berufenen. Und alle Familienhäupter der Gemeinde sollen sich Männer des Krieges auswählen für alle Länder der Völker. Aus allen Stämmen Israels sollen sie sich ausrüsten 8 starke Männer, um auszuziehen zum Kriegs-

הַמִּלְחָמָה שֵׁשׁ שָׁנִים וְעוֹרְכֶיהָ כּוֹל הָעֵדָה יַחַד ׳ 10 וּמִלְחֶמֶת
הַמַּחְלְקוֹת בְּתֵשַׁ[ע] וְעֶשְׂרִים הַנּוֹתָרוֹת ׳ בַּשָּׁנָה הָרִאישׁוֹנָה יִלָּחֲמוּ
בַּאֲרַם נַהֲרַיִם ׳ וּבַשֵּׁנִית בִּבְנֵי לוּד ׳ וּבַשְּׁלִישִׁית 11 יִלָּחֲמוּ
בִּשְׁאָר בְּנֵי אֲרָם בְּעוּץ וְחוּל תּוֹגַר וּמַשָּׂא אֲשֶׁר בְּעֵבֶר פּוֹרָת ׳
בָּרְבִיעִית וּבַחֲמִישִׁית יִלָּחֲמוּ בִּבְנֵי אַרְפַּכְשָׁד ׳ 12 בַּשִּׁשִּׁית
וּבַשְּׁבִיעִית יִלָּחֲמוּ בְּכוֹל בְּנֵי אַשּׁוּר וּפָרַס וְהַקַּדְמוֹנִי עַד הַמִּדְבָּר
הַגָּדוֹל ׳ בַּשָּׁנָה הַשְּׁמִינִית יִלָּחֲמוּ בִּבְנֵי 13 עֵילָם ׳ בַּתְּשִׁיעִית
יִלָּחֲמוּ בִּבְנֵי יִשְׁמָעֵאל וּקְטוּרָה ׳ וּבְעֶשֶׂר הַשָּׁנִים אֲשֶׁר אַחֲרֵיהֶם
תֵּחָלֵק הַמִּלְחָמָה עַל כּוֹל בְּנֵי חָם 14 לְ[מִשְׁפְּחוֹתָם
בְּמוֹ]שְׁבוֹתָם ׳ וּבְעֶשֶׂר הַשָּׁנִים הַנּוֹתָרוֹת תֵּחָלֵק הַמִּלְחָמָה עַל
כּוֹל [בְּנֵי יֶפֶת בְּמ]וֹשְׁבוֹתֵיהֶם ׳ 15 [סֶרֶךְ הַחֲצוֹצְרוֹת
חֲצוֹצְר]וֹת הַתְּרוּעָה לְכוֹל עֲבוֹדָתָם לְ[ ]
לִפְקוּדֵיהֶם 16 [לְרִבּוֹאוֹת וַאֲלָפִים וּמְאָיוֹת וַחֲמִשִּׁים]
וַעֲשָׂרוֹת [עַ]ל חֲ[צוֹצְרוֹת]

III

סִדְרֵי הַמִּלְחָמָה וַחֲצוֹצְרוֹת מִקְרָאָם בְּהִפָּתַח שַׁעֲרֵי הַמִּלְחָמָה
לָצֵאת אַנְשֵׁי הַבֵּנַיִם וַחֲצוֹצְרוֹת תְּרוּעוֹת הַחֲלָלִים וַחֲצוֹצְרוֹת
2 הַמַּאֲרָב וַחֲצוֹצְרוֹת הַמִּרְדָּף בְּהִנָּגֵף אוֹיֵב וַחֲצוֹצְרוֹת הַמַּאֲסָף
בְּשׁוּב הַמִּלְחָמָה ׳ עַל חֲצוֹצְרוֹת מִקְרָא הָעֵדָה יִכְתּוֹבוּ קְרוּאֵי
אֵל ׳ 3 וְעַל חֲצוֹצְרוֹת מִקְרָא הַשָּׂרִים יִכְתּוֹבוּ נְשִׂיאֵי אֵל ׳ וְעַל
חֲצוֹצְרוֹת הַמְּסוֹרוֹת יִכְתּוֹבוּ סֶרֶךְ אֵל ׳ וְעַל חֲצוֹצְרוֹת אַנְשֵׁי
4 הַשֵּׁם [a]יִכְתּוֹבוּ רָאשֵׁי אֲבוֹת הָעֵדָה בְּהֵאָסְפָם לְבֵית מוֹעֵד

[a] Durch übergeschriebene Punkte nachträglich vom Schreiber wieder getilgt.

dienst entsprechend den Kriegsvorschriften, Jahr um Jahr. Aber in den Freilassungsjahren[11] sollen sie nicht ausrüsten, um zum Kriegsdienst auszuziehen; denn ein Sabbat 9 der Ruhe ist es für Israel. In den fünfunddreißig Jahren[12] des Dienstes soll der Krieg sechs Jahre lang gerüstet werden, und es soll ihn die ganze Gemeinde gemeinsam rüsten. 10 Und der Krieg der Abteilungen (wird) in den neu[n]undzwanzig übrigen (Jahren geführt). Im ersten Jahr werden sie gegen Aram Naharaim[13] kämpfen, und im zweiten Jahr gegen die Söhne Luds. Und im dritten 11 werden sie gegen den Rest der Söhne Arams kämpfen, gegen Uz und Chul, Thogar und Massa, das jenseits des Euphrats liegt. Im vierten und fünften werden sie gegen die Söhne Arpachschads kämpfen. 12 Im sechsten und siebten werden sie gegen alle Söhne Assurs und Persiens und die im Osten bis zur großen Steppe hin Wohnenden kämpfen. Im achten Jahr werden sie kämpfen gegen die Söhne 13 Elams. Im neunten werden sie gegen die Söhne Ismaels und Keturahs kämpfen. Und in den zehn Jahren, die darauf folgen, verteilt sich der Krieg gegen alle Söhne Hams 14 nach [ihren Sippen in] ihren [Wohn]sitzen. Und in den zehn übrigen Jahren verteilt sich der Krieg gegen alle [Söhne Japhets in] ihren Wohnsitzen 15 [Ordnung der Trompeten[14] ... Trompe]ten des Kriegslärms für ihren gesamten Dienst [...] für ihre Gemusterten 16 [nach Zehntausend und Tausend und Hundert und Fünfzig] und Zehn; [a]uf die [Trompeten ...]

III

der Kampfabteilungen und die Trompeten ihres Aufrufs, wenn die Tore des Krieges geöffnet werden für den Ausmarsch der Männer der Zwischentruppen, und Lärmtrompeten der Gefallenen und Trompeten 2 des Hinterhalts und Trompeten der Verfolgung, wenn der Feind geschlagen ist, und Trompeten der Sammlung, wenn der Kampf endet. Auf die Trompeten des Aufrufs der Gemeinde soll man schreiben: Berufene Gottes. 3 Und auf die Trompeten des Aufrufs der Führer soll man schreiben: Fürsten Gottes. Und auf die Trompeten der Verbände soll man schreiben: Ordnung Gottes. Und auf die Trompeten der angesehenen Männer, 4 der Familienhäupter der Gemeinde, wenn sie sich versammeln im Versammlungshaus, soll man schreiben: Bestimmungen Gottes für den Rat der Heiligkeit.

יִכְתּוֹבוּ תְעוּדוֹת אֵל לַעֲצַת קוֹדֶשׁ · וְעַל חֲצוֹצְרוֹת הַמַּחֲנוֹת
5 יִכְתּוֹבוּ שְׁלוֹם אֵל בְּמַחֲנֵי קְדוֹשָׁיו · וְעַל חֲצוֹצְרוֹת מַסְעֵיהֶם
יִכְתּוֹבוּ גְבוּרוֹת אֵל לְהָפִיץ אוֹיֵב וּלְהָנִיס כּוֹל מְשַׂנְאֵי 6 צֶדֶק
וּמְשׁוֹב חֲסָדִים בִּמְשַׂנְאֵי אֵל · וְעַל חֲצוֹצְרוֹת סִדְרֵי הַמִּלְחָמָה
יִכְתּוֹבוּ סִדְרֵי דִגְלֵי אֵל לְנִקְמַת אַפּוֹ בְכוֹל בְּנֵי חוֹשֶׁךְ · 7 וְעַל
חֲצוֹצְרוֹת מִקְרָא אַנְשֵׁי הַבֵּנַיִם בְּהִפָּתַח שַׁעֲרֵי הַמִּלְחָמָה לָצֵאת
לְמַעֲרֶכֶת הָאוֹיֵב יִכְתּוֹבוּ זִכְרוֹן נָקָם בְּמוֹעֵד 8 אֵל · וְעַל
חֲצוֹצְרוֹת הַחֲלָלִים יִכְתּוֹבוּ יַד גְּבוּרַת אֵל בַּמִּלְחָמָה לְהַפִּיל
כּוֹל חַלְלֵי מָעַל · וְעַל חֲצוֹצְרוֹת הַמַּאֲרָב יִכְתּוֹבוּ 9 רָזֵי אֵל
לְשַׁחֵת רִשְׁעָה · וְעַל חֲצוֹצְרוֹת הַמִּרְדָּף יִכְתּוֹבוּ נְגַף אֵל כּוֹל בְּנֵי
חוֹשֶׁךְ לוֹא יָשִׁיב אַפּוֹ עַד כַּלּוֹתָם · 10 וּבְשׁוּבָם מִן הַמִּלְחָמָה
לָבוֹא הַמַּעֲרָכָה יִכְתּוֹבוּ עַל חֲצוֹצְרוֹת הַמָּשׁוֹב אָסַף אֵל · וְעַל
חֲצוֹצְרוֹת דֶּרֶךְ הַמָּשׁוֹב 11 מִמִּלְחֶמֶת הָאוֹיֵב לָבוֹא אֶל הָעֵדָה
יְרוּשָׁלַיִם יִכְתּוֹבוּ גִילוֹת אֵל בִּמְשׁוֹב שָׁלוֹם ·

13 סֶרֶךְ אוֹתוֹת כּוֹל הָעֵדָה לְמִסוֹרוֹתָם · עַל הָאוֹת הַגְּדוֹלָה
אֲשֶׁר בְּרֹאשׁ כּוֹל הָעָם יִכְתּוֹבוּ עַם אֵל וְאֵת שֵׁם יִשְׂרָאֵל
14 וְאַהֲרוֹן וּשְׁמוֹת שְׁנֵים עָשָׂר שִׁ[בְטֵי יִשְׂרָ]אֵל כְּתוֹלְדוֹתָם · עַל
אוֹתוֹת רָאשֵׁי הַמַּחֲנוֹת אֲשֶׁר לִשְׁלוֹשֶׁת הַשְּׁבָטִים 15 יִכְתּוֹבוּ
ב[עַ]ל [א]וֹת הַשֵּׁבֶט יִכְתּוֹבוּ נֵס אֵל
וְאֵת שֵׁם נְשִׂי הַ[שֵּׁבֶט] 16 מִשְׁפְּ]חוֹתָיו
] שֵׁם הַנָּשִׂיא הָרִבּוֹא וְאֵת שְׁמוֹת שָׂ[רֵי]
17 [ ]מֵאָ[יוֹתָיו] וְעַל א[וֹת]

Und auf die Trompeten der Lager 5 soll man schreiben: Frieden Gottes in den Lagern seiner Heiligen. Und auf die Trompeten ihres Aufbruchs soll man schreiben: Krafttaten Gottes, um den Feind zu zerstreuen und in die Flucht zu schlagen alle, die 6 Gerechtigkeit hassen, und Abkehr der Gnadenerweise an denen, die Gott hassen. Und auf die Trompeten der Kampfabteilungen soll man schreiben: Ordnungen der Abteilungen Gottes zur Rache seines Zornes an allen Söhnen der Finsternis. 7 Und auf die Trompeten des Aufrufs der Männer der Zwischentruppen, wenn die Tore des Krieges geöffnet werden zum Ausmarsch gegen die Schlachtreihe des Feindes, soll man schreiben: Gedenken der Rache zur Zeit 8 Gottes. Und auf die Trompeten der Gefallenen soll man schreiben: Hand der Stärke Gottes im Kampf, zu fällen alle Gefallenen der Treulosigkeit. Und auf die Trompeten des Hinterhalts soll man schreiben: 9 Geheimnisse Gottes, um die Gottlosigkeit zu vernichten. Und auf die Trompeten der Verfolgung soll man schreiben: Geschlagen hat Gott alle Söhne der Finsternis, nicht wendet er seinen Zorn bis zu ihrer Vernichtung. 10 Und wenn sie zurückkehren vom Kampf, um in die Schlachtreihe einzutreten, soll man auf die Trompeten der Rückkehr schreiben: Gott hat gesammelt. Und auf die Trompeten des Rückmarsches 11 aus dem Kampf gegen den Feind, um zur Gemeinde in Jerusalem zu kommen, soll man schreiben: Jauchzen Gottes bei glücklicher Heimkehr.

13 Ordnung der Feldzeichen[15] der ganzen Gemeinde nach ihren Verbänden. Auf das große Feldzeichen an der Spitze des ganzen Volkes soll man schreiben: Volk Gottes, und den Namen Israel 14 und Aaron und die Namen der zwölf St[ämme Israe]ls nach ihren Geschlechtern. Auf die Feldzeichen der Häupter der Lager, die für je drei Stämme bestimmt sind, 15 soll man schreiben [... A]uf das [Fe]ldzeichen des Stammes soll man schreiben: Panier Gottes, und den Namen des Fürsten des [Stammes ...] 16 [seiner] Sippen [...] den Namen des Fürsten der Zehntausend und die Namen der Füh[rer ...] 17 [... seiner] Hundert[schaften,] und auf das Feld[zeichen ...]

IV

וְעַל אוֹת מְרָרִי יִכְתּוֹבוּ תְּרוּמַת אֵל וְאֵת שֵׁם נְשִׂי מְרָרִי וְאֵת
שְׁמוֹת שָׂרֵי אֲלָפָיו ' וְעַל אוֹת הָאֶ[לֶ]ף יִכְתּוֹבוּ אַף אֵל בְּעֶבְרָה עַל
2 בְּלִיַּעַל וּבְכוֹל אַנְשֵׁי גוֹרָלוֹ לְאֵין שְׁאֵרִית וְאֵת שֵׁם שַׂר הָאֶלֶף
וְאֵת שְׁמוֹת שָׂרֵי מֵאוֹתָיו ' וְעַל אוֹת הַמֵּאָה יִכְתּוֹבוּ מֵאֵת 3 אֵל
יַד מִלְחָמָה בְּכוֹל בְּשַׂר עָוֶל וְאֵת שֵׁם שַׂר הַמֵּאָה וְאֵת שְׁמוֹת שָׂרֵי
עֲשָׂרוֹתָיו ' וְעַל אוֹת הַחֲמִשִּׁים יִכְתּוֹבוּ חָדַל 4 מַעֲמַד רְשָׁעִים
[בִּ]גְבוּרַת אֵל וְאֵת שֵׁם שַׂר הַחֲמִשִּׁים וְאֵת שְׁמוֹת שָׂרֵי עוֹשְׂרוֹתָיו '
עַל אוֹת הָעֲשָׂרָה יִכְתּוֹבוּ רִנּוֹת 5 אֵל בְּנֵבֶל עָשׂוֹר וְאֵת שֵׁם
שַׂר הָעֲשָׂרָה וְאֵת שְׁמוֹת תִּשְׁעַת אַנְשֵׁי תְעוּדָתוֹ '

6 [a]וּבְלֶכְתָּם לַמִּלְחָמָה יִכְתּוֹבוּ עַל אוֹתוֹתָם אֱמֶת אֵל צֶדֶק אֵל
כְּבוֹד אֵל מִשְׁפַּט אֵל וְאַחֲרֵיהֶם כּוֹל סֶרֶךְ פֵּרוּשׁ שְׁמוֹתָם '
7 וּבְגִשְׁתָּם לַמִּלְחָמָה יִכְתּוֹבוּ עַל אוֹתוֹתָם יְמִין אֵל מוֹעֵד אֵל
מְהוּמַת אֵל חַלְלֵי אֵל וְאַחֲרֵיהֶם כּוֹל פֵּרוּשׁ שְׁמוֹתָם ' 8 וּבְשׁוּבָם
מִן הַמִּלְחָמָה יִכְתּוֹבוּ עַל אוֹתוֹתָם רוֹמַם אֵל גְּדֹל אֵל תִּשְׁבּוֹחַת
אֵל כְּבוֹד אֵל עִם כּוֹל פֵּרוּשׁ שְׁמוֹתָם ' 9 סֶרֶךְ אוֹתוֹת הָעֵדָה '
בְּצֵאתָם לַמִּלְחָמָה יִכְתְּבוּ עַל אוֹת הָרִאשׁוֹנָה עֲדַת אֵל ' עַל
אוֹת הַשֵּׁנִית מַחֲנֵי אֵל ' עַל הַשְּׁלִישִׁית 10 שִׁבְטֵי אֵל ' עַל
הָרְבִיעִית מִשְׁפְּחוֹת אֵל ' עַל הַחֲמִישִׁית דִּגְלֵי אֵל ' עַל הַשִּׁשִּׁית
קְהַל אֵל ' עַל הַשְּׁבִיעִית קְרוּאֵי 11 אֵל ' עַל הַשְּׁמִינִית צִבְאוֹת
אֵל ' וּפֵרוּשׁ שְׁמוֹתָם יִכְתּוֹבוּ עִם כּוֹל סִרְכָם ' וּבְגִשְׁתָּם לַמִּלְחָמָה
יִכְתּוֹבוּ עַל אוֹתוֹתָם 12 מִלְחֶמֶת אֵל נְקָמַת אֵל רִיב אֵל גְּמוּל
אֵל כּוֹחַ אֵל שִׁלּוּמֵי אֵל גְּבוּרַת אֵל כְּלַת אֵל בְּכוֹל גּוֹי הֶבֶל '
וְאֵת כּוֹל פֵּרוּשׁ 13 שְׁמוֹתָם יִכְתּוֹבוּ עֲלֵיהֶם ' וּבְשׁוּבָם מִן
הַמִּלְחָמָה יִכְתּוֹבוּ עַל אוֹתוֹתָם יְשׁוּעוֹת אֵל נֵצַח אֵל עֵזֶר אֵל

[a] Zwischen ב und ל ein כ durch zwei Punkte als zu streichen gekennzeichnet.

IV

Und auf das Feldzeichen von Merari[16] soll man schreiben: Hebe Gottes, und den Namen des Fürsten Meraris und die Namen der Führer seiner Tausendschaften. Und auf das Feldzeichen der Tau[send]schaft soll man schreiben: Zorn Gottes in Grimm gegen 2 Belial und gegen alle Männer seines Loses, so daß kein Rest bleibt, und den Namen des Führers der Tausendschaft und die Namen der Führer seiner Hundertschaften. Und auf das Feldzeichen der Hundertschaft soll man schreiben: Von 3 Gott (kommt) die Hand des Kampfes gegen alles frevelnde Fleisch, und den Namen des Führers der Hundertschaft und die Namen seiner Zehnergruppen. Und auf das Feldzeichen der Fünfzigergruppe soll man schreiben: Aufgehört hat 4 der Stand der Gottlosen [durch] Gottes Stärke, und den Namen des Führers der Fünfzigergruppe und die Namen der Führer seiner Zehnergruppen. Auf das Feldzeichen der Zehnergruppe soll man schreiben: Jubel 5 Gottes auf der zehnsaitigen Harfe, und den Namen des Führers der Zehnergruppe und die Namen der neun Männer seines Aufgebots.

6 Und wenn sie zum Kampf ziehen, sollen sie auf ihre Feldzeichen schreiben: Wahrheit Gottes, Gerechtigkeit Gottes, Ehre Gottes, Gericht Gottes, und dahinter die gesamte ausführliche Anordnung ihrer Namen. 7 Und wenn sie sich dem Kampf nähern, sollen sie auf ihre Feldzeichen schreiben: Rechte Gottes, Festzeit Gottes, Bestürzung Gottes, Erschlagene Gottes, und dahinter das ganze Verzeichnis ihrer Namen. 8 Und wenn sie zurückkehren vom Kampf, sollen sie auf ihre Feldzeichen schreiben: Erhebung Gottes, Größe Gottes, Lobpreis Gottes, Ehre Gottes, mit dem ganzen Verzeichnis ihrer Namen. 9 Ordnung der Feldzeichen der Gemeinde: Wenn sie zum Kampf ausrücken, sollen sie auf das erste Feldzeichen schreiben: Gemeinde Gottes; auf das zweite Feldzeichen: Lager Gottes; auf das dritte: 10 Stämme Gottes; auf das vierte: Sippen Gottes; auf das fünfte: Abteilungen Gottes; auf das sechste: Versammlung Gottes; auf das siebte: Berufene 11 Gottes; auf das achte: Heerscharen Gottes; und das Verzeichnis ihrer Namen sollen sie mit ihrer ganzen Ordnung schreiben. Und wenn sie sich dem Kampf nähern, sollen sie auf ihre Feldzeichen schreiben: 12 Krieg Gottes, Rache Gottes, Streit Gottes, Heimzahlung Gottes, Kraft Gottes, Vergeltungen Gottes, Stärke Gottes, Vernichtung Gottes

מִשְׁעֶנֶת אֵל 14 [שִׂמְ]חַת אֵל הוֹדוֹת אֵל תְּהִלַּת אֵל שְׁלוֹם אֵל ׀
15 [מִדּוֹת הָאוֹתִ]וֹת ׳ אוֹת כּוֹל הָעֵדָה אוֹרֶךְ אַרְבַּע עֶשְׂרֵה
אַמָּה ׳ אוֹת [שְׁ]לֹ[וֹשֶׁת הַשְּׁבָטִים אוֹרֶךְ שְׁלוֹשׁ עֶ]שְׂרֵה אַמָּה ׳
16 [אוֹת הַשֵּׁבֶט] שְׁתֵּים עֶשְׂרֵה אַמָּה ׳ [אוֹת הָרִבּוֹ]א עַשְׁתֵּי עֶשְׂ[רֵה
אַמָּה ׳ אוֹת הָאֶלֶף עָשָׂר אַמּוֹת ׳ אוֹת הַמֵּאָה תֵּ]שַׁע אַמּוֹת ׳
17 [אוֹת הַחֲמִשִּׁים שְׁמוֹנָה] אַמּוֹת ׳ אוֹת הָעֲשָׂרָה שֶׁ[בַע אַמּוֹת ׳]

V

וְעַל מָ[גֵן] נְשִׂיא כּוֹל הָעֵדָה יִכְתְּבוּ שְׁמ[וֹ וְ]שֵׁם יִשְׂרָאֵל וְלֵוִי
וְאַהֲרוֹן וּשְׁמוֹת שְׁנֵים עָשָׂר שִׁבְטֵי יִשְׂרָאֵל כְּתוֹלְ[דֹ]וֹתָם
2 וּשְׁמוֹת שְׁנֵים עָשָׂר שָׂרֵי שִׁבְטֵיהֶם ׳
3 סֶרֶךְ לְסַדֵּר דִּגְלֵי הַמִּלְחָמָה ׳ בְּהִמָּלֵא צְבָאָם לְהַשְׁלִים
מַעֲרֶכֶת פָּנִים עַל אֶלֶף אִישׁ תֵּאָסֵר הַמַּעֲרָכָה ׳ וְשִׁבְעָה סִדְרֵי
4 פָּנִים לַמַּעֲרָכָה הָאַחַת סְדוּרִים בְּסֶרֶךְ מַעֲמָד אִישׁ אַחַר אִישׁ ׳
וְכוּלָּם מַחֲזִיקִים מָגִנֵּי נְחוֹשֶׁת מְרוּקָה כְּמַעֲשֵׂה 5 מַרְאַת פָּנִים ׳
וְהַמָּגֵן מוּסַב מַעֲשֵׂי גְדִיל שָׂפָה וְצוּרַת מַחְבֶּרֶת מַעֲשֵׂה חוֹשֵׁב זָהָב
וָכֶסֶף וּנְחוֹשֶׁת מְמוּזָּזִים 6 וְאַבְנֵי חֵפֶץ אבדני רִיקְמָה מַעֲשֵׂה
חָרַשׁ מַחֲשָׁבֶת ׳ אוֹרֶךְ הַמָּגֵן אַמָּתַיִם וָחֵצִי וְרוֹחְבּוֹ אַמָּה וָחֵצִי ׳
וּבְיָדָם רֹמַח 7 וְכִידֹן ׳ אוֹרֶךְ הָרֹמַח שֶׁבַע אַמּוֹת מִזֶּה הַסְּגֹר
וְהַלּוֹהַב חֲצִי הָאַמָּה ׳ וּבַסְּגֹר שְׁלוֹשָׁה צְמִידִים מְפוּתָּחִים כְּמַעֲשֵׂי
8 גְדִיל שָׂפָה בְּזָהָב וָכֶסֶף וּנְחוֹשֶׁת מְמוּזָּזִים כְּמַעֲשֵׂי צוּרַת
מַחֲשָׁבֶת ׳ וּמַחְבֶּרֶת הַצּ[וּ]רָה מִזֶּה וּמִזֶּה לַצָּמִיד 9 סָבִיב אַבְנֵי
חֵפֶץ בדני רִיקְמָה מַעֲשֵׂי חָרַשׁ מַחֲשֶׁבֶת וְשִׁבּוֹלֶת ׳ וְהַסְּגֹר מְחוֹרָץ
בֵּין הַצְּמִידִים כְּמַעֲשֵׂי 10 עַמּוּד מַחֲשָׁבֶת ׳ וְהַלּוֹהַב בַּרְזֶל לָבָן

wider jedes nichtige Volk. Und das ganze Verzeichnis 13 ihrer Namen sollen sie darauf schreiben. Wenn sie zurückkommen vom Kampf, sollen sie auf ihre Feldzeichen schreiben: Heilstaten Gottes, Ruhm Gottes, Hilfe Gottes, Stütze Gottes, 14 [Fr]eude Gottes, Loblieder Gottes, Lobpreis Gottes, Friede Gottes.

15 [Die Maße der Feld]zeichen: Das Feldzeichen der ganzen Gemeinde hat eine Länge von vierzehn Ellen[17]. Das Feldzeichen der [d]r[ei Stämme hat eine Länge von dreizehn Ellen.] 16[Das Feldzeichen des Stammes] ist zwölf Ellen. [Das Feldzeichen der Zehntaus]end ist el[f Ellen. Das Feldzeichen der Tausend ist zehn Ellen. Das Feldzeichen der Hundert ist] neun Ellen. 17 [Das Feldzeichen der Fünfzig ist acht] Ellen. Das Feldzeichen der Zehn ist sie[ben Ellen ...]

V

Und auf den Sch[ild] des Fürsten der ganzen Gemeinde[18] soll man seinen Namen schreiben [und] den Namen Israel und Levi und Aaron und die Namen der zwölf Stämme Israels nach ihren Geschle[ch]tern 2 und die Namen der zwölf Führer ihrer Stämme.

3 Ordnung für die Aufstellung der Kampfabteilungen: Wenn ihr Heer vollzählig ist, so daß man die vordere Schlachtreihe auf tausend Mann ergänzt, soll die Schlachtreihe geschlossen sein. Und sieben Frontabteilungen 4 sollen es sein, zu einer Schlachtreihe aufgestellt nach der Ordnung der Aufstellung, Mann hinter Mann. Und alle halten sie eherne Schilde, poliert nach Art 5 eines Spiegels. Der Schild ist umgeben von gedrehter Randverzierung und geflochtenem Schmuck, Werk eines Künstlers, Gold und Silber und Erz miteinander verarbeitet, 6 und von Edelsteinen ein buntes Ornament[19] (?), kunstvolle Handwerksarbeit. Die Länge des Schildes beträgt zweieinhalb Ellen und seine Breite eineinhalb Ellen. Und in ihrer Hand sind Lanze 7 und Schwert. Die Länge der Lanze beträgt sieben Ellen, davon die Tülle und das Blatt eine halbe Elle. Und an der Tülle sind drei Ringe, gearbeitet nach Art 8 gedrehter Randverzierung in Gold und Silber und Erz, miteinander verarbeitet wie das Werk kunstvoller Verzierung. Und geflochtener Schmuck ist auf beiden Seiten des Ringes, 9 rundherum Edelsteine als buntes Ornament[19] (?), kunstvolle Handwerksarbeit, und ein Ährenmuster. Und die Tülle ist zwischen den Ringen kanneliert

מֵאִיר מַעֲשֵׂי חָרַשׁ מַחֲשָׁבֶת ˙ וְשִׁבּוֹלֶת זָהָב טָהוֹר בְּתוֹךְ הַלַּהַב
וְשָׁפוּד אֶל 11 הָרֹאשׁ ˙ וְהַכִּידֹנִים בַּרְזֶל בָּרוּר טָהוֹר בְּכוּר
וּמְלוּבָּן כְּמַרְאַת פָּנִים מַעֲשֵׂי חָרַשׁ מַ[חֲ]שָׁבֶת ˙ וּמַרְאֵי שִׁבּוֹלֶת
12 זָהָב טָהוֹר חוֹבֶרֶת בּוֹ לִשְׁנֵי עֲבָרָיו ˙ וְסַפּוֹת יָשָׁר אֶל הָרֹאשׁ
שְׁתַּיִם מִזֶּה וּשְׁתַּיִם מִזֶּה ˙ אוֹרֶךְ הַכִּידֹן אַמָּה 13 וַחֲצִי וְרוֹחְבּוֹ
אַרְבַּע אֶצְבָּעוֹת ˙ וְהַבֶּטֶן אַרְבַּע גּוּדָלִים וְאַרְבָּעָה טְפָחִים עַד
הַבֶּטֶן ˙ וְהַבֶּטֶן מְרוּגֶּלֶת הֵנָּה 14 וָהֵנָּה חֲמִשָּׁה טְפָחִים ˙ וְיַד
הַכִּידֹן קֶרֶן בְּרוּרָה מַעֲשֵׂה חוֹשֵׁב צוּרַת רִיקְמָה בְּזָהָב וּבְכֶסֶף
וְאַבְנֵי חֵפֶץ ˙

16 וּבַעֲמוֹד הַ[ ] יְסַדְּרוּ שֶׁבַע
הַמַּעֲרָכוֹת מַעֲרָכָה אַחַר מַעֲרָכָה ˙ 17 [ ]וּח[
שְׁ]לוֹשִׁים בָּאַמָּה אֲשֶׁר יַעֲמוֹדוּ שָׁם אַנְשֵׁ[י]
18 [ ] לְ[אַנְשֵׁי] הַפָּנִים [ ]

VI

שֶׁבַע פְּעָמִים וְשָׁבוּ לְמַעֲמָדָם ˙ וְאַחֲרֵיהֶם יֵצְאוּ שְׁלוֹשָׁה דִּגְלֵי
בֵּינַיִם וְעָמְדוּ בֵּין הַמַּעֲרָכוֹת ˙ הַדֶּגֶל הָרִאישׁוֹן יַשְׁלִיךְ [אֶ]ל
2 מַעֲרֶכֶת הָאוֹיֵב שִׁבְעָה זַרְקוֹת מִלְחָמָה ˙ וְעַל לוֹהַב הַזֶּרֶק
יִכְתּוֹבוּ בְּרֶקֶת חֲנִית לִגְבוּרַת אֵל ˙ וְעַל הַשֶּׁלֶט הַשֵּׁנִי יִכְתּוֹבוּ
3 זִיקֵי דָם לְהַפִּיל חֲלָלִים בְּאַף אֵל ˙ וְעַל הַזֶּרֶק הַשְּׁלִישִׁי יִכְתּוֹבוּ
שַׁלְהוֹבֶת חֶרֶב אוֹכֶלֶת חַלְלֵי אָוֶן בְּמִשְׁפַּט אֵל ˙ 4 כּוֹל אֵלֶּה
יָטִילוּ שֶׁבַע פְּעָמִים וְשָׁבוּ לְמַעֲמָדָם ˙ וְאַחֲרֵיהֶם יֵצְאוּ שְׁנֵי דִּגְלֵי
בֵּינַיִם וְעָמְדוּ בֵּין שְׁתֵּי הַמַּעֲרָכוֹת ˙ הַדֶּגֶל 5 הָרִאישׁוֹן מַחֲזִיק 5
חֲנִית וּמָגֵן ˙ וְהַדֶּגֶל הַשֵּׁנִי מַחֲזִיקֵי מָגֵן וְכִידֹן לְהַפִּיל חֲלָלִים
בְּמִשְׁפַּט אֵל וּלְהַכְנִיעַ מַעֲרֶכֶת 6 אוֹיֵב בִּגְבוּרַת אֵל לְשַׁלֵּם

nach Art 10 einer kunstvollen Säule. Und das Blatt ist aus weißglänzendem Eisen, kunstvolle Handwerksarbeit. Und das Ährenmuster aus reinem Gold befindet sich mitten auf der Klinge und zugespitzt zum 11 Ende zu. Und die Schwerter sind aus erlesenem Eisen, geläutert im Schmelzofen und blank wie ein Spiegel, kun[st]volle Handwerksarbeit. Und das Ährenmuster 12 ist aus reinem Gold, auf seinen beiden Seiten angebracht. Und geradlinige Rillen laufen zur Spitze hin, zwei auf der einen und zwei auf der anderen Seite. Die Länge des Schwertes beträgt eine Elle 13 und eine halbe, und seine Breite vier Finger. Und die Scheide ist vier Daumen (breit), und vier Handbreiten sind es bis zur Scheide hinunter. Und die Scheide ist in einem Gehänge an beiden 14 Seiten, fünf Handbreiten lang. Und der Griff des Schwertes ist erlesenes Horn, Werk eines Künstlers, Buntornamentik in Gold und Silber und Edelsteinen.

16 Und beim Aufstellen [...] soll man sieben Schlachtreihen aufstellen, eine Schlachtreihe hinter der anderen 17 [... d]reißig Ellen, wo stehen sollen die Männ[er] 18 [...] den [Männern] der Frontreihe [...]

VI

siebenmal, und dann sollen sie zu ihren Posten zurückkehren. Und nach ihnen rücken drei Abteilungen der Zwischentruppen aus und stellen sich zwischen den Schlachtreihen auf. Die erste Abteilung wirft [au]f 2 die Schlachtreihe des Feindes sieben Kampfwurflanzen. Und auf das Blatt der Wurflanze soll man schreiben: Lanzenblitz für die Kraft Gottes. Und auf die zweite Waffe soll man schreiben: 3 Blutpfeile, um Getroffene zu fällen durch den Zorn Gottes. Und auf die dritte Wurflanze soll man schreiben: Flammendes Schwert, das die gefallenen Frevler frißt im Gericht Gottes. 4 Alle diese sollen siebenmal schleudern und dann zu ihrem Posten zurückkehren. Und nach ihnen rücken zwei Abteilungen der Zwischentruppen aus und stellen sich zwischen den beiden Schlachtreihen auf. Die erste Abteilung 5 hält Speer und Schild. Und die zweite Abteilung hält Schild

גְּמוּל רָעָתָם לְכוֹל גּוֹיֵ הֶבֶל ׳ וְהָיְתָה לְאֵל יִשְׂרָאֵל הַמְּלוּכָה
וּבִקְדוֹשֵׁי עַמּוֹ יַעֲשֶׂה חָיִל ׳

8 וְשִׁבְעָה סִדְרֵי פָּרָשִׁים יַעֲמוֹדוּ גַם הֵמָּה לִימִין הַמַּעֲרָכָה
וְלִשְׂמֹאולָהּ ׳ מִזֶּה וּמִזֶּה יַעֲמוֹדוּ סִדְרֵיהֶם ׳ שְׁבַע מֵאוֹת 9 פָּרָשִׁים
לָעֵבֶר הָאֶחָד וּשְׁבַע מֵאוֹת לָעֵבֶר הַשֵּׁנִי ׳ מָאתַיִם פָּרָשִׁים יֵצְאוּ
עִם אֶלֶף מַעֲרֶכֶת אַנְשֵׁי הַבֵּינַיִם וְכֵן 10 יַעֲמוֹדוּ לְכוֹל עֶ[בְרֵי]
הַמַּחֲנֶה הַכּוֹל שֵׁשׁ מֵאוֹת וְאַרְבַּעַת אֲלָפִים ׳ וְאֶלֶף וְאַרְבַּע מֵאוֹת
רֶכֶב לְאַנְשֵׁי סֶרֶךְ הַמַּעֲרָכוֹת 11 חֲמִשִּׁים לְמַעֲרָכָה [אַ]חַת
וִיהִיוּ הַפָּרָשִׁים עַל רֶכֶב אַנְשֵׁי הַסֶּרֶךְ שֵׁשֶׁת אֲלָפִים חֲמֵשׁ מֵאוֹת
לַשָּׁבֶט ׳ כּוֹל הָרֶכֶב הַיּוֹצְאִים 12 לַמִּלְחָמָה עִם אַנְשֵׁ[י] הַבֵּנַיִם
סוּסִים זְכָרִים קַלֵּי רֶגֶל וְרַכֵּי פֶּה וַאֲרוּכֵּי רוּחַ וּמְלֵאִים בְּתִכּוּן
יְמֵיהֶם מְלוּמְּדֵי מִלְחָמָה 13 וּבְעוּלִים לִשְׁמוֹעַ [קְ]וֹלוֹת וּלְכוֹל
מַרְאֵי דְמִיוֹנִים ׳ וְהָרוֹכְבִים עֲלֵיהֶם אַנְשֵׁי חַיִל לַמִּלְחָמָה מְלוּמְּדֵי
רֶכֶב וְתִכּוּן 14 יְמֵיהֶם מִבֶּן שְׁלוֹשִׁים שָׁנָה עַד בֶּן חָמֵשׁ
וְאַרְבָּעִים ׳ וּפָרָשֵׁי הַסֶּרֶךְ יִהְיוּ מִבֶּן אַרְבָּעִים שָׁנָה וְעַד בֶּן חֲמִשִּׁים
וְהֵמָּה 15 [ ]לְ[ ]וֹת וּבָתֵּי רָאשִׁים וְשׁוֹקַיִם ׳
וּמַחֲזִיקִים בְּיָדָם מָגִנֵּי עֲגָלָה וְרֹמַח אָרוֹךְ [שְׁמוֹנֶה אַמּוֹת]
16 [ ]וְקֶשֶׁת וְחִצִּים וְזַרְקוֹת מִלְחָמָה ׳
וְכוּלָּם עֲתוּדִים בְּ[ ]
17 [ ]ל לִשְׁפּוֹךְ דַּם חַלְלֵי אַשְׁמָתָם ׳
אֵלֶּה הֵמָּה הַ[ ]

VII

וְאַנְשֵׁי הַסֶּרֶךְ יִהְיוּ מִבֶּן אַרְבָּעִים שָׁנָה וְעַד בֶּן חֲמִשִּׁים ׳ וְסוֹרְכֵי
הַמַּחֲנוֹת יִהְיוּ מִבֶּן חֲמִשִּׁים שָׁנָה וְעַד בֶּן שִׁשִּׁים ׳ וְהַשּׁוֹטְרִים
2 יִהְיוּ גַם הֵם מִבֶּן אַרְבָּעִים שָׁנָה וְעַד בֶּן חֲמִשִּׁים ׳ וְכוֹל מַפְשִׁיטֵי

und Schwert, um Getroffene zu fällen durch Gottes Gericht und zum Weichen zu bringen die Schlachtreihe 6 des Feindes durch die Kraft Gottes, um allem Volk der Nichtigkeit die Vergeltung ihrer Bosheit heimzuzahlen. Und dem Gott Israels wird die Königsherrschaft gehören, und durch die Heiligen seines Volkes wird er Kraft erweisen.

8 Und sieben Abteilungen von Reitern sollen sich noch rechts von der Schlachtreihe und links von ihr aufstellen. Zu beiden Seiten sollen ihre Abteilungen stehen; siebenhundert 9 Reiter auf der einen Seite, und siebenhundert auf der anderen. Zweihundert Reiter ziehen aus mit der Tausender-Schlachtreihe der Zwischentruppen, und so 10 sollen sie an allen Sei[ten] des Lagers sich aufstellen, insgesamt viertausendsechshundert. Und eintausendvierhundert Rosse gehören zu den Männern der Ordnung der Schlachtreihen, 11 fünfzig für [e]ine Schlachtreihe, und die Reiter auf den Rossen der Männer der Schlachtordnung sind sechstausend, fünfhundert je Stamm. Alle Rosse, die ausrücken 12 zum Kampf mit den Männern der Zwischentruppen, sollen Hengste sein, schnellfüßig, weichmäulig und langatmig und in einem bestimmten Alter, kampfgewöhnt 13 und abgerichtet, auf [R]ufe zu hören, und alle haben das gleiche Aussehen. Und die auf ihnen reiten, sind kampffähige Männer, geübt im Reiten, und ihr bestimmtes 14 Alter liegt zwischen dreißig und fünfundvierzig Jahren. Und die Reiter der Ordnung sollen zwischen vierzig und fünfzig Jahren alt sein, und sie 15 [...] und Panzer für Köpfe und Schenkel. Und sie halten in ihrer Hand Rundschilde und eine Lanze, [acht Ellen] lang 16 [...] und Bogen und Pfeile und Kampfwurflanzen. Und alle sind sie bereit [...] 17 [...] um das Blut der wegen ihrer Schuld Erschlagenen zu vergießen. Diese sind es, die [...]

VII

Und die Männer der Ordnung sollen vierzig bis fünfzig Jahre alt sein[20]. Und die Ordner der Lager sollen fünfzig bis sechzig Jahre alt sein. Und die Amtleute 2 sollen ebenfalls vierzig bis fünfzig Jahre alt sein. Und alle, die die Erschlagenen entkleiden,

הַחֲלָלִים וְשׁוֹלְלֵי הַשָּׁלָל וּמְטַהֲרֵי הָאָרֶץ וְשׁוֹמְרֵי הַכֵּלִים
3 וְעוֹרֵךְ הַצֵּידָה כּוּלָּם יִהְיוּ מִבֶּן חָמֵשׁ וְעֶשְׂרִים שָׁנָה וְעַד בֶּן
שְׁלוֹשִׁים ׳ וְכוֹל נַעַר זַעֲטוּט וְאִשָּׁה לוֹא יָבוֹאוּ לְמַחֲנוֹתָם בְּצֵאתָם
4 מִירוּשָׁלַיִם לָלֶכֶת לַמִּלְחָמָה עַד שׁוּבָם ׳ וְכוֹל פִּסֵּחַ אוֹ עִוֵּר
אוֹ חִגֵּר אוֹ אִישׁ אֲשֶׁר מוּם עוֹלָם בִּבְשָׂרוֹ אוֹ אִישׁ מְנוּגָּע בְּטֻמְאַת
5 בְּשָׂרוֹ כּוֹל אֵלֶּה לוֹא יֵלְכוּ אִתָּם לַמִּלְחָמָה ׳ כּוּלָּם יִהְיוּ אַנְשֵׁי
נְדָבַת מִלְחָמָה וּתְמִימֵי רוּחַ וּבָשָׂר וַעֲתוּדִים לְיוֹם נָקָם ׳ וְכוֹל
6 אִישׁ אֲשֶׁר לוֹא יִהְיֶה טָהוֹר מִמְּקוֹרוֹ בְּיוֹם הַמִּלְחָמָה לוֹא יֵרֵד
אִתָּם כִּיא מַלְאֲכֵי קוֹדֶשׁ עִם צִבְאוֹתָם יַחַד ׳ וְרֶוַח יִהְיֶה 7 בֵּין
כּוֹל מַחֲנֵיהֶמָּה לִמְקוֹם הַיָּד כְּאַלְפַּיִם בָּאַמָּה ׳ וְכוֹל עֶרְוַת דָּבָר
רַע לוֹא יֵרָאֶה סְבִיבוֹת כּוֹל מַחֲנֵיהֶם ׳

9 וּבְסֵדֶר מַעַרְכוֹת הַמִּלְחָמָה לִקְרַאת אוֹיֵב מַעֲרָכָה לִקְרַאת
מַעֲרָכָה וְיָצְאוּ מִן הַשַּׁעַר הַתִּיכוֹן אֶל בֵּין הַמַּעֲרָכוֹת שִׁבְעָה
10 כּוֹהֲנִים מִבְּנֵי אַהֲרוֹן לוּבְשִׁים בִּגְדֵי שֵׁשׁ לָבָן כְּתוֹנֶת בַּד וּמִכְנְסֵי
בַד וְחוֹגְרִים בְּאַבְנֵט בַּד שֵׁשׁ מָשְׁזָר תְּכֵלֶת 11 וְאַרְגָּמָן וְתוֹלַעַת
שָׁנִי וְצוּרַת רִיקְמָה מַעֲשֵׂה חוֹשֵׁב וּפָרֵי מִגְבָּעוֹת בְּרָאשֵׁיהֶם בִּגְדֵי
מִלְחָמָה וְאֶל הַמִּקְדָּשׁ לוֹא 12 יְבִיאוּם ׳ הַכּוֹהֵן הָאֶחָד יִהְיֶה
מְהַלֵּךְ עַל פְּנֵי כּוֹל אַנְשֵׁי הַמַּעֲרָכָה לְחַזֵּק יְדֵיהֶם בַּמִּלְחָמָה ׳
וּבְיַד הַשִּׁשָּׁה יִהְיוּ 13 חֲצוֹצְרוֹת הַמִּקְרָא וַחֲצוֹצְרוֹת הַזִּכָּרוֹן
וַחֲצוֹצְרוֹת הַתְּרוּעָה וַחֲצוֹצְרוֹת הַמְּרֻדָּף וַחֲצוֹצְרוֹת הַמַּאֲסָף ׳
וּבְצֵאת הַכּוֹהֲנִים 14 אֶל בֵּין הַמַּעֲרָכוֹת יֵצְאוּ עִמָּהֶמָּה שִׁבְעָה
לְוִיִּם וּבְיָדָם שִׁבְעַת שׁוֹפְרוֹת הַיּוֹבֵל ׳ וּשְׁלוֹשָׁה שׁוֹטְרִים מִן
הַלְוִיִּם לִפְנֵי 15 הַכּוֹהֲנִים וְהַלְוִיִּם ׳ וְתָקְעוּ הַכּוֹהֲנִים בִּשְׁתֵּי
חֲצוֹצְרוֹת הַמִּ[קְרָא מִ]לְחָמָה עַל חֲמִשִּׁים
מָגֵן ׳ 16 וַחֲמִשִּׁים אַנְשֵׁי בֵינַיִם יֵצְאוּ מִן הַשַּׁעַר הָאֶחָד [
] לְוִיִּם שׁוֹטְרִים ׳ וְעִם 17 כּוֹל
מַעֲרָכָה וּמַעֲרָכָה יֵצְאוּ כְּכוֹל הַסֶּ[רֶךְ הַזֶּה

die Beute sammeln, das Gelände reinigen[21], die Geräte warten 3 und für den Proviant sorgen, sie alle sollen fünfundzwanzig bis dreißig Jahre alt sein. Und kein Knabe, Jüngling und Weib soll in ihre Lager kommen[22], wenn sie ausrücken 4 aus Jerusalem, um zum Kampf zu ziehen, bis zu ihrer Rückkehr. Kein Hinkender oder Blinder oder Lahmer oder jemand, der ein dauerndes Gebrechen an seinem Fleische[23] hat, oder einer, der geschlagen ist mit einer Unreinheit 5 seines Fleisches — alle diese sollen nicht mit ihnen in den Kampf gehen. Alle sollen kampfwillige Männer sein und vollkommen an Geist und Fleisch und bereit zum Tag der Rache. Und jeder 6 Mann, der nicht rein ist von seiner Quelle her[24] am Tage des Kampfes, soll nicht mit ihnen hinunterziehen; denn die heiligen Engel sind zusammen mit ihren Heerscharen. Und ein Abstand soll sein 7 zwischen all ihren Lagern zum Ort der Hand[25] von etwa zweitausend Ellen. Und keine schändliche, böse Sache soll rings um alle ihre Lager gesehen werden.

9 Und bei der Ordnung der Schlachtreihen gegenüber dem Feind, Schlachtreihe gegen Schlachtreihe, da ziehen aus dem Haupttor zwischen die Schlachtreihen hinaus sieben 10 Priester aus den Söhnen Aarons, bekleidet mit Gewändern aus weißem Linnen, linnenem Leibrock, linnenen Beinhüllen und gegürtet mit einer linnenen Schärpe, aus gezwirntem Leinen, violettem 11 und scharlachfarbenem Purpur und Karmesinrot und buntgewirktem Aussehen, kunstvolle Arbeit, und hohe Mützen auf ihren Häuptern — Kriegskleidung ist das, aber zum Heiligtum soll man sie nicht 12 bringen. Der eine Priester soll an allen Männern der Schlachtreihe vorübergehen, um ihre Hände im Kampf zu stärken. Und in der Hand der sechs (anderen Priester) sollen 13 die Trompeten des Aufrufs und die Trompeten des Gedächtnisses und die Trompeten des Lärms und die Trompeten der Verfolgung und die Trompeten der Sammlung sein. Und wenn die Priester ausziehen 14 zwischen die Schlachtreihen hinaus, sollen mit ihnen sieben Leviten ausziehen, und in ihrer Hand sollen sieben Widderhörner sein. Und drei Amtleute von den Leviten sollen vor 15 den Priestern und den Leviten sein. Und die Priester sollen in die beiden Trompeten des Auf[rufs] stoßen [... des] Kampfes über fünfzig Schilde. 16 Und fünfzig Männer der Zwischentruppen sollen aus dem einen Tor ausrücken [...] levitische Amtleute. Und mit 17 jeder ein-

בֵּ]ינַיִם מִן הַשְּׁעָרִים 18 [וְעָמְ]דוּ בֵּין שְׁתֵּי
הַ[מַּעֲרָכוֹת] הַמִּלְ[חָמָה] ·

VIII

הַחֲצוֹצְרוֹת תְּהֶיֶינָה מְרִיעוֹת לְנַצֵּחַ אַנְשֵׁי הַקֶּלַע עַד כַּלּוֹתָם
לְהַשְׁלִיךְ שֶׁבַע 2 פְּעָמִים · וְאַחַר יִתְקְעוּ לָהֶם הַכּוֹהֲנִים
בַּחֲצוֹצְרוֹת הַמָּשׁוֹב וּבָאוּ לְיַד הַמַּעֲרָכָה 3 הָרִאשׁוֹנָה
לְהִתְיַצֵּב עַל מַעֲמָדָם · וְתָקְעוּ הַכּוֹהֲנִים בַּחֲצוֹצְרוֹת הַמִּקְרָא
וְיָצְאוּ 4 שְׁלוֹשָׁה דִגְלֵי בֵינַיִם מִן הַשְּׁעָרִים וְעָמְדוּ בֵּין
הַמַּעֲרָכוֹת · וּלְיָדָם אַנְשֵׁי הָרֶכֶב 5 מִיָּמִין וּמִשְּׂמֹאול · וְתָקְעוּ
הַכּוֹהֲנִים בַּחֲצוֹצְרוֹת קוֹל מְרוּדָּד יְדֵי סֵדֶר מִלְחָמָה ·
6 וְהָרָאשִׁים יִהְיוּ נִפְשָׁטִים לְסִדְרֵיהֶם אִישׁ לְמַעֲמָדוֹ · וּבְעוֹמְדָם
שְׁלוֹשָׁה סְדָרִים 7 יִתְקְעוּ לָהֶם הַכּוֹהֲנִים תְּרוּעָה שֵׁנִית קוֹל
נוֹחַ וְסָמוּךְ יְדֵי מִפְשָׂע עַד קוֹרְבָם 8 לְמַעֲרֶכֶת הָאוֹיֵב · וְנָטוּ
יָדָם בִּכְלֵי הַמִּלְחָמָה · וְהַכּוֹהֲנִים יָרִיעוּ בְּשֵׁשׁ חֲצוֹצְרוֹת
9 הַחֲלָלִים קוֹל חַד טָרוּד לְנַצֵּחַ מִלְחָמָה · וְהַלְוִיִּים וְכוֹל עַם
הַשּׁוֹפָרוֹת יָרִיעוּ 10 קוֹל אֶחָד תְּרוּעַת מִלְחָמָה גְדוֹלָה לְהָמֵס
לֵב אוֹיֵב · וְעִם קוֹל הַתְּרוּעָה יֵצְאוּ 11 זַרְקוֹת הַמִּלְחָמָה
לְהַפִּיל חֲלָלִים · קוֹל הַשּׁוֹפָרוֹת [a]יֶחֱשׁוּ וּבַחֲ[צוֹצְ]רוֹת יִהְיוּ
12 הַכּוֹהֲנִים מְרִיעִים קוֹל חַד טָרוּד לְנַצֵּחַ יְדֵי מִלְחָמָה עַד
הַשְׁלִיכָם לְמַעֲרֶכֶת 13 הָאוֹיֵב שֶׁבַע פְּעָמִים · וְאַחַר יִתְקְעוּ
לָהֶם הַכּוֹהֲנִים בַּחֲצוֹצְרוֹת הַמָּשׁוֹב 14 קוֹל נוֹחַ מְרוּדָּד סָמוּךְ ·
כַּסֶּרֶךְ הַזֶּה יִתְקְעוּ הַ[כּוֹ]הֲנִים לִשְׁלוֹשֶׁת הַדְּגָלִים · וְעִם 15 הֶטֵל
הָרִאשׁוֹן יָרִיעוּ הַ[כּוֹ]הֲנִים וְהַלְוִיִּים וְכוֹל עַם הַשּׁוֹפָ[רוֹת קוֹל
תְּרוּעָה 16 גְדוֹלָה לְנַצֵּחַ מִלְ[חָמָה יִתְקְעוּ]

a = יֶחֱשׁוּ.

zelnen Schlachtreihe sollen sie entsprechend [dieser] ganzen Ordnung ausziehen [... Z]wischentruppen aus den Toren, 18 [und sie stellen] sich auf zwischen den beiden [Schlachtreihen ...] des Kam[pfes]. 19 [...]

VIII

Die Trompeten sollen geblasen werden für die Dauer (des Kampfes) der Schleuderer, bis sie fertig sind, siebenmal zu werfen. 2 Und danach stoßen die Priester für sie in die Trompeten der Rückkehr, und sie kommen an die Seite der ersten Schlachtreihe, 3 um sich an ihrem Standort aufzustellen. Und die Priester stoßen in die Trompeten des Aufrufs, und es sollen ausrücken 4 drei Abteilungen Zwischentruppen aus den Toren und sich zwischen den Schlachtreihen aufstellen. Und zu ihren Seiten sollen Berittene sein, 5 rechts und links. Und die Priester stoßen in die Trompeten — einen langgezogenen Ton — zur Aufstellung der Schlachtordnung. 6 Und die Anführer begeben sich zu ihren Abteilungen, jeder an seinen Posten. Und wenn sie zu drei Ordnungen dastehen, 7 blasen die Priester für sie zum zweiten Mal Lärm — einen ruhigen und festen Ton — zum Vorrücken, bis sie herankommen 8 an die Schlachtreihe des Feindes. Dann sollen sie ihre Hand nach den Kampfwaffen ausstrecken. Und die Priester blasen mit sechs Trompeten 9 der Erschlagenen — einen scharfen, schmetternden Ton — für die Dauer des Kampfes. Und die Leviten und die ganze Schar mit den Hörnern blasen 10 einstimmig großen Kampflärm, um das Herz des Feindes zum Schmelzen zu bringen. Und mit dem Schall des Lärms fliegen 11 die Wurfkampflanzen hinaus, um Erschlagene zu fällen. Die Hörner sollen verstummen, aber auf den Tro[mpe]ten sollen 12 die Priester blasen — einen scharfen, schmetternden Ton — für die Dauer des Kampfes, bis sie auf die Schlachtreihe 13 des Feindes siebenmal geworfen haben. Und danach stoßen für sie die Priester in die Trompeten der Rückkehr — 14 einen ruhigen, langgezogenen, festen Ton. Entsprechend dieser Ordnung sollen die [Pr]iester für die drei Abteilungen blasen. Und beim 15 ersten Wurf blasen die [Priester und die Leviten und die ganze Schar mit den] Hörnern einen großen Kriegslärm 16 für die Dauer des Kam[pfes ... es stoßen] für sie die Priester 17 in die Trompet[en der Rückkehr ... und

לָהֶם הַכּוֹהֲנִים 17 בַּחֲצוֹצְ[רוֹת הַמָּשׁוֹב
וְעָמְד]וּ עַל מַעֲמָדָם בַּמַּעֲרָכָה
18 [ ] וְעָמְד[וּ]
19 [הַחֲ]לָלִים ׳

IX

יָחֵלּוּ יָדָם לְהַפִּיל בַּחֲלָלִים ׳ וְכוֹל הָעָם יָחֵשּׁוּ מִקּוֹל הַתְּרוּעָה ׳
וְהַכּוֹהֲנִים יִהְיוּ מְרִיעִים בַּחֲצוֹצְרוֹת 2 הַחֲלָלִים לְנַצֵּחַ
הַמִּלְחָמָה עַד הִנָּגֵף הָאוֹיֵב וְהֵסֵבּוּ עוֹרְפָּם ׳ וְהַכּוֹהֲנִים מְרִיעִים
לְנַצֵּחַ מִלְחָמָה ׳ 3 וּבְהִנָּגְפָם לִפְנֵיהֶם יִתְקְעוּ הַכּוֹהֲנִים
בַּחֲצוֹצְרוֹת הַמִּקְרָא וְיָצְאוּ אֲלֵיהֶם כּוֹל אַנְשֵׁי הַבֵּינַיִם מִתּוֹךְ
4 מַעַרְכוֹת הַפָּנִים ׳ וְעָמְדוּ שִׁשָּׁה דְגָלִים וְהַדֶּגֶל הַמִּתְקָרֵב כּוּלָּם
שֶׁבַע מַעֲרָכוֹת שְׁמוֹנָה וְעֶשְׂרִים אֶלֶף 5 אַנְשֵׁי מִלְחָמָה
וְהָרוֹכְבִים שֵׁשֶׁת אֲלָפִים ׳ כּוֹל אֵלֶּה יִרְדּוֹפוּ לְהַשְׁמִיד אוֹיֵב
בְּמִלְחֶמֶת אֵל לְכָלַת 6 עוֹלָמִים ׳ וְתָקְעוּ לָהֵמָּה הַכּוֹהֲנִים
בַּחֲצוֹצְרוֹת הַמִּרְדּוֹף וְנֶחְלְ[קוּ] עַל כּוֹל הָאוֹיֵב לִרְדּוֹף כָּלָה ׳
וְהָרֶכֶב 7 מְשִׁיבִים עַל יְדֵי הַמִּלְחָמָה עַד הַחֲרֵם ׳ וּבִנְפּוֹל
הַחֲלָלִים יִהְיוּ הַכּ[וֹהֲנִ]ים מְרִיעִים מֵרָחוֹק וְלוֹא יָבוֹאוּ 8 אֶל
תּוֹךְ הַחֲלָלִים לְהִתְגָּאֵל בְּדַם טֻמְאָתָם כִּיא קְדוֹשִׁים הֵמָּה ׳ [לוֹ]א
יָחֵלּוּ שֶׁמֶן מְשִׁיחַת כְּהוּנָּתָם בְּדַם 9 גּוֹי הֶבֶל ׳
10 סֶרֶךְ לְשַׁנּוֹת סֵדֶר דִּגְלֵי הַמִּלְחָמָה לַעֲרוֹךְ הַמַּעֲמָד עַל
ר[ ]ל[ ] גְּלִיל כַּפַּיִם וּמִגְדָּלוֹת 11 וְקֶשֶׁת
וּמִגְדָּלוֹת ׳ וְעַל דָּרוּךְ מְעַט וְרָאשִׁים יוֹצְאִים וּכְנָפַיִם [יוֹצְאוֹת
מִשְּׁנֵי] עֶבְרֵי הַמַּעֲרָכָה [לְהָ]מֵיס 12 אוֹיֵב ׳ וּמָגִנֵּי הַמִּגְדָּלוֹת
יִהְיוּ אֲרוּכִּים שָׁלוֹשׁ אַמּוֹת וְרָמְחֵיהֶם א[וֹרֶ]ךְ שְׁמוֹנֶה אַמּוֹת ׳
וְהַמִּגְ[דָּ]לוֹת 13 יוֹצְאִים מִן הַמַּעֲרָכָה מֵאָה מָגֵן וּמֵאָה פְּנֵי
הַמִּגְדָּל ׳ כּוּ[לָּם יְ]סֵבּוּ הַמִּגְדָּל לִשְׁלוֹשֶׁת רוּחוֹת הַפָּנִים

sie stel]len sich auf ihren Standort in der Schlachtreihe 18 [...] und sie stellen sich [...] 19 [...] der Erschlagenen. 20 [...]

IX

Sie sollen anfangen, mit ihrer Hand Erschlagene zu fällen. Und das ganze Volk hört mit dem Kriegslärm auf. Und die Priester blasen auf den Trompeten 2 der Erschlagenen für die Dauer des Kampfes, bis der Feind geschlagen ist und sie den Rücken wenden. Und die Priester blasen für die Dauer des Kampfes. 3 Und wenn sie vor ihnen geschlagen sind, stoßen die Priester in die Trompeten des Aufrufs, und es ziehen zu ihnen hinaus alle Männer der Zwischentruppen aus 4 den vorderen Schlachtreihen. Und es stellen sich sechs Abteilungen und die Angriffsabteilung auf, insgesamt sieben Abteilungen, achtundzwanzigtausend 5 Kriegsleute, und die Berittenen sechstausend. Diese alle sollen die Verfolgung aufnehmen, um den Feind im Krieg Gottes zu vernichten zur ewigen Vernichtung. 6 Und die Priester stoßen für sie in die Trompeten der Verfolgung, daß sie sich vertei[len] auf die Gesamtheit des Feindes, um (ihn) vernichtend zu verfolgen. Und die Reiterei 7 treiben (sie) an den Seiten des Kampfes zurück bis zum Bann[26]. Und wenn die Erschlagenen fallen, sollen die Pr[iest]er von fern blasen, und sie sollen 8 nicht unter die Erschlagenen kommen, sich mit ihrem unreinen Blut zu besudeln; denn sie sind heilig. [Ni]cht sollen sie entweihen das Salböl ihrer Priesterschaft mit dem Blut 9 von nichtigem Volk.

10 Ordnung für die Veränderung der Kampfabteilungen, um die Stellung aufzubauen zu [...] Kreis der hohlen Hände[27] und Türme 11 und Bogen und Türme; und ein wenig gespannt und vorrückende Spitzen und [vorrückende] Flügel zu [beiden] Seiten der Schlachtreihe, [um] den Feind zum Zerschmelzen zu bringen. 12 Und die Schilde der Türme sollen drei Ellen lang sein und ihre Lanzen acht Ellen l[an]g. Und die Tü[r]me 13 sollen aus der Schlachtreihe hundert Schild(breiten) vorrücken, hundert (Schilde) bilden die Vorderseite des Turmes. Sie

14 מָגִנִּים שְׁלוֹשׁ מֵאוֹת ׳ וּשְׁעָרִים שְׁנַיִם לַמִּ[גְ]דָּל אֶחָד לַ[יָּ]מִין
וְאֶ]חָד לַשְּׂמֹאול ׳ וְעַל כּוֹל מָגִנֵּי הַמִּגְדָּלוֹת 15 יִכְתּוֹבוּ עַל
הָרִאישׁוֹן מִי[כָאֵ]ל [עַל הַשֵּׁנִי גַבְרִיאֵל עַל הַשְּׁלִישִׁי] שָׂרִיאֵל עַל
הָרְבִיעִי רְפָאֵל ׳ 16 מִיכָאֵל וְגַבְרִיאֵל לַ[יָּ]מִין וְשָׂרִיאֵל וּרְפָאֵל
לַשְּׂמֹאול ׳ [
17 [ ]לְאַרְ[בַּע]ורב יָשִׂימ[וּ] לָ[הֶם]
18 [ ]לְ[ ]

X

מַחֲנֵינוּ וּלְ[הִשָּׁ]מֵר מִכּוֹל עֶרְוַת דְּבַר רָע ׳ וַאֲשֶׁר הִגִּיד לָנוּ כִּיא
אַתָּה בְקִרְבֵּנוּ אֵל גָּדוֹל וְנוֹרָא לָשׁוֹל אֵת כּוֹל 2 אוֹיְבֵינוּ
לְפָ[נֵינוּ] ׳ וַיְלַמְּדֵנוּ מֵאָז לְדוֹרוֹתֵינוּ לֵאמוֹר ׳ בְּקָרָבְכֶם לַמִּלְחָמָה
וְעָמַד הַכּוֹהֵן וְדִבֶּר אֶל הָעָם 3 לֵאמוֹר ׳ שְׁמָעָה יִשְׂרָאֵל אַתֶּמָּה
קְרֵבִים הַיּוֹם לַמִּלְחָמָה עַל אוֹיְבֵיכֶמָּה ׳ אַל תִּירְאוּ וְאַל יֵרַךְ
לְבַבְכֶמָּה ׳ 4 וְאַל תַּחְ[פְּזוּ וְאַ]ל תַּעַרוֹצוּ מִפְּנֵיהֶם כִּיא אֱלוֹהֵיכֶם
הוֹלֵךְ עִמָּכֶם לְהִלָּחֵם לָכֶם עִם אוֹיְבֵיכֶם לְהוֹשִׁיעַ 5 אֶתְכֶמָּה ׳
וְ[שׁ]וֹטְרֵינוּ יְדַבְּרוּ לְכוֹל עֲתוּדֵי הַמִּלְחָמָה נְדִיבֵי לֵב לְהַחֲזִיק
בִּגְבוּרַת אֵל וְלָשׁוּב כּוֹל 6 מְסֵי לֵבָב [a]וְלַחֲזִיק יַחַד בְּכוֹל
גִּבּוֹרֵי חָיִל ׳ וַאֲשֶׁר דִּ[בַּרְתָּ]ה בְּיַד מוֹשֶׁה לֵאמוֹר ׳ כִּיא תָבוֹא
מִלְחָמָה 7 בְאַרְצְכֶמָּה עַל הַצָּר הַצּוֹרֵר אֶתְכֶמָּה וַהֲרֵיעוֹתֶ[מָּה]
בַּחֲצוֹצְרוֹת וְנִזְכַּרְתֶּמָּה לִפְנֵי אֱלוֹהֵיכֶם 8 וְנוֹשַׁעְתֶּם מֵאוֹיְבֵיכֶם ׳
מִיא כָמוֹכָה אֵל יִשְׂרָאֵל בַּשָּׁ[מַיִ]ם וּבָאָרֶץ אֲשֶׁר יַעֲשֶׂה כְּמַעֲשֶׂיכָה
הַגְּדוֹלִים 9 וְכִגְבוּרָתְכָה הַחֲזָקָה ׳ וּמִיא ___ כְעַמְּכָה יִשְׂרָאֵל
אֲשֶׁר בָּחַרְתָּה לְכָה מִכּוֹל עַמֵּי הָאֲרָצוֹת ׳ 10 עַם קְדוֹשֵׁי בְרִית
וּמְלוּמְּדֵי חוֹק מַשְׂכִּילֵי בִּי[נָה] וְשׁוֹמְעֵי קוֹל
נִכְבָּד וְרוֹאֵי 11 מַלְאֲכֵי קוֹדֶשׁ מְגוּלֵּי אוֹזֶן וְשׁוֹמְעֵי עֲמוּקוֹת

[a] = וּלְהַחֲזִיק.

[alle um]geben den Turm auf den drei Außenseiten, 14 dreihundert Schilde. Und zwei Tore hat ein T[u]rm, eines zur [Rechten und ei]nes zur Linken. Und auf alle Schilde der Türme 15 soll man schreiben: auf den ersten Mi[chae]l, [auf den zweiten Gabriel, auf den dritten] Sariel, auf den vierten Raphael; 16 Michael und Gabriel zur [Rechten und Sariel und Raphael zur Linken ...] 17 [...] zu vi[er ...] legen sie [ihnen] 18 [...]

X

unsere Lager[28], und sich zu [hü]ten vor jeglichem Schändlich-Bösen[29]. Und der uns verkündet hat[30], daß du in unserer Mitte bist, der große und furchtbare Gott, zu vertreiben alle 2 unsere Feinde vo[r uns]. Und er belehrte uns seit ehedem für unsere Geschlechter folgendermaßen: Wenn ihr zum Kampf herankommt, dann trete der Priester hin und spreche zum Volk 3 folgendermaßen: Höre Israel, ihr rückt heute zum Kampf gegen eure Feinde heran. Fürchtet euch nicht, und nicht sei euer Herz verzagt. 4 Und schreckt nicht [zurück und] seid [ni]cht erschrocken vor ihnen; denn euer Gott geht mit euch, um für euch zu streiten mit euren Feinden, um euch zu erretten. 5 Und unsere [A]mtleute sollen zu allen Kampfbereiten sprechen, zu den von Herzen Willigen, um (sie) durch Gottes Kraft zu stärken, — und damit alle umkehren, 6 deren Herz zerschmolzen ist, — und den Zusammenhalt unter allen starken Helden zu befestigen. Und was du [gesagt] hast durch Mose folgendermaßen: Wenn es zum Kampf kommt 7 in eurem Lande gegen den Gegner, der euch bedrängt, so blas[t] Lärm mit den Trompeten, und es wird euer gedacht werden vor eurem Gott, 8 und ihr werdet errettet vor euren Feinden (Num. 10, 9). Wer ist wie du, Gott Israels, im Hi[mm]el und auf Erden, der es deinen großen Werken gleichtäte 9 und deiner mächtigen Stärke? Und wer——[31] ist wie dein Volk Israel, das du dir erwählt hast aus allen Völkern der Länder? 10 Das Volk der Heiligen des Bundes und derer, die im Gesetz belehrt sind, der einsichtigen Weisen [...], die die Stimme des Geehrten hören und 11 die heiligen Engel schauen, deren Ohr geöffnet ist und die Unergründliches ver-

] מִפְרַשׂ שְׁחָקִים צְבָא מְאוֹרוֹת 12 וּמַשָּׂא
רוּחוֹת וּמֶמְשֶׁלֶת קְדוֹשִׁים אוֹצְרוֹת כָּבֿ[וֹד] עָבִים ׳
הַבּוֹרֵא אֶרֶץ וְחוּקֵי מִפְלַגֶּיהָ 13 לְמִדְבָּר וְאֶרֶץ עֲרָבָה וְכוֹל
צֶאֱצָאֶיהָ עִם פר[ ]ה חוּג יַמִּים וּמִקְוֵי נְהָרוֹת וּמִבְקַע
תְּהֹמוֹת 14 מַעֲשֵׂי חַיָּה וּבְנֵי כָנָף תַּבְנִית אָדָם וְתוֹלְ[דוֹת]עוּ
בַּלַּת לָשׁוֹן וּמִפְרַד עַמִּים מוֹשַׁב מִשְׁפָּחוֹת 15 וְנַחֲלַת אֲרָצוֹת
] מוֹעֲדֵי קוֹדֶשׁ וּתְקוּפוֹת שָׁנִים]
וְקִצֵּי 16 עַד ׳ [ ]ה אֵלֶּה
יָדַעְנוּ מִבִּינָתְכָה אֲשֶׁר [ ] 17 [
אָזְנֶ[י]כָה אֵל שַׁוְעָתֵנוּ ׳ כִּיא [ ] 18 [
]ל[ ] ביתו הכ[ ]

XI

כִּיא אִם לְכָה הַמִּלְחָמָה ׳ וּבְכוֹחַ יָדְכָה רוּטְּשׁוּ פִּגְרֵיהֶם לְאֵין
קוֹבֵר ׳ וְאֵת גוֹלְיַת הַגִּתִּי אִישׁ גִּבּוֹר חַיִל 2 הִסְגַּרְתָּה בְּיַד דָּוִיד
עַבְדְּכָה ׳ כִּיא בָטַח בְּשִׁמְכָה הַגָּדוֹל וְלוֹא בְחֶרֶב וַחֲנִית ׳ כִּיא
לְכָה הַמִּלְחָמָה ׳ וְאֵת 3 פְּלִשְׁתִּיִּים הִכְנִ[יעַ] פְּעָמִים רַבּוֹת
בְּשֵׁם קוֹדְשֶׁכָה ׳ וְגַם בְּיַד מְלָכֵינוּ הוֹשַׁעְתָּנוּ פְּעָמִים רַבּוֹת
4 בַּעֲבוּר רַחֲמֶיכָה וְלוֹא כְמַעֲשֵׂינוּ אֲשֶׁר הֲרֵעוֹנוּ וַעֲלִילוֹת
פְּשָׁעֵינוּ ׳ לְכָה הַמִּלְחָמָה וּמֵאִתְּ[כָה] הַגְּבוּרָה 5 וְלוֹא לָנוּ ׳
וְלוֹא כוֹחֵנוּ וְעֹצֶם יָדֵינוּ עָשָׂה חַיִל כִּיא בְכוֹחֲכָה וּבְעוֹז חֵילְכָה
הַגָּדוֹל ׳ כַּאֲ[שֶׁר] הִגַּדְתָּה 6 לָנוּ מֵאָז לֵאמוֹר ׳ דָּרַךְ כּוֹכָב
מִיַּעֲקוֹב קָם שֵׁבֶט מִיִּשְׂרָאֵל וּמָחַץ פַּאֲתֵי מוֹאָב וְקַרְקַר כּוֹל בְּנֵי
שֵׁית ׳ 7 וְיֵרְדְּ מִיַּעֲקוֹב וְהֶאֱבִיד שָׂרִיד [מֵ]עִיר ׳ וְהָיָה אוֹיֵב יְרֵשָׁה
וְיִשְׂרָאֵל עֹשֶׂה חָיִל ׳ וּבְיַד מְשִׁיחֶיכָה 8 חוֹזֵי תְעוּדוֹת הִגַּדְתָּה
לָנוּ קִ[צֵּי] מִלְחֲמוֹת יָדֶיכָה [a]לְהִכָּבֵד בְּאוֹיְבֵינוּ לְהַפִּיל גְּדוּדֵי

[a] Ursprünglich לְהִלָּחֵם, geändert zu לְהִכָּבֵד.

nehmen [...] die Ausbreitung der Himmel, die Heerschar der
Lichter 12 und die Last der Geister und die Herrschaft der
Heiligen, die Schatzkammern der Herrlich[keit ...] der Wolken.
Der die Erde geschaffen hat und die Gesetze ihrer Einteilung
13 für Wüste und Steppenland, und alles, was sie hervorbringt
mit [...], den Kreis der Meere und die Behälter der Flüsse und
die Spaltung der Urfluten, 14 die Geschöpfe der Tiere und die
Vögel, den Bau des Menschen und die Gesch[lechter ...], die
Verwirrung der Sprachen und die Teilung der Völker, den Wohn-
sitz der Sippen 15 und das Erbe der Länder [...] heilige
Festzeiten und Wenden der Jahre und ewige Zeiten. 16 [...]
Dies wissen wir aus deinem Verstehen, das [...] 17 [...]
deine [Ohren] auf unser Rufen; denn [...] 18 [...]

XI

sondern dein ist der Kampf. Und durch die Kraft deiner Hand
werden ihre Leichname zerschmettert, so daß keiner begrub.
Goliath, den Gathiter[32], den wehrhaften Mann, 2 hast du
ausgeliefert in die Hand Davids, deines Knechtes; denn er ver-
traute auf deinen großen Namen und nicht auf Schwert und
Spieß[33]. Denn dein ist der Kampf. Und die 3 Philister de-
mütigte [er] viele Male durch deinen heiligen Namen. Und auch
durch unsere Könige hast du uns viele Male geholfen 4 um
deines Erbarmens willen, und nicht nach unseren Werken, die
wir übel getan haben, und unseren Freveltaten. Dein ist der
Kampf und von [dir] her die Stärke 5 und nicht unser. Und
nicht unsere Kraft und die Stärke unserer Hände haben Macht
bewiesen, sondern durch deine Kraft und die Stärke deiner
großen Macht. W[ie] du es uns verkündigt hast 6 seit ehedem
mit folgenden Worten: Es geht ein Stern auf aus Jakob, es erhebt
sich ein Szepter aus Israel und zerschmettert die Schläfen Moabs
und tritt nieder alle Söhne Seths. 7 Er geht hervor aus Jakob
und vernichtet die [aus der] Stadt Entronnenen. Und der Feind
wird zum Besitz, und Israel übt Macht aus (Num. 24, 17—19)[34].
Und durch deine Gesalbten[35], 8 die Seher der Bestimmungen,
hast du uns verkündigt die Zei[ten] der Kriege deiner Hände,
dich zu verherrlichen an unseren Feinden, die Scharen Belials zu

בְלִיַּעַל שִׁבְעַת 9 גּוֹי הֶבֶל בְּיַד אֶבְיוֹנֵי פְדוּתְכָה [בְּכוֹ]חַ
וּבְשָׁלוֹם לִגְבוּרַת פֶּלֶא וְלֵב נָמֵס לְפֶתַח תִּקְוָה · וַתַּעַשׂ לָהֵמָּה
כְפַרְעוֹה 10 וּכְשָׁלִישֵׁי מַרְכְּבוֹתָיו בְּיַם סוּ[ף] · וְנִכְאֵי רוּחַ
תַּבְעִיר כְּלַפִּיד אֵשׁ בְּעָמִיר אוֹכֶלֶת רִשְׁעָה לוֹא תָשׁוּב עַד
11 כַּלּוֹת אַשְׁמָה · וּמֵאָז הִשְׁמַ[עְתָּנוּ מוֹ]עֵד גְּבוּרַת יָדְכָה בַכִּתִּיִּים
לֵאמוֹר · וְנָפַל אַשּׁוּר בְּחֶרֶב לוֹא אִישׁ וְחֶרֶב 12 לוֹא אָדָם
תּוֹאכְלֶנּוּ ·

13 כִּיא בְיַד אֶבְיוֹנִים תַּסְגִּיר [אוֹ]יְבֵי כוֹל הָאֲרָצוֹת וּבְיַד כּוֹרְעֵי
עָפָר לְהַשְׁפִּיל גִּבּוֹרֵי עַמִּים לְהָשִׁיב גְּמוּל 14 רְשָׁעִים בְּ[רֹא]שׁ
א[ ]לְהַצְדִּיק מִשְׁפַּט אֲמִתְּכָה בְּכוֹל בְּנֵי אִישׁ וְלַעֲשׂוֹת
לְכָה שֵׁם עוֹלָם בְּעָם 15 [ ]
הַמִּלְחָמוֹת וּלְהִתְגַּדֵּל וּלְהִתְקַדֵּשׁ לְעֵינֵי שְׁ[אָ]ר הַ[גּוֹ]יִם · לָדַעַת[ ]
16 [בַּעֲשׂ]וֹתְכָה שְׁפָטִים בְּגוֹג
וּבְכוֹל קְהָלוֹ הַנִּקְ[הָ]לִ[ים עָ]לֵ[ינוּ] 17 [
[ ]כִּיא תִלָּחֵם בָּם מִן הַשָּׁמַ[יִם]
18 [ ]עֲלֵיהֶם לִמְהוּמָה[ ]

XII

כִּיא רוֹב קְדוֹשִׁים [לְכָ]ה בַשָּׁמַיִם וְצִבְאוֹת מַלְאָכִים בִּזְבוּל
קוּדְשְׁכָה לְהַ[לֵּל שְׁמֶ]כָה · וּבְחִירֵי עַם קוֹדֶשׁ 2 שַׂמְתָּה לְכָה
ב[סֵ]פֶר שֵׁמוֹת · כוֹל צְבָאָם אִתְּכָה בִּמְעוֹן קוּדְשֶׁכָה
וּמ[ ]ים בִּזְבוּל כְּבוֹדֶכָה · 3 וְחַסְדֵי בְרָכָ[ה]
וּבְרִית שְׁלוֹמְכָה חָרַתָּה לָמוֹ בְּחֶרֶט חַיִּים לִמְלוֹךְ [עֲלֵיהֶ]ם
בְּכוֹל מוֹעֲדֵי עוֹלָמִים 4 וְלִפְקוֹד צִ[בְאוֹת בְּחִ]ירֶיכָה
לְאַלְפֵיהֶם וּלְרִבּוֹאוֹתָם יַחַד עִם קְדוֹשֶׁיכָה [וְעִם] מַלְאָכֶיכָה
לִרְשׁוּת יָד 5 בַּמִּלְחָמָה [לְהַכְנִיעַ] קָמֵי אֶרֶץ בְּרוֹב מִשְׁפָּטֶיכָה
וְעִם בְּחִירֵי שָׁמַיִם בִּרְכ[וֹתֶיכָה] ·

fällen, die sieben 9 nichtigen Völker[36], durch die Armen[37] deiner Erlösung, [in Kra]ft und in Heil nach wunderbarer Stärke, und das verzagte Herz (kommt) zur Pforte der Hoffnung[38]. Und du hast an ihnen getan wie an Pharao 10 und wie an den Wagenkämpfern seiner Streitwagen im Schilfme[er][39]. Aber die zerschlagenen Geistes sind, entzündest du wie eine Feuerfackel in Garben, die den Frevel verzehrt und nicht aufhört bis zur 11 Vernichtung der Schuld. Und seit ehedem hast du uns kund[getan den Zeit]punkt der Kraft deiner Hand an den Kittäern mit folgenden Worten: Und es fällt Assur durchs Schwert, nicht durch das eines Mannes, und ein Schwert, 12 nicht das eines Menschen, wird es verzehren (Jes. 31, 8).

13 Denn in die Hand der Armen[37] lieferst du die [Fein]de aller Länder aus, und in die Hand derer, die in den Staub gebeugt sind, um die Helden der Völker zu erniedrigen, Vergeltung heimzuzahlen 14 den Frevlern auf [das Haupt ...] als gerecht zu erweisen das Gericht deiner Wahrheit an allen Söhnen der Menschen, und um dir einen ewigen Namen zu machen im Volk 15 [...] der Kriege, und dich groß und heilig zu erweisen vor den Augen der üb[ri]gen [Völ]ker. Um zu erkennen [...] 16 [... wenn] du Strafgerichte [vol]lziehst an Gog und an seinem gesamten Aufgebot, die [sich] versa[mm]eln [ge]g[en uns ...] 17 [...] denn du kämpfst gegen sie vom Himm[el her ...] 18 [...] auf sie zur Bestürzung [...]

XII

Denn die Menge der Heiligen ist [bei dir] im Himmel und die Heerscharen der Engel in deiner heiligen Wohnstatt, um deinen [Namen zu preisen]. Und die Erwählten des heiligen Volkes 2 hast du dir gesetzt [... Bu]ch der Namen. Ihre ganze Heerschar ist bei dir an deiner heiligen Stätte [...] in deiner herrlichen Wohnstatt. 3 Und die segensreichen Gnadenerweise [...] und den Bund deines Heils hast du ihnen eingegraben mit dem Griffel des Lebens, um zu herrschen [über sie] in alle ewigen Zeiten 4 und zu mustern die He[erscharen] deiner [Erwähl]ten nach ihren Tausendschaften und Zehntausendschaften zusammen mit deinen Heiligen [und mit] deinen Engeln zur Machtentfaltung der Hand 5 im Kriege, [um niederzubeugen] die Gegner des Landes durch die Fülle deiner Gerichte, aber mit den Erwählten des Himmels sind [deine] Seg[nungen].

7 וְאַתָּה אֵל נ[וֹרָא] בִּכְבוֹד מַלְכוּתְכָה וַעֲדַת קְדוֹשֶׁיכָה
בְּתוֹכֵנוּ לְעֵזֶר עוֹלָמִ[י]ם ׳ וְנָ[תַ]נוּ בוּז לַמְּלָכִים לַעַג 8 וָקֶלֶס
לַגִּבּוֹרִים ׳ כִּיא קָדוֹשׁ אֲדוֹנָי וּמֶלֶךְ הַכָּבוֹד אִתָּנוּ ׳ עַם קְדוֹשִׁים
גִּבּוֹ[רִים וּ]צְבָא מַלְאָכִים בִּפְקוּדֵינוּ 9 וְגִבּוֹר הַמִּלְחָ[מָה]
בַּעֲדָתֵנוּ וּצְבָא רוּחָיו עִם צְעָדֵינוּ ׳ וּפָרָשֵׁינ[וּ כַ]עֲנָנִים וּכְעָבֵי טַל
לְכַסּוֹת אָרֶץ 10 וּכְזֶרֶם רְבִיבִים לְהַשְׁקוֹת מִשְׁפָּט לְכוֹל
צֶאֱצָאֶיהָ ׳ קוּמָה גִבּוֹר שְׁבֵה שֶׁבְיְכָה אִישׁ כָּבוֹד וְשׁוֹל 11 שְׁלָלְכָה
[a]עוֹשֵׂי חָיִל ׳ תֵּן יָדְכָה בְּעוֹרֶף אוֹיְבֶיכָה וְרַגְלְכָה עַל בָּמוֹתֵי חָלָל ׳
מְחַץ גּוֹיִם צָרֶיכָה וְחַרְבְּכָה 12 תוֹאכַל בְּשַׂר אַשְׁמָה ׳ מַלֵּא
אַרְצְכָה כָבוֹד וְנַחֲלָתְכָה בְרָכָה ׳ הֲמוֹן מִקְנֶה בְחֶלְקוֹתֶיכָה
כֶּסֶף וְזָהָב וְאַבְנֵי 13 חֵפֶץ בְּהֵיכָל[וֹ]תֶיכָה ׳ צִיּוֹן שִׂמְחִי מְאֹדָה
וְהוֹפִיעִי בְּרִנּוֹת יְרוּשָׁלַיִם וְהָגֵלְנָה כוֹל עָרֵי יְהוּדָה ׳ פִּתְחִי
14 שְׁעָרַ[יִךְ] תָּמִיד לְהָבִיא אֵלַיִךְ חֵיל גּוֹאִים ׳ וּמַלְכֵיהֶם יְשָׁרְתוּךְ
וְהִשְׁתַּחֲווּ לָךְ כּוֹל מְעַנַּיִךְ וַעֲפַר 15 [רַגְלַיִךְ יְלַחֵכוּ ׳ בְּנוֹת]
עַמִּי צְרַחְנָה בְּקוֹל רִנָּה עֲדֵינָה עֲדִי כָבוֹד וּרְדֶינָה בְּ[מַ]לְ[כוּת]
16 [יִ]שְׂרָאֵל לִמְלוֹךְ עוֹלָמִים ׳
17 [ ]ל[ ]ם גִּבּוֹרֵי הַמִּלְחָמָה ׳ יְרוּשָׁלַיִם [ ]
18 [רוּ]ם עַל הַשָּׁמַיִם אֲדוֹנָי[ ]

XIII

וְאֶחָיו הַ[כּוֹ]הֲנִים וְהַלְוִיִּים וְכוֹל זִקְנֵי הַסֶּרֶךְ עִמּוֹ ׳ וּבֵרְכוּ עַל
עוֹמְדָם אֶת אֵל יִשְׂרָאֵל וְאֶת כּוֹל מַעֲשֵׂי אֲמִתּוֹ וְזָעֲמוּ 2 שָׁם אֶת
[בְּלִיַּ]עַל וְאֶת כּוֹל רוּחֵי גוֹרָלוֹ וְעָנוּ וְאָמְרוּ ׳ בָּרוּךְ אֵל יִשְׂרָאֵל
בְּכוֹל מַחֲשֶׁבֶת קוֹדְשׁוֹ וּמַעֲשֵׂי אֲמִתּוֹ וּבְ[ר]וּכִים 3 כּוֹל
[מְשָׁ]רְתָיו בְּצֶדֶק יוֹדְעָיו בֶּאֱמוּנָה ׳

[a] = עוֹשֶׂה.

7 Und du, Gott[40], bist fur[chtbar] in der Herrlichkeit deiner Königsherrschaft, und die Gemeinde deiner Heiligen ist in unserer Mitte zu ewige[r] Hilfe. Wir [geben] Verachtung den Königen, Spott 8 und Hohn den Helden. Denn der Heilige, der Herr und der König der Herrlichkeit, ist mit uns. Das Volk der heiligen Hel[den und die] Heerschar der Engel ist unter unserem Aufgebot, 9 und der Held des Krie[ges][41] ist in unserer Gemeinde und das Heer seiner Geister mit unseren Schritten. Und [unsere] Reiter sind [wie] Wolken und Taunebel, die Erde zu bedecken, 10 und wie ein Platzregen, zu tränken mit Gericht alle ihre Gewächse. Erhebe dich, Held, führe deine Gefangenen fort, Mann der Herrlichkeit, und raube 11 deine Beute, der du Macht entfaltest. Lege deine Hand auf den Nacken deiner Feinde und deinen Fuß auf Hügel Erschlagener. Zerschmettere Völker, deine Feinde, und dein Schwert 12 verzehre das schuldige Fleisch. Fülle dein Land mit Herrlichkeit und dein Erbteil mit Segen. Eine Menge von Vieh sei auf deinen Feldern, Silber und Gold und Edelsteine 13 in deinen Pal[ä]sten. Zion, freue dich sehr, strahle auf im Jubel, Jerusalem, und jauchzet, alle Städte Judas. Öffne 14 beständig [deine] To[re], daß man zu dir bringe den Reichtum der Völker. Und ihre Könige sollen dir dienen und dir huldigen alle deine Bedrücker, und den Staub 15 [deiner Füße werden sie lecken. Töchter] meines Volkes, brecht in lauten Jubel aus, legt herrlichen Schmuck an und herrscht in [der Herrschaft ...] 16 [... I]srael, um zu herrschen auf ewig. 17 [...] Kriegshelden. Jerusalem [...] 18 [... er]hebe dich über die Himmel, Herr [...]

XIII

und seine Brüder, die [Pr]iester und die Leviten und alle Ältesten der Schlachtordnung mit ihm. Und sie preisen an ihrem Standort den Gott Israels und alle Werke seiner Wahrheit und verfluchen 2 dort [Beli]al und alle Geister seines Loses und heben an und sprechen[42]: Gepriesen sei der Gott Israels in seinem gesamten heiligen Plan und den Werken seiner Wahrheit, und ge[prie]sen seien 3 alle, die ihm in Gerechtigkeit [die]nen, die ihn in Treue erkennen.

4 וְאָ[רו]ר בְּלִיַּעַל בְּמַחֲשֶׁבֶת מַשְׂטֵמָה וְזָעוּם הוּאָה בְּמִשְׂרַת
אַשְׁמָתוֹ ˈ וַאֲרוּרִים כּוֹל רוּחֵי גוֹרָלוֹ בְּמַחֲשֶׁבֶת 5 רִשְׁעָם
וּזְעוּמִים הֵמָּה בְכוֹל עֲבוֹדַת נִדַּת טָמְאָתָם ˈ כִּיא הֵמָּה גוֹרַל חוֹשֶׁךְ
וְגוֹרַל אֵל לְאוֹר 6 [עוֹלָמִ]ים ˈ

7 וְאַ[תָּ]ה אֵל אֲבוֹתֵינוּ שִׁמְכָה נְבָרְכָה לְעוֹלָמִים ˈ וְאָנוּ עַם
[עוֹ]לָ[ם] וּבְרִית [כָּ]רַתָּה לַאֲבוֹתֵינוּ וַתְּקִימָה לְזַרְעָם 8 לְמוֹעֲ[דֵ]י
עוֹלָמִים ˈ וּבְכוֹל תְּעוּדוֹת כְּבוֹדְכָה הָיָה זֵכֶר [ ]כָה בְקִרְבֵּנוּ
לְעֵזֶר שְׁאֵרִית וּמִחְיָה לִבְרִיתְכָה 9 וּלְ[סַפֵּר] מַעֲשֵׂי אֲמִתְּכָה
וּמִשְׁפְּטֵי גְבוּרוֹת פִּלְאֲכָה ˈ אַתָּ[ה אֵל פְּ]דִיתָנוּ לְכָה עַם עוֹלָמִים
וּבְגוֹרַל אוֹר הִפַּלְתָּנוּ 10 לַאֲמִתְּכָה ˈ וְשַׂר מָאוֹר מֵאָז פָּקַדְתָּה
לְעוֹזְרֵנוּ וּבְגוֹ[רָ]לוֹ כוֹל בְּנֵי צֶדֶ]ק וְכוֹל רוּחֵי אֱמֶת בְּמֶמְשַׁלְתּוֹ ˈ
וְאַתָּה 11 עָשִׂיתָה בְלִיַּעַל לְשַׁחַת מַלְאַךְ מַשְׂטֵמָה ˈ וּבְחוֹשֶׁ[ךְ
מֶמְשַׁלְ]תּוֹ וּבַעֲצָתוֹ לְהַרְשִׁיעַ וּלְהַאֲשִׁים ˈ וְכוֹל רוּחֵי 12 גוֹרָלוֹ
מַלְאֲכֵי חֶבֶל בְּחוּקֵּי חוֹשֶׁךְ יִתְהַלְּכוּ וְאֵלָיו [תְּשׁוּ]קָתָמָה יַחַד ˈ
וְאָנוּ בְגוֹרַל אֲמִתְּכָה נִשְׂמְחָה בְּיַד 13 גְּבוּרָתְכָה וְנָשִׂישָׂה
בִישׁוּעָתְכָה וְנָגִילָה בְעֶזְ[רָ]תְכָה וּבִשְׁ]לוֹמֶכָה ˈ מִיא כָמוֹכָה בְכוֹחַ
אֵל יִשְׂרָאֵל וְעִם 14 אֶבְיוֹנִים יַד גְּבוּרָתֶכָה ˈ וּמִיא מַלְאָךְ וְשַׂר
כְּעֶזְרַת פּוֹ[עֲלֶיכָה ˈ כִּי]א מֵאָז יְעַדְתָּה לְכָה יוֹם קְרָב ר[ ]
15 [ ]לַ[עֲזוֹ]ר בֶּאֱמֶת וּלְהַשְׁמִיד בָּאַשְׁמָה לְהַשְׁפִּיל חוֹשֶׁךְ
וּלְהַגְבִּיר אוֹר וּלְ[ ] 16 [ ]ל לְמַעֲמַד
עוֹלָמִים לְכַלּוֹת כּוֹל בְּנֵי חוֹשֶׁךְ וְשִׂמְחָה לְ[כוֹ]ל [בְּנֵי אוֹר ˈ]

18 [כִּי]א אַתָּה יְעַדְתָּנוּ לְמ[ ]

4 Aber verf[luch]t sei Belial im Plan der Feindschaft, und verwünscht sei er in der Herrschaft seiner Schuld. Und verflucht seien alle Geister seines Loses in ihrem ruchlosen Plan, 5 und verflucht seien sie in allem Dienst ihrer abscheulichen Unreinheit. Denn sie sind das Los der Finsternis, aber Gottes Los gehört zum Licht 6 [der Ewigkei]ten.

7 Und [du], Gott unserer Väter, deinen Namen preisen wir auf ewig. Und wir sind das [ewige] Volk, und einen Bund hast du [ge]schlossen mit unseren Vätern und richtetest ihn auf für ihren Samen 8 auf ewige Zei[te]n. Und bei allen Bestimmungen deiner Herrlichkeit war das Gedächtnis [...] in unserer Mitte, zur Hilfe für den Rest und Erhaltung deines Bundes 9 und zu [verkünden] die Taten deiner Wahrheit und die Gerichte deiner wunderbaren Krafttaten. Du [Gott, erkauf]test uns dir zum ewigen Volk, und in das Los des Lichtes ließest du uns fallen 10 für deine Wahrheit. Und den Fürsten des Lichtes hast du seit ehedem zu unserem Helfer bestellt, und in [seinem Los sind alle Söhne der Gerechtig]keit und alle Geister der Wahrheit in seiner Herrschaft. 11 Du hast Belial gemacht zum Verderben, zum Engel der Feindschaft. Und in der Finster[nis] seiner [Herrschaft] und in seinem Ratschluß (sucht er) Frevel und Verschuldung zu verursachen. Und alle Geister 12 seines Loses sind Engel des Verderbens, in den Gesetzen der Finsternis wandeln sie, und danach steht ihr [Verl]angen insgesamt. Wir aber sind im Los deiner Wahrheit, wir wollen uns freuen an deiner mächtigen Hand 13 und fröhlich sein über deine Hilfe und jubeln über [deine] Hil[fe und über] dein [He]il. Wer ist wie du an Kraft, Gott Israels, und mit 14 den Armen ist deine mächtige Hand. Und welcher Engel und Fürst ist wie die Hilfe [deines Tuns? Den]n seit ehedem hast du dir den Tag des Kampfes bestimmt [...] 15 [...] zu [hel]fen auf Grund von Wahrheit und zu vertilgen auf Grund von Verschuldung, Finsternis zu erniedrigen und Licht zu stärken [...] 16 [...] zum ewigen Standort, um zu vernichten alle Söhne der Finsternis, und Freude für [alle Söhne des Lichts].

18 [... den]n du bestimmtest uns [...]

XIV

כְּאֵשׁ עֶבְרָתוֹ בֶּאֱלִילֵי מִצְרָיִם ׳
2 וְאַחַר הֵעָלוֹתָם מֵעַל הַחֲלָלִים לָבוֹא הַמַּחֲנֶה יְרַנְּנוּ כוּלָּם
אֵת תְּהִלַּת הַמָּשׁוֹב ׳ וּבַבּוֹקֶר יְכַבְּסוּ בִגְדֵיהֶם וְרָחֲצוּ 3 מִדַּם
פִּגְרֵי הָאַשְׁמָה ׳ וְשָׁבוּ אֶל מְקוֹם עוֹמְדָם אֲשֶׁר סִדְּרוּ שָׁם הַמַּעֲרָכָה
לִפְנֵי נְפוֹל חַלְלֵי הָאוֹיֵב ׳ וּבֵרְכוּ שָׁם 4 כוּלָּם אֵת אֵל יִשְׂרָאֵל
וְרוֹמְמוּ שְׁמוֹ בְּיַחַד שִׂמְחָה וְעָנוּ וְאָמְרוּ ׳ בָּרוּךְ אֵל יִשְׂרָאֵל הַשּׁוֹמֵר
חֶסֶד לִבְרִיתוֹ וּתְעוּדוֹת 5 יְשׁוּעָה לְעַם פְּדוּתוֹ ׳ וַיִּקְרָא כוֹשְׁלִים
לִ[גְבוּרוֹת] פֶּלֶא וּקְהַל גּוֹיִים אָסַף לְכָלָה אֵין שְׁאֵרִית וּלְהָרִים
בַּמִּשְׁפָּט 6 לֵב נָמֵס וְלִפְתּוֹחַ פֶּה לְנֶאֱלָמִים לְרַנֵּן בִּגְבוּר[[a]וֹת
אֵל[a] וְיָדַיִם] רָפוֹת לְלַמֵּד מִלְחָמָה ׳ וְנוֹתֵן לְנְמוֹגֵי בִרְכַּיִם חֲזוֹק
מַעֲמָד 7 וַאֲמוֹץ מָתְנַיִם לִשְׁכֶם מַכִּים ׳ וּבְעַנְוֵי רוּחַ [ ]סם
לְבַב קוֹשִׁי ׳ וּבִתְמִימֵי דֶרֶךְ יִתַּמּוּ כוֹל גּוֹיֵי רִשְׁעָה ׳ 8 וּלְכוֹל
גִּבּוֹרֵיהֶם אֵין מַעֲמָד ׳ וַאֲנוּ שְׁאֵ[רִית עַמֶּכָה ׳ [a]בָּרוּךְ[a]] שִׁמְכָה אֵל
הַחֲסָדִים הַשּׁוֹמֵר בְּרִית לַאֲבוֹתֵינוּ ׳ וְעִם 9 כוֹל דּוֹרוֹתֵינוּ
הִפְלֵיתָה חֲסָדֶיכָה לִשְׁאֵר[ית עַמְּכָה] בְּמֶמְשֶׁלֶת בְּלִיַּעַל ׳ וּבְכוֹל
רָזֵי שִׂטְמָתוֹ לוֹא הִדִּיחוּנ[וּ] 10 מִבְּרִיתֶכָה ׳ וְרוּחֵי [חֶבְ]לוֹ
גָּעַרְתָּה מִ[מֶּנּוּ [a]וּבְהִתְרַשַּׁע אַנְ[a]]שֵׁי מֶמְשַׁלְתּוֹ שָׁמַרְתָּה נֶפֶשׁ
פְּדוּתֶכָה ׳ וְאַתָּה הֲקִימוֹתָה 11 נוֹפְלִים בְּעוּזְּכָה וְרָמֵי קוֹמָה
תְּגַדֵּ[עַ לְהַשְׁפִּילָם ׳ וּ]לְכוֹל גִּבּוֹרֵיהֶם אֵין מַצִּיל וּלְקַלֵּיהֶם אֵין
מָנוֹס ׳ וּלְנִכְבְּדֵיהֶם 12 תָּשִׁיב לָבוּז ׳ וְכוֹל יְקוּם הֶבְלֵי[הֶ]ם
יִהְיֶה כְּאָיִ]ן ׳ וַאֲנוּ עַם קוֹדְשְׁכָה בְּמַעֲשֵׂי אֲמִתְּכָה נְהַלְלָה שִׁמְכָה
13 וּבִגְבוּרוֹתֶיכָה נְרוֹמְמָה תִּפְ[אַרְתְּכָה בְכוֹל] עִתִּים וּמוֹעֲדֵי
תְּעוּדוֹת עוֹלָמִים עִם מְ[בוֹ]א יוֹמָם וָלַיְלָה 14 וּמוֹצָאֵי עֶרֶב
וָבוֹקֶר ׳ כִּיא גְדוֹלָה מַ[[a]חֲשֶׁבֶת כְּבוֹ[a]]דְכָה וְרָזֵי נִפְלְאוֹתֶיכָה
בִּמְרוֹמֵי[כָה] לְ[[a]הָרִי[a]]ם לְכָה מֵעָפָר 15 וּלְהַשְׁפִּיל מֵאֵלִים ׳

a–a Ergänzungen nach 4 QMa.

XIV

wie das Feuer seines Grimms wider die Götzen Aegyptens.
2 Und nachdem sie sich von den Erschlagenen entfernt haben,
um in das Lager zu kommen, sollen sie alle den Gesang der Rückkehr singen. Und am Morgen sollen sie ihre Kleider reinigen und
waschen 3 von dem Blut der Leichen der Schuld. Und sie
sollen zurückkehren zu ihrem Standort, wo sie die Schlachtreihe
gebildet hatten, bevor die Erschlagenen des Feindes fielen. Und
dort sollen 4 sie alle den Gott Israels preisen und seinen Namen
in freudiger Gemeinschaft erhöhen und anheben und sprechen[43]:
Gepriesen sei der Gott Israels, der Gnade bewahrt seinem Bund
und Bezeugungen 5 der Hilfe dem Volk seiner Erlösung.
Und er berief Strauchelnde zu wunderbaren [Heldentaten], aber
das Aufgebot der Völker versammelte er zur Vernichtung ohne
Rest, und um zu erheben durch das Gericht 6 das verzagte
Herz und zu öffnen den Mund der Verstummten, daß sie jubeln
über die Machttat[en Gottes], und um die schlaffen [Hände]
Kampf zu lehren. Und er verleiht denen, deren Knie wanken,
festen Standort 7 und Festigkeit der Lenden dem zerschlagenen Nacken. Und durch die, die demütigen Geistes sind [...]
das verstockte Herz. Und durch die, die vollkommenen Wandels
sind, werden alle Völker des Frevels vertilgt. 8 Und für alle
ihre Helden gibt es kein Standhalten. Aber wir sind der Re[st
deines Volkes. Gepriesen sei] dein Name, Gott der Gnadenerweise,
der du den Bund bewahrt hast unseren Vätern. Und bei 9 allen
unseren Geschlechtern hast du deine Gnaden wunderbar erwiesen
an dem Res[t deines Volkes] unter der Herrschaft Belials. Und
durch alle Geheimnisse seiner Feindschaft haben sie [uns] nicht
abgebracht 10 von deinem Bund. Und seine [verde]rblichen
Geister hast du von [uns] fortgescholten [, und wenn die Män]ner
seiner Herrschaft [frevelten], hast du die Seele derer bewahrt,
(denen) deine Erlösung (gilt). Und du hast 11 Fallende aufgerichtet durch deine Kraft, aber die Hochgewachsenen fäll[st]
du, [um sie zu erniedrigen]. Für alle ihre Helden gibt es keinen
Retter, und für ihre Schnellen keine Zuflucht. Und ihren Vor-
nehmsten 12 zahlst du zur Verachtung heim. Und all [ihr] nich-
ti[ges] Wesen [wird wie Nich]ts. Aber wir sind dein heiliges Volk,
wir loben deinen Namen angesichts der Werke deiner Wahrheit,
13 und angesichts deiner Machttaten preisen wir [deinen Ruhm
zu allen] Zeiten und ewig festgesetzten Fristen, bei Ein[tri]tt des

16 רוּמָה רוּמָה אֵל אֵלִים וְהִנָּשֵׂא בְעוֹ[ז [a]מֶלֶךְ הַמְּלָכִים[a]]
17 [לְכוֹ]ל [בְּ]נֵי חוֹשֶׁךְ וְאוֹר גּוֹדְלְכָה יְ[ ]
18 [ ]ל תּוּקַד לִשְׂרֵפָ[ה]

XV

כִּיא הִיאָה עֵת צָרָה לְיִשְׂרָ[אֵל וּתְעוּ]דַת מִלְחָמָה בְּכוֹל
הַגּוֹיִים · וְגוֹרַל אֵל בִּפְדוּת עוֹלָמִים 2 וְכָלָה לְכוֹל גּוֹי רִשְׁעָה ·
וְכוֹל עֲ[תוּדֵי] הַמִּלְחָמָה יֵלְכוּ וְחָנוּ נֶגֶד מֶלֶךְ הַכִּתִּיִּים וְנֶגֶד כּוֹל
חֵיל 3 בְּלִיַּעַל הַנּוֹעָדִים עִמּוֹ לְיוֹם [נָקָם] בְּחֶרֶב אֵל ·
4 וְעָמַד כּוֹהֵן הָרֹאשׁ וְאֶחָיו הַ[כּוֹהֲנִים] וְהַלְוִיִּים וְכוֹל אַנְשֵׁי
הַסֶּרֶךְ עִמּוֹ · וְקָרָא בְאוֹזְנֵיהֶם 5 אֶת תְּפִלַּת מוֹעֵד הַמִּלְחָ[מָה
כְּכָתוּב בְּסֵ]פֶר סֶרֶךְ עִתּוֹ עִם כּוֹל דִּבְרֵי הוֹדוֹתָם · וְסָדַר שָׁם
6 אֶת כּוֹל הַמַּעֲרָכוֹת כְּכָת[וּב בְּסֵפֶר הַמִּלְחָמָ]ה · וְהִתְהַלֵּךְ
הַכּוֹהֵן הֶחָרוּץ לְמוֹעֵד נָקָם עַל פִּי 7 כּוֹל אֶחָיו וְחִזֵּק אֵ[ת
יְדֵיהֶם בַּמִּלְחָמָ]ה וְעָנָה וְאָמַר חִזְקוּ וְאִמְצוּ וִהְיוּ לִבְנֵי חָיִל ·
8 אַל תִּירְאוּ וְאַל תֵּחַ[תּוּ וְאַל יֵרַךְ לְבַבְכֶ]מָה · וְאַל תַּחְפְּזוּ וְאַל
תַּעֲרוֹצוּ מִפְּנֵיהֶם וְאַל 9 תָּשׁוּבוּ אָחוֹר וְאַל [תָּנוּסוּ מִפְּנֵיהֶם] ·
כִּיא הֵמָּה עֲדַת רִשְׁעָה וּבַחוֹשֶׁךְ כּוֹל מַעֲשֵׂיהֶם 10 וְאֵלָיו
תְּשׁוּקָ[תָם ·] מַחְסֵיהֶם וּגְבוּרָתָם כְּעָשָׁן נִמְלָח
וְכוֹל קְהַל 11 [הֲ]מוֹנָם [ ] מִמָּה לוֹא
יִמָּצֵא וְכוֹל יְקוּם הֱיוֹתָם מַהֵר יִמָּלוּ 12 [כְּצִי]ץ בק[
] הִתְחַזְּקוּ לְמִלְחֶמֶת אֵל כִּיא מוֹעֵד מִלְחָמָה הַיּוֹם
הַזֶּה · 13 [ ]ל עַל כּוֹל הָ[ ]ב עַל כּוֹל בָּשָׂר ·
אֵל יִשְׂרָאֵל מֵרִים יָדוֹ בִּ[גְבוּרַ]ת פִּלְאוֹ 14 [עַל] כּוֹל רוּחֵי

a–a Ergänzung nach 4 Q Ma.

Tages und der Nacht 14 und beim Ausgang von Abend und Morgen. Denn groß ist dein he[rrliches Planen] und deine wunderbaren Geheimnisse in [deinen] Höhen; zu [erhöhen] für dich aus dem Staub 15 und zu erniedrigen von den göttlichen Wesen[44].

16 Erhebe dich, erhebe dich, Gott der Götter, und mache dich auf in Kraf[t, König der Könige! ...] 17 [all]en [Sö]hnen der Finsternis und das Licht deiner Größe [...] 18 [...] ist angezündet zum Bran[d ...]

XV

Denn dies ist die Zeit der Drangsal für Isr[ael und der Kund]machung des Krieges unter allen Völkern. Und das Los Gottes ist in ewiger Erlösung, 2 aber Vernichtung (kommt) über jedes Volk des Frevels. Und alle Kampfbe[reiten] gehen hin und lagern gegenüber dem König der Kittäer und gegenüber dem ganzen Heer 3 Belials, die sich bei ihm versammelt haben für den Tag [der Rache] durch das Schwert Gottes.

4 Und der Hauptpriester tritt hin und seine Brüder, die P[riester] und die Leviten und alle Männer der Schlachtordnung mit ihm. Und er liest vor ihren Ohren 5 das Gebet für den Zeitpunkt des Krie[ges, wie es geschrieben steht im B]uch der Ordnung seiner Zeit mit allen Worten ihres Lobpreisens. Und dort ordnet er 6 alle Schlachtreihen entsprechend dem, was [im Buch des Krieges geschrieben steht]. Dann geht der Priester, der für den Zeitpunkt der Rache bestimmt ist, hin nach Weisung 7 aller seiner Brüder und stärkt [ihre Hände zum Kampf] und hebt an und spricht: Seid stark und fest und werdet tapfere Männer. 8 Fürchtet euch nicht und er[schreckt] nicht, und euer [Herz erweiche nicht]. Seid nicht bestürzt und erschreckt nicht vor ihnen, und 9 wendet euch nicht zurück und [flieht] nicht [vor ihnen]. Denn sie sind die Gemeinde des Frevels, und in der Finsternis geschehen alle ihre Werke, 10 und nach ihr steht [ihr] Verlangen [...] ihre Zuflucht, und ihre Kraft ist wie zerstobener Rauch, und das ganze Aufgebot 11 ihrer [M]enge [...] wird nicht gefunden, und aller Bestand ihres Seins welkt eilig dahin 12 [wie eine Blume ...] zeigt euch stark zum Kampf Gottes; denn der Zeitpunkt des Kampfes ist dieser Tag. 13 [...] über alles [...] über alles Fleisch. Der Gott Israels

רִשְׁ]עָה   גִּ]בּוֹרֵי אֵלִים מִתְאַזְּרִים לַמִּלְחָמָ]ה
וְ]סִדְרֵ[י קְד]וֹשִׁים 15 [מִתְעַתְּ]דִים לְיוֹם [נָקָם
]ל[   ]ל[   ]ל[[
16 אֵל יִ[שְׂרָאֵ]ל[   ]
17 לְהָסִיר בְּלִ[יַּעַל   ]
18 בַּאֲבַדּוֹנוֹ ח[   ]

XVI

עַד תּוֹם כּוֹל מְקוֹר [כִּיא] אֵל יִשְׂרָאֵל קָרָא חֶרֶב עַל
כּוֹל הַגּוֹאִים וּבִקְדוֹשֵׁי עַמּוֹ יַעֲשֶׂה גְבוּרָה ׳

3 אֶת כּוֹל הַסֶּרֶךְ הַזֶּה יַעֲשׂוּ [בַּיּוֹם הַ]הוּאָה עַל עוֹמְדָם נֶגֶד
מַחֲנֵי כִתִּיִּים ׳ וְאַחַר יִתְקְעוּ לָהֵמָּה הַכּוֹהֲנִים בַּחֲצוֹצְרוֹת
4 הַזִּכָּרוֹן וּפָתְחוּ שַׁעֲרֵי הַמִּ[לְחָמָה ׳ וְיָ]צְאוּ אַנְשֵׁי הַבֵּינַיִם וְעָמְדוּ
רָאשִׁים בֵּין הַמַּעֲרָכוֹת ׳ וְתָקְעוּ לָהֶם הַכּוֹהֲנִים 5 תְּרוּעָה
סֵדֶר ׳ וְהָרָאשִׁים [יִהְיוּ נִפְשָׁטִי]ם לְקוֹל הַחֲצוֹצְרוֹת עַד הִתְיַצְּבָם
אִישׁ עַל מַעֲמָדוֹ ׳ וְתָקְעוּ לָהֶם 6 הַכּוֹהֲנִים תְּרוּעָה שֵׁנִית [יְדֵי
הִתְקָ]רֵב ׳ וּבְעוֹמְדָם לְיַד מַעֲרֶכֶת כִּתִּיִּים כְּדֵי הָטֵל יָרִימוּ אִישׁ
יָדוֹ בִּכְלִי 7 מִלְחַמְתּוֹ וְשֵׁשֶׁת [הַכּוֹהֲנִים יִתְקְעוּ בַּחֲ]צוֹצְרוֹת
הַחֲלָלִים קוֹל חַד טָרוּד לְנַצֵּחַ מִלְחָמָה ׳ וְהַלְוִיִּם וְכוֹל עַם
8 הַשּׁוֹפָרוֹת יָרִיע[וּ תְרוּעַ]ת [מִלְחָמָה בְּ]קוֹל גָּדוֹל ׳ וְעִם צֵאת
הַקּוֹל יָחֵלּוּ יָדָם לְהַפִּיל בְּחַלְלֵי כִתִּיִּים וְכוֹל 9 הָעָם יָחֵשּׁוּ
קוֹל [הַתְּרוּעָה ׳ וְהַכּוֹהֲנִי]ם יִהְיוּ מְרִיעִים בַּחֲצוֹצְרוֹת הַחֲלָלִים
וְהַמִּלְחָמָה מִתְנַצַּחַת בְּכִתִּיִּים ׳

11 וּבְהִתְאַזֵּר [בְּלִיַּעַל] לְעֶזְרַת בְּנֵי חוֹשֶׁךְ וְחַלְלֵי הַבֵּינַיִם יָחֵלּוּ
לִנְפּוֹל בְּרָזֵי אֵל וְלִבְחוֹן בָּם כּוֹל חֲרוּצֵי הַמִּלְחָמָה

erhebt seine Hand mit seiner wunderbaren [Kraf]t 14 [wider] alle Geister des Fr[evels ...] Die göttlichen [H]elden gürten sich zum Kamp[f und] die Abteilung[en der Hei]ligen 15 [rüsten sich] zum Tag [der Rache ...] 16 Der Gott Israels [...] 17 um zurückzutreiben Beli[al ...] 18 in seinem Untergang [...]

XVI

bis zum Aufhören jeder Quelle [... Denn] der Gott Israels ruft ein Schwert über alle Völker, und durch die Heiligen seines Volkes entfaltet er Kraft.

3 Diese ganze Ordnung sollen sie üben [an] jenem [Tage], an ihrem Standort gegenüber den Lagern der Kittäer[45]. Und danach blasen die Priester für sie in die Trompeten 4 des Gedenkens, und man öffnet die Tore des Kr[ieges. Und es rüc]ken die Männer der Zwischentruppen aus, und die Anführer stellen sich zwischen den Schlachtreihen auf. Und die Priester blasen für sie 5 das Signal: Ordnung. Und die Anführer [sollen sich] auf den Schall der Trompeten hin [verteil]en, bis jeder Mann an seinem Platz steht. Und es blasen die Priester für sie 6 ein zweites Signal: [Vorrüc]ken. Und wenn sie der Schlachtreihe der Kittäer auf Wurfweite gegenüberstehen, dann erheben sie jeder ihre Kriegswaffe, 7 und sechs [Priester blasen die] Trompeten der Erschlagenen, — einen scharfen, schmetternden Ton — für die Dauer des Kampfes. Und die Leviten und die ganze Schar 8 mit den Hörnern blasen [Kriegslärm mit] lautem Schall. Und beim Ertönen des Schalls sollen sie beginnen, mit ihrer Hand die Erschlagenen der Kittäer zu fällen, und alles 9 Volk soll mit dem [Kriegs]lärm aufhören. [Aber die Priester] sollen in die Trompeten der Erschlagenen blasen, und der Kampf gegen die Kittäer dauert an.

11 Und wenn [Belial] sich rüstet zur Hilfe für die Söhne der Finsternis und die Erschlagenen der Zwischentruppen beginnen zu fallen durch die Geheimnisse Gottes — und (zwar) um durch

12 וְהַכּ[וֹ]הֲנִים יִתְ[קְעוּ בַּ]חֲ[צוֹצְ]רוֹת הַמִּקְרָא לָצֵאת מַעֲרָכָה
אַחֶרֶת חֲלִיפָה לַמִּלְחָמָה וְעָמְדוּ בֵּין הַמַּעֲרָכוֹת ׳
13 וְלַמִּתְקָרְבִ[ים לַמִּ]לְחָמָה יִתְקְעוּ לָשׁוּב ׳ וְנִגַּשׁ כּוֹהֵן הָרוֹאשׁ
וְעָמַד לִפְנֵי הַמַּעֲרָכָה וְחִזֵּק אֵת 14 לְבָבָם בִּ[גְבוּרַת אֵל וְאֵת
יְדֵ]יהֶם בְּמִלְחַמְתּוֹ ׳ 15 וְעָנָה וְאָמַר [ ]
לְ[בַ]ב עַמּוֹ יִבְחַן בּ[ ]לוֹא [חַ]לְלֵיכֶם כִּיא מֵאָז שְׁמַעְתֶּם
16 בְּרָזֵי אֵל [ ]הם ליחו[ ]
17 כג[ ]ל [ ]

XVII

וְשָׂם שְׁלוֹמָם בְּדֶלֶק[ ] בְּחוּנֵי מַצְרֵף ׳ וְשִׁנֵּן כְּלֵי
מִלְחַמְתָּה וְלוֹא יִכְהוּ עַד [כַּלוֹת כּוֹל גּוֹי] 2 רָשָׁע ׳ וְאַתֶּמָה
זְכוֹרוּ מִשְׁפַּ[ט נָדָב וַאֲבִי]הוּא בְּנֵי אַהֲרוֹן אֲשֶׁר הִתְקַדֵּשׁ אֵל
בְּמִשְׁפָּטָם לְעֵינֵי [כּוֹל הָעָם ׳ וְאֶלְעָזָר] 3 וְאִיתָמָר הֶחֱזִיק לוֹ
לִבְרִית [כְּהוּנַּת עוֹ]לָמִים ׳
4 וְאַתֶּם הִתְחַזְּקוּ וְאַל תִּירָאוּם ׳ [כִּיא] הֵמָּה לְתֹהוּ וּלְבֹהוּ
תְּשׁוּקָתָם וּמִשְׁעַנְתָּם כְּלוֹא הָ[יְתָה] ׳ לוֹא[ ] 5 יִשְׂרָאֵל
כּוֹל הוֹוֶה וְנִהְיָה ׳ ו[ ]ל בְּכוֹל נִהְיֵי עוֹלָמִים ׳ הַיּוֹם מוֹעֲדוֹ
לְהַכְנִיעַ וּלְהַשְׁפִּיל שַׂר מֶמְשֶׁלֶת 6 רִשְׁעָה ׳ וַיִּשְׁלַח עֵזֶר
עוֹלָמִים לְגוֹרַל [פְּ]דוּתוֹ בִּגְבוּרַת מַלְאָךְ הָאַדִּיר לְמִשְׂרַת מִיכָאֵל
בְּאוֹר עוֹלָמִים ׳ 7 לְהָאִיר בְּשִׂמְחָה בְּ[רִית יִ]שְׂרָאֵל שָׁלוֹם
וּבְרָכָה לְגוֹרַל אֵל ׳ לְהָרִים בָּאֵלִים מִשְׂרַת מִיכָאֵל וּמֶמְשֶׁלֶת
8 יִשְׂרָאֵל בְּכוֹל בָּשָׂר ׳ יִשְׂמַח צֶדֶק [בַּ]מְּרוֹמִים וְכוֹל בְּנֵי אֲמִתּוֹ
יָגִילוּ בְּדַעַת עוֹלָמִים ׳ וְאַתֶּם בְּנֵי בְרִיתוֹ 9 הִתְחַזְּקוּ בְּמַצְרֵף
אֵל עַד יָנִיף יָדוֹ [וּ]מִלֵּא מַצְרְפָיו רָזָיו לְמַעֲמַדְכֶם ׳
10 וְאַחַר הַדְּבָרִים הָאֵלֶּה יִתְקְעוּ הַכּוֹהֲנִים לָהֶם לְסַדֵּר דִּגְלֵי

sie zu erproben alle, die für den Kampf bestimmt sind —, 12 dann sollen die Pri[e]ster [in] die Tro[mpe]ten des Aufrufs sto[ßen], damit eine andere Schlachtreihe als Ablösung zum Kampf ausrückt und sie sich zwischen den Schlachtreihen aufstellen; 13 und für die, die sich [im K]ampf befinden, sollen sie zur Rückkehr blasen. Und dann tritt der Hauptpriester heran und stellt sich vor die Schlachtreihe hin und stärkt 14 ihr Herz durch [Gottes Kraft und] ihre [Hän]de in seinem Krieg. 15 Und er hebt an und spricht [...] das H[er]z seines Volkes erprobt er [...] nicht [...] eure [Er]schlagenen; denn seit ehedem habt ihr gehört 16 durch die Geheimnisse Gottes [...] 17 [...]

XVII

Und er stellte ihr Heil fest durch Brand [...] im Schmelzofen Erprobte. Und er schärft ihre Kriegswaffen, und sie werden nicht stumpf werden bis ⌊zur Vernichtung jedes] frevelhaften [Volkes]. 2 Und ihr sollt gedenken des Gerich[tes an Nadab und Abi]hu[46], den Söhnen Aarons, durch deren Gericht Gott sich heilig erwiesen hat vor den Augen [des ganzen Volkes. Und Eleazar] 3 und Ithamar hat er sich genommen zum Bund [des Priestertums] der Ewigkeit.

4 Und ihr, zeigt euch fest und fürchtet euch nicht vor ihnen; [denn] was sie betrifft, nach Eitlem und Leerem steht ihr Trachten, und ihre Stütze ist wie Nichts. Nicht [...] 5 Israels ist alles, was besteht und bestehen wird[47]. [...] in allen Geschehnissen der Ewigkeiten. Heute ist seine Zeit, um zu demütigen und zu erniedrigen den Fürsten der Herrschaft 6 des Frevels. Und er schickt ewige Hilfe dem Lose seiner [Er]lösung durch die Kraft des herrlichen Engels für die Herrschaft Michaels[48] im ewigen Licht; 7 um zu erleuchten durch Freude den B[und I]sraels, Frieden und Segen für das Los Gottes; um unter den Göttlichen[49] die Herrschaft Michaels zu erhöhen und die Herrschaft 8 Israels unter allem Fleisch. Es freut sich Gerechtigkeit [in den] Höhen, und alle Söhne seiner Wahrheit jauchzen in ewiger Erkenntnis. Und ihr, Söhne seines Bundes, 9 seid stark in der Läuterung Gottes, bis er seine Hand schwingt [und] seine Läuterungen vollendet, seine Geheimnisse für euer Bestehen.

הַמַּעֲרָכָה ׳ וְהָרָאשִׁים נִפְשָׁטִים לְקוֹל הַחֲצוֹצְרוֹת 11 עַד
הִתְיַצְּ[בָם אִ]ישׁ עַל מַעֲמָד[וֹ ׳ וְ]תָקְעוּ הַכּוֹהֲנִים בַּחֲצוֹצְרוֹת
תְּרוּעָה שֵׁנִית [a]יְדֵי הִתְקָרֵב ׳ וּבְהַגִּיעַ 12 אַנְשֵׁי [הַבֵּינַיִם לְיַד
מַעֲ]רֶכֶת כִּתִּ[יִּים] כְּדֵי הָטֵל יָרִימוּ אִישׁ יָדוֹ בִּכְלֵי מִלְחַמְתּוֹ
וְהַכּוֹהֲנִים יָרִיעוּ בַּחֲצוֹצְרוֹת 13 הַחֲלָלִים [וְהַלְוִיִּם וְכוֹ]ל עַם
הַשּׁוֹפָרוֹת יָרִיעוּ תְּרוּעַת מִלְחָמָה ׳ וְאַנְשֵׁי הַבֵּינַיִם יִשְׁלְחוּ יָדָם
בְּחֵיל 14 הַכִּתִּיִּים [וְעִם צֵאת קוֹ]ל [הַתְּר]וּעָה יָחֵלּוּ לְהַפִּיל
בַּחֲלָלֵיהֶם ׳ וְכוֹל הָעָם יַנִּיח[וּ] קוֹל הַתְּרוּעָה ׳ וְהַכּוֹהֲנִים
15 יִהְיוּ מְרִיעִים [בַּחֲצוֹצְרוֹת הַחֲלָלִים] וְהַמִּלְ[חָמָ]ה מִ[תְנַצַּחַ]ת
בַּכִּ[תִּיִּים]ל [נִ]גָּפִים לִפְנֵיהֶם ׳ 16 וּבַגּוֹרָל הַשְּׁלִ[ישִׁי
]לְ[נְפּ]וֹל חֲלָלִים
17 [ ] אֵל[ ]

XVIII

[ ] וּבְהִ[נָּ]שֵׂא יַד אֵל הַגְּדוֹלָה עַל בְּלִיַּעַל
וְעַל כּוֹל [חֵי]ל מֶמְשַׁלְתּוֹ בְּמַגֵּפַת עוֹלָמִים 2 [ ]
וּתְרוּעַת קְדוֹשִׁים בִּרְדוֹף אַשּׁוּר ׳ וְנָפְלוּ בְּנֵי יֶפֶת לְאֵין קוּם וְכִתִּיִּים
יֻכַּתּוּ לְאֵין 3 [שְׁאֵרִית וּפְלֵיטָה ׳ וְהָיְתָ]ה מַשְׂאַת יַד אֵל יִשְׂרָאֵל
עַל כּוֹל הֲמוֹן בְּלִיַּעַל ׳ בָּעֵת הַהִיאָה יָרִיעוּ הַכּוֹהֲנִים
4 [בַּחֲצוֹצְר]וֹת הַזִּכָּרוֹן וְנֶאֶסְפוּ אֲלֵיהֶם כּוֹל מַעַרְכוֹת הַמִּלְחָמָה
וְנֶחְלְקוּ עַל כּוֹל מַ[חֲנֵי הַכִּתִּ]יִּים 5 לְהַחֲרִימָם ׳ [וּבְ]אוּץ הַשֶּׁמֶשׁ
לָבוֹא בַּיּוֹם הַהוּאָה יַעֲמוֹד כּוֹהֵן הָרוֹאשׁ וְהַכּוֹהֲנִים וְהַ[לְוִיִּים]
אֲשֶׁר 6 אִתּוֹ וְרָא[שֵׁי אַנְשֵׁי]הַסֶּרֶךְ וּבֵרְכוּ שָׁם אֶת אֵל
יִשְׂרָאֵל וְעָנוּ וְאָמְרוּ ׳ בָּרוּךְ שִׁמְכָה אֵל [אֵלִ]ים כִּיא 7 הִגְדַּלְתָּ[ה
עִם עַמְּכָה] לְהַפְלִיא ׳ וּבְרִיתְכָה שָׁמַרְתָּה לָנוּ מֵאָז וְשַׁעֲרֵי יְשׁוּעוֹת

[a] = יְדֵי.

10 Und nach diesen Worten blasen für sie die Priester, um die Abteilungen der Schlachtreihe zu ordnen. Und die Anführer verteilen sich beim Schall der Trompeten, 11 bis sich [jeder] auf [seinen] Platz gestel[lt] hat. [Und] die Priester blasen in die Trompeten des Lärms ein zweites Mal zum Vorrücken. Und wenn 12 die Männer [der Zwischentruppen] an die [Schla]chtreihe der Kittä[er] auf Wurfweite herangekommen sind, dann erheben sie jeder seine Kriegswaffe, und die Priester blasen in die Trompeten 13 der Erschlagenen, [und die Leviten und die gan]ze Schar mit den Hörnern blasen Kriegslärm. Und die Männer der Zwischentruppen werden handgemein mit dem Heer 14 der Kittäer, und [beim Erschallen des Kriegslä]rms beginnen sie ihre Erschlagenen zu fällen. Und alles Volk läßt den Schall des Kriegslärms verstummen. Aber die Priester 15 blasen [die Trompeten der Erschlagenen], und der Kam[pf] gegen die Ki[ttäer] d[auer]t an [...ge]schlagen vor ihnen. 16 Und im drit[ten] Los [...] daß [fal]len Erschlagene 17 [...] Gottes [...]

XVIII

[...] und wenn sich erhebt die große Hand Gottes wider Belial und wider das gesamte [Hee]r seiner Herrschaft bei einer ewigen Niederlage 2 [...] und Kriegslärm der Heiligen bei der Verfolgung Assurs. Und es fallen die Söhne Japhets, so daß keiner (wieder) aufsteht, und die Kittäer werden geschlagen, so daß kein 3 [Rest und Entronnenes bleibt. Und es wird] sich die Hand Gottes wider die ganze Menge Belials erheben. In jener Zeit blasen die Priester 4 [die Trompe]ten des Gedenkens, und alle Schlachtreihen des Krieges versammeln sich bei ihnen und verteilen sich gegen alle La[ger der Kitt]äer, 5 um sie zu bannen. [Und wenn] an jenem Tage die Sonne dem Untergang zueilt, dann tritt der Hauptpriester hin und die Priester und die [Leviten], die 6 mit ihm sind, und die An[führer der Männer] der Schlachtordnung, und sie preisen dort den Gott Israels, und sie heben an und sprechen: Gepriesen sei dein Name, Gott [der Göt]ter; denn 7 Großes hast du getan [an deinem Volk], um wunderbar zu handeln. Und du hast uns deinen Bund seit ehedem bewahrt und die Tore der Hilfen uns aufgetan viele Male 8 um deines [Bundes] wille[n. Und nicht sind wir ge-

פָּתַחְתָּה לָנוּ פְּעָמִים רַבּוֹת 8 לְמַעַ][a]ן בְּרִיתְכָה · וְלוֹא עֲנִינוּ[a]
כְּטוּבְ]כָה בָנוּ · וְאַתָּה אֵל הַ[צֶּ]דֶק עָשִׂיתָה לְ[מַעַן] שְׁמֶכָה ·

10 [[a]הִפְלֵתָה עִמָּנוּ הַפְלֵא[a]] וָפֶלֶא וּמֵאָז לוֹא נִהְיְתָה
כָּמוֹהָה · [b]כא ואתה[b] יָדַעְתָּה לְמוֹעֲדֵנוּ · וְהַיּוֹם הוֹפִיעַ 11 לָנ[וּ
[a]וְהֶרְאֵתָנוּ יַד חֲסָדֶיכָ]ה[a] עִמָּנוּ בִּפְדוּת עוֹלָמִים · לְהָסִיר
מֶ[מְשֶׁ]לֶ[ת א]וֹיֵב לְאֵין עוֹד וְיַד גְּבוּרָתְכָה 12 וּבַמִּ[לְחָמָה
עַ]ל אוֹיְבֵינוּ [c]למגפח כָּלָה · וְעַתָּה הַיּוֹם אָץ לָנוּ
לִרְדּוֹף הֲמוֹנָם · כִּיא אַתָּה 13 [ ] לֵב
גִּבּוֹרִים מִגַּנְתָּה לְאֵין מַעֲמָד · לְכָה הַגְּבוּרָה וּבְיָדְכָה הַמִּלְחָמָה
וְאֵין 14 [ ]יכה וּמוֹעֲדִים לִרְצוֹנְכָה
וּג[ ]ל [ ]כה וְתִבְצוֹר מִמ[ ]
15 [ ]ל[ ]

XIX

[לַגִּ]בּוֹרִים · כִּיא קָדוֹשׁ אַדִּירֵנוּ וּמֶלֶךְ הַכָּבוֹד אִתָּנוּ וּצְ[בָא
רוּחָיו עִם צְעָדֵינוּ וּפָרָשֵׁינוּ כַעֲנָנִים] 2 [וּכְעָבֵי טַ]ל לְ[כַ]סּוֹת
אֶרֶץ וּכְזֶרֶם רְבִיבִים לְהַשְׁקוֹת מִשְׁפָּט לְכ[וֹל צֶאֱצָאֶיהָ ·
קוּמָה גִבּוֹר שְׁבֵה שֶׁבְיְכָה] 3 [אִישׁ כָּבוֹד וְשֹׁו]ל שְׁלָלְכָה [a]עוֹשֵׂי
חָיִל · תֵּן יָדְכָה בְּעוֹרֶף אוֹיְבֶיךָ וְרַגְ[לְ]ךָ [עַל בָּמוֹתֵי חָלָל · מְחַץ
4 [גּוֹיִם צָרֶיכָ]ה וְחַרְבְּךָ תוֹאכַל בָּשָׂר · מַלֵּא אַרְצְכָה כָבוֹד
וְנַחֲלָתְכָה בְרָכָה · הֲ[מוֹן מִקְנֶה בְחֶלְקוֹתֶיכָה] 5 [כֶּסֶף וְזָהָב
וְאַבְנֵי חֵפֶץ בְּ]הֵיכָלוֹתֶיךָ · צִיּוֹן שִׂמְחִי מְאוֹדָה וְהֵגֵלְנָה כוֹל עָרֵי
יְהוּ[דָ]ה · פִּתְחִי שְׁעָרַיִךְ] 6 [תָּמִיד לְהָבִיא אֵלַיִךְ] חֵיל גּוֹיִם ·
וּמַלְכֵיהֶם יְשָׁרְתוּךְ וְהִשְׁתַּחֲווּ לָךְ [כּוֹל מְעַנַּיִךְ וַעֲפַר רַגְלַיִךְ]
7 [יְלַחֵכוּ · בְּנוֹת עַ]מִּי [b]הַבַּעֲנָה בְקוֹל רִנָּה · עֲדִינָה עֲדִי כָבוֹד

a–a Ergänzungen nach 1 Q 33 — b–b lies כִּיא אַתָּה — c lies לְמַגֵּפַת.

a = עוֹשֶׂה — b XII, 15: צְרַחְנָה

beugt nach] deiner [Güte] gegen uns. Und du, Gott der [Gerechtigkeit, hast gehandelt um deines Namens [willen].

10 [... du hast Wunder an uns getan, Wunder über] Wunder, und seit ehedem ist nichts geschehen wie dieses. Denn du kennst unsere Zeit. Und heute strahlte auf 11 für un[s ... Und du zeigtest uns die Hand deiner Gnadenerwei]se an uns in der ewigen Erlösung; um [die] H[err]s[chaft] des [Fein]des zu beseitigen, so daß sie nicht mehr besteht, und die Hand deiner Stärke, 12 und im Kampf ... [ge]gen unsere Feinde zu vernichtender Niederlage. Und jetzt ist der Tag zu kurz für uns, um ihre Menge zu verfolgen. Denn du 13 [...] das Herz der Helden hast du preisgegeben, so daß kein Stand (mehr) war. Dir gehört die Stärke und in deiner Hand (liegt) der Kampf, und kein 14 [...] und Zeiten für dein Wohlgefallen [...] und du schneidest ab [...] 15 [...]

XIX

[den He]lden[50]. Denn heilig ist unser Herrlicher, und der König der Ehre ist mit uns, und das H[eer seiner Geister ist mit unseren Schritten, und unsere Reiter sind wie Wolken] 2 [und wie Taunebe]l, die Erde zu[be]decken, und wie ein Platzregen, zu tränken mit Gericht al[le ihre Gewächse. Erhebe dich, Held, führe deine Gefangenen fort,] 3 [Mann der Herrlichkeit, und rau]be deine Beute, der du Macht entfaltest. Lege deine Hand auf den Nacken deiner Feinde und deinen Fu[ß auf Hügel Erschlagener. Zerschmettere] 4 [Völker, deine Feinde], und dein Schwert verzehre Fleisch. Fülle dein Land mit Herrlichkeit und dein Erbteil mit Segen. [Eine Menge an Vieh sei auf deinen Feldern,] 5 [Silber und Gold und Edelsteine in] deinen Palästen. Zion, freue dich sehr, und jauchzet, alle Städte Ju[das. Öffne deine Tore] 6 [beständig, daß man zu dir bringe] das Heer der Völker. Und ihre Könige sollen dir dienen und dir huldigen [alle deine Bedrücker, und den Staub deiner Füße] 7 [werden sie lecken. Töchter] meines [Vo]lkes, brecht in lauten Jubel aus, legt herrlichen Schmuck an und [herrscht in der Herrschaft] 8 [...] und Israel zu [e]wiger Herrschaft. [...]

ᶜו[רְדֶינָה בְּמַלְכוּת]ᶜ 8 [ ] כה וְיִשְׂרָאֵל לְמַלְכוּת
[ע]וֹלָמִים ׳ [ ] 9 [ ] עַל
הַמַּחֲנֶה בַ]לַּ[יְ]לָה הַהוּא לְמָנוֹחַ עַד הַבּוֹקֶר ; וּבַבּוֹקֶר[ᶜיָבוֹאוּ עַד
מְקוֹם הַמַּעֲרָכָה]ᶜ 10 [גִּבּ]וֹרֵי כִתִּיִּים וַהֲמוֹן
אַשּׁוּר וְחֵיל כּוֹל הַגּוֹיִם [הַנִּקְהָלִים אִתָּם] 11 [
] נָפְלוּ שָׁם בְּחֶרֶב אֵל ׳ וְנִגַּשׁ שָׁם כּוֹהֵן הָרוֹ[אשׁ
] 12 [ ]מִלְחָמָה וְכוֹל רָאשֵׁי
הַמַּעֲרָכוֹת וּפְקוּדֵ[יהֶם] 13 [
נְפוֹ]ל [חַ]לְלֵי כִתִּ[יִּים ׳ וְהַ]לְלוּ שָׁם [אֶ]ת אֵל [יִשְׂרָאֵל
[

ᶜ⁻ᶜ Ergänzung nach 1 Q 33.

9 [... ins Lager in] jener Nacht zur Ruhe bis zum Morgen. Und
am Morgen [sollen sie an den Ort der Schlachtreihe kommen]
10 [... Hel]den der Kittäer und die Menge Assurs und das Heer
aller Völker, [die sich mit ihnen versammelt haben ...] 11 [...]
sind dort gefallen durch das Schwert Gottes. Und es tritt der
Hau[pt]priester heran [...] 12 [... des] Krieges und alle
Anführer der Schlachtreihen und [ihre] Gemuster[ten ...]
13 [... Fal]len der [Er]schlagenen der Kittä[er. Und sie prei]sen
dort de[n] Gott [Israels ...]

DER HABAKUK-KOMMENTAR

1 Q pHab

Auf die Lederrolle, die den Habakuk-Kommentar enthält, sind 13 Kolumnen von ursprünglich durchschnittlich je 18 Zeilen geschrieben. Der Anfang der Rolle ist verloren, der untere Rand durch Fäulnis beschädigt, so daß jeweils die letzten Zeilen der Kolumnen fehlen. Der Kommentar erläutert die Kapitel 1 und 2 des Buches Habakuk, indem diese auf die Endzeit bezogen werden. Der ohnehin schwer verständliche Inhalt des prophetischen Buches wird Satz für Satz gedeutet. Die Anspielungen auf bestimmte Ereignisse der Zeitgeschichte bleiben für uns teilweise dunkel. Der Jerusalemer Priesterschaft, die unter Führung des gottlosen Priesters steht, wirft die Gemeinde der Gesetzestreuen Verunreinigung des Heiligtums vor. Sie hat sich um den Lehrer der Gerechtigkeit, dem Gott die Gabe der Schriftauslegung verliehen hat, geschart und hat mit ihm vom Tempel weichen müssen. Der gottlose Priester aber hat den Lehrer der Gerechtigkeit verfolgt und mißhandelt. Ihre Namen werden nirgendwo genannt, so daß sie nicht mehr sicher bestimmt werden können. Aus 1 QpHab geht deutlich hervor, daß die Gemeinde ihren Ursprung in Jerusalemer Priesterkreisen gehabt hat, wegen ihres strengen Gesetzesverständnisses in Auseinandersetzungen mit dem amtierenden Hohenpriester geriet und sich an einen anderen Ort zurückziehen mußte.

Erstausgabe des Textes: M. Burrows, The Dead Sea Scrolls of St. Mark's Monastery, Vol. I, New Haven 1950; zum Text vgl. ferner H. Bardtke, Hebräische Konsonantentexte, Leipzig 1954, S. 48—55; P. Boccaccio–G. Berardi, Interpretatio Habacuc, Fano 1955; Habermann, S. 43—49. Übersetzungen bei Bardtke, Burrows, Carmignac II, Dupont-Sommer, Gaster, Maier und Vermes; ferner: W. H. Brownlee, The Jerusalem Habakkuk Scroll, B.A.S.O.R. 112 (1948), S. 8—18; K. Elliger, Studien zum Habakukkommentar vom Toten Meer, Beiträge zur historischen Theologie 15, Tübingen 1953. Zur Erklärung vgl. den ausführlichen Kommentar von Elliger, Maier II, S. 137—151 und G. Jeremias, Der Lehrer der Gerechtigkeit, St. U.N.T. 2, Göttingen 1963, S. 10—88. 140—147.

I

[הַמַּשָּׂא אֲשֶׁר חָזָה חֲבַקּוּק הַנָּבִיא ׳ עַד אָנָה יְהוָה שִׁ]וַּעְתִּי וְלוֹא

2 [תִשְׁמַע אֶזְעַק אֵלֶיךָ חָמָס וְלוֹא תוֹשִׁיעַ ׳ פִּשְׁרוֹ עַל תּוֹחֶ]לֶת

דּוֹר ׳ 3 [ ]וֹת עֲלֵיהֶם

4 [ ] יִזְ[עָ]קוּ עַל 5 [

לָמָּה תַרְאֵנִי אָוֶן וְעָ]מָ[ל תַּבִּ]יט ׳ 6 [פֵּשֶׁר]

אֵל בְּעֹשֶׁק וָמַעַל ׳ 7 [וְשׁוֹד וְחָמָס לְנֶגְדִּי וַיְהִי רִיב וּמָדוֹן יִשָּׂ]א ׳

8 [פֵּשֶׁר] יִגְ[ז]לוּ[ ]ה[ ]וְרִיב 9 [

מְרִ]יבָה יה[ ]ה הוּאָה 10 [ ] עַל כֵּן תָּפוּג

תּוֹרָה ׳ 11 [פֵּשֶׁר] אֲשֶׁר מָאֲסוּ בְתוֹרַת אֵל ׳

12 [וְלוֹא יֵצֵא לָנֶצַח מִשְׁפָּט כִּיא רָשָׁע מַכְתִּיר] אֶת הַצַּדִּיק ׳

13 [פִּשְׁרוֹ הָרָשָׁע הוּא הַכּוֹהֵן הָרָשָׁע וְהַצַּדִּיק] הוּא מוֹרֵה הַצֶּדֶק ׳

14 [עַ]ל כֵּן יֵצֵא הַמִּשְׁפָּט

15 [מְעֻקָּל ׳ פֵּשֶׁר וְ]לוֹא

16 [רְאוּ בַגּוֹיִם וְהַבִּיטוּ]

17 [וְהִתַּמְּהוּ תְּמָהוּ ׳ כִּיא פֹעַל פּוֹעֵל בִּימֵיכֶם לוֹא תַאֲמִינוּ כִּיא]

II

יְסוּפָּר ׳ [פֵּשֶׁר הַדָּבָר עַל] הַבּוֹגְדִים עִם אִישׁ 2 הַכָּזָב כִּי

לוֹ[א שָׁמְעוּ אֶל דִּבְרֵי] מוֹרֵה הַצְּדָקָ[ה] מִפִּיא 3 אֵל ׳ וְעַל

הַבּוֹגְ[דִים בַּבְּרִית] הַחֲדָשָׁה ׳ [כִּי]א [לוֹ]א 4 הֶאֱמִינוּ בִּבְרִית

אֵל [וַיְחַלְּלוּ] אֶת שֵׁ[ם ק]וֹדְשׁוֹ ׳ 5 וְכֵן פֵּשֶׁר הַדָּבָר [עַל כּוֹל

הַבּוֹ]גְדִים לְאַחֲרִית [a]א 6 הַיָּמִים ׳ הֵמָּה עָרִי[צֵי הַבְּרִ]ית אֲשֶׁר

לוֹא [b]יַאֲמִינוּא 7 בְּשׁוֹמְעָם אֶת כּוֹל הַבָּ[אוֹת עַל] הַדּוֹר הָאַחֲרוֹן

מִפִּי 8 הַכּוֹהֵן אֲשֶׁר נָתַן אֵל בְּ[לִבּוֹ בִּינָ]ה לִפְשׁוֹר [אֶ]ת כּוֹל

a = zu streichen — b = יַאֲמִינוּ.

I

[*Der Ausspruch*[1], *den der Prophet Habakuk schaute. Wie lange, Jahwe, schrei*]*e ich, aber nicht* 2 [*hörst du, rufe ich zu dir: Gewalt!, aber nicht hilfst du!* (1, 1f.) Seine Deutung bezieht sich auf die Hoff]nung des Geschlechtes. 3 [...] über sie 4 [... ru]fen wegen 5 [... *Warum lässest du mich Unheil sehen und schau*]*st* [*der Pla*]*ge zu?* (1, 3) 6 [Deutung ...] Gottes mit Bedrückung und Veruntreuung. 7 [*Und Druck und Gewalt sind mir vor Augen, und Zank ist entstanden, und Gewalt muß er ertragen.* (1, 3)] 8 [Deutung ...] sie r[au]ben [...] und Streit 9 [... Str]eit [...] er 10 [...] *Darum ist das Gesetz ohnmächtig.* (1, 4) 11 [Deutung ...] daß sie das Gesetz Gottes verworfen haben. 12 [*Und in Ewigkeit kommt das Recht nicht heraus; denn der Gottlose umstellt*] *den Gerechten.* (1, 4) 13 [Seine Deutung: Der Gottlose, das ist der gottlose Priester, und der Gerechte,] das ist der Lehrer der Gerechtigkeit. 14 [... *D*]*arum ergeht das Recht* 15 [*verkehrt.* (1, 4) Deutung ... und] nicht 16 [... *Schaut auf die Völker, und sehet*] 17 [*und starrt einander an, erstarret. Denn er wirkt ein Werk in euren Tagen. Ihr glaubt es nicht, wenn*

II

es verkündet wird. (1, 5) [Die Deutung des Wortes bezieht sich auf] die Abtrünnigen zusammen mit dem Mann 2 der Lüge; denn nicht [haben sie gehört auf die Worte] des Lehrers der Gerechtigkeit aus dem Munde 3 Gottes; (es bezieht sich auch) auf die Abtrün[nigen von dem] neuen [Bund[2]]; [de]nn n[i]cht 4 haben sie dem Bund Gottes vertraut [und haben entweiht] seinen [hei]ligen [Na]men. 5 Und ebenso bezieht sich die Deutung des Wortes [auf alle Ab]trünnigen am Ende 6 der Tage. Sie sind die Gewalt[tätigen am B]unde, die nicht glauben, 7 wenn sie alles hören, was kom[men wird über] das letzte Geschlecht, aus dem Munde 8 des Priesters, in [dessen Herz] Gott [Einsicht] gegeben hat, um zu deuten alle 9 Worte seiner Knechte, der Propheten, [durch] die Gott verkündigt hat

9 דִּבְרֵי עֲבָדָיו הַנְּבִיאִים [אֲשֶׁר בְּ]יָדָם סִפֵּר אֵל אֵת 10 כּוֹל
הַבָּאוֹת עַל עַמּוֹ וְ[אַרְצוֹ · כִּ]יא הִנְנִי מֵקִים אֵת 11 הַכַּשְׂדָּאִים
הַגּוֹי הַמַּ[ר וְהַנִּמְהָ]ר · 12 פִּשְׁרוֹ עַל הַכִּתִּיאִים אֲ[שֶׁר הֵמָּה]
קַלִּים וְגִבּוֹרִים 13 בַּמִּלְחָמָה לְאַבֵּד רַ[בִּ]ים [וְהָיְתָה הָאָרֶץ]
בְּמֶמְשֶׁלֶת 14 הַכִּתִּיאִים · יָרְשׁ[וּ אֲרָצוֹת רַבּוֹ]ת וְלוֹא יַאֲמִינוּ
15 בְחוּקֵי [אֵל] [הַהוֹלֵךְ לְמֶרְחֲבֵי אֶרֶץ] 16 [לָרֶשֶׁת
מִשְׁכָּנוֹת לוֹא לוֹ · פֵּשֶׁר]

III

וּבַמִּישׁוֹר יֵלְכוּ [a]לַכּוֹת וְלָבוֹז אֶת עָרֵי הָאָרֶץ · 2 כִּיא הוּא
אֲשֶׁר אָמַר לָרֶשֶׁת מִשְׁכָּנוֹת לוֹא לוֹ · אָיוֹם 3 וְנוֹרָא הוּא · מִמֶּנּוּ
מִשְׁפָּטוֹ וּשְׂאֵתוֹ יֵצֵא · 4 פִּשְׁרוֹ עַל הַכִּתִּיאִים אֲשֶׁר פַּחְדָּם
[וְאֵי]מָ[תָ]ם עַל כּוֹל 5 הַגּוֹאִים · וּבְעֵצָה כּוֹל מַחֲשַׁבְתָּם לְהָרַע
וּ[בְנֵ]כֶל וּמִרְמָה 6 יֵלְכוּ עִם כּוֹל הָעַמִּים · [b]וקול מִנְּמֵרִים
סוּסָו וְחַדּוּ 7 מִזְּאֵבֵי עֶרֶב פָּשׁוּ וּפָרְשׁוּ פָּרָשָׁו מֵרָחוֹק
8 יָעוּפוּ כְּנֶשֶׁר חָשׁ לֶאֱכוֹל · כּוּלּ[וֹ] לְחָמָס יָבוֹא מְגַמַּת 9 פְּנֵיהֶם
קָדִים · [פִּשְׁרוֹ] עַל הַכִּתִּיאִים אֲשֶׁר 10 יָדוּשׁוּ אֶת הָאָרֶץ
בְּסוּסֵ[יהֶם] וּבִבְהֶמְתָּם · וּמִמֶּרְחָק 11 יָבוֹאוּ מֵאִיֵּי הַיָּם לֶאֱכוֹ[ל
אֶת כּ]וֹל הָעַמִּים כְּנֶשֶׁר 12 וְאֵין שָׂבְעָה · וּבְחֵמָה וּבְ[רֹגֶז וּבַחֲ]רוֹן
אַף וְזַעַף 13 אַפַּיִם יְדַבְּרוּ עִם [כּוֹל הָעַמִּים · כִּי]א הוּא אֲשֶׁר
14 אָמַר מְ[גַמַּת פְּנֵיהֶם קָדִים וַיֶּאֱסוֹף כַּחוֹ]ל שֶׁבִי · 15 [
בַּמְּלָכִים]

IV

יִקַלֵּס וְרֹזְנִים מִשְׂחָק לוֹ · פִּשְׁרוֹ אֲשֶׁר 2 יַלְעִיגוּ עַל רַבִּים
וּבָזוּ עַל נִכְבָּדִים בַּמְּלָכִים 3 וְשָׂרִים יִתְעַתְּעוּ וְקִלְּסוּ בְּעַם

[a] = לְהַכּוֹת — [b] lies וְקַלּוּ.

10 alles, was kommen wird über sein Volk und [sein Land. *D*]*enn siehe, ich lasse erstehen* 11 *die Chaldäer, das bit*[*tere und ungestü*]*me Volk.* (1, 6) 12 Seine Deutung bezieht sich auf die Kittäer[3], d[ie] schnell sind und stark 13 im Kampf, vi[el]e zu verderben, [so daß das Land unterworfen wird] der Herrschaft 14 der Kittäer. Sie haben in Besitz genommen [viele Länd]er und glauben nicht 15 an die Gesetze [Gottes ...] [*das die Weiten der Erde durchzieht,*] 16 [*um Wohnsitze zu erobern, die ihm nicht gehören.* (1, 6) Deutung ...]

III

Und über flaches Feld ziehen sie daher, um die Städte des Landes zu schlagen und zu plündern. 2 Denn das ist gemeint, wenn es heißt: *Um Wohnsitze zu erobern, die ihm nicht gehören. Schrecklich* 3 *und furchtbar ist es. Von ihm geht sein Recht und seine Hoheit aus.* (1, 6f.) 4 Seine Deutung bezieht sich auf die Kittäer, vor denen Furcht [und Schr]ecke[n] auf allen 5 Völkern liegt. Und mit Absicht ist all ihr Sinnen darauf gerichtet, Böses zu tun, und [mit L]ist und Trug 6 gehen sie mit allen Völkern um. *Und schneller als Panther sind seine Rosse und kühner* 7 *als Abendwölfe; es sprengen und springen heran seine Reiter von fern,* 8 *sie fliegen wie ein Geier, der zum Fraße eilt. Alles geht auf Gewalttat los;* 9 *ihre Gesichter sind nach Osten gerichtet.* (1, 8f.) [Seine Deutung] bezieht sich auf die Kittäer, die 10 das Land mit [ihren] Rossen und mit ihren Tieren zerstampfen. Und von fernher 11 kommen sie, von den Inseln des Meeres, um alle Völker zu fressen wie ein Geier, 12 ohne Sättigung zu finden. Und in Grimm und W[ut, in glühendem] Zorn und wütendem 13 Schnauben reden sie mit [allen Völkern. De]nn das ist gemeint, wenn es 14 heißt: *Ih*[*re Gesichter sind nach Osten gerichtet. Und er rafft wie Sa*]*nd Gefangene.* 15 [*... über Könige*]

IV

spottet er, und Fürsten sind ihm ein Gelächter. (1, 10) Seine Deutung ist, daß 2 sie über viele spotten und Angesehene verachten; über Könige 3 und Fürsten machen sie sich lustig und spotten über viel Volk. *Und er* 4 *lacht über jede Befestigung*

רָב ׳ וְהוּא 4 לְכוֹל מִבְצָר יִשְׂחַק וַיִּצְבּוֹר עָפָר וַיִּלְכְּדֵהוּ ׳
5 פִּשְׁרוֹ עַל מוֹשְׁלֵי הַכִּתִּיאִים אֲשֶׁר יִבְזוּ עַל 6 מִבְצְרֵי הָעַמִּים
וּבְלַעַג יִשְׂחוֹקוּ עֲלֵיהֶם ׳ 7 וּבְעַם רַב יַקִּיפוּם לְתָפְשָׂם ׳
וּבְאֵמָה וָפַחַד 8 יִנָּתְנוּ בְיָדָם ׳ וַהֲרָסוּם בַּעֲוֹון הַיּוֹשְׁבִים
9 בָּהֶם ׳ אָז חָלַף רוּחַ וַיַּעֲבֹר ׳ וַיָּשֶׂם זֶה כוֹחוֹ 10 לֵאלוֹהוֹ ׳
פִּשְׁר[וֹ עַ]ל מוֹשְׁלֵי הַכִּתִּיאִים 11 אֲשֶׁר בַּעֲצַת בֵּית אַשְׁמָ[ה]
יַעֲבוֹרוּ אִישׁ 12 מִלִּפְנֵי רֵעֵיהוּ ׳ מוֹשְׁלֵי[הֶם זֶ]ה אַחַר זֶה יָבוֹאוּ
13 [a]לַשְׁחִית אֵת הָאָ[רֶץ׳ וַיָּשֶׂם זֶ]ה כוֹחוֹ לֵאלוֹהוֹ ׳ 14 פִּשְׁרוֹ
[ ]ל הָעַמִּים

V

לְמִשְׁפָּט שַׂמְתּוֹ וְצוּר לְמוֹכִיחוֹ יְסַדְתּוֹ׳ טְהוֹר עֵינַיִם 2 מֵרְאוֹת
בָּרָע וְהַבֵּט אֶל עָמָל לוֹא תוּכָל ׳ 3 פֵּשֶׁר הַדָּבָר אֲשֶׁר לוֹא
יְכַלֶּה אֵל אֶת עַמּוֹ בְּיַד הַגּוֹיִם 4 וּבְיַד בְּחִירָו יִתֵּן אֵל אֶת מִשְׁפַּט
כּוֹל הַגּוֹיִם וּבְתוֹכַחְתָּם 5 יֶאְשְׁמוּ כֹל רִשְׁעֵי עַמּוֹ אֲשֶׁר שָׁמְרוּ
אֶת מִצְווֹתָו 6 בַּצַּר לָמוֹ ׳ כִּיא הוּא אֲשֶׁר אָמַר טְהוֹר עֵינַיִם
מֵרְאוֹת 7 בָּרָע ׳ פִּשְׁרוֹ אֲשֶׁר לוֹא זָנוּ אַחַר עֵינֵיהֶם בְּקֵץ
8 הָרִשְׁעָה ׳ לָמָּה תַבִּיטוּ בוֹגְדִים וְתַחֲרִישׁ בְּבַלַּע 9 רָשָׁע
צַדִּיק מִמֶּנּוּ ׳ פִּשְׁרוֹ עַל בֵּית אַבְשָׁלוֹם 10 וְאַנְשֵׁי עֲצָתָם אֲשֶׁר
נָדַמּוּ בְתוֹכַחַת מוֹרֵה הַצֶּדֶק 11 וְלוֹא עֲזָרוּהוּ עַל אִישׁ הַכָּזָב
אֲשֶׁר מָאַס אֶת 12 הַתּוֹרָה בְּתוֹךְ כּוֹל עֲ[דָתָ]ם ׳ וַתַּעַשׂ אָדָם
כִּדְגֵי הַיָּם 13 כְּרֶמֶשׂ לִמְשֹׁל בּוֹ ׳ כּוּ[לֹּה בְּחַכָּ]ה יַעֲלֶה וִיגֹרֵהוּ
בְחֶרְמוֹ 14 וַיַּסְפֵּהוּ [בְּמִכְמַרְתּוֹ ׳ עַל כֵּן יְזַבֵּחַ] לְחֶרְמוֹ עַל כֵּן
יִשְׂמַח 15 [וְיָגִיל וִיקַטֵּר לְמִכְמַרְתּוֹ כִיא בָהֵמָּה שָׁמֵן] חֶלְקוֹ
16 [וּמַאֲכָלוֹ בָּרִי ׳ פִּשְׁרוֹ]

[a] – לְהַשְׁחִית.

und schüttet Staub auf und nimmt sie ein. (1, 10) 5 Seine Deutung bezieht sich auf die Herrscher der Kittäer, die die 6 Befestigungen der Völker verachten und höhnisch über sie lachen. 7 Und mit viel Volk schließen sie sie ein, um sie einzunehmen. Und mit Furcht und Schrecken 8 werden sie in ihre Hand gegeben. Und sie reißen sie ein wegen des Frevels ihre Bewohner. 9 *Dann wendet sich der Wind und fährt einher; und dieser hat seine Kraft gemacht* 10 *zu seinem Gott.* (1, 11) Seine Deutung bezieht sich auf die Herrscher der Kittäer, 11 die nach dem Rat eines Sündenhauses[4] einherfahren, einer 12 vor dem anderen her. [Ihre] Herrscher kommen, einer nach dem anderen, 13 um das La[nd] zu verderben. [*Und es hat die*]*ser seine Kraft zu seinem Gott* [*gemacht*]. (1, 11) 14 Seine Deutung [...] die Völker [...]

V

Zum Gericht hast du ihn bestimmt, und, Fels, zu seinem Züchtiger hast du ihn bestellt. Mit Augen, zu rein, 2 *um das Böse anzuschauen, und auf Plage magst du nicht blicken.* (1, 12f.) 3 Die Deutung des Wortes ist, daß Gott sein Volk nicht vernichten wird durch die Hand der Völker, 4 sondern in die Hand seiner Auserwählten legt Gott das Gericht über alle Völker, und durch ihre Züchtigung 5 werden alle Frevler seines Volkes büßen[5], (nämlich durch diejenigen,) die[6] seine Gebote gehalten haben, 6 als sie in der Trübsal waren. Denn das ist gemeint, wenn es heißt: *Mit Augen, zu rein, um anzuschauen* 7 *das Böse.* Seine Deutung ist, daß sie nicht gehurt haben hinter ihren Augen her in der Zeit 8 des Frevels. *Warum blickt ihr auf die Abtrünnigen, und warum schweigst du, wenn verschlingt* 9 *der Frevler einen, der gerechter ist als er?* (1, 13) Seine Deutung bezieht sich auf das Haus Absalom[7] 10 und die Männer ihres Rates, die stumm blieben bei der Zurechtweisung des Lehrers der Gerechtigkeit 11 und ihm nicht halfen gegen den Mann der Lüge, der verworfen hat 12 das Gesetz inmitten ihrer ganzen Ge[mein]de. *Und du hast die Menschen wie die Fische des Meeres gemacht,* 13 *wie Gewürm, um darüber zu herrschen.* [*Sie*] *alle zieht er* [*mit einem An*]*gelhaken hoch und holt sie mit seinem Netz heraus* 14 *und sammelt sie ein* [*mit seinem Fischergarn. Deshalb opfert er*] *seinem Netz, darum freut er sich* 15 [*und jubelt und bringt Rauchopfer seinem Fischergarn, denn durch sie wurde*]

VI

הַכִּתִּיאִים ׳ וְיוֹסִיפוּ אֵת הוֹנָם עִם כּוֹל שְׁלָלָם 2 כִּדְגַת הַיָּם ׳
וַאֲשֶׁר אָמַר עַל כֵּן יְזַבֵּחַ לְחֶרְמוֹ 3 וִיקַטֵּר לְמִכְמַרְתּוֹ ׳ פִּשְׁרוֹ
אֲשֶׁר הֵמָּה 4 זוֹבְחִים לְאוֹתוֹתָם וּכְלֵי מִלְחֲמוֹתָם הֵמָּה
5 מוֹרָאָם ׳ כִּיא בָהֶם שָׁמֵן חֶלְקוֹ וּמַאֲכָלוֹ בָרִי ׳ 6 פִּשְׁרוֹ אֲשֶׁר
הֵמָּה מְחַלְּקִים אֵת עוּלָּם וְאֵת 7 מַסָּם מַאֲכָלָם עַל כּוֹל הָעַמִּים
שָׁנָה בְשָׁנָה 8 [a]לַחֲרִיב אֲרָצוֹת רַבּוֹת ׳ עַל כֵּן יָרִיק חַרְבּוֹ תָמִיד
9 לַהֲרוֹג גּוֹיִם וְלוֹא יַחְמֹל ׳ 10 פִּשְׁרוֹ עַל הַכִּתִּיאִים אֲשֶׁר
יְאַבְּדוּ רַבִּים בַּחֶרֶב 11 נְעָרִים אַשּׁוּשִׁים וּזְקֵנִים נָשִׁים וְטַף
וְעַל פְּרִי 12 בֶטֶן לוֹא יְרַחֵמוּ ׳ עַל מִשְׁמַרְתִּי אֶעֱמוֹדָה
13 וְאֶתְיַצְּבָה עַל מְצוֹרִי וַאֲצַפֶּה לִרְאוֹת מַה יְדַבֵּר 14 בִּי
וּמָ[ה [b]אָשִׁיב עַ]ל תוֹכַחְתִּי ׳ וַיַּעֲנֵנִי יְהוָה 15 [וַיּוֹמֶר כְּתוֹב חָזוֹן
וּבָאֵ]ר עַל הַלּוּחוֹת לְמַעַן יָר[וּץ] 16 [הַקּוֹרֵא בוֹ ׳ פִּשְׁרוֹ]

VII

וַיְדַבֵּר אֵל אֶל חֲבַקּוּק לִכְתּוֹב אֵת הַבָּאוֹת עַל 2 [a]עַל הַדּוֹר
הָאַחֲרוֹן ׳ וְאֵת גְּמַר הַקֵּץ לוֹא הוֹדִעוֹ ׳ 3 וַאֲשֶׁר
אָמַר לְמַעַן יָרוּץ הַקּוֹרֵא בוֹ ׳ 4 פִּשְׁרוֹ עַל מוֹרֵה הַצֶּדֶק אֲשֶׁר
הוֹדִיעוֹ אֵל אֵת 5 כּוֹל רָזֵי דִבְרֵי עֲבָדָיו הַנְּבִאִים ׳ כִּיא עוֹד
חָזוֹן 6 לַמּוֹעֵד יָפִיחַ לַקֵּץ וְלוֹא יְכַזֵּב ׳ 7 פִּשְׁרוֹ אֲשֶׁר יַאֲרוֹךְ
הַקֵּץ הָאַחֲרוֹן וְיֶתֶר עַל כּוֹל 8 אֲשֶׁר דִּבְּרוּ הַנְּבִיאִים כִּיא רָזֵי

[a] = לְהַחֲרִיב — [b] lies יָשִׁיב.

[a] Dittographie.

sein Anteil [*fett*] 16 [*und seine Speise reichlich.* (1, 14–16) Seine Deutung...]

VI

die Kittäer. Und sie häufen ihren Besitz mit all ihrer Beute 2 wie Fische des Meeres. Und wenn es heißt: *Deshalb opfert er seinem Netz* 3 *und bringt Rauchopfer seinem Fischergarn,* so ist seine Deutung die, daß sie 4 ihren Zeichen Opfer bringen[8], und ihre Kriegswaffen 5 sind Gegenstand ihrer Verehrung. *Denn durch sie wurde sein Anteil fett und seine Speise reichlich.* 6 Seine Deutung ist, daß sie ihr Joch und 7 ihre Fronlast, ihre Speise, auf alle Völker Jahr um Jahr verteilen, 8 so daß sie viele Länder verwüsten. *Deswegen zückt er beständig sein Schwert,* 9 *um Völker zu morden, und kennt keine Schonung.* (1, 17) 10 Seine Deutung bezieht sich auf die Kittäer, die viele mit dem Schwert vernichten, 11 wehrlose Knaben und Greise, Weiber und Kinder, und sogar mit der Frucht 12 im Mutterleibe haben sie kein Erbarmen. *Auf meine Wacht will ich treten* 13 *und mich auf meine Warte stellen und will spähen, um zu schauen, was er spricht* 14 *zu mir, und* [*was er erwidern wird au*]*f meine Klage. Und Jahwe antwortete mir* 15 [*und sprach: Schreibe das Gesicht auf und grabe es ein*] *auf die Tafeln, damit ei*[*len kann*], 16 [*wer es liest.* (2, 1 f.) Seine Deutung ...]

VII

Und Gott sprach zu Habakuk, er solle aufschreiben, was kommen wird 2 über das letzte Geschlecht. Aber die Vollendung der Zeit hat er ihm nicht kundgetan. 3 Und wenn es heißt: *Damit eilen kann, wer es liest,* 4 so bezieht sich seine Deutung auf den Lehrer der Gerechtigkeit, dem Gott kundgetan hat 5 alle Geheimnisse der Worte seiner Knechte, der Propheten. *Denn noch ist eine Schau* 6 *auf Frist, sie eilt dem Ende zu und lügt nicht.* (2, 3) 7 Seine Deutung ist, daß sich die letzte Zeit in die Länge zieht, und zwar weit hinaus über alles, 8 was die Propheten gesagt haben; denn die Geheimnisse Gottes sind wunderbar. 9 *Wenn sie verzieht, so harre auf sie, denn sie wird gewiß kommen, und nicht* 10 *wird sie ausbleiben.* (2, 3) Seine Deu-

אֵל לְהַפְלָה ׳ 9 אִם יִתְמַהְמַהּ חַכֵּה לוֹ כִּיא בוֹא יָבוֹא וְלוֹא
10 יְאַחֵר ׳ פִּשְׁרוֹ עַל אַנְשֵׁי הָאֱמֶת 11 עוֹשֵׂי הַתּוֹרָה אֲשֶׁר לוֹא
יִרְפּוּ יְדֵיהֶם מֵעֲבוֹדַת 12 הָאֱמֶת בְּהִמָּשֵׁךְ עֲלֵיהֶם הַקֵּץ
הָאַחֲרוֹן ׳ כִּיא 13 כוֹל קִיצֵּי אֵל יָבוֹאוּ לְתִכּוּנָם כַּאֲשֶׁר חָקַק
14 לָהֶ[ם] בְּרָזֵי עָרְמָתוֹ ׳ הִנֵּה עוּפְּלָה לוֹא יוֹשְׁרָה 15 [נַפְשׁוֹ
בוֹ] ׳ פִּשְׁרוֹ אֲשֶׁר יִכָּפְלוּ עֲלֵיהֶם 16 [חַטֹּאתֵיהֶם ׳ וְלוֹא
יֵ]רָצוּ בְּמִשְׁפָּטָם ׳ [ ] 17 [וְצַדִּיק
בֶּאֱמוּנָתוֹ יִחְיֶה]

VIII

פִּשְׁרוֹ עַל כּוֹל עוֹשֵׂי הַתּוֹרָה בְּבֵית יְהוּדָה אֲשֶׁר 2 יַצִּילֵם
אֵל מִבֵּית הַמִּשְׁפָּט בַּעֲבוּר עֲמָלָם וֶאֱמָנָתָם 3 בְּמוֹרֵה הַצֶּדֶק ׳
וְאַף כִּיא הוֹן יִבְגּוֹד גֶּבֶר יָהִיר וְלוֹא 4 יִנְוֶה אֲשֶׁר הִרְחִיב
כִּשְׁאוֹל נַפְשׁוֹ וְ[ה]וּא כַמָּוֶת לוֹא יִשְׂבָּע ׳ 5 וַיֵּאָסְפוּ אֵלָו כּוֹל
הַגּוֹיִם וַיִּקָּבְצוּ אֵלָו כּוֹל הָעַמִּים ׳ 6 הֲלוֹא כוּלָּם מָשָׁל עָלָיו
יִשָּׂאוּ וּמְלִיצֵי חִידוֹת לוֹ 7 וְיוֹמְרוּ הוֹי הַמַּרְבֶּה וְלוֹא לוֹ עַד
מָתַי יַכְבִּיד עָלָו 8 עַבְטִט ׳ פִּשְׁרוֹ עַל הַכּוֹהֵן הָרָשָׁע
אֲשֶׁר 9 נִקְרָא עַל שֵׁם הָאֱמֶת בִּתְחִלַּת עוֹמְדוֹ ׳ וְכַאֲשֶׁר מָשַׁל
10 בְּיִשְׂרָאֵל רָם לִבּוֹ וַיַּעֲזוֹב אֵת אֵל וַ[יִּ]בְגּוֹד בַּחוּקִּים בַּעֲבוּר
11 הוֹן ׳ וַיִּגְזוֹל וַיִּקְבּוֹץ הוֹן אַנְשֵׁי חָמָס אֲשֶׁר מָרְדוּ בְאֵל ׳ 12 וְהוֹן
עַמִּים לָקַח [a]לוֹסִיף עָלָיו עֲוֹן אַשְׁמָה וְדַרְכֵי 13 תוֹ[עֵ]בוֹת פָּעַל
בְּכוֹל נִדַּת טֻמְאָה ׳ הֲלוֹא [b]פִּתְ[ ]אוֹם וְיָקוּמוּ 14 [נוֹשְׁכֶי]ךָ
וְיָקִיצוּ מְזַעְזְעֶיכָה וְהָיִתָה לִמְשִׁ[י]סוֹת לָמוֹ ׳ 15 כִּי אַתָּה
שַׁלּוֹתָה גוֹיִם רַבִּי[ם] וִישָׁלוּכָה כוֹל יֶתֶר עַמִּים ׳ 16 [
פֵּשֶׁר הַדָּבָר עַ]ל הַכּוֹהֵן אֲשֶׁר מָרַד 17 [ ]ר
חוּקֵּי [אֵל ׳]

[a] = לְהוֹסִיף — [b] = פִּתְאוֹם.

tung bezieht sich auf die Männer der Wahrheit, 11 die Täter des Gesetzes, deren Hände nicht müde werden vom Dienst 12 der Wahrheit, wenn die letzte Zeit sich über ihnen hinzieht. Denn 13 alle Zeiten Gottes kommen nach ihrer Ordnung, wie er es ihnen festgesetzt hat 14 in den Geheimnissen seiner Klugheit. *Siehe, aufgeblasen, nicht rechtschaffen* 15 *[ist seine Seele in ihm]*. (2, 4) Seine Deutung bezieht sich darauf, daß sich über ihnen verdoppeln 16 [ihre Sünden. Und nicht werden] sie gnädig aufgenommen werden in ihrem Gericht. 17 [... *Aber der Gerechte wird durch seine Treue leben*]. (2, 4)

VIII

Seine Deutung bezieht sich auf alle Täter des Gesetzes im Hause Juda, die 2 Gott erretten wird aus dem Hause des Gerichtes um ihrer Mühsal und ihrer Treue willen 3 zum Lehrer der Gerechtigkeit. *Vielmehr wird Reichtum den hochmütigen Mann im Stich lassen, so daß er nicht* 4 *Bestand hat, der seinen Rachen weit aufsperrt wie die Hölle und wie der Tod unersättlich ist.* 5 *Und alle Völker versammelten sich bei ihm, und es scharten sich um ihn alle Nationen.* 6 *Werden sie nicht alle ein Spottlied auf ihn anstimmen und in Rätselreden ihn verspotten* 7 *und sagen: Wehe dem, der aufhäuft, was ihm nicht gehörte! Wie lange belastet er sich mit* 8 *Raub?* (2, 5 f.) Seine Deutung bezieht sich auf den gottlosen Priester, der 9 nach dem Namen der Wahrheit genannt wurde, als er sein Amt antrat. Aber als er zur Herrschaft gelangt war 10 in Israel, erhob sich sein Herz, und er verließ Gott und handelte t[re]ulos gegen die Gebote um 11 des Reichtums willen. Und er raubte und sammelte Reichtum von Männern der Gewalt, die sich gegen Gott empört haben. 12 Und Reichtum von Völkern nahm er, so daß er die Sünde der Verschuldung auf sich häufte, und Wege 13 von G[re]ueln machte er in aller schmutzigen Unreinheit. *Wird es nicht plötzlich geschehen, daß sich erheben,* 14 *[die] dich [bedrücken], und erwachen, die dich bedrängen, und du ihnen zur Be[u]te wirst?* 15 *Denn du selbst hast viele Völker geplündert, darum werden dich plündern alle übrigen Nationen.* (2, 7f.) 16 [Die Deutung des Wortes bezieht sich a]uf den Priester, der sich empörte 17 [...] Gebote [Gottes ...]

IX

נְגוּעוֹ בְּמִשְׁפְּטֵי רִשְׁעָה ׳ וְשַׁעֲרוּרִיּוֹת מַחֲלִים 2 רָעִים עָשׂוּ
בּוֹ וּנְקָמוֹת בִּגְוִיַּת בְּשָׂרוֹ ׳ וַאֲשֶׁר 3 אָמַר כִּי אַתָּה שַׁלּוֹתָה גּוֹיִם
רַבִּים וִישָׁלּוּכָה כוֹל 4 יֶתֶר עַמִּים ׳ פִּשְׁרוֹ עַל כּוֹהֲנֵי יְרוּשָׁלַם
5 הָאַחֲרוֹנִים אֲשֶׁר יִקְבּוֹצוּ הוֹן וָבֶצַע מִשְּׁלַל הָעַמִּים ׳
6 וּלְאַחֲרִית הַיָּמִים יִנָּתֵן הוֹנָם עִם שְׁלָלָם בְּיַד 7 חֵיל הַכִּתִּיאִים ׳
כִּיא הֵמָּה יֶתֶר הָעַמִּים ׳ 8 מִדְּמֵי אָדָם וַחֲמַס אֶ[רֶ]ץ קִרְיָה
וְכוֹ[ל] יוֹשְׁבֵי בָהּ ׳ 9 פִּשְׁרוֹ עַל הַכּוֹהֵן הָ[רָ]שָׁע אֲשֶׁר בַּעֲווֹ[ן]
מוֹרֵה 10 הַצֶּדֶק וְאַנְשֵׁי עֲצָתוֹ נְתָנוֹ אֵל בְּיַ[ד א]וֹיְבָיו לְעַנּוֹתוֹ
11 בְּנֶגַע לְכָלָה בִּמְרוֹרֵי נֶפֶשׁ בַּעֲבוּר [אֲ]שֶׁר הִרְשִׁיעַ 12 עַל
בְּחִירָו ׳ הוֹי [a]השצע בֶּצַע רַע [לְבֵ]יתוֹ לָשׂוּם 13 בַּמָּרוֹם קִנּוֹ
[b]לִנָּצֵל מִכַּף רָע ׳ יָעַצְתָּה בֹּשֶׁת 14 לְבֵיתְכָה [c]קְצוּוֹת עַמִּי[ם]
רַבִּים וְחוֹטֵ[א נַפְ]שֶׁכָה ׳ כִּיא 15 אֶ[בֶן מִ]קִּיר תִּזְ[עָ]ק וְ[כָ]פִיס
מֵעֵץ יַעֲ[נֶנָּה] ׳ 16 [פֵּשֶׁר הַדָּבָר] עַל הַ[כּוֹהֵן] אֲשֶׁר [ ]

X

לִהְיוֹת אֲבָנֶיהָ בְּעֹשֶׁק וּכְפִיס [a]עֵיצָה בְּגָזֵל ׳ וַאֲשֶׁר 2 אָמַר
קְצוֹת עַמִּים רַבִּים [b]וְחוֹטֵי נַפְשֶׁכָה ׳ 3 פִּשְׁרוֹ הוּא בֵית הַמִּשְׁפָּט
אֲשֶׁר יִתֵּן אֵל אֶת 4 מִשְׁפָּטוֹ בְתוֹךְ עַמִּים רַבִּים וּמִשָּׁם יַעֲלֶנּוּ
לְמִשְׁפָּט ׳ 5 וּבְתוֹכָם יַרְשִׁיעֶנּוּ וּבְאֵשׁ גּוֹפְרִית יִשְׁפְּטֶנּוּ ׳ הוֹי

[a] lies הַבּוֹצֵעַ — [b] = לְהִנָּצֵל — [c] = קְצוֹת.

[a] lies עֵצֶיהָ — [b] lies וְחוֹטֵא.

IX

ihn zu schlagen mit Gerichten der Bosheit. Und Abscheulichkeiten böser 2 Leiden taten sie ihm an und Rachehandlungen an seinem Fleischesleib[9]. Und wenn 3 es heißt: *Denn du hast viele Völker geplündert, darum werden dich plündern alle* 4 *übrigen Nationen* (2, 8), so bezieht sich seine Deutung auf die letzten Priester von Jerusalem, 5 die Reichtum und Gewinn aus der Beute der Völker sammeln. 6 Aber am Ende der Tage wird ihr Reichtum mitsamt ihrer Beute in die Hand 7 der Streitmacht der Kittäer gegeben werden. Denn sie sind die übrigen Nationen. 8 *Wegen der Bluttat an den Menschen und der Gewalttat am La*[*n*]*de, an der Stadt und al*[*len*]*, die darin wohnen.* (2, 8) 9 Seine Deutung bezieht sich auf den [go]ttlosen Priester, den wegen der Schul[d] an dem Lehrer 10 der Gerechtigkeit und den Männern seines Rates Gott in die Han[d] seiner [Fe]inde gegeben hat, um ihn zu demütigen 11 durch Plage zur Vernichtung, durch Bitternisse der Seele, [w]eil er gefrevelt hatte 12 an seinen Auserwählten. *Wehe dem, der bösen Gewinn* [*für*] *sein* [*H*]*aus macht, um zu bauen* 13 *in der Höhe sein Nest, um sich vor der Hand des Unheils zu retten. Du hast Schändliches geplant* 14 *für dein Haus, vieler Völke*[*r*] *Ende, und du sündi*[*gst gegen*] *deine* [*Se*]*ele. Denn* 15 *der Ste*[*in aus*] *der Wand schre*[*it, und der Sp*]*arren vom Gebälk ant*[*wortet ihm*]. (2, 9–11) 16 [Die Deutung des Wortes] bezieht sich auf den [Priester], der [...]

X

daß ihre Steine in Bedrückung fallen und ihr hölzerner Sparren in Räuberei. Und wenn 2 es heißt: *Vieler Völker Ende, und du sündigst gegen deine Seele;* 3 so ist seine Deutung: Das ist das Haus des Gerichtes, denn halten wird Gott 4 Gericht über ihn inmitten vieler Völker, und von da wird er ihn[10] heraufführen zum Gericht. 5 Und in ihrer Mitte wird er ihn verdammen und mit Schwefelfeuer richten. *Wehe* 6 *dem, der eine Stadt mit Blut baut und eine Burg mit Frevel gründet. Geschieht* 7 *das nicht von Jahwe Zebaoth? Es plagen sich Völker für Feuer,* 8 *und Nationen mühen sich um Eitles.* (2, 12f.) 9 Die Deutung des Wortes bezieht sich auf den Lügenpropheten, der viele verführte, 10 um eine Trugstadt mit Blut zu bauen und eine Gemeinde mit

6 בּוֹנֶה עִיר בְּדָמִים וִיכוֹנֵן קִרְיָה בְעַוְלָה · הֲלוֹא 7 הִנֵּה מֵעִם
יְהוָה צְבָאוֹת · יִגְעוּ עַמִּים בְּדֵי אֵשׁ 8 וּלְאוּמִּים בְּדֵי רִיק יִיעָפוּ ·
9 פֵּשֶׁר הַדָּבָר עַל מַטִּיף הַכָּזָב אֲשֶׁר הִתְעָה רַבִּים 10 לִבְנוֹת
עִיר שָׁוְא בְּדָמִים וְלָקִים[c] עֵדָה בְשֶׁקֶר 11 בַּעֲבוּר[d] כְּבוֹדָהּ
לוֹגִיעַ[e] רַבִּים בַּעֲבוֹדַת שָׁוְא וּלְהָרוֹתָם 12 בְּ[מַעֲ]שֵׂי שֶׁקֶר
לִהְיוֹת עֲמָלָם לָרִיק בַּעֲבוּר יָבוֹאוּ 13 לְמִשְׁפְּטֵי אֵשׁ אֲשֶׁר
גִּדְּפוּ וַיְּחָרְפוּ אֶת בְּחִירֵי אֵל · 14 כִּיא תִמָּלֵא הָאָרֶ[ץ] לָ[דַ]עַת
אֶת כְּבוֹד יְהוָה כַּמַּיִם 15 יְכַסּוּ עַל הַיָּ[ם] · פֵּשֶׁר הַדָּבָר [אֲשֶׁר]
16 [בְּ]שׁ[וּ]בָם[ ]ל[ ]

XI

הַכָּזָב · וְאַחַר תִּגָּלֶה לָהֶם הַדַּעַת כְּמֵי 2 הַיָּם לָרֹב · הוֹי
מַשְׁקֵה רֵעֵיהוּ מְסַפֵּחַ 3 חֲמָתוֹ אַף שַׁכֵּר לְמַעַן הַבִּט אֶל
מוֹעֲדֵיהֶם · 4 פִּשְׁרוֹ עַל הַכּוֹהֵן הָרָשָׁע אֲשֶׁר
5 רָדַף אַחַר מוֹרֵה הַצֶּדֶק לְבַלְּעוֹ בְּכַעַס 6 חֲמָתוֹ [a]אַבֵית
גָּלוּתוֹ · וּבְקֵץ מוֹעֵד מְנוּחַת 7 יוֹם הַכִּפּוּרִים הוֹפִיעַ אֲלֵיהֶם
לְבַלְּעָם 8 [b]וְלַכְשִׁילָם בְּיוֹם צוֹם שַׁבַּת מְנוּחָתָם · שָׂבַעְתָּה
9 קָלוֹן[c] מִבּוֹד שְׁתֵה גַם אַתָּה וְהֵרָעֵל · 10 תִּסּוֹב עָלֶיכָה כּוֹס
יְמִין יְהוָה וְקִיקָלוֹן 11 עַל כְּבוֹדֶכָה · 12 פִּשְׁרוֹ עַל הַכּוֹהֵן
אֲשֶׁר גָּבַר קְלוֹנוֹ מִכְּבוֹדוֹ · 13 כִּיא לוֹא מָל אֶת עוֹרְלַת לִבּוֹ
וַיֵּלֶךְ בְּדַרְכֵי 14 הָרְוָיָה לְמַעַן סְפוֹת הַצְּמָאָה · וְכוֹס חֲמַת
15 [אֵ]ל תְּבַלְּעֶנּוּ[d] לוֹס[ִ]יף עָלָיו אֶת קְלוֹ[נ]וֹ · וּמַכְאוֹב 16 [
כִּיא חֲמַס לְבָנוֹן יְכַסְּכָה וְשׁוֹד בְּהֵמוֹת]

c = וּלְהָקִים — d lies כְּבוֹדוֹ — e = לְהוֹגִיעַ.

a = בְּבֵית — b = וּלְהַכְשִׁילָם — c lies מִכָּבוֹד — d = לְהוֹס[ִ]יף.

Lüge zu errichten 11 um seiner Ehre willen, indem er viele im Dienste des Trugs sich plagen und sie schwanger gehen ließ 12 mit [Wer]ken der Lüge, so daß ihre Plage eitel ist, weil sie gehen müssen 13 in Feuergerichte, da sie die Auserwählten Gottes gehöhnt und geschmäht haben. 14 *Denn die Erde wird sich füllen mit der Erkenntnis der Herrlichkeit Jahwes, wie Wasser* 15 *das Mee[r] bedecken.* (2, 14) Die Deutung des Wortes ist, [daß] 16 [wenn] sie u[m]kehren [...]

XI

der Lüge. Und danach wird ihnen offenbart werden die Erkenntnis wie Wasser 2 des Meeres in Fülle. *Wehe dem, der seinem Nächsten zu trinken gibt, der ausgießt* 3 *seinen Grimm; ja, er macht (sie) trunken, um ihren Festen zuzuschauen.* (2, 15) 4 Seine Deutung bezieht sich auf den gottlosen Priester, der 5 den Lehrer der Gerechtigkeit verfolgte, um ihn zu verschlingen in dem Zorn 6 seines Grimms am Ort seiner Verbannung. Und zur Zeit des Festes der Ruhe, 7 am Versöhnungstag, erschien er bei ihnen, um sie zu verschlingen 8 und um sie zu Fall zu bringen am Tage des Fastens, dem Sabbat ihrer Ruhe[11]. *Du hast dich gesättigt* 9 *mit Schande statt mit Ehre; trinke auch du und taumle.* 10 *In der Runde wird zu dir gelangen der Becher in Jahwes rechter Hand, und Schande* 11 *auf deine Ehre!* (2, 16) 12 Seine Deutung bezieht sich auf den Priester, dessen Schande größer war als seine Ehre. 13 Denn er beschnitt die Vorhaut seines Herzens nicht und wandelte auf den Wegen 14 der Völlerei, damit der Durst gestillt würde. Aber der Becher des Grimms 15 [Got]tes wird ihn verschlingen, zu verme[hren bei ihm] seine [Schande.] Und Schmerz 16 [... *Denn die Gewalttat am Libanon wird dich bedecken, und die Grausamkeit gegenüber dem Vieh*]

XII

[a]יְחִתָּה מִדְּמֵי אָדָם וַחֲמַס אֶרֶץ קִרְיָה וְכוֹל יוֹשְׁבֵי בָהּ ׳
2 פֵּשֶׁר הַדָּבָר עַל הַכּוֹהֵן הָרָשָׁע לְשַׁלֵּם לוֹ אֶת 3 גְּמוּלוֹ אֲשֶׁר
גָּמַל עַל אֶבְיוֹנִים ׳ כִּיא הַלְּבָנוֹן הוּא 4 עֲצַת הַיַּחַד וְהַבְּהֵמוֹת
הֵמָּה פְתָאֵי יְהוּדָה [b]עוֹשֵׂה 5 הַתּוֹרָה ׳ אֲשֶׁר יְשׁוֹפְטֶנּוּ אֵל לְכָלָה
6 כַּאֲשֶׁר זָמַם לְכַלּוֹת אֶבְיוֹנִים ׳ וַאֲשֶׁר אָמַר מִדְּמֵי 7 קִרְיָה
וַחֲמַס אֶרֶץ פִּשְׁרוֹ הַקִּרְיָה הִיא יְרוּשָׁלַיִם 8 אֲשֶׁר פָּעַל בָּהּ
הַכּוֹהֵן הָרָשָׁע מַעֲשֵׂי תוֹעֵבוֹת וַיְטַמֵּא אֶת 9 מִקְדַּשׁ אֵל ׳ וַחֲמַס
אֶרֶץ הֵמָּה עָרֵי יְהוּדָה אֲשֶׁר 10 גָּזַל הוֹן אֶבְיוֹנִים ׳ מָה הוֹעִיל
פֶּסֶל כִּיא פָּסַל יֹצְרוֹ 11 מַסֵּ[י]כָה [c]וּמֹרֵי שֶׁקֶר כִּיא בָטַח יֹצֵר
יְצָרָיו עָלֵיהוּ 12 לַעֲשׂוֹת אֱלִילִים אִלְּמִים ׳ פֵּשֶׁר הַדָּבָר עַל
כּוֹל 13 פְּסִלֵי הַגּוֹיִם אֲשֶׁר יְצָרוּם לְעוֹבְדָם [d]וְלִשְׁתַּחֲוֹת
14 לָהֵמָּה ׳ וְהֵמָּה לוֹא יַצִּילוּם בְּיוֹם הַמִּשְׁפָּט ׳ הוֹי 15 הָ[אוֹמֵר
לָעֵ]ץ הָקִיצָה [עוּרִי לְאֶבֶ]ן דּוּמָה ׳ 16 [הוּא יוֹרֶה הִנֵּה הוּא
תָפוּשׂ זָהָב וָכֶסֶף] 17 [וְכָל רוּחַ אֵין בְּקִרְבּוֹ ׳ וַיהוָה בְּהֵיכַל
קָדְשׁוֹ]

XIII

הַס מִלְּפָנָיו כּוֹל [a]הרץ ׳ פִּשְׁרוֹ עַל כּוֹל הַגּוֹיִם 2 אֲשֶׁר עָבְדוּ
אֶת הָאֶבֶן וְאֶת הָעֵץ ׳ וּבְיוֹם 3 הַמִּשְׁפָּט יְכַלֶּה אֵל אֶת כּוֹל
עוֹבְדֵי הָעֲצַבִּים 4 וְאֶת הָרְשָׁעִים מִן הָאָרֶץ ׳

[a] lies יְחִתְּ[כָ]ה — [b] lies עוֹשֵׂי — [c] = וּמוֹרֶה — [d] וּלְהִשְׁתַּחֲוֹת.
[a] lies הָאָרֶץ.

XII

wird dich schrecken wegen der Bluttaten an den Menschen und der Gewalttat am Lande, an der Stadt und allen, die darin wohnen. (2, 17) 2 Die Deutung des Wortes bezieht sich auf den gottlosen Priester, daß man ihm vergelten wird 3 seine Tat, die er an den Armen[12] getan hat; denn der Libanon, das ist 4 der Rat der Gemeinschaft, und das Vieh, das sind die Einfältigen Judas, die Täter 5 des Gesetzes. Denn Gott wird ihn verurteilen zur Vernichtung, 6 wie er plante, Arme zu vernichten. Und wenn es heißt: *Wegen der Bluttaten* 7 *an der Stadt und der Gewalttat am Lande*, so ist seine Deutung: Die Stadt, das ist Jerusalem, 8 wo der gottlose Priester Greueltaten verübte und das 9 Heiligtum Gottes verunreinigte. Und die Gewalttat am Lande, das sind die Städte Judas, wo er 10 den Besitz der Armen raubte. *Was nützt ein Götzenbild, daß sein Bildner es schnitzte,* 11 *ein Gußbild und ein Lügenorakel, daß der Bildner seiner Gebilde darauf vertraut,* 12 *indem er stumme Nichtse macht?* (2, 18) Die Deutung des Wortes bezieht sich auf alle 13 Götzenbilder der Völker, die sie gebildet haben, um sie zu verehren und niederzufallen 14 vor ihnen. Aber sie werden sie nicht retten am Tage des Gerichtes. *Wehe dem,* 15 *der [spricht zum Hol]z: Erwache! [Erhebe dich! zum St]ein, der stumm ist!* 16 *[Der soll Orakel geben? Siehe, er ist gefaßt in Gold und Silber,]* 17 *[aber kein Geist ist in ihm. Doch Jahwe ist in seinem heiligen Tempel,]*

XIII

es sei still vor ihm die ganze Erde. (2, 19f.) Seine Deutung bezieht sich auf alle Völker, 2 die den Stein verehren und das Holz. Und am Tage 3 des Gerichtes wird Gott vernichten alle, die Götzenbilder verehren, 4 und die Gottlosen von der Erde.

PATRIARCHENSEGEN

4 Q patr

Das kleine Fragment 4 Q patr enthält eine Erklärung des Verses Gen. 49, 10, der zu dem Segen Jakobs über Juda gehört. Wie die Deutung zeigt, wurde dieser Jakobsspruch in messianischem Sinne verstanden: Aus Juda kommt der Gesalbte der Gerechtigkeit, der Sproß Davids.

Erstausgabe des Textes: J. M. Allegro, Further Messianic References in Qumran Literature, J.B.L. 75 (1956), S. 174—176; zum Text vgl. ferner Habermann, S. 149; Übersetzungen bei Bardtke, Burrows, Carmignac II, Dupont-Sommer, Gaster, Maier und Vermes; zur Erklärung vgl. auch Maier II, S. 164. Zu etwa möglichen Ergänzungen des Kontextes und zur Bestimmung der literarischen Gattung vgl. H. Stegemann, Weitere Stücke von 4 Q pPsalm 37, von 4 Q Patriarchal Blessings und Hinweis auf eine unedierte Handschrift aus Höhle 4 Q mit Exzerpten aus dem Deuteronomium, R. Q. 6 (1967/69), S. 193–227, bes. 211–217.

[לוא] יָסוּר שַׁלִּיט מִשֵּׁבֶט יְהוּדָה ׳ בִּהְיוֹת לְיִשְׂרָאֵל מִמְשָׁל
2 [לוא יִ]כָּרֵת יוֹשֵׁב [a]בּוֹא לְדָוִיד ׳ כִּי הַמְּחֹקֵק הִיא בְּרִית הַמַּלְכוּת
3 [אַלְ]פֵי יִשְׂרָאֵל הֵמָּה הָרַגְלָיִם ׳ עַד בּוֹא מְשִׁיחַ הַצֶּדֶק צֶמַח
4 דָּוִיד ׳ כִּי לוֹ וּלְזַרְעוֹ נִתְּנָה בְּרִית מַלְכוּת עַמּוֹ עַד דּוֹרוֹת עוֹלָם
אֲשֶׁר 5 שְׁמָרָהּ [ ] הַתּוֹרָה עִם אַנְשֵׁי הַיַּחַד כִּי
6 [ ] הִיא כְּנֶסֶת אַנְשֵׁי [ ]
7 [ ] נָתַן ׳

[a] lies בּוֹ.

[*Nicht*] *soll weichen ein Machthaber aus dem Stamm Juda*[1]. Solange Israel die Herrschaft hat, 2 wird [nicht aus]gerottet sein einer, der darin thront, der zum (Hause) David(s) gehört. Denn der Herrscherstab[2] ist der Bund der Königsherrschaft, 3 [die Tausend]schaften Israels sind die Füße, bis daß kommt der Gesalbte der Gerechtigkeit[3], der Sproß 4 Davids[4]; denn ihm und seinem Samen ist der Bund der Königsherrschaft über sein Volk gegeben für ewige Geschlechter, den 5 er bewahrt hat [...] das Gesetz mit den Männern der Gemeinschaft; denn [...] 6 [...] das ist die Versammlung der Männer [...] 7 [...] hat gegeben.

TESTIMONIA

4 Q test

Auf einem einzelnen Blatt ist fast unversehrt eine kleine Sammlung alttestamentlicher Belegstellen erhalten, die wahrscheinlich auf Grund der messianischen Erwartung der Gemeinde zusammengestellt worden sind: Deut. 5, 28—29; 18, 18—19 (zu einem Doppelzitat verbunden); Num. 24, 15—17 und Deut. 33, 8—11 sind im Blick auf das endzeitliche Auftreten des Propheten und der beiden Gesalbten Aarons und Israels ausgewählt worden. Jedes der Zitate endet mit einer Drohung, die gegen die Feinde und Gottlosen gerichtet ist. Das letzte Zitat aus Jos. 6, 26 wird abschließend erläutert und in dunklen Anspielungen auf zeitgeschichtliche Ereignisse bezogen.

Erstausgabe des Textes: J. M. Allegro, Further Messianic References in Qumran Literature, J.B.L. 75 (1956), S. 182—187 = Allegro, D.J.D. V, S. 57–60; Übersetzungen bei Bardtke, Burrows, Carmignac II, Dupont-Sommer, Gaster, Maier und Vermes; zur Erklärung vgl. auch Maier II, S. 165.

וַיְדַבֵּר .... אֶל מוֹשֶׁה לֵאמוֹר ׳ שָׁמַעְתָּ אֶת קוֹל דִּבְרֵי 2 הָעָם
הַזֶּה אֲשֶׁר דִּבְּרוּ אֵלֶיכָה ׳ הֵיטִיבוּ כוֹל אֲשֶׁר דִּבֵּרוּ ׳ 3 מִי [a]יִנְתֵּן
וְיִהְיֶה לְבָבָם זֶה לָהֶם לְיִרְאָ אוֹתִי וְלִשְׁמוֹר אֶת כּוֹל 4 מִצְוֹתַי
כּוֹל הַיּוֹמִים [b]לְמַעַאן יֵטַב לָהֶם וְלִבְנֵיהֶם לְעוֹלָם ׳ 5 נָבִי אָקִים
[c]לָאהֶמָּה מִקֶּרֶב אֲחֵיהֶמָּה כָּמוֹכָה וְנָתַתִּי דְבָרַי 6 בְּפִיהוּ
וִידַבֵּר אֲלֵיהֶמָּה אֵת כּוֹל אֲשֶׁר אֲצַוֶּנּוּ ׳ וְהָיָה הָאִישׁ 7 אֲשֶׁר
לוֹא יִשְׁמַע אֶל דְּבָרַי אֲשֶׁר יְדַבֵּר הַנָּבִי בִּשְׁמִי אָנוֹכִי 8 אֶדְרוֹשׁ
מֵעִמּוֹ ׳

9 וַיִּשָּׂא מְשָׁלוֹ וַיֹּאמַר ׳ נְאוּם בִּלְעָם בֶּנְבְּעוֹר וּנְאֻם הַגֶּבֶר
10 שֶׁהֻתַּם הָעָיִן ׳ נְאֻם שׁוֹמֵעַ אִמְרֵי אֵל וְיֹדֵעַ דַּעַת עֶלְיוֹן אֲשֶׁר
11 מַחֲזֶה שַׁדַּי יֶחֱזֶה נוֹפֵל [d]וּגְלוּי עָיִן ׳ אֶרְאֶנּוּ וְלוֹא [e]עַתָּהא
12 אֲשׁוּרֶנּוּ וְלוֹא קָרוֹב ׳ דָּרַךְ כּוֹכָב מִיַּעֲקוֹב וְיָקוּם שֵׁבֶט
מִיִּשְׂרָאֵל וּמָחַץ 13 פַּאֲתֵי מוֹאָב וְקַרְקַר אֵת כּוֹל בְּנֵי שֵׁית ׳
14 וּלְלֵוִי אָמַר הָבוּ לְלֵוִי תֻּמֶּיךָ וְאוּרֶךָ לְאִישׁ חֲסִידֶךָ אֲשֶׁר
15 נִסִּיתוֹ בְּמַסָּה וּתְרִבֵהוּ עַל מֵי מְרִיבָה ׳ הָאוֹמֵר לְאָבִיו
16 וּלְאִמּוֹ [f]לִידַעְתִּיכָהוּ וְאֵת אֶחָיו לוֹא הִכִּיר וְאֵת בָּנוֹ לוֹא
17 יָדָע ׳ כִּי שָׁמַר אִמְרָתְכָה וּבְרִיתְךָ יִנְצֹר ׳ וְיָאִירוּ מִשְׁפָּטֶיךָ
לְיַעֲקוֹב 18 תּוֹרָתְכָה לְיִשְׂרָאֵל ׳ יָשִׂימוּ קְטוֹרָה בְּאַפֶּךָ וְכָלִיל
עַל מִזְבְּחֶךָ ׳ 19 בָּרֵךְ .... חֵילוֹ וּפֹעַל יָדָו תִּרְצֶה ׳ מְחַץ מָתְנַיִם
קָמָו וּמְשַׂנְאָו 20 בַּל יְקוּמוּ ׳

21 בָּעֵת אֲשֶׁר כִּלָּה יֵשׁוּעַ לְהַלֵּל וּלְהוֹדוֹת בִּתְהִלּוֹתֵיהוּ
22 וַיֹּאמַר ׳ אָרוּר [g]הָאִישׁ אֲשֶׁר יִבְנֶה אֵת הָעִיר [h]הַזּוֹת ׳ בִּבְכוֹרוֹ
23 יְיַסְּדֶנָּה וּבִצְעִירוֹ יַצִּיב דְּלָתֶיהָ ׳ [i]וְאנה אִישׁ אָרוּר אַחַד בְּלִיַּעַל
24 עוֹמֵד לִהְיוֹת פַּ[ח יָ]קוֹשׁ לְעַמּוֹ וּמְחִתָּה לְכוֹל שְׁכֵנָיו ׳ וְעָמַד

a = יִתֵּן — b = לְמַעַן — c = לָהֶמָּה — d lies וּגְלוּי — e = עַתָּה —
f = לֹא יְדַעְתִּיכָה — g lies הָאִישׁ — h = הַזֹּאת — i = וְהִנֵּה.

Und es sprach ....[1] zu Mose folgendermaßen: Du hast gehört
die Stimme der Worte 2 dieses Volkes, die sie zu dir sprachen.
Sie haben alles gut gesagt, was sie gesprochen haben. 3 O daß
doch ihr Herz so wäre, daß sie mich fürchten und halten alle
4 meine Gebote alle Tage, auf daß es ihnen und ihren Söhnen
gut gehen möchte in Ewigkeit (Deut. 5, 28—29). 5 Einen
Propheten will ich ihnen erwecken aus der Mitte ihrer Brüder
wie dich, und ich will geben meine Worte 6 in seinen Mund,
und er soll ihnen alles sagen, was ich ihm befehlen werde. Und
wenn es einen Mann gibt, 7 der nicht hören will auf meine
Worte, die der Prophet in meinem Namen sagen wird, so
8 werde ich selbst von ihm Rechenschaft fordern (Deut. 18,
18—19).[2]

9 Und er hob seinen Spruch an und sprach: Ausspruch Bile-
ams, des Sohnes Beors und Ausspruch des Mannes, 10 dessen
Auge vollkommen ist. So spricht der, der die Worte Gottes hört
und die Erkenntnis des Höchsten erkennt, der 11 ein Gesicht des
Allmächtigen schaut, niederfallend und enthüllten Auges. Ich sehe
ihn, aber nicht jetzt, 12 ich betrachte ihn, aber nicht in der
Nähe. Es geht ein Stern aus Jakob auf, und es erhebt sich ein
Szepter aus Israel[3] und zerschmettert 13 die Schläfen Moabs
und tritt nieder alle Söhne Seths (Num. 24, 15—17). 14 Und
über Levi sprach er[4]: Gebt Levi deine Thummim und deine
Urim, dem Mann, deinem Frommen, den 15 du versucht hast
bei Massa und gegen den du gestritten hast an den Wassern von
Meriba. Der zu seinem Vater sprach 16 und zu seiner Mutter
'ich kenne dich nicht', und der seine Brüder nicht ansah und seine
Söhne nicht 17 kannte. Denn er hielt dein Wort und bewahrte
deinen Bund. Und sie[5] erhellen Jakob deine Rechtssatzungen,
18 Israel dein Gesetz. Sie bringen Räucherwerk vor deine
Nase und Ganzopfer auf deinen Altar. 19 Segne, ...[1], seine
Stärke und laß dir das Werk seiner Hände gefallen! Zerschlage
seinen Gegnern und denen, die ihn hassen, die Hüften, 20 daß
sie nicht wieder aufstehen (Deut. 33, 8—11).

21 Zu der Zeit, da Josua aufhörte mit Preisen und Loben in
seinen Lobgesängen[6], 22 da sprach er: Verflucht sei der Mann,
der diese Stadt[7] wieder aufbaut. Mit seinem Erstgeborenen
23 soll er sie gründen, und mit seinem Jüngsten soll er ihre
Türflügel einsetzen (Jos. 6, 26). Und siehe, ein Verfluchter, einer
von Belial, 24 tritt auf, um seinem Volk zum Fa[ngn]etz zu
werden und ein Schrecken für alle seine Nachbarn. Und er tritt

25 [ ]מ[ ] לִהְ]יוֹת שְׁנֵיהֵמָּה כְּלֵי חָמָס וְשָׁבוּ וּבָנוּ אֶת

26 [הָעִיר [h]הַזֹּ]וֹת וַיַּצִּ]יבוּ לָהּ חוֹמָה וּמִגְדָּלִים לַעֲשׂוֹת לְעוֹז רֶשַׁע

27 [וְרָעָה גְדוֹלָה] בְּיִשְׂרָאֵל וְשַׁעֲרוּרִיָּה בְּאֶפְרַיִם וּבִיהוּדָה

28 [וְעָ]שׂוּ חֲנוּפָה בָאָרֶץ [k]ונצה גְדוֹלָה בִּבְנֵי 29 [יַעֲקוֹב וְשָׁפְכוּ

דָ]ם כַּמַּיִם עַל חֵל בַּת צִיּוֹן וּבְחוֹק 30 יְרוּשָׁלַיִם׳

k = וְנָאָצָה.

auf 25 [...] daß sie beide zu Werkzeugen der Gewalttat werden, und sie werden abermals bauen 26 [diese Stadt; und] sie werden ihr eine Mauer und Türme [er]richten, um ein Bollwerk der Gottlosigkeit zu schaffen 27 [und großes Übel] in Israel und Gräßliches in Ephraim und in Juda 28 [... Und] sie tun Ruchlosigkeit im Lande und große Schmach unter den Söhnen 29 [Jakobs, und sie werden Bl]ut [vergießen] wie Wasser auf der Festungsmauer der Tochter Zion und im Gebiet 30 Jerusalems.

FLORILEGIUM

4 Q flor

In dieser kleinen Schrift werden nacheinander 2. Sam. 7, 10—14; Ps. 1, 1 und Ps. 2, 1—2 nach Art der P^{e}scharim erläutert. Die biblischen Texte sind wahrscheinlich in dieser Weise zusammengestellt worden, weil man sie im Blick auf die Endzeit deutete. Das Wort Midrasch (I, 14) gilt also nicht von einer fortlaufenden Auslegung eines biblischen Buches, sondern meint die knappe Erklärung und Anwendung eines einzelnen Abschnittes, an den dann ein anderer locker angeschlossen wird. Bei der Auslegung wird gelegentlich noch auf andere Schriftstellen zur Erläuterung hingewiesen. Es liegt also eine kleine Sammlung eschatologischer Midraschim vor.

Erstausgabe des Textes: J.M. Allegro, Fragments of a Qumran Scroll of Eschatological Midrašim, J.B.L. 77 (1958), S. 350—354 = Allegro, D.J.D. V, S. 53—57; zum Text vgl. ferner Habermann, S. 173 f. Übersetzungen bei Bardtke, Carmignac II, Dupont-Sommer, Maier und Vermes. Bei Burrows und Gaster findet sich die Übersetzung eines kürzeren Stückes, das von Allegro bereits im J.B.L. 75 (1956), S. 176f. veröffentlicht wurde. Zur Erklärung vgl. Y. Yadin, A Midrash on 2 Sam VII and Ps I—II (4 Q Florilegium), Israel Exploration Journal 9 (1959), S. 95—98 und Maier II, S. 165 f.

I

[   ]ד אוֹיֵ[ב ׳ וְלוֹא יוֹסִי]ף בֶּן עַוְלָה [לְעַנּוֹתוֹ] כַּאֲשֶׁר
בָּרִאישׁוֹנָה וּלְמִן הַיּוֹם אֲשֶׁר 2 [צִוִּיתִי שׁוֹפְטִים] עַל עַמִּי
יִשְׂרָאֵל ׳ הוּאָה הַבַּיִת אֲשֶׁר [בְּאַ]חֲרִית הַיָּמִים כַּאֲשֶׁר כָּתוּב
בְּסֵפֶר 3 [מִקְּדָשׁ אֲדוֹנָי כּ]וֹנְנוּ יָדֶיכָה ׳ יְהוָה יִמְלוֹךְ
עוֹלָם וָעֶד ׳ הוּאָה הַבַּיִת אֲשֶׁר לוֹא יָבוֹא שָׁמָּה 4 [עַד] עוֹלָם
וְעַמּוֹנִי וּמוֹאָבִי וּמַמְזֵר וּבֶן נֵכָר וְגֵר עַד עוֹלָם כִּיא קְדוֹשַׁי שָׁם ׳
5 יִהְ[יֶ]ה[לְ]עוֹלָם ׳ תָּמִיד עָלָיו יֵרָאֶה ׳ וְלוֹא יְשִׁמּוּהוּ עוֹד
זָרִים כַּאֲשֶׁר הֵשַׁמּוּ בָּרִאישׁוֹנָה 6 אֵת מִקְדַּ[שׁ יִ]שְׂרָאֵל
בְּחַטָּאתָמָה ׳ וַיּוֹאמֶר לִבְנוֹת [a]לוֹא מִקְדַּשׁ אָדָם לִהְיוֹת מַקְטִירִים
[b]בּוֹא [a]לוֹא 7 לְפָנָיו מַעֲשֵׂי תוֹרָה ׳ וַאֲשֶׁר אָמַר לְדָוִיד וַ[הֲנִיחוֹ]תִי
לְכָה מִכּוֹל אוֹיְבֶיכָה ׳ אֲשֶׁר יָנִיחַ לָהֵמָּה מִכּ[וֹל] 8 בְּנֵי בְלִיַּעַל
הַמַּכְשִׁילִים אוֹתָמָה לְכַלּוֹתָמָ[ה   ]מָה כַּאֲשֶׁר בָּאוּ בְּמַחֲשֶׁבֶת
[בְּ]לִ[יַּ]עַל לְהַכְשִׁיל בְּ[נֵי] 9 אוֹ[ר] וְלַחְשׁוֹב עֲלֵיהֵמָּה מַחְשְׁבוֹת
אָוֶן לְמַ[סֵּר נַ]פְשׁוֹ לִבְלִיַּעַל בְּמִשְׁגַּת אַ[וְ]מָה ׳ 10 [וְהִ]גִּיד
לְכָה יְהוָה כִּיא בַיִת יִבְנֶה לְכָה וַהֲקִימוֹתִי אֵת זַרְעֲכָה אַחֲרֶיכָה
וַהֲכִינוֹתִי אֵת כִּסֵּא מַמְלַכְתּוֹ 11 [לְעוֹלָ]ם ׳ אֲנִי [אֶ]הְ[יֶה] [a]לוֹא
לְאָב וְהוּא יִהְיֶה לִי לְבֵן ׳ הוּאָה צֶמַח דָּוִיד הָעוֹמֵד עִם דּוֹרֵשׁ
הַתּוֹרָה אֲשֶׁר 12 [   ]בְּצִיּ[וֹן בְּאַ]חֲרִית הַיָּמִים כַּאֲשֶׁר כָּתוּב ׳
וַהֲקִימוֹתִי אֵת סוּכַּת דָּוִיד הַנּוֹפֶלֶת ׳ הִיאָה סוּכַּת 13 דָּוִיד
הַנּוֹפֶלֶ[ת אֲ]שֶׁר יַעֲמוֹד לְהוֹשִׁיעַ אֵת יִשְׂרָאֵל ׳

14 מִ[דְ]רָשׁ מֵאַשְׁרֵי [הָ]אִישׁ אֲשֶׁר לוֹא הָלַךְ בַּעֲצַת רְשָׁעִים ׳
פֵּשֶׁר הַדָּבָ[ר עַל] סָרֵי מִדֶּרֶךְ [   ] 15 אֲשֶׁר כָּתוּב בְּסֵפֶר
יְשַׁעְיָה הַנָּבִיא לְאַחֲרִית [הַ]יָּמִים ׳ וַיְהִי כְּחֶזְקַת [הַיָּד וְיִסְּרֵנִי
מִלֶּכֶת בְּדֶרֶךְ] 16 הָעָם הַזֶּה ׳ וְהֵמָּה אֲשֶׁר כָּתוּב עֲלֵיהֵמָּה

[a] lies לוֹ — [b] lies בּוֹ.

I

[...] Fein[d]. [*Und nicht soll künftig*] *ein Sohn der Verderbtheit* [*es*[1] *bedrücken*] *wie ehedem, seit dem Tag, da* 2 [*ich Richter bestellt habe*] *über mein Volk Israel* (2. Sam. 7, 10–11). Dies ist das Haus[2], das [... am En]de der Tage, wie geschrieben steht im Buche 3 [... *Das Heiligtum, Herr, welches*] *deine Hände* [*er*]*richtet haben. Jahwe sei König für immer und ewig* (Ex. 15, 17f.). Dies ist das Haus, in das 4 [... in] Ewigkeit kein Ammoniter und kein Moabiter und kein Bastard und kein Ausländer und kein Fremdling[3] eintreten darf in Ewigkeit, sondern diejenigen, die den Namen Heilige tragen. 5 Er [wird] sein [... in] Ewigkeit. Ständig wird er über ihm erscheinen. Und nicht werden es wieder Fremde zerstören, wie sie vordem zerstörten 6 das Heilig[tum Is]raels wegen ihrer Sünde. Und er sagte, daß man ihm ein Heiligtum unter Menschen bauen solle, in dem sie ihm als Rauchopfer 7 vor ihm Taten des Gesetzes darbringen sollten. Und wie er gesagt hat zu David: *Und ich will dir* [*Ruhe*] *verschaffen vor allen deinen Feinden* (2. Sam. 7, 11); das heißt, daß er ihnen Ruhe verschaffen wird vor al[len] 8 Söhnen Belials, die sie zu Fall bringen wollen, um sie zu vernichten [...], wie sie kamen mit einem Plan [Be]l[i]als, um zu Fall zu bringen die Sö[hne] 9 des Lich[tes] und um gegen sie frevlerische Ränke zu sinnen, damit sie seine [Se]ele aus[liefern] an Belial in ihrer fre[vl]erischen Verirrung[4]. 10 [*Und*] *Jahwe hat dir* [*ku*]*ndgetan, daß er dir ein Haus bauen wird; und ich werde deinen Samen aufrichten nach dir und den Thron seines Königtums* 11 [*in Ewig*]*keit. Ich* [*w*]*er*[*de*] *ihm Vater sein, und er wird mir Sohn sein* (2. Sam. 7, 11–14). Das ist der Sproß Davids[5], der mit dem Erforscher des Gesetzes[6] auftreten wird der 12 [...] in Zi[on am En]de der Tage, wie geschrieben steht: *Und ich will die zerfallene Hütte Davids wieder aufrichten* (Am. 9, 11)[7]. Das ist die zerfalle[ne] Hütte 13 Davids, [d]ie stehen wird, um Israel zu retten.

14 Eine Aus[le]gung von: *Wohl dem Manne, der nicht wandelt im Rat der Gottlosen* (Ps. 1, 1). Die Deutung des Wor[tes bezieht sich auf] diejenigen, die abgewichen sind vom Wege [...] 15 wie geschrieben steht im Buch des Propheten Jesaja im Blick auf das Ende [der] Tage: *Und dann, als mich* [*die Hand*] *ergriff,* [*brachte er mich davon ab*[8], *zu gehen auf dem Wege*] 16 *dieses Volkes* (Jes. 8, 11). Sie sind es, über die im Buche des Ezechiel, des Propheten, geschrieben steht, daß [*sie sich*] *nicht* [*mehr verunreinigen*

בְּסֵפֶר יְחֶזְקֵאל הַנָּבִיא אֲשֶׁר לוֹ[א יְטַמְּאוּ עוֹד] 17
[בְּגִ]לּ[וּ]לֵיהֶמָּה · הֵמָּה בְּנֵי צָדוֹק וְאַ[נְ]שֵׁי עֲצָ[תָמָ]ה דוֹ[
]אַחֲרֵיהֶמָּה לַעֲצַת הַיַּחַד · 18 [לָמָּה רָגְשׁ]וּ גוֹיִים וּלְאוּמִּים
יֶהְגּ]וּ רִיק · יִתְ]יַצְּבוּ [מַלְכֵי אֶרֶץ וְר]וֹזְנִים נוֹסְדוּ יַחַד עַל
יְהוָה וְעַל 19 [מְשִׁיחוֹ · פֵּ]שֶׁר הַדָּבָר [עַל גּוֹ]יִים וְהֵ[מָּה]
בְּחִירֵי יִשְׂרָאֵל בְּאַחֲרִית הַיָּמִים ·

II

הִיאָה עֵת הַמַּצְרֵף הַבָּ[אָה יְ]הוּדָה לְהָתֵם [ ] 2 בְּלִיַּעַל
וְנִשְׁאַר שְׁ[ ]ם [גּ]וֹרָל וְעָשׂוּ אֵת כּוֹל הַתּוֹרָה [ ] 3 מוֹשֶׁה ·
הִיאָה הַ[אֲשֶׁ]ר כָּתוּב בְּסֵפֶר דָּנִיֵּאל הַנָּבִיא לְהַרְשִׁי[עַ
רְשָׁעִים [ ] 4a וְצַדִּיקִים [יִתְלַבְּ]נוּ וְיִצְטָרְפוּ וְעַם
יוֹדְעֵי אֱלוֹהַּ יַחֲזִיקוּ הַמּ[ ] 4 [ ] אַחֲרֵי הַ[ ]
אֲשֶׁר אֲלֵיהֶמָּה יוֹ[ ] 5 [ ] בְּרִדְתּוֹ מִנְ[ ]

sollen] 17 [*durch*] *ihre* [*G*]*ötzen* (Ez. 37, 23; vgl. 44, 10). Dies sind die Söhne Zadoqs und die Mä[nn]er [ihres] Ra[t]es [...] nach ihnen dem Rat der Gemeinschaft. 18 [*Warum to*]*ben die Völker und* [*sin*]*nen die Nationen* [*Eitles? Es er*]*heben sich* [*die Könige der Erde und die Für*]*sten ratschlagen miteinander gegen Jahwe und gegen* 19 [*seinen Gesalbten* (Ps. 2, 1–2). Die Deu]tung des Wortes [bezieht sich auf die Völ]ker, und sie [...] Erwählte Israels am Ende der Tage.

II

Dies ist die Zeit der Läuterung, die kom[mt ... Ju]da zu vollenden [...] 2 Belials, und es bleibt übrig [... L]os, und sie werden das ganze Gesetz halten [...] 3 Mose. Das ist [...w]ie es im Buch Daniels, des Propheten, geschrieben steht, *daß gottlos handel*[*n die Gottlosen* (Dan. 12, 10) [...] 4a und Gerechte [...] *und sie werden gereinigt und geläutert werden* (Dan. 12, 10), *und ein Volk derer, die Gott kennen, wird fest bleiben* (Dan. 11, 32) [...] 4 [...] nach [...] der ihnen [...] 5 [...] wenn er hinuntergeht von [...]

NAHUM-KOMMENTAR

4 Q pNah

In Höhle 4 wurden Teile eines Kommentars zum Buche Nahum gefunden. Der Text enthält Anspielungen auf die Zeitgeschichte, die eine einigermaßen sichere Identifizierung zulassen und dadurch Anhaltspunkte zur Bestimmung der Geschichte der Gemeinde von Qumran bieten.

Erstausgabe des Textes: J.M. Allegro, Further Light on the History of the Qumran Sect, J.B.L. 75 (1956), S. 89—93; derselbe, More unpublished Pieces of a Qumran Commentary on Nahum (4 Q pNah), Journal of Semitic Studies 7 (1962), S. 304–308 = Allegro, D.J.D. V, S. 37–42; zum Text vgl. ferner Habermann, S. 153; Übersetzungen der ersten Kolumne bei Bardtke, Burrows, Carmignac II, Dupont-Sommer, Gaster, Maier und Vermes; zur Erklärung vgl. Allegro a.a.O. und Maier II, S. 162.

[בְּסוּפָה וּבִשְׂעָרָה דַּרְכּוֹ וְ]עָנָן אֲ[בַק רַגְלָיו׳ פִּשְׁרוֹ] 2 הַ[סוּפוֹת
וְהַשְּׂעָרוֹ]ת רְ[קִי]עֵי שָׁמָיו וְאַרְצוֹ אֲשֶׁר בְּרָ[אָם]׳ 3 גּוֹעֵ[ר] בַּיָּם
וַיּוֹבִ[ישֵׁהוּ׳ פִּ]שְׁרוֹ הַיָּם הֵם כָּל הַכִּ[תִּיִּים] 4 לַעֲשׂ[וֹת] בָּהֶם
מִשְׁפָּט וּלְכַלּוֹתָם מֵעַל פְּנֵי [הָאָרֶץ] 5a עִם [מוֹשְׁ]לֵיהֶם אֲשֶׁר
תִּתֹּם מֶמְשַׁלְתָּם׳ 5 [אֻמְלַל בָּשָׁן וְ]כַרְמֶל וּפֶרַח לְבָנֹן אֻמְלָל׳
[פִּשְׁרוֹ] 6 [יֹאבְ]דוּ בוֹ רַבִּים רוּם רִשְׁעָה כִּי הַבְּ[ ] 7 [כַּרְ]מֶל
וּלְמוֹשְׁלָיו לְבָנוֹן וּפֶרַח לְבָנוֹן הִיא [ ] 8 [אַנְשֵׁי עֲצָ]תָם וְאָבְדוּ
מִלִּפְנֵי [ ] בְּחִירֵ[י] 9 [ ]ל יוֹשְׁבֵי תֵבֵל׳ הָרִ]ים רָעֲשׁוּ מִמֶּנּוּ׳
פִּשְׁרוֹ] 10 [ ] הָאָרֶץ מִמֶּנּוּ וּמִלִּפְנֵי [ ] לְ[פְנֵי זַעְמוֹ מִי
יַעֲמוֹד וּמִי] 11 [יָקוּם] בַּחֲרוֹן אַפּוֹ׳ פִּ[שְׁרוֹ]

I

[ ]מָדוֹר לְרִשְׁעֵי גוֹיִם · אֲשֶׁר הָלַךְ אֲרִי לָבִיא שָׁם
גּוּר אֲרִי 2 [וְאֵין מַחֲרִיד · פִּשְׁרוֹ עַל דְּמֵי]טְרוֹס מֶלֶךְ יָוָן אֲשֶׁר
בִּקֵּשׁ לָבוֹא יְרוּשָׁלַיִם בַּעֲצַת דּוֹרְשֵׁי הַחֲלָקוֹת · 3 [ ]רִיד
מַלְכֵי יָוָן מֵאַנְתִיכוֹס עַד עֲמוֹד מוֹשְׁלֵי כִתִּיִּים וְאַחַר תֵּרָמֵס
4 [ ]אֲרִי טוֹרֵף בְּדֵי גוּרָיו וּמְחַנֵּק לְלִבְיּוֹתָיו טֶרֶף
5 [פִּשְׁרוֹ] עַל כְּפִיר הֶחָרוֹן אֲשֶׁר יַכֶּה בִגְדוֹלָיו וְאַנְשֵׁי
עֲצָתוֹ 6 [וַיְמַלֵּא טֶרֶף] [a]חִירָה וּמְעוֹנָתוֹ טְרֵפָה · פִּשְׁרוֹ
עַל כְּפִיר הֶחָרוֹן 7 [נְקָ]מוֹת בְּדוֹרְשֵׁי הַחֲלָקוֹת
אֲשֶׁר יִתְלֶה אֲנָשִׁים חַיִּים 8 [ ] בְּיִשְׂרָאֵל
מִלְּפָנִים · כִּי לְתָלוּי חַי עַל [הָ]עֵץ [יִקָּ]רֵא · הִנְנִי אֵלֶי[כָה]
9 [נְאֻם יְהוָה צְבָאוֹת וְהִבְעַרְתִּי בֶעָשָׁן רוּבְכָ]ה וּכְפִירֶיכָה תֹּאכַל
חֶרֶב וְהִכְרַ[תִּ]י מֵאֶרֶץ טְ[רֵ]פָהּ׳ 10 וְלֹא יִ[שָּׁמַע עוֹד קוֹל

[a] lies חָרָיו.

[*In Sturm und Wetter ist sein Weg, und*] *Gewölk ist der S*[*taub seiner Füße.* (1, 3) Seine Deutung:] 2 Die [Stürme und die Unwette]r sind die F[este]n seines Himmels und seine Erde, die er gesch[affen hat]. 3 *Er schi*[*lt*] *das Meer und trock*[*net es aus.* (1, 4) Seine Deu]tung: Das Meer sind alle Kit[täer...], 4 an ihnen Gericht zu vollstr[ecken] und sie zu vernichten vom [Erd]boden 5a mit ihren [Herr]schern, deren Herrschaft aufhören wird. 5 [*Verschmachtet sind Basan und*] *Karmel, und die Blüte des Libanon welkt.* (1, 4) [Seine Deutung...] 6 [zugrunde] gehen werden viele dadurch auf dem Höhepunkt des Frevels; denn [...] 7 [Kar]mel und für seine Herrscher; Libanon und die Blüte des Libanon ist [...] 8 [die Männer] ihres [Rates], und sie gehen zugrunde vor [...] den Erwählten [...] 9 [...] die Bewohner der Erde. *Die Ber*[*ge erbeben vor ihm.* (1, 5) Seine Deutung] 10 [...] die Erde vor ihm und vor [...] *v*[*or seinem Grimm, wer kann da bestehen? Und wer*] 11 [*hält stand*] *bei der Glut seines Zorns?* (1, 6). [Seine] Deu[tung...]

I

[...] Wohnstatt für die Frevler der Völker. *Dorthin ist der Löwe gegangen, die Löwin, der Jungleu,* 2 [*ohne daß jemand auf schreckt.* (2, 12) Seine Deutung bezieht sich auf De]metrios[1], den König von Jawan, der begehrte, nach Jerusalem zu kommen nach dem Rat derer, die nach glatten Dingen suchen[2]. 3 [...] die Könige Jawans von Antiochos[3] bis zum Auftreten der Herrscher der Kittäer[4], und danach wird zertreten werden 4 [...] *Der Löwe raubte für den Bedarf seiner Jungen und würgte für seine Löwinnen Beute.* (2, 13) 5 [... Seine Deutung] bezieht sich auf den Löwen des Zorns[5], der durch seine Mächtigen und durch die Männer seines Rates schlug 6 [... *Und er füllte mit Raub*] *seine Höhle und sein Lager mit Beute.* (2, 13) Seine Deutung bezieht sich auf den Löwen des Zorns, 7 [... Ra]che an denjenigen, die nach glatten Dingen suchen, als er Menschen lebendig aufhängte[6] 8 [...] in Israel vorher. Denn von dem, der lebendig am Holz aufgehängt wurde, heißt es: *Siehe, ich will an dich,* 9 [*Spruch Jahwes Zebaoth, und ich werde in Rauch aufgehen lassen dei*]*ne* [*Menge*], *und deine Jungleuen soll das Schwert fressen, und austilgen will* [*ich aus dem Lande den R*]*aub.* 10 *Und nicht*[*mehr wird die Stimme deiner*

מַלְאָכֵכֵה׳ פּשׁ]רוֹ רוּבְכָה הֵם גְדוּדֵי חֵילוֹ אֲ[שֶׁר בִּירוּשָׁלַ]ם
וּכְפִירָיו הֵם 11 גְדוֹלָיו [ ] וְטַרְפּוֹ הוּא הַהוֹן אֲשֶׁר קָבְ[צוּ כּוֹהֲנֵ]י
יְרוּשָׁלַיִם אֲשֶׁר 12 [יִ]תְּנוּהוּ ע[אֶ]פְרַיִם יִנָּתֵן יִשְׂרָאֵל ל[ ]

II

וּמַלְאָכָיו הֵם צִירָו אֲשֶׁר לֹא יִשָּׁמַע קוֹלָם עוֹד בַּגּוֹיִם ׳ הוֹי עִיר
הַדָּמִים כּוּלָּהּ [כַּחַשׁ פֶּרֶ]ק מְלֵאָה ׳ 2 פִּשְׁרוֹ הִיא עִיר אֶפְרַיִם
דּוֹרְשֵׁי הַחֲלָקוֹת לְאַחֲרִית הַיָּמִים אֲשֶׁר בְּכַחַשׁ וּשְׁקָרִ[ים יִ]תְהַלָּכוּ׳
3 לֹא יָמוּשׁ טָרֶף ׳ וְקוֹל שׁוֹט וְקוֹל רַעַשׁ אוֹפָן וְסוּס דֹּהֵר וּמֶרְכָּבָה
מְרַקֵּדָה ׳ פָּרָשׁ מַעֲלֶה לְהוֹב 4 וּבְרַק חֲנִית וְרוֹב חָלָל וּכְבוֹד
פֶּגֶר וְאֵין קֵץ לַגְּוִיָּה וְכָשְׁלוּ [a]וגויתם ׳ פִּשְׁרוֹ עַל מֶמְשֶׁלֶת דּוֹרְשֵׁי
הַחֲלָקוֹת 5 אֲשֶׁר לֹא יָמוּשׁ מִקֶּרֶב עֲדָתָם חֶרֶב גּוֹיִם שְׁבִי וָבַז
וְחַרְחוּר בֵּינוֹתָם וְגָלוּת מִפַּחַד אוֹיֵב וְרוֹב 6 פִּגְרֵי אַשְׁמָה יִפּוֹלוּ
בִּימֵיהֶם וְאֵין קֵץ לִכְלַל חַלְלֵיהֶם וְאַף בִּגְוִיַּת בְּשָׂרָם יִכְשׁוֹלוּ
בַּעֲצַת אַשְׁמָתָם ׳ 7 מֵרוֹב זְנוּנֵי זוֹנָה טוֹבַת חֵן בַּעֲלַת כְּשָׁפִים
הַמְּמַכֶּרֶת גּוֹיִם בִּזְנוּתָהּ וּמִשְׁפָּחוֹת בִּ[כְשָׁ]פֶיהָ ׳ 8 פִּשְׁר[וֹ עַ]ל
מַתְעֵי אֶפְרַיִם אֲשֶׁר בְּתַלְמוּד שְׁקָרִים וּלְשׁוֹן כִּזְבֵיהֶם וּשְׂפַת
מִרְמָה יַתְעוּ רַבִּים 9 מְלָכִים שָׂרִים כּוֹהֲנִים וְעָם עִם גֵּר נִלְוֶה ׳
עָרִים וּמִשְׁפָּחוֹת יוֹבְדוּ בַּעֲצָתָם נִ[כְ]בָּדִים וּמוֹשְׁ[לִים] 10 יִפּוֹלוּ
[מֵ]עַם לְשׁוֹנָם ׳ הִנְנִי אֵלַיִךְ נְאֻם יְהוָה צְ[בָאוֹ]ת וְגִלֵּית 11 שׁוּלַ[יִ]ךְ
עַל פָּנַיִךְ וְהַרְאֵת גּוֹיִם מַעְרֵ[ךְ] וּמַמְלָכוֹת קְלוֹנֵךְ ׳ פִּשְׁרוֹ[ ]
ה[ ] 12 [ ] עָרֵי הַמִּזְרָח כִּי הַשּׁוּלַ[יִ]ם[ ]

[a] lies בִּגְוִיָּתָם.

Boten gehört] *werden.* (2, 14) Seine Deu[tung]: Deine Menge, das sind die Scharen seiner Streitmacht, d[ie in Jerusale]m sind, und seine Jungleuen, das sind 11 seine Mächtigen [...] und sein Raub, das ist der Besitz, den gesam[melt haben die Prie]ster von Jerusalem, den 12 sie geben [werden ... E]phraim[7], Israel wird gegeben werden [...]

II

und seine Boten, sie sind seine Gesandten, deren Stimme nicht mehr unter den Völkern gehört werden wird. *Wehe über die Blutstadt, ganz voll von* [*Lug und Gewaltta*]*t.* (3,1) 2 Seine Deutung bezieht sich auf die Stadt Ephraims, die nach glatten Dingen suchen am Ende der Tage, die in Lug und Trügerei[en w]andeln. 3 *Des Raubens ist kein Ende. Horch, Geißelklatschen und Rädergerassel, jagende Rosse und schnellende Wagen; bäumende Reiter, flammender* 4 *und blitzender Speer und eine Menge Erschlagener und ein Haufe von Toten, und der Leichen kein Ende, und man strauchelt über ihre Leichen.* (3, 1—3) Seine Deutung bezieht sich auf die Herrschaft derer, die nach glatten Dingen suchen, 5 wo aus der Mitte ihrer Gemeinde nicht das Schwert der Völker verschwinden wird, Gefangenschaft und Raub und Zank untereinander und Verbannung aus Furcht vor dem Feind, und eine Menge 6 von Leichen der Schuld werden in ihren Tagen fallen, und da wird kein Ende sein für die Gesamtheit ihrer Erschlagenen, und mit ihrem fleischlichem Leib werden sie gewiß straucheln über den Rat ihrer Schuld. 7 *Wegen der vielen Hurereien der Hure, der anmutigen und in Zaubereien erfahrenen, die Völker verkaufte durch ihre Hurerei und Stämme durch ihre Zau*[*ber*]*eien.* (3, 4) 8 [Seine] Deutung bezieht sich [a]uf die, die Ephraim verführen, die durch trügerische Lehre und ihre lügnerische Zunge und falsche Lippe viele verführen, 9 Könige, Fürsten, Priester und Volk zusammen mit Fremden, die sich angeschlossen haben. Städte und Stämme werden zugrunde gehen durch ihren Rat, Vorn[eh]me und Herr[scher] 10 werden fallen auf Grund [dessen], was sie sagen. *Siehe, ich will an dich, ist der Spruch Jahwes Ze*[*bao*]*th, und du sollst* 11 [*deine*] *Schleppe hoch bis über dein Gesicht heben und Völkern* [*deine*] *Blöße zeigen und Königreiche deine Schande.* (3, 5) Seine Deutung [...] 12 [...] Städte des Ostens, denn die Schleppe [...]

III

הַגּוֹיִם בְּנוֹתָם [שִׁ]קּוּצֵי תוֹעֲבוֹתֵיהֶם ' וְהִשְׁלַכְתִּי עָלַיִךְ שִׁקּוּצִים
[וְנִ]בַּלְתִּיךְ וְשַׂמְתִּיךְ 2 כְּאוּרָה וְהָיָה כוֹל רוֹאַיִךְ יִדּוֹדוּ מִמֵּךְ '
3 פִּשְׁרוֹ עַל דּוֹרְשֵׁי הַחֲלָקוֹת אֲשֶׁר בְּאַחֲרִית הַקֵּץ יִגָּלוּ מַעֲשֵׂיהֶם
הָרָעִים לְכוֹל יִשְׂרָאֵל 4 וְרַבִּים יָבִינוּ בַעֲווֹנָם וְשָׂנְאוּם וְכָאֲרוּם
עַל זְדוֹן אַשְׁמָתָם 'וּבְהִ[גָּ]לוֹת כְּבוֹד יְהוּדָה 5 יִדּוֹדוּ פְתָאֵי אֶפְרַיִם
מִתּוֹךְ קְהָלָם וְעָזְבוּ אֵת מַתְעֵיהֶם וְנִלְווּ עַל יִשְׂרָאֵל ' וְאָמְרוּ
6 שׁוּדְּדָה נִינְוֵה מִי יָנוּד לָהּ מֵאַיִן אֲבַקְשָׁה מְנַחֲמִים לָךְ ' פִּשְׁרוֹ
[עַל] דּוֹרְשֵׁי 7 הַחֲלָקוֹת אֲשֶׁר תּוֹבֵד עֲצָתָם וְנִפְרְדָה כְּנֶסְתָּם
וְלֹא יוֹסִיפוּ עוֹד [a]לַתְעוֹת [הַ]קָּהָל וּפְתָ[אִים] 8 לֹא יְחַזְּקוּ עוֹד
אֵת עֲצָתָם ' [b]הֲתֵיטְיבִי [c]מִני אָמ[וֹן הַיֹּשְׁבָה בַּ]יְאֹרִים ' 9 פִּשְׁרוֹ
אָמוֹן הֵם מְנַשֶּׁה וְהַיְאֹרִים הֵם גְּד[וֹ]לֵי מְנַשֶּׁה נִכְבַּדֵּי הַ[ ]ים
את מ[ ] 10 מַיִם סָבִיב לָהּ אֲשֶׁר חֵילָהּ יָם וּמַיִם ח[וֹ]מוֹתֶיהָ '
11 [פִּ]שְׁרוֹ הֵם אַנְשֵׁי [חֵ]ילָהּ גִּבּוֹרֵ[י מִ]לְחַמְתָּהּ ' כּוּשׁ עוֹצְמָהּ
[וּמִצְרַיִם וְאֵין קֵצֶה] 12 [ ] המד [ ]מ[פּוּט וְלוּבִים
הָיוּ בְּעֶזְרָתֵךְ '

IV

פִּשְׁרוֹ הֵם רִשְׁעֵ[י חֵילָ]הּ בֵּית פֶּלֶג הַנִּלְוִים עַל מְנַשֶּׁה ' גַּם הִיא
בַגּוֹלָה הָ[לְ]כָה בַשְּׁבִי גַּם] 2 עוֹלָלֶיהָ יְרוּטְּשׁוּ בְּרֹאשׁ כָּל חוּצוֹת
וְעַל נִכְבַּדֶּיהָ יוֹרוּ גוֹרָל וְכוֹל גְּ[דוֹ]לֶ[יהָ רוּתְּקוּ] 3 בַזִּקִּים '
פִּשְׁרוֹ עַל מְנַשֶּׁה לַקֵּץ הָאַחֲרוֹן אֲשֶׁר תִּשְׁפַּל מַלְכוּתוֹ בְּיִשְׂ[רָ]אֵל
[ ] 4 נָשָׁיו עוֹלָלָיו וְטַפּוֹ יֵלְכוּ בַשְּׁבִי גִּבּוֹרָיו וְנִכְבָּדָיו
בַּחֶרֶב [גַּם אַתְּ תִּשְׁכְּרִי] 5 וּתְהִי נַעֲלָמָה ' פִּשְׁרוֹ עַל

[a] = לְהַתְעוֹת — [b] = הֲתֵיטְבִי — [c] lics מִנֹּא.

III

die Völker zwischen ihnen, der [Un]rat ihrer Abscheulichkeiten. *Und ich werfe Unrat auf dich, [e]ntehre dich und mache dich*
2 *abstoßend; und alle, die dich sehen, werden vor dir fliehen.* (3, 6f.)
3 Seine Deutung bezieht sich auf die, die nach glatten Dingen
suchen, deren böse Taten am Ende der Zeit ganz Israel offenbar
gemacht werden, 4 und viele werden ihre Sünde erkennen
und sie hassen und sie als abstoßend betrachten wegen ihres
schuldigen Übermutes. Und wenn Judas Ruhm offenbar ist,
5 werden die Einfältigen Ephraims aus der Mitte ihrer Versammlung fliehen und die verlassen, die sie verführen, und sich
Israel anschließen. Und sie werden sprechen: 6 *Ninive ist zerstört, wer wird um sie klagen? Wo suche ich Tröster für dich?* (3, 7)
Seine Deutung bezieht sich [auf] die, die 7 nach glatten Dingen
suchen, deren Rat zugrunde gehen wird und deren Gemeinde
zerstreut werden wird; und sie werden nicht fortfahren, [die]
Versammlung zu verführen; und die Einfäl[tigen] 8 werden
nicht mehr ihren Rat unterstützen. *Bist du besser als No-Am[on,
das an] den Strömen [lag]*? (3, 8) 9 Seine Deutung: Amon ist
Manasse, und die Ströme sind die Gr[o]ßen Manasses, die
Edlen [...] 10 *Wasser ist rings um sie herum, deren Bollwerk das
Meer ist und Wasser ihre M[a]uern.* (3, 8) 11 Seine [De]utung:
Das sind ihre [Kr]ieger, ihre Helde[n] des [K]ampfes. *Kusch ist
ihre Kraft [und Aegypten ohne Ende]* 12 [... *Put und die Libyer
sind deine Hilfe.* (3, 9)]

IV

Seine Deutung: Sie sind die Gottlos[en] ihres [Heeres], das
Haus des Peleg[8], die sich Manasse angeschlossen haben. *Auch sie
mußte in die Verbannung, [in die Gefangenschaft ziehen.]* 2 *Ihre
Kinder werden zerschmettert an den Ecken aller Straßen, und über ihre
Edlen wirft man das Los, und alle [ihre] Mä[ch]tigen [wurden]* 3 *in
Ketten [geschlagen].* (3, 10) Seine Deutung bezieht sich auf Manasse
am Ende der Zeit, wenn seine Herrschaft über Is[rael] stürzen
wird. [...] 4 Seine Frauen, seine Säuglinge und seine Kinder
werden in die Gefangenschaft gehen, seine Helden und seine
Edlen durch das Schwert [... *Auch du wirst berauscht sein,*]
5 *wirst ohnmächtig sein.* (3, 11) Seine Deutung bezieht sich auf die

רִשְׁעֵי אֶ]פְרַיִם] 6 אֲשֶׁר תָּבוֹא כוֹסָם אַחַר מְנַשֶּׁה[

גַּם אַתְּ תְּבַקְשִׁי] 7 מָעוֹז בָּעִיר מֵאוֹיֵב · פִּשְׁ]רוֹ עַ]ל[

] 8 אוֹיְבֵיהֶם בָּעִיר [כול

מִבְצָרַיִךְ] 9 תְּאֵנִים עִם [בִּכּוּרִים]

Gottlosen E[phraims ...] 6 deren Becher nach Manasse
kommen wird [... *Auch du wirst suchen müssen*] 7 *Zuflucht in der*
Stadt vor dem Feind. (3, 11) [Seine] Deut[ung] bezieht sich [auf ...]
8 ihre Feinde in der Stadt [... *Alle deine Burgen sind*] 9 *Feigen-*
bäume mit [*Frühfeigen*] (3, 12) [...]

KOMMENTAR ZU PSALM 37

4 Q pPs 37

Der 37. Psalm stellt das Geschick der Gerechten und das der Gottlosen einander gegenüber. Diesen Psalm bezog die Gemeinde von Qumran — wie die Fragmente eines Kommentars aus Höhle 4 zeigen — auf ihre eigene Situation und deutete den Psalm auf die Bedrängnis, in die der Lehrer der Gerechtigkeit und seine Gemeinde durch die Verfolgung von seiten des gottlosen Priesters geraten waren.

Erstausgabe des Textes: J.M. Allegro, A newly discovered Fragment of a Commentary on Psalm 37 from Qumran, Palestine Exploration Quarterly 86 (1954), S. 69—75; derselbe, Further Light on the History of the Qumran Sect, J.B.L. 75 (1956), S. 94 f. = Allegro, D.J.D. V, S. 42–50. Eine kritische Bearbeitung und Wiederherstellung bietet H. Stegemann, Der Pešer Psalm 37 aus Höhle 4 von Qumran (4 Q pPs 37), R.Q. 4 (1963/64), S. 235—270; derselbe, Weitere Stücke von 4 Q pPsalm 37, von 4 Q Patriarchal Blessings und Hinweis auf eine unedierte Handschrift aus Höhle 4 Q mit Exzerpten aus dem Deuteronomium, R.Q. 6 (1967/69), S. 193–227, bes. S. 194–210; zum Text vgl. ferner Habermann, S. 154—156; Übersetzungen bei Bardtke, Burrows, Carmignac II, Dupont-Sommer, Gaster, Maier und Vermes; zur Erklärung vgl. Allegro a.a.O., Maier II, S. 162–164 und Stegemann a.a.O.

I

12 [ ] צָהֳרָיִם' 13 [ ]ת רָצוֹן 14 [ ]ת הוֹלְלִים בָּחֲרוּ 15 [ ] [ ]
אוֹהֲבֵי פֶּרַע וּמַתְעִים 16 [ ] רִשְׁעָה בְּיַד אֱל[וֹהִי]ם' 17 [דוֹ]ם
לַ[יהוָה וְ]הִתְחוֹלֵל לוֹ וְאַל תִּתַחַר בְּמַצְלִיחַ דַּרְכּוֹ בְּאִישׁ 18 [עוֹשֶׂ]ה
מְזִמּוֹת' [פִּשְׁר]וֹ עַל אִישׁ הַכָּזָב אֲשֶׁר הִתְעָה רַבִּים בְּאִמְרֵי
19 שֶׁקֶר כִּיא בָּחֲרוּ בְקַלּוֹת וְלוֹא שָׁמְ[עוּ] לְמֵלִיץ דַּעַת לְמַעַן

II

יוֹבְדוּ בַּחֶרֶב וּבָרָעָב וּבַדֶּבֶר ' הֶרֶף מֵאַף וַעֲזוֹב חֵמָה וְאַל
2 תִּתַחַר אַךְ לְהָרֵעַ ' כִּיא מְרֵעִים יִכָּרֵתוּ ' פִּשְׁרוֹ עַל כּוֹל הַשָּׁבִים
3 לַתּוֹרָה אֲשֶׁר לוֹא יְמָאֲנוּ לָשׁוּב מֵרָעָתָם ' כִּיא כוֹל הַמַּמְרִים
4 לָשׁוּב מֵעֲוֺנָם יִכָּרֵתוּ ' [a]וְקוֹאֵי יְהוָה הֵמָּה יִרְשׁוּ אָרֶץ ' פִּשְׁרוֹ
5 הֵמָּה עֲדַת בְּחִירָו עוֹשֵׂי רְצוֹנוֹ ' וְעוֹד מְעַט וְאֵין רָשָׁע '
6 וְאֶתְבּוֹנְנָה עַל מְקוֹמוֹ וְאֵינֶנּוּ ' פִּשְׁרוֹ עַל כּוֹל הָרִשְׁעָה לְסוֹף
7 אַרְבָּעִים הַשָּׁנָה אֲשֶׁר יִתַּמּוּ וְלוֹא יִמָּצֵא בָאָרֶץ כּוֹל אִישׁ
8 [רָ]שָׁע ' וַעֲנָוִים יִרְשׁוּ אֶרֶץ וְהִתְעַנְּגוּ עַל רוֹב שָׁלוֹם ' פִּשְׁרוֹ עַל
9 עֲדַת הָאֶבְיוֹנִים אֲשֶׁר יְקַבְּלוּ אֵת מוֹעֵד הַתַּעֲנִית וְנִצְּלוּ מִכּוֹל
פַּחֵי 10 בְלִיַּעַל וְאַחַר יִתְעַנְּגוּ כּוֹל בֹּ[ ]י הָאָרֶץ וְהִתְדַּשְּׁנוּ
בְּכוֹל תַּעֲנוּג 11 בָּשָׂר' 12 זוֹמֵם רָשָׁע לַצַּדִּיק וחוֹרֵק עָ[לָיו שִׁנָּיו'
יְה]וָה יִשְׂחַק לוֹ כִּיא רָאָה 13 כִּיא בָא יוֹמוֹ' פִּשְׁרוֹ עַל עָרִיצֵי
הַבְּרִית אֲשֶׁר בְּבֵית יְהוּדָה אֲשֶׁר 14 יָזוֹמּוּ לְכַלּוֹת אֵת עוֹשֵׂי
הַתּוֹרָה אֲשֶׁר בַּעֲצַת הַיַּחַד' וְאֵל לוֹא יַעַזְבֵם 15 בְּיָדָם' חֶרֶב פָּתְחוּ

a = וְקֹוֵי.

I

12 [...] *Mittag.* (37, 6) 13 [...] Wohlgefallen 14 [...] der Übermütigen erwählen 15 [...] die langes Haupthaar lieben und verführen 16 [...] Frevels durch die Hand Go[tt]es. 17 [*Verstum*]*me vor* [*Jahwe und*] *harre auf ihn; und entrüste dich nicht über den, der auf seinem Weg Erfolg hat, über den Mann,* 18 *der Ränke* [*üb*]*t.* (37, 7). Seine [Deutung] bezieht sich auf den Mann der Lüge[1], der viele verführte durch Worte 19 des Trugs; denn sie erwählten wertlose Dinge und hör[ten] nicht auf den, der Wissen vermittelt, so daß

II

sie umkommen werden durch das Schwert und durch Hunger und durch Pest. *Laß ab vom Zorn und laß den Grimm,* 2 *ereifere dich nicht, nur um Böses zu tun. Denn die Übeltäter werden ausgerottet werden.* (37, 8 f.) Seine Deutung bezieht sich auf alle, die umkehren 3 zum Gesetz, die sich nicht weigern, umzukehren von ihrer Bosheit. Denn alle, die sich sträuben, 4 umzukehren von ihrer Sünde, werden ausgerottet werden. *Die aber auf Jahwe harren, sie werden das Land ererben.* (37, 9) Seine Deutung: 5 Sie sind die Gemeinde seiner Auserwählten, die seinen Willen tun. *Und noch ein wenig Zeit, und der Gottlose ist nicht mehr.* 6 *Ich will seinen Platz genau betrachten, aber er ist nicht mehr.* (37, 10) Seine Deutung bezieht sich auf alle Gottlosigkeit am Ende 7 der vierzig Jahre[2], da sie vertilgt sind und nicht mehr gefunden wird im Lande ein Mann 8 der Gottlosigkeit. *Aber die Armen werden das Land ererben und sich ergötzen an der Fülle des Friedens.* (37, 11) Seine Deutung bezieht sich auf 9 die Gemeinde der Armen[3], die die Zeit des Fastens auf sich genommen haben, die gerettet werden aus allen Fallen 10 Belials; danach werden sich alle ergötzen [...] des Landes und werden genießen alle Lust 11 des Fleisches. 12 *Der Gottlose sinnt Übles wider den Gerechten und fletscht ge*[*gen ihn seine Zähne. Jah*]*we lacht seiner; denn er sieht,* 13 *daß sein Tag kommt.* (37, 12 f.). Seine Deutung bezieht sich auf die Gewalttätigen am Bunde, die dem Hause [J]uda[4] angehören, die 14 danach trachten, die Täter des Gesetzes zu vernichten, die zum Rat der Gemeinschaft[5] gehören; aber Gott überläßt sie nicht 15 ihrer

רְשָׁעִים וַיִּדְרוֹכוּ קַשְׁתָּם [b]לַפִּיל עָנִי וְאֶבְיוֹן 16 וְלִטְבוֹחַ יִשְׁרֵי
דֶרֶךְ ׳ חַרְבָּם תָּבוֹא בְלִבָּם וְקַשְׁתוֹתֵיהֶם תִּשָּׁבַרְנָה ׳ 17 פִּשְׁרוֹ
עַל רִשְׁעֵי אֶפְרַיִם וּמְנַשֶּׁה אֲשֶׁר יְבַקְשׁוּ לִשְׁלוֹחַ יָד 18 בַּכּוֹהֵן
וּבְאַנְשֵׁי עֲצָתוֹ בְעֵת הַמַּצְרֵף הַבָּאָה עֲלֵיהֶם וְאֵל יִפְ[דֵּ]ם
19 מִיָּדָם ׳ וְאַחַרַ[י]כֵן יִנָּתְנוּ בְּיַד עָרִיצֵי גוֹאִים לַמִּשְׁפָּט ׳
20
21 טוֹב מְעַט לַצַּדִּיק מֵהֲמוֹן רְשָׁעִים רַבִּי[ם ׳ פִּשְׁרוֹ עַל כּוֹל]
22 עוֹשֵׂה הַתּוֹרָה אֲשֶׁר לוֹא [ ]
23 לְרָעוֹת׳ כִּיא [c]אֶזְרוֹעַ[וֹת רְשָׁעִים תִּשָּׁבַרְנָה וְסוֹמֵךְ צַדִּיקִים]
24 יְהוָ[ה׳ יוֹדֵעַ יְהוָה יְמֵי תְמִימִם וְנַחֲלָתָם לְעוֹלָם תִּהְיֶה׳ פִּשְׁרוֹ
עַל אַנְשֵׁי 25 רְצוֹנ[וֹ] 26 ל[וֹא יֵ]בוֹשׁוּ בְ[עֵת רָעָה ׳ פִּשְׁרוֹ עַל]

III

שָׁבֵי הַמִּדְבָּר אֲשֶׁר יִחְיוּ אֶלֶף דּוֹר בְּיִשְׁרָה וְלָהֶם כּוֹל נַחֲלַת
2 אָדָם וּלְזַרְעָם עַד עוֹלָם׳ וּבִימֵי רָעָב יִשְׂ[בָּע]וּ׳ כִּיא רְשָׁעִים
3 יוֹבֵדוּ׳ פִּשְׁרוֹ אֲ[שֶׁר] יְחַיֵּם בְּרָעָב בְּמוֹעֵד הַ[תַּע]וּת וְרַבִּים
4 יוֹבְדוּ בָרָעָב וּבַדֶּבֶר כּוֹל אֲשֶׁר לוֹא יֵצְא[וּ] לִהְיוֹת עִ[ם]
5 עֲדַת בְּחִירָו׳ 5a וְאוֹהֲבֵי יְהוָה כִּיקַר כּוֹרִים׳ פִּשְׁר[וֹ] עַל
5 אֲשֶׁר יִהְיוּ רָשִׁים וְשָׂרִים [ ] 6 צוֹן בְּתוֹךְ עֶדְרֵיהֶם׳
7 כָּלוּ כֶעָשָׁן כּוּלּוֹ׳ פִּשְׁר[וֹ] עַל שָׂרֵי הָ[רִשְׁ]עָה אֲשֶׁר הוֹנוּ אֵת עַם
8 קוֹדְשׁוֹ אֲשֶׁר יוֹבְדוּ כֶעָשָׁן הָאוּד [בָּרְ]וּחַ׳ לוֶֹה רָשָׁע וְלוֹא יְשַׁלֵּם׳
9 וְצַדִּיק חוֹנֵן וְנוֹתֵן׳ כִּיא מְבוֹרָכָ[ו יִרְ]שׁוּ אֶרֶץ וּמְקוּלָּלָ[ו יִכָּרֵ]תוּ׳
10 פִּשְׁרוֹ עַל עֲדַת הָאֶבְיוֹנִים הַ[ ]ם נַחֲלַת כּוֹל הַ[תֵּבֵ]ל [ ]

b = לְהַפִּיל — c = זְרוֹעַ[וֹת] .

Hand. *Das Schwert haben die Gottlosen gezogen, und sie spannten den Bogen, um den Demütigen und Armen zu fällen* 16 *und hinzuschlachten die, die redlich wandeln. Ihr Schwert soll in ihr (eigenes) Herz dringen, und ihre Bogen sollen zerbrochen werden.* (37, 14f.) 17 Seine Deutung bezieht sich auf die Gottlosen von Ephraim und Manasse[6], die ihre Hand ausstrecken wollten 18 gegen den Priester und die Männer seines Rates[7] zur Zeit der Läuterung, die über sie gekommen ist. Aber Gott hat sie erlö[s]t 19 aus ihrer Hand. Und dann [...] wurden sie gegeben in die Hand der Gewalthaber der Völker zum Gericht.

20/21 *Die geringe Habe des Gerechten ist besser als der Überfluß vieler Gottloser.* (37, 16) [Seine Deutung bezieht sich auf jeden] 22 Täter des Gesetzes, der nicht [...] 23 zu Schlechtem. *Denn die Arm[e der Gottlosen werden zerbrochen, aber es stützt die Gerechten]* 24 *Jah[we. Es kennt Jahwe die Tage der Frommen, und ihr Erbteil wird in Ewigkeit bleiben.* (37, 17 f.) Seine Deutung bezieht sich auf die Männer] 25 seines Wohlgefallens [...] 26 *n[icht wer]den sie zuschanden in böser Zeit.* (37, 19) [... Seine Deutung bezieht sich auf]

III

die Umkehrenden der Wüste[8], die leben werden tausend Geschlechter in Rechtschaffenheit, und ihnen wird das ganze Erbteil 2 des Menschen gehören und ihrem Samen in Ewigkeit. *Und in den Tagen des Hungers werden sie sa[tt]. Denn die Gottlosen* 3 *werden umkommen.* (37, 19 f.) Seine Deutung ist, d[aß] er sie am Leben erhalten wird während des Hungers zur Zeit der [Verir]rung, und viele 4 werden umkommen durch Hunger und Pest, alle, die nicht ausgezogen [sind...], um zu bleiben bei 5 der Gemeinde seiner Auserwählten. 5a *Und die Jahwe lieben, sind wie kostbare Lämmer.* (37, 20) Seine Deutung bezieht sich auf die, 5 die Häupter und Führer sein werden [...] 6 Kleinvieh inmitten ihrer Herden. 7 *Sie schwinden gänzlich wie Rauch dahin.* (37, 20) [Seine] Deutung bezieht sich auf die Führer der [Gott]losigkeit, die sein heiliges Volk bedrückt haben, 8 die umkommen werden wie ein Feuerbrand [im W]ind. *Es borgt der Gottlose und bezahlt es nicht.* 9 *Aber der Gerechte ist gnädig und gibt. Denn [die von ihm] Gesegnete[n werden] das Land [be]sitzen, und die [von ihm] Verfluchten werden [ausgerot]tet werden.* (37, 21 f.) 10 Seine Deutung

11 יִרְשׁוּ אֵת הַר מְרוֹם יִשְׂרָ[אֵל וּבְ]קוֹדְשׁוֹ יִתְעַנְּגוּ וּ[מְקוּלָ]לָו
12 יִכָּרֵתוּ׳ הֵמָּה עָרִיצֵי הַבְּ[רִית רְ]שְׁעֵי יִשְׂרָאֵל אֲשֶׁר יִכָּרְתוּ
וְנִשְׁמְד[וּ] 13 לְעוֹלָם׳ 14 כִּיא מֵיְהוָ[ה מִצְעֲדֵי גֶבֶר כּוֹנְ]נוּ בְּכוֹל
דַּרְכּוֹ יֶחְפָּץ׳ כִּיא יִפּ[וֹל] ל[וֹא] 15 יוּטַל כִּיא יְ[הוָה סוֹמֵךְ יָדוֹ]׳
פִּשְׁרוֹ עַל הַכּוֹהֵן מוֹרֵה הַ[צֶּדֶק אֲשֶׁר] 16 [דִּ]בֶּר בּוֹ אֵל לַעֲמוֹד
וַ[אֲשֶׁר] הֱכִינוֹ לִבְנוֹת לוֹ עֲדַת [ ] 17 [וְדַרְ]כּוֹ יִשֵּׁר לַאֲמִתּוֹ׳ [נַעַר
הָיִ]יתִי וְגַם זָקַנְתִּי וְלוֹא [רָאִיתִי צַדִּיק] 18 נֶעֱזָב וְזַרְעוֹ מְבַקֵּשׁ
לָחֶם׳ [כּוֹל הַיּוֹם] חוֹנֵן וּמַלְוֶה וְזַרְ[עוֹ לִבְרָכָה׳ פֵּשֶׁר] 19 הַדָּבָר
עַל מוֹרֵ[ה הַצֶּדֶק]אל מ[ ] 20 וְאֵת [ ]

IV

מִשְׁ[פָּט׳ עַוָּלִים לְעוֹ]לָם נִשְׁמְדוּ וְזֶרַע רְ[שָׁעִים נִכְרָ]ת׳ הֵמָּה
עָרִיצֵי 2 [ ] הַתּוֹרָה׳ צַדִּיקִ[ים יִרְשׁוּ אֶרֶץ וְיִשְׁכְּנוּ לָ]עַד
עָלֶיהָ׳ 3 [פִּשְׁרוֹ] בְּאֶלֶף [דּוֹר׳ פִּי צַדִּיק יֶהְגֶּא] חָכְמָה
וּלְשׁוֹנוֹ תְּדַבֵּר 4 [מִשְׁפָּט׳ תּוֹרַת אֱלֹהָיו בְּלִבּוֹ לוֹא תִמְעַד
אֲשֻׁרָיו׳ פִּשְׁרוֹ עַל] הָאֱמֶת אֲשֶׁר דִּבֵּר 5 [ ] אֱלֹהִים
הִגִּיד׳ [6] 7 צוֹפֶה רָשָׁע לַצַּדִּיק וּמְבַקֵּשׁ [לַהֲמִיתוֹ׳ יְה]וָה [לוֹא
יַעַזְבֶנּוּ בְיָדוֹ וְלוֹא יַ]רְשִׁיעֶנּוּ בְּהִשָּׁפְטוֹ׳ 8 פִּשְׁרוֹ עַל [הַכּוֹ]הֵן
הָרָשָׁע אֲשֶׁר צ[וֹפֶ]ה הַצַּדִּ[יק וּמְבַקֵּשׁ] לַהֲמִיתוֹ [ ]ת
וְהַתּוֹרָה 9 אֲשֶׁר שָׁלַח אֵלָיו׳ וְאֵל לוֹא יַעַ[זְבֶנּוּ] וְלוֹא
[יַרְשִׁיעֶנּוּ בְ]הִשָּׁפְטוֹ׳ וְלָ[וֹ יְ]שַׁלֵּם [אֵל גְּ]מוּלוֹ לְתִתּוֹ
10 בְּיַד עָרִיצֵ[י] גוֹאִים לַעֲשׂוֹת בּוֹ [מִשְׁפָּט׳ קַוֵּה אֶל יְ]הוָה
וּשְׁמוֹר דַּרְכּוֹ וִ[י]רוֹמִמְכָה לָרֶשֶׁת 11 אֶרֶץ בְּהִכָּרֵת רְשָׁעִים

bezieht sich auf die Gemeinde der Armen[9] [...] Erbe der ganzen W[el]t [...] 11 Sie werden den hohen Berg Isra[els] besitzen [und] sich [an] seinem Heiligtum erfreuen. *Aber die von ihm Verfluchten* 12 *werden ausgerottet.* (37, 22) Sie sind die Gewalttätigen am [Bunde, die Go]ttlosen Israels, die ausgerottet und vertilgt [werden] 13 in Ewigkeit. 14 Denn *von Jahw[e werden die Schritte eines Mannes gefest]igt; an seinem ganzen Weg hat er Wohlgefallen. Wenn er fä[llt],* 15 *stürzt er doch ni[cht] hin; denn Jah[we stützt seine Hand].* (37, 23 f.) Seine Deutung bezieht sich auf den Priester, den Lehrer der [Gerechtigkeit, dem] 16 Gott [be]fohlen hat aufzutreten und [den] er bestellt hat, um ihm zu erbauen die Gemeinde [...] 17 [und] seinen [We]g lenkte er zu seiner Wahrheit. [*Jung bin ich gewe]sen und bin alt geworden, aber nicht [habe ich gesehen den Gerechten]* 18 *verlassen und seine Nachkommen nach Brot suchend. [Allezeit] ist er gnädig und leiht, und [sein] Sa[me wird zum Segen.* (37, 25 f.) Die Deutung] des Wortes bezieht sich auf 19 den Lehr[er der Gerechtigkeit ...] 20 und den ...

IV

Ge[richt. Ungerechte werden in Ewig]keit vernichtet, und der Same der G[ottlosen wird ausgerottet]. (37, 28) Das sind die Gewalttätigen 2 [...] des Gesetzes. *Die Gerechte[n werden das Land gewinnen und auf] ewig darin [wohnen].* (37, 29) 3 [Seine Deutung...] in tausend [Geschlechtern. *Der Mund des Gerechten spricht] Weisheit, und seine Zunge redet* 4 *[Recht. Das Gesetz seines Gottes ist in seinem Herzen, nicht wanken seine Tritte.* (37, 30 f.) Seine Deutung bezieht sich auf] die Wahrheit, die redete 5 [...] ihnen verkündigt. [6] 7 *Der Gottlose späht nach dem Gerechten und sucht [ihn zu töten. Jah]we [aber läßt ihn nicht in seiner Hand und nicht läßt] er ihn verurteilen, wenn man ihn richtet.* (37, 32 f.). 8 Seine Deutung bezieht sich auf [den] gottlosen [Prie]ster[10], der aus[späh]te nach dem Gerech[ten und suchte], ihn zu töten [...] und das Gesetz, 9 um dessentwillen er zu ihm gesandt hat. Aber Gott läß[t ihn] nicht und nicht [läßt er ihn verurteilen, wenn] man ihn richtet. Und i[hm wird Gott] vergelten sein [T]un, indem er ihn gibt 10 in die Hand der Gewalthabe[r] der Völker, um an ihm zu vollstrecken [das Gericht[11]. *Hoffe auf J]ahwe und halte dich an seinen Weg, so wi[rd] er dich erhöhen, daß du* 11 *das Land gewinnst, du wirst zuse[hen], wie*

תִּרְ]אֶה' פִּשְׁרוֹ עַל] אֲשֶׁר יִרְאוּ בְּמִשְׁפַּט רִשְׁעָה וְעַם

12 בְּחִירָו יִשְׂמְחוּ בְּנַחֲלַת אֱמֶת' 13 [רָאִ]יתִי רָשָׁע עָרִיץ

וּמִתְעָ[רֶה כְּאֶזְרָח רַעֲנָן]' אֶעֱבוֹר עַל פָּ]נָיו וְהִנֵּה אֵינֶ]נּוּ

וָאֲ[בַקְשֵׁהוּ] וְלוֹא 14 [נִמְצָא' פִּשְׁרוֹ] עַל אִ[י]שׁ הַכָּזָב [אֲשֶׁר]ל

[ ] עַל בְּחִ]ירֵ[י אֵל [וַיְבַ]קֵּשׁ [a]לַשְׁבִּית אֵת 15 [ ] מ

[ ] לַעֲשׂוֹת [ ]עֵי מִשְׁפָּט [ ] הֵזִיד בְּיָד רָמָה

16 [ ]ל לִ[שְׁמוֹר תָּם וּרְאֵה] יָשָׁר [כִּיא אַחֲ]רִ[ית לְאִי]שׁ

שָׁלוֹם' פִּשְׁרוֹ עַ[ל] 17 [ ]דם הא[ ]ת

שָׁלוֹ[ם]' וּפוֹשְׁעִים 18 נִשְׁמְדוּ יַחַד וְאַחֲרִ[ית רְשָׁעִים נִכְרָתָה'

פִּשְׁרוֹ]יוֹבְדוּ וְנִכְרְתוּ 19 מִתּוֹךְ עֲדַת הַיַּחַד' וּתְ[שׁוּעַ]ת [צַדִּיקִים

מֵיְהוָה מָעוּזָּם בְּעֵת צָרָה' וַיַּעְזְרֵם יְהוָה] 20 וַיְמַלְּטֵם

וַיְפַלְּטֵם מֵרְשָׁעִים [וְיוֹשִׁיעֵם כִּיא חָסוּ בוֹ' פִּשְׁרוֹ]

21 יוֹשִׁיעֵם אֵל וְ[יַ]צִּילֵם מִיַּד רְ[שָׁעֵי] [22]

23 לַמְנַצֵּחַ עַל [שׁוֹשַׁנִּ]ים [לִבְנֵי קֹרַח מַשְׂכִּיל שִׁיר יְדִידוֹת'

הֵ]מָּה שֶׁבַע מַחְלְקוֹת 24 שָׁבֵי יִשְׂ[רָאֵל רָחַ]שׁ

לִ[בִּ]י דָּבָר טוֹב 25 [אוֹמֵר אֲנִי מַעֲשַׂי לְמֶלֶךְ' פִּשְׁרוֹ

רוּ]חַ קוֹדֶשׁ כִּיא 26 [ ] סִפְרֵי [ ]

וּלְשׁוֹנִי עֵט 27 [סוֹפֵר מָהִיר' פִּשְׁרוֹ] עַל מוֹרֵה [הַצֶּדֶק]ו

אֵל בְּמַעֲנֵי לָשׁוֹן [ ]

a = לְהַשְׁבִּית.

die Gottlosen vernichtet werden. (37, 34) [Seine Deutung bezieht sich auf...], die dem Gericht über die Gottlosigkeit zusehen werden, und das Volk 12 seiner Erwählten wird sich erfreuen am Erbteil der Wahrheit. 13 *Ich [sa]h einen Gottlosen gewalttätig und sich hoch rec[kend wie ein Baum in seiner Vollkraft]; ich gehe an [ihm] vorüber, [und siehe,] er ist [nicht mehr] da; ich [suchte ihn], aber er war nicht mehr* 14 *zu finden.* (37, 35 f.) [Seine Deutung] bezieht sich auf den M[a]nn der Lüge, [der...] gegen die Erw[ähl]ten Gottes, [und er such]te zu vernichten 15 [...] zu machen [...] Gericht [...] Er frevelte mit erhobener Hand 16 [... *Achte auf den Rechtschaffenen und sieh auf den] Redlichen; [denn die Zu]k[unft eines solchen Man]nes ist Heil.* (37, 37) Seine Deutung bezieht [sich] auf 17 [...] Heil. *Aber die Sünder* 18 *werden allzumal vernichtet, und die Zuk[unft der Gottlosen wird vertilgt.* (37, 38) Seine Deutung ...] werden zugrunde gehen und ausgerottet werden 19 aus der Mitte der Gemeinschaft der Gemeinde. *Und [die H]ilfe [der Gerechten kommt von Jahwe, er ist ihre Zuflucht in der Zeit der Not. Jahwe steht ihnen bei]* 20 *und errettet sie und befreit sie von den Gottlosen [und hilft ihnen, weil sie auf ihn vertrauen.* (37, 39 f.) Seine Deutung ...] 21 Gott hilft ihnen und [er]rettet sie aus der Hand der G[ottlosen ...] [22] 23 *Dem Musikmeister*[12] *nach [Lilien, den Söhnen Qorahs, ein Einsichtiger, ein Lied der Liebe.* (45, 1) ... S]ie sind sieben Abteilungen 24 von Umkehrenden Is[raels ... *Es wal]lt auf mein He[r]z von anmutiger Rede;* 25 *[ich will singen mein Lied dem König.* (45, 2) Seine Deutung...] heiliger [Gei]st; denn 26 [...] Bücher von [...] *und meine Zunge ist der Griffel* 27 *[eines gewandten Schreibers.* (45, 2) Seine Deutung] bezieht sich auf den Lehrer [der Gerechtigkeit...] Gott, mit einer beredten Zunge [...]

ANMERKUNGEN

ANMERKUNGEN ZUR GEMEINDEREGEL

1 QS

[1] Zu Zeile 3–5 vgl. CD II, 14–16.

[2] Zum Ausdruck „schuldiges Herz" vgl. Jer. 3, 17; 7, 24; 9, 13; 11, 8; 13, 10; Deut. 29, 18; dieselbe Wendung 1 QS II, 26; VII, 24; IX, 10; CD II, 17f.; III, 5.11f.; XIX, 20.

[3] Zur Wendung „Augen der Unzucht" vgl. Num. 15, 39; Ez. 6, 9.

[4] Die genaue Bestimmung des Festkalenders ist für die Qumrangemeinde von großer Bedeutung.

[5] Die Glieder der Heilsgemeinde.

[6] Vgl. Josephus, Bellum II, 139.

[7] Das heißt: Gott wird dereinst die Schuldigen strafen. Das Verhalten des Gläubigen zu den Söhnen der Finsternis soll vom Blick auf Gottes kommendes Gericht bestimmt sein.

[8] Vgl. Josephus, Bellum II, 122.

[9] Genaue Innehaltung der Festzeiten ist also geboten; vgl. zu 1 QpHab XI, 8.

[10] Belial begegnet in den Qumranschriften häufig als Bezeichnung für den Widersacher Gottes und seiner Gemeinde.

[11] Vgl. das Sündenbekenntnis, das am großen Versöhnungstag gesprochen wird (Lev. 16, 21); vgl. auch CD XX, 28–30.

[12] Zur liturgischen Anweisung über Segen und Fluch vgl. Deut. 27, 12ff. Die Priester sollen segnen, die Leviten verfluchen.

[13] Vgl. Num. 6,24–26. Der aaronitische Segen wird in Zeile 3 in bezeichnender Weise abgewandelt: Erkenntnis und Wissen sind Inhalt des göttlichen Segens.

[14] Das sind die Engel.

[15] Vgl. hierzu und zum Folgenden Deut. 29, 17–20.

[16] Vgl. Ez. 7, 19; 14, 3. 7.

[17] Das heißt: ganz und gar; vgl. Deut. 29, 18.

[18] Im folgenden werden drei Klassen genannt: Priester, Leviten und das ganze Volk. 1 QS VI, 8f sind anstelle der Leviten die Ältesten angeführt. Nach CD XIV, 3ff war die Gemeinde in vier Klassen geteilt: Priester, Leviten, Israeliten und Proselyten.

[19] Vgl. IV, 26; IX, 15.18; CD XX, 24.

[20] Zur Ordnung der Gemeinde vgl. auch Josephus, Bellum II, 150.

[21] Vgl. Num. 19, 9.13 20.21.

[22] Vgl. Lev. 13, 45f.

[23] Der als Lehrer in der Gemeinde fungiert; vgl. IX, 12.21; CD XII, 21.

[24] Die deutlichen Bezugnahmen auf den biblischen Schöpfungsbericht zeigen, daß der Dualismus dem Glauben an Gott als Schöpfer und Lenker der Welt untergeordnet ist.

[25] Das ist: ein Engel, vgl. Zeile 24: Engel seiner Wahrheit, ferner CD V, 18.

[26] Nach Josephus, Bellum II, 141 waren die Essener eidlich verpflichtet, die Geheimnisse ihrer Lehre zu wahren und sie unter keinen Umständen an Außenstehende preiszugeben.
[27] Das heißt: dem Geist der Wahrheit.
[28] Vgl. CD II, 6f.
[29] Oder: er wird das 'Bauwerk' (d.h. den Leib) des Menschen reinigen.
[30] Oder: alle Herrlichkeit Adams, vgl. CD III, 20; 1 QH XVII, 15; 4 QpPs 37 III, 1 f.
[31] Zu Zeile 4f. vgl. CD II, 15–18.
[32] Vgl. 1 QpHab XI, 13.
[33] Vgl. CD XV, 5f.
[34] Vgl. CD V, 12; VII, 5; XIV, 2; XX, 17; 1 QpHab II, 4.
[35] Nach Josephus, Bellum II, 135 schwuren die Essener keine Eide. Der Eid, der bei Aufnahme in die Gemeinschaft abgelegt wurde, stellte offenbar eine einmalige Ausnahme von dieser Regel dar. Vgl. Josephus, Bellum II, 139.
[36] Vgl. Num. 15, 30; CD VIII, 8; X, 3.
[37] Vgl. Josephus, Bellum II, 150.
[38] Vgl. CD IX, 6f.
[39] Das ist: die Vollversammlung. Zum Verfahren vgl. CD IX, 2–4.
[40] Mindestens zehn Männer müssen versammelt sein, um eine gottesdienstliche Gemeinde zu konstituieren. Vgl. CD XIII, 1f.; 1 QSa II, 22; Mischna Sanhedrin I, 6; Abot III, 6 u. ö. Zur Zehnergruppe bei den Essenern vgl. Josephus, Bellum II, 146.
[41] Vgl. CD XIII, 2f.; 1 QSa II, 17–21; Josephus, Bellum II, 131.
[42] Vgl. CD VI, 7; VII, 18; Josephus, Bellum II, 136.
[43] Vgl. Ps. 1, 2.
[44] Vgl. zu II, 19ff. Dort sind Priester, Leviten (hier = Älteste) und das Volk genannt.
[45] Die feste Rangordnung ist also streng zu wahren.
[46] In der Hand des Aufsehers liegt die Leitung der Sitzungen. Vgl. CD IX, 18ff.; XIII, 7ff.
[47] Vgl. 1 QSa II, 9f.
[48] Vgl. Josephus, Bellum II, 132.
[49] Nach CD XV, 11 trifft der Aufseher allein die Entscheidung.
[50] Vgl. Josephus, Bellum II, 123.
[51] Zu den Bestimmungen über die Aufnahme der Novizen sind die Angaben Josephus, Bellum II, 137–142 zu vergleichen. Danach hatte der Bewerber ein Jahr lang außerhalb der Gemeinschaft zu leben, dann wurde er zu den Reinigungsbädern zugelassen. Erst nach zwei weiteren Jahren erfolgte die Aufnahme in die volle Lebensgemeinschaft der Essener.
[52] Vgl. CD IX, 21.23.
[53] Ergänzung unsicher; vielleicht: „der soll ausgeschlossen werden", oder: „der soll getötet werden".
[54] Zur Exkommunikation bei den Essenern vgl. Josephus, Bellum II, 143.
[55] Steht über der Zeile geschrieben.
[56] Vgl. Josephus, Bellum II, 147.

[57] Zum Verbot der Rückkehr vgl. auch VIII, 22ff.

[58] Vgl. 1 QSa I, 8.

[59] Das heißt: endgültiger Ausschluß wird auch über denjenigen verhängt, der mit dem Apostaten Gemeinschaft pflegt. Zu den Strafbestimmungen und zum Ausschluß aus der Gemeinde vgl. weiter VIII, 16–IX, 2.

[60] Unklar bleibt, ob es sich um ein Gremium von insgesamt 15 Personen handelt oder nur von 12, unter denen drei Priester sein müssen. Nach CD X, 4–6 sollte das Richterkollegium aus zehn Männern — vier aus Levi und Aaron und sechs Israeliten — bestehen.

[61] Vgl. Jes. 60, 21; zu dieser Selbstbezeichnung der Gemeinde siehe auch XI, 8 und CD I, 7.

[62] Vgl. Jes. 28, 16.

[63] Vgl. 1 QpHab IX, 1.

[64] Vgl. die Bestimmungen von VI, 16–21.

[65] Wie Israel einst in der Wüste die besondere Nähe seines Gottes erfuhr, so wird der Anbruch der Heilszeit in der Wüste erwartet.

[66] „Er" als Umschreibung des Gottesnamens. Vgl. CD IX, 5.

[67] Der heilige Gottesname ist hier nur durch vier Punkte bezeichnet.

[68] Vgl. CD XI, 21.

[69] Vgl. VIII, 5.

[70] Vgl. CD XII, 23f.; XIV, 19; XIX, 10f; XX, 1; 1 QSa II, 12. Die Qumrangemeinde erwartete das Kommen des endzeitlichen Propheten und der beiden Gesalbten Gottes, eines priesterlichen und eines königlichen Messias.

[71] Vgl. III, 13.

[72] Das heißt: dem Rang.

[73] Die Qumrangemeinde soll also keinerlei Mission treiben.

[74] „Weg" bedeutet die Lebensführung im Gehorsam gegen die in der Gemeinde gelehrte Auslegung des Gesetzes.

[75] Vgl. Jes. 40, 3 und VIII, 12ff.

[76] Im Folgenden werden die Gebetszeiten, die der Fromme einhält, näher bezeichnet.

[77] Zum morgendlichen Gebet der Essener vgl. Josephus, Bellum II, 128.

[78] Nämlich: der Finsternis.

[79] Vgl. Lev. 25, 1–7.

[80] Ein Freilassungsjahr gab es immer in jedem fünfzigsten Jahr (Lev. 25, 8–55), also wird bei dem Anfang der Wochen (der Jahre) an den Anfang von sieben mal sieben Jahren gedacht sein.

[81] Oder: verbergen.

[82] Vgl. Jes. 29, 24.

[83] Der Beter bekennt sich also zur Rechtfertigung sola gratia. Diese befreit zu untadeligem Wandel, zu vollkommenem Gehorsam gegen das Gesetz. Dem sola gratia entspricht also nicht ein sola fide, die Rechtfertigung bleibt an das Gesetz gebunden.

[84] Den Engeln.

[85] Vgl. VIII, 5ff.

[86] Der Fromme ist also Gerechtfertigter und Sünder zugleich!

[87] Vgl. 1 QH III, 23ff.; X, 3ff.

ANMERKUNGEN ZUR GEMEINSCHAFTSREGEL

1 QSa

[1] Vgl. 1 QS V, 1; VI, 8.

[2] Vgl. Deut. 31, 11f.

[3] Hier ist von verheirateten Mitgliedern der Gemeinde und ihren Familien die Rede. Nach Josephus, Bellum II, 160f. gab es auch verheiratete Essener. Auch in CD wird mehrfach von Gliedern der Gemeinde gesprochen, die verheiratet waren und Kinder hatten.

[4] Vgl. Lev. 23, 42.

[5] Was unter dem Buch Hagi (= Buch der Betrachtung?) zu verstehen ist, kann nicht sicher gesagt werden. Vgl. auch CD X, 6; XIII, 2. Es könnte die Gemeinderegel gemeint sein, vielleicht aber auch eine andere, uns nicht bekannte Schrift.

[6] Das heißt: wenn er zu eigenem Urteil fähig ist. Vgl. Deut. 1, 39; Jes. 7, 15f. Der ganze Satz ist als Parenthese aufzufassen, die zur näheren Bestimmung des Alters von zwanzig Jahren dient.

[7] Die Gemeinde.

[8] Nach CD mußte der Richter ein Alter zwischen 25 und 60 Jahren haben (X, 6f.), der Aufseher zwischen 30 und 60 Jahren (XIV, 6f.) und der Aufseher über alle Lager zwischen 30 und 50 Jahren (XIV, 8f.). Zum Lebensalter, das für einzelne Stellungen vorgeschrieben ist, vgl. auch 1 QM VI, 14–VII, 3.

[9] Das heißt: die Rangordnung bleibt stets streng gewahrt; vgl. 1 QS II, 19–23; V, 21–24.

[10] Die Leviten sind den Priestern unterstellt und haben in der Gemeinde den Ordnungsdienst zu versehen.

[11] Es geht um die Zurüstung zum heiligen Krieg.

[12] Gemeint ist offensichtlich der Messias aus Israel (vgl. Zeile 14). Zur Messiashoffnung der Qumrangemeinde, die einen königlichen und einen priesterlichen Messias erwartete, siehe 1 QS IX, 11.

[13] Das ist der Messias aus Aaron.

[14] Zum Mahl der messianischen Zeit, das hier beschrieben wird, ist die Anordnung über die Mahlfeier der Gemeinde 1 QS VI, 4–5 zu vergleichen.

[15] Vgl. 1 QS VI, 3.6. Auch die Anordnung von Zeile 21f. ist noch auf das eben geschilderte Mahl der messianischen Zeit zu beziehen.

ANMERKUNGEN ZU DEN SEGENSSPRÜCHEN

1 QSb

[1] Vom Rest der Kolumne sind nur einzelne Buchstaben erhalten, ein zusammenhängender Text kann nicht mehr rekonstruiert werden.

[2] Ein zusammenhängender Text ist erst wieder von Kolumne II, 22 an erhalten. Die Überschrift des folgenden Stückes ist verloren, kann

aber aus dem Inhalt erschlossen werden: Segnung des Hohenpriesters.

[3] Bis zur Zeile 18 ist der Text zerstört.

[4] Bis zur Zeile 20 ist der Text völlig zerstört.

[5] Die Engel des Angesichtes sind die Engel, die in der unmittelbaren Nähe Gottes Dienst tun. Mit ihnen werden Jub. 31, 14 die Priester verglichen. Wenn sie im Tempel der Königsherrschaft — d.h. doch wohl: im neuen Jerusalem — mit den Engeln das Los werfen sollen (vgl. 1 QS IV, 26), so werden sie also im Endgericht bei der Urteilsfällung mitwirken.

[6] Der Fürst der Gemeinde ist der weltliche Herrscher (vgl. CD VII, 20), der — wie das Zitat aus Jes. 11, 4f. zeigt — als messianische Gestalt erwartet wird (vgl. 1 QSa II, 11ff.).

[7] Vgl. Jes. 11, 4f.

[8] Vgl. Num. 24, 17f.

[9] Vgl. Gen. 49, 9.

ANMERKUNGEN ZUR DAMASKUSSCHRIFT

CD

[1] Vgl. Jes. 51, 7.

[2] Das heißt: er hat es geschehen lassen, daß Jerusalem (durch Nebukadnezar; vgl. Zeile 6) erobert und zerstört wurde.

[3] Aus der Zahl 390 kann schwerlich der Zeitpunkt errechnet werden, zu dem die Bundesgemeinde gegründet wurde. Es handelt sich vielmehr um eine apokalyptische Zahl (vgl. Ez. 4, 5), durch die darauf hingewiesen werden soll, daß es letzte Zeit ist. Wie Israel Gott 390 Jahre lang erzürnt hat, so ließ er es 390 Jahre lang büßen.

[4] Das ist: die Gemeinde des Bundes.

[5] 20 Jahre: die Zeit von den Anfängen der Gemeinde bis zum Auftreten des Lehrers der Gerechtigkeit (vgl. Zeile 11).

[6] Das sind alle, die sich nicht der Gemeinschaft der Frommen angeschlossen haben.

[7] In 1 QpHab wird er auch „Mann der Lüge“ (V, 11) und „Lügenprophet“ (X, 9) genannt.

[8] Vgl. Hab. 3, 6.

[9] Vgl. Lev. 26, 25.

[10] Vgl. Hos. 10, 11.

[11] Das heißt: die Propheten.

[12] Das sind die Engel; vgl. Dan. 4, 10. Sie sind zu Fall gekommen; vgl. Gen. 6, 1–4.

[13] Abraham als Freund Gottes: Jes. 41, 8; Jub. 19, 9; Apk. Abr. 9, 6.

[14] Gemeint ist das Volk des alten Bundes, das dem Gericht verfiel.

[15] Dieser Brunnen ist das Gesetz; vgl. VI, 4.

[16] Die Liste selbst, auf die in der ausführlichen Einleitung hingewiesen wurde, fehlt. Der spätere Abschreiber hat sie fortgelassen, so daß im Zusammenhang hier offensichtlich eine Lücke vorliegt.

[17] Nämlich: in den Bund. Es wird also zwischen den „Früheren", den ersten Gliedern der Gemeinde, und den ihnen folgenden Generationen unterschieden.
[18] Vgl. Hab. 2, 1. Gemeint ist die Warte, die die Gemeinde des Bundes ist und zu der man seine Zuflucht in der letzten Zeit nimmt.
[19] Vgl. Mi. 7, 11.
[20] Vielleicht eine Anspielung auf die Schrift „Testament Levis", doch findet sich darin keine Stelle, die diesem Hinweis genau entsprechen würde. Vgl. aber Test. Dan 2, 4.
[21] Belial.
[22] Vgl. Jes. 24, 18.
[23] Vgl. Ez. 13, 10. Die Risse sind nur notdürftig übertüncht! Gemeint sind die Anhänger der gegnerischen Gruppe.
[24] Dieses Wort, das unverständliche Laute nachahmt (vgl. Jes. 28, 10. 13), wird auf den Lügenpropheten bezogen.
[25] Vgl. Mi. 2, 6.
[26] Das heißt: zu Lebzeiten der Frauen. Es wird also eindeutig gegen die — an sich im Judentum durchaus erlaubte — Polygamie polemisiert.
[27] Vgl. Gen. 7, 9.
[28] Daher kann Davids Polygamie entschuldigt werden. Nur die Schuld, die er an Uria beging (Zeile 5), kann nicht verziehen werden.
[29] Vgl. Lev. 15, 19.
[30] Vgl. Lev. 18, 13.
[31] Vgl. 1 QS IV, 11.
[32] Vgl. Jes. 50, 11.
[33] Vgl. Jes. 59, 5.
[34] Vgl. Jes. 27, 11.
[35] Vgl. Deut. 32, 28.
[36] Das heißt: als Israel aus Aegypten geführt wurde. Auch die beiden Zauberer — Jannes und Jambres —, die Mose entgegengetreten waren, hatten die Rettung Israels nicht vereiteln können.
[37] Die Erklärung knüpft an die Doppelbedeutung von מְחוֹקֵק an: 1. Das Befehlende = der Stab, 2. Der Befehlende = der Gesetzgeber. Die Edlen des Volkes sind also diejenigen, die den Weisungen des Gesetzeslehrers Gehorsam leisten und sich der Bundesgemeinde angeschlossen haben.
[38] Vgl. 1 QS VI, 14.
[39] Vgl. XVI, 13–16.
[40] Vgl. Jes. 10, 2.
[41] Das ist: der große Versöhnungstag.
[42] Hier setzt die Parallele im Fragment B (CD XIX, 2ff.) ein, die zum folgenden Text von VII und VIII zu vergleichen ist.
[43] Das heißt: in das Gebiet von Damaskus.
[44] Gedeutet wird also סִכּוּת (Am. 5, 26) = סוּכָּה Hütte.
[45] Also מֶלֶךְ (Am. 9, 11) = קָהָל. Das Zitat von Am. 9, 11 findet sich auch 4 Q flor. 12f.; dort messianisch ausgelegt.
[46] Es wird also aus der Verbindung der Schriftzitate Am. 5, 26; 9, 11 und Num. 24, 17 folgende Deutung gewonnen: Damaskus =

Land des Nordens = Exil der Gemeinde; Sikkut = Hütte des Königs = Bücher des Gesetzes. Gott hat verheißen, die zerfallene Hütte Davids wieder aufzurichten, das heißt: in der Gemeinde des Bundes wird das Gesetz wieder aufgerichtet. Beweis: David = König = Gemeinde. In ihr stehen neben dem Gesetz die Bücher der Propheten, die Israel verachtet, in Gültigkeit (vgl. die Kommentare zu den prophetischen Büchern).

[47] Dasselbe — messianisch verstandene — Zitat findet sich auch Test. Juda 24, 1; 1 QM XI, 6 und 4 Q test. 9–13.

[48] Vgl. Hos. 5, 10.

[49] Vgl. Deut. 13, 18.

[50] ראש bedeutet 1. Haupt, 2. Gift. Die Auslegung macht sich diese Doppelbedeutung zunutze.

[51] Vgl. Ez. 13, 10 und oben CD IV, 19.

[52] Vgl. oben Zeile 12.

[53] Dieser Satz über Jeremia und Elisa ist ursprünglich wohl eine Randglosse gewesen und dann später in den Text eingedrungen. Vielleicht enthält er eine Anspielung auf uns unbekannte jüdische Schriften.

[54] Der Text A 2 (IX–XVI) enthält Gesetzesvorschriften für die Bundesgemeinde. Anfang und Schluß des Gesetzbuches sind verloren gegangen. Daher setzt die Reihe der Bestimmungen so unvermittelt ein.

[55] Wenn also ein Jude einen anderen Juden vor ein heidnisches Gericht bringt und dieses ihn zum Tode verurteilt, so ist der Denunziant des Todes schuldig. Diese strenge Bestimmung soll zur Solidarität unter den Juden mahnen.

[56] Es folgt die Anwendung des Zitates aus Lev. 19, 18.

[57] Vgl. 1 QS VI, 1.

[58] Die Rache wird also Gott anheimgestellt.

[59] Ohne ihn zurechtzuweisen; vgl. 1 QS V, 26f.; CD VII, 2f.

[60] Vgl. 1 QS VI, 26f.

[61] Das heißt: kein Eigentümer, dem der Schaden ersetzt werden kann. Vgl. Num. 5, 8.

[62] Dem Priester.

[63] Vgl. 1 QS VI, 25; VII, 3.

[64] Das heißt: zwanzig Jahre, vgl. 1 QSa I, 8 f.

[65] Vgl. die Wendung 1 QS VIII, 18: „bis seine Werke gereinigt sind von allem Frevel“.

[66] Vgl. die unterschiedlichen Bestimmungen 1 QS VIII, 1.

[67] Vgl. XIII, 2 und zu 1 QSa I, 7.

[68] Vgl. 1 QSa I, 12–18.

[69] Vgl. Lev. 27, 7.

[70] Vgl. Jub. 23, 11.

[71] Nach Josephus, Bellum II, 147 hielten die Essener den Sabbat strenger als alle übrigen Juden. Zum folgenden Katalog der Bestimmungen vgl. Jub. 2, 17–33; 50, 6–13.

[72] Die Reihe der Vorschriften über den Sabbat bietet apodiktisch formulierte Gebote, also heiliges Gottesrecht.

[73] Die Anlage eines ‘Erub (wörtlich: Vermischung) war nach rabbinischem Recht erlaubt (vgl. den Mischnatraktat ‘Erubin): man ver-

band z.B. mehrere Häuser, die um einen gemeinsamen Hof herumlagen, zu einem Bereich, so daß dann innerhalb dieses Bezirkes das Tragen von Gegenständen erlaubt war. CD XI, 4f. dagegen werden solche Erweichungen des Sabbatgebotes strikt untersagt. — Liest man יִתְרָעֵב, so ist zu übersetzen: „Niemand darf ... fasten".

[74] Offenbar ist hier vorausgesetzt, daß die Gemeindeglieder noch am Opferkult teilnehmen — wenigstens dadurch, daß sie Gaben zum Tempel schicken. Vgl. Josephus, Ant. XVIII, 19.

[75] Mit der Stadt des Heiligtums kann nur Jerusalem gemeint sein, von dem jegliche Unreinheit ferngehalten werden soll.

[76] Vgl. Deut. 13, 6; Lev. 20, 27.

[77] Sklaven, die fremder Abstammung sind und Eigentum eines jüdischen Herrn werden, müssen beschnitten werden. Jüdische Sklaven aber dürfen nicht an Heiden verkauft werden.

[78] Liest man שמו als שֶׁמֶן, so wäre an die verunreinigende Wirkung des Öls zu denken. Vgl. Josephus, Bellum II, 123.

[79] Zur Verunreinigung durch Tote vgl. Num. 19, 11f.; Lev. 11, 32.

[80] Man erwartet eine Fortsetzung der eingeleiteten Regel des Wohnens, aber der Text geht sofort zu einer anderen Vorschrift über und setzt dann Zeile 22f. mit der Regel des Wohnens für die Lager ein. Ob „Städte" und „Lager" gleichbedeutend verstanden werden sollen, bleibt undeutlich. Vgl. CD X, 21. 23.

[81] Vgl. zu 1 QS IX, 10f.

[82] Vgl. 1 QS II, 21f.; 1 QSa I, 14f. 29f.; 1 QM IV, 1–4.

[83] Vgl. X, 6 und zu 1 QSa I, 7.

[84] Vgl. 1 QS VI, 3–5.

[85] Der Priester. Wenn eine Gruppe von einem Leviten geleitet wird, so liegt doch die Handhabung der Aussatztora in jedem Fall beim Priester. Vgl. Deut. 21, 5.

[86] Vgl. 1 QS VI, 12.14.20. In CD werden die Aufgaben und Kompetenzen des מְבַקֵּר genau festgelegt.

[87] Das letzte Wort בפרתיה kann nicht sicher gedeutet werden.

[88] Zur Aufnahme und Prüfung durch den Aufseher vgl. 1 QS VI, 13–15.

[89] Das heißt: mit Barzahlung.

[90] Die letzten Zeilen der Kolumne sind völlig verstümmelt. Da XIV, 1 mitten in dem Zitat aus Jes. 7, 17 einsetzt, das auch VII, 11f. angeführt worden ist, wird am Ende der Kolumne eine Einführung zu dem Jesajawort gestanden haben.

[91] Zur Einteilung der Klassen vgl. 1 QS II, 19–22; VI, 8f.

[92] Hier ist offensichtlich an solche Gemeindeglieder gedacht, die nicht an der Gütergemeinschaft teilhaben, sondern selbständig leben und arbeiten.

[93] Die weiteren Ausführungen der Strafbestimmungen fehlen, doch vgl. 1 QS VI, 26–VII, 25.

[94] Davor etwa zu ergänzen: „Nicht darf man". — Aus den in 4 Q gefundenen Handschriften von CD ist zu schließen, daß XV und XVI ursprünglich vor IX–XIV gestanden haben.

95 אל: אֱלֹהִים.

96 אד: אֲדוֹנָי.

97 Zum Eid, der beim Eintritt in den Bund abgelegt wird, vgl. 1 QS V, 7–11.

98 Das heißt: im Alter von zwanzig Jahren, vgl. 1 QSa I, 8f.

99 Vom Aufseher, der über die Aufnahme zu befinden hat.

100 Der Aufseher.

101 Der Rest der Kolumne ist so stark zerstört, daß ein Sinnzusammenhang nicht mehr rekonstruiert werden kann.

102 Der Anfang des Satzes stand am Ende der vorangegangenen Kolumne und ist verlorengegangen.

103 Wahrscheinlich eine Anspielung auf das Buch der Jubiläen, das in der Qumrangemeinde gelesen worden ist.

104 Gemeint ist der Eintritt in den Bund, den Gott mit Abraham schloß. Vgl. dazu den Bericht über die Beschneidung Abrahams Jub. 15, 1–34.

105 Vgl. Num. 30, 9f.

106 חֵרֶם kann 1. Netz, 2. Gebanntes, Geweihtes bedeuten. Mi. 7, 2 ist sicher an die erste, an unserer Stelle aber an die zweite Bedeutung gedacht.

107 Die Handschrift B setzt mit dem Text ein, der sich in der Handschrift A 1 VII, 5ff. findet. Beide Fassungen weichen in manchen Zügen voneinander ab.

108 VII, 10ff. wird Jes. 7, 17 zitiert.

109 Vgl. Sach. 11, 11. Die Armen der Herde werden also auf die Glieder der Bundesgemeinde gedeutet.

110 Hier bricht der Text A 1 ab, so daß von nun an der Text B, der eine lange Ermahnungsrede folgen läßt, ohne Parallele weiterläuft.

111 Das heißt: sie sind vom Gesetz abgewichen, vgl. III, 16; VI, 4.

112 Zur Eintragung in das Verzeichnis vgl. XIV, 4.

113 Das ist: der Lehrer der Gerechtigkeit.

114 Vgl. 1 QS VII, 24f.; VIII, 23.

115 Vgl. zu I, 14.

116 Vgl. Mal. 3, 16.

117 Vgl. Mal. 3, 18.

118 Vgl. Ex. 20, 6; Deut. 7, 9.

119 Wer mit dem Hause des Peleg gemeint ist, kann nicht sicher gedeutet werden; vgl. auch 4 QpNah IV, 1.

120 Zum Sündenbekenntnis vgl. 1 QS I, 24–26.

121 Vgl. 1 QS IX, 10.

ANMERKUNGEN ZU DEN LOBLIEDERN

1 QH

[1] Die ersten Zeilen der Kolumnen sind fast völlig zerstört.

[2] Vgl. Ps. 104, 4.

[3] Vgl. 1 QS XI, 22; 1 QH III, 23; IV, 29 u.ö.

[4] Der Beter bekennt beides: seine Hinfälligkeit als armselige Kreatur und seine Schuldverfallenheit vor Gott.

[5] Gott hat nicht nur die Sprache geschaffen, sondern auch die Gesetze der Dichtkunst.

[6] Zu Zeile 18f. vgl. Jes. 28, 11; 27, 11; Hos. 4, 12.

[7] Vgl. 1. Sam. 25, 29.

[8] Vgl. Jes. 59, 5.

[9] Das Schiff in Seenot dient als Bild für die Bedrohung, in der der Beter sich befand; vgl. Zeile 13 und VI, 22; VII, 4.

[10] Ein zweites Bild für die bedrängte Lage des Beters wird angeführt: die schmerzvollen Wehen des gebärenden Weibes. Im Zusammenhang des Liedes dient dieses Bild zur Veranschaulichung der Not, die der Fromme erlitten hat. Vgl. Jer. 13, 21; 30, 6 u.ö. Es findet sich aber kein Hinweis darauf, daß das Weib das Messiaskind gebären sollte. Zwar liegt in Zeile 10 ein deutlicher Anklang an Jes. 9, 5f. vor, aber diese Stelle wird nicht zu einer messianischen Deutung ausgewertet.

[11] Der Wechsel zum Plural zeigt, daß nicht an die Geburt des Messiaskindes gedacht ist, sondern daß die Schmerzen und Qualen, die das Weib in den Wehen erdulden muß, als bildhafter Vergleich für die Leiden des Beters angeführt werden.

[12] Vgl. II, 27f.

[13] Die Unheilsschwangere erscheint als Gegenbild zu der, die das Männliche gebiert. In den Stürmen der eschatologischen Notzeit (vgl. Zeile 13ff.) wird sich zeigen, wer fest gegründet ist und besteht. Im Gericht wird endgültig geschieden: Hinter allen Geistern des Wahns schließen sich die ewigen Riegel, die Unheilsschwangere — das heißt: die böse Gemeinde mitsamt ihren Weisen — verfällt dem Verdammungsurteil. Die Gerechten aber, die die Pein bestanden haben wie die Frau, die einen Sohn gebar, preisen Gott.

[14] Vgl. 1 QS XI, 22; 1 QH I, 21 u.ö.

[15] In den endzeitlichen Schrecken, die nun geschildert werden, kann sich der Beter unmöglich aus eigener Kraft behaupten.

[16] Von diesem Loblied, das bis IV, 4 reichte, sind nur kleine Textfragmente erhalten.

[17] Vgl. Ez. 7, 19; 14, 4.7; 18, 30; 44, 12; 1 QS II, 12.17.

[18] Vor den Gerechten und Heiligen. Sie werden Israel, das Volk Gottes, in der Endzeit leiten. Die Heidenvölker aber wird das Strafgericht treffen.

[19] Vgl. 1 QS XI, 2ff. 9ff.

[20] Vgl. XI, 9 und 1 QS VIII, 6.

[21] Vgl. Jer. 16, 16: Fischer und Jäger werden als Vollstrecker des Gerichtes genannt.

[22] Vgl. CD VIII, 9ff.; XIX, 22ff.
[23] Vgl. Ps. 41, 10.
[24] Vgl. III, 7ff.
[25] Vgl. III, 19–23.
[26] Zum Gericht durch das Feuer vgl. III, 28ff.
[27] Vgl. III, 16; VIII, 31.
[28] Der Bau ist die Gemeinde, die bewährten Steine sind ihre Glieder; vgl. Jes. 28, 16; 1 QS VIII, 7.
[29] Im Endkampf der Söhne des Lichtes gegen die Söhne der Finsternis.
[30] Vgl. XI, 12: Bezeichnung für die Niedrigkeit und Hinfälligkeit des Menschen.
[31] Der Schluß des Textes ist vollständig verloren.
[32] Das heißt: des Leibes.
[33] Vgl. Jes. 28, 16. Die Aussagen, die der Beter macht, beziehen sich nicht auf subjektive Erfahrungen, sondern auf den Bau der ganzen Gemeinde; vgl. zu VI, 26.
[34] Die Gemeinde ist die heilige Pflanzung; vgl. VI, 15.
[35] Vgl. Jes. 50, 4.
[36] Vgl. Sach. 3, 8.
[37] Vgl. Jes. 41, 19.
[38] Das heißt: sie schöpfen aus der Quelle der Offenbarung Gottes.
[39] Vgl. Ez. 31, 14. Im ausführlichen Gleichnis wird die Gemeinde als wunderbare Pflanzung Gottes geschildert.
[40] Vgl. Gen. 3, 24. Die Pflanzung wird mit Zügen des Paradieses beschrieben.
[41] Hinweis auf die Verfolgung, die der Beter erleiden mußte.
[42] Vgl. VII, 2.
[43] Vgl. Jes. 50, 4.
[44] Vgl. III, 8.
[45] Vgl. Jer. 1, 4.
[46] Vgl. Ps. 22, 11.
[47] Vgl. 1 QS XI, 17.
[48] Vgl. 1 QS XI, 22.
[49] Die Weltmenschen.
[50] Das Gericht, das Gott an den schuldigen Engeln abhielt, weist auf den Ernst des kommenden Gerichtes hin.
[51] Vgl. zu VI, 34.
[52] Vgl. 1 QS X, 1ff.
[53] Gemeint ist offenbar die Rangordnung der Gemeinde.
[54] Vgl. 1 QS IV, 25.
[55] Vgl. 1 QS I, 3f.
[56] Vgl. Josephus, Bellum II, 139; 1 QS V, 7ff.; CD XV, 5ff.
[57] Gemeint ist das Erbe, das in der Einsicht und Erkenntnis besteht und nach dessen Maßgabe die Rangordnung der Gemeinde bestimmt wird. Vgl. 1 QS IV, 15 ff.; 1 QH XIV, 18 ff.
[58] Von Zeile 1–8 sind nur wenige Buchstaben erhalten.
[59] Vgl. 1 QS XI, 10.
[60] Vgl. Ex. 34, 7.
[61] Vgl. III, 28ff.; VIII, 20.

[62] Oder: Adams; vgl. 1 QS IV, 23.

[63] Vgl. XIII, 13.

[64] Das heißt: des Menschen.

[65] Das heißt: dem Menschen.

ANMERKUNGEN ZUR KRIEGSROLLE

1 QM

[1] Neben den Völkernamen, die im A.T. oft als Feinde Israels genannt werden, stehen die Frevler am Bunde. Es sind die Juden, die nicht der Auslegung des Gesetzes folgen, wie sie in Qumran gelehrt wurde, die gefährlichsten Feinde im endzeitlichen Kampf.

[2] Hier sind — vielleicht auf Grund einer älteren judäischen Tradition? —, nur die Südstämme genannt, im Folgenden ist jedoch an das ganze Volk der zwölf Stämme Israels gedacht. Vgl. Zeile 3: Die Exulantenschaft der Söhne des Lichts.

[3] Vgl. Ez. 20, 34ff. Der Ausdruck ist hier offenbar auf die Wüstenzeit der Qumrangemeinde bezogen. Wenn sie endet, hebt der letzte große Kampf an.

[4] Was mit der Wüste von Jerusalem gemeint ist — etwa die Wüste Juda? —, bleibt undeutlich.

[5] Vgl. Dan. 11, 41–44.

[6] Das heißt: der Engel, die an dem Kampf teilnehmen.

[7] Der Krieg gegen die Söhne der Finsternis verläuft in sieben Losen: drei Lose Sieg, drei Lose Niederlage, im siebten Los die endgültige Entscheidung.

[8] Beschrieben wird die Aufstellung zum Gottesdienst während der Kriegszeit; die Zahl 52 entspricht den 52 Wochen des Jahres.

[9] = im Sabbatjahr.

[10] Der Krieg wird insgesamt 40 Jahre dauern; nach sechs Jahren der Vorbereitung (vgl. Zeile 9) folgt das erste Erlaßjahr. Dann schließen sich die hier genannten 33 Jahre des Kampfes an.

[11] Vgl. Deut. 15, 1ff.

[12] Von den 40 Jahren des Krieges sind 5 Sabbatjahre, in denen nicht gekämpft wird, abzuziehen.

[13] Die Namen der hier aufgezählten Feinde sind aus der Geschichte Israels genommen und bezeichnen die Gegner des Gottesvolkes.

[14] Vgl. Num. 10. Die Ordnung der Trompeten enthält zunächst eine — nur teilweise erhaltene — Aufzählung der verschiedenen Arten von Trompeten, dann werden die Aufschriften der Trompeten angegeben.

[15] Ähnlich wie die Trompeten haben die Feldzeichen im Kriege besondere Bedeutung. Die ausführliche Aufzählung, in der wieder für jede Art der Feldzeichen besondere Namen angegeben werden, reicht bis zum Ende von Kol. IV.

[16] Der dritte Sohn Levis, vgl. Gen. 46, 11.

17 Das Feldzeichen der untergeordneten Abteilung ist jeweils um eine Elle kleiner als das der ihr übergeordneten.

18 Er ist der Führer des Gottesvolkes im endzeitlichen Kampf; vgl. den נָשִׂיא in Ez. 40–48.

19 Die Ableitung des Wortes אבדני ist unsicher; vgl. Zeile 9: בדני.

20 Zu den Altersbestimmungen vgl. 1 QSa I, 6–19; CD X, 4–10; XIV, 7–10.

21 Vgl. Ez. 39, 4–12; das Gelände wird durch die Leichen verunreinigt.

22 Vgl. Num. 5, 1–4.

23 „Fleisch" ist hier und im Folgenden in der Bedeutung „Leib" gebraucht.

24 Vgl. Deut. 23, 10f.

25 Vgl. Deut. 23, 12f.

26 Das heißt: bis zur vollständigen Vernichtung.

27 Bezeichnung für eine militärische Formation, ebenso die folgenden Begriffe.

28 Der Anfang der Mahnrede, die der Hauptpriester vor dem Kampf hält, ist verloren gegangen.

29 Vgl. Deut. 23, 10ff.

30 Vgl. Deut. 20, 2–9; im Folgenden z.T. wörtlich zitiert.

31 Der Strich füllt auch in der Handschrift die Lücke zwischen „wer" und „ist wie dein Volk" aus.

32 Vgl. 1. Sam. 17.

33 Vgl. 1. Sam. 17, 45.

34 Zum Zitat von Num. 24, 17–19 vgl. CD VII, 19; 4 Q test 9–13.

35 Gemeint sind die Propheten.

36 Vgl. Deut. 7, 1; Jos. 24, 11.

37 Die Armen sind die Glieder der Bundesgemeinde; vgl. 1 Q pHab XII, 3.6.10; 4 Q pPs 37 II, 9; III, 10.

38 Vgl. Hos. 2, 17.

39 Vgl. Ex. 14.

40 Der Text XIX, 1ff. läuft dem Folgenden fast wörtlich parallel.

41 Das ist: Gott.

42 Vgl. 1 QS II, 1–18.

43 In Höhle 4 sind Fragmente einer z.T. kürzeren Fassung des Textes von Kol. XIV, 3–16 gefunden worden. Vgl. C.-H. Hunzinger, Fragmente einer älteren Fassung des Buches Milḥama, Z.A.W. 69 (1957), S. 131–151. Das Fragment 4 QMa enthält offensichtlich einen älteren Text des Liedes, das in 1 QM XIV in einer durch Zusätze erweiterten Gestalt vorliegt.

44 Göttliche Wesen = Engel. Vgl. I, 11; 1 QH VII, 28; X, 8.

45 Zum Folgenden vgl. die Parallelen in Kol. VII und VIII.

46 Vgl. Lev. 10, 1ff.

47 Vgl. 1 QS III, 15; XI, 4; CD II, 10.

48 Michael ist der Schutzengel Israels; vgl. Dan. 10, 13.21; 12, 1.

49 Das ist: unter den Engeln.

50 Zu Kol. XIX vgl. die Parallele XII, 8–16; Textlücken sind nach XII, 8–16 ergänzt.

ANMERKUNGEN ZUM HABAKUK-KOMMENTAR

1 Q pHab

[1] Ergänzungen der Textlücken nach dem masoretischen Text.

[2] Zum Begriff des neuen Bundes vgl. CD VI, 19; VIII, 21; XIX, 34; XX, 12f.

[3] Mit den Kittäern sind im A.T. die Bewohner von Cypern gemeint: Gen. 10, 4 (par. 1. Chr. 1, 7); Num. 24, 24; Jes. 23, 1. 12; Jer. 2, 10; Ez. 27, 6. Nach 1. Makk. 1, 1 kam Alexander d. Gr. aus dem Lande der Kittäer. Vgl. weiter Dan. 11, 30; 1. Makk. 8, 5; Jub. 24, 28f. Die Angaben, die in 1 QpHab über die Kittäer gemacht werden, sind recht allgemein gehalten. Da es sich um ein Volk handeln muß, das aus dem hellenistischen Bereich heranrückt, könnten entweder die Seleukiden oder die Römer in Betracht kommen. Für die Annahme, daß letztere gemeint seien, spricht vor allem der Hinweis, daß sie den Feldzeichen opferten (VI, 3f.). Vgl. auch 4 Q pNah I, 3

[4] Wer mit dem Sündenhaus gemeint ist, bleibt undeutlich. Vielleicht ist an den römischen Senat zu denken.

[5] Gemeint ist, daß nicht nur über die Heidenvölker, sondern auch über die Frevler des eigenen Volkes das Gericht ergeht, das durch die Gemeinde der Auserwählten vollzogen wird.

[6] Das heißt: die Auserwählten.

[7] Wahrscheinlich ein Deckname zur Bezeichnung Abtrünniger. Es muß sich um Leute aus priesterlichen Kreisen handeln, die dem Lehrer der Gerechtigkeit den Beistand versagt haben.

[8] Wohl als ein Hinweis auf die Römer zu verstehen.

[9] Von der VIII, 13ff. begonnenen Auslegung von Hab. 2, 7f. her ist es wahrscheinlich, daß von den Schlägen die Rede ist, die den gottlosen Priester trafen.

[10] Nämlich: den gottlosen Priester, an dem das Gericht vollstreckt wird.

[11] Wenn hier der Versöhnungstag als Datum des offenen Konfliktes zwischen dem gottlosen Priester und den Anhängern des Lehrers der Gerechtigkeit genannt wird, so hat sicherlich die unterschiedliche Beurteilung der Fragen des Festkalenders eine wichtige Rolle gespielt.

[12] Wahrscheinlich Selbstbezeichnung der Anhänger des Lehrers der Gerechtigkeit.

ANMERKUNGEN ZUM PATRIARCHENSEGEN

4 Q patr

[1] Vgl. Gen. 49, 10.

[2] CD VI, 7 wird der Herrscherstab auf den Erforscher des Gesetzes gedeutet.

[3] Vgl. 1 QS IX, 11.

[4] Vgl. Jer. 23, 5; 33, 15; 4 Q flor I, 11.

ANMERKUNGEN ZU DEN TESTIMONIA

4 Q test

[1] 4 Punkte ersetzen das Tetragramm.

[2] Das Stück Zeile 1–8 entspricht dem Abschnitt, der im samaritanischen Pentateuch auf Ex. 20, 21 folgt.

[3] Zur messianischen Deutung von Num. 24, 15–17 vgl. CD VII, 19 ff.; 1 QM XI, 6.

[4] Jakob.

[5] Plural: die Priester.

[6] Offensichtlich ein Zitat aus einem apokryphen Buch der Psalmen Josuas, dessen Reste in 4 Q gefunden wurden.

[7] Der Name Jericho, der im alttestamentlichen Text genannt wird, fehlt. Man wird daher den Vers auf Jerusalem (vgl. Zeile 29f.) zu beziehen haben.

ANMERKUNGEN ZUM FLORILEGIUM

4 Q flor

[1] Nämlich: Israel.

[2] Nämlich: die Gemeinde des Bundes; vgl. 1 QS VIII, 5ff.

[3] Vgl. Deut. 23, 2ff.

[4] Gemeint sind die Verfolgungen der Gemeinde durch ihre Feinde. Vgl. die Angaben in 1 QpHab.

[5] Das heißt: der davidische Messias; vgl. Jer. 23, 5; 33, 13; 4 Q patr 3f.

[6] Vgl. CD VI, 7; VII, 18.

[7] Vgl. CD VII, 16.

[8] Der Anklang סוּר (weichen) und יָסַר (züchtigen) ist benutzt worden, um das Jesajazitat im Zusammenhang anzuführen.

ANMERKUNGEN ZUM NAHUM-KOMMENTAR

4 Q pNah

[1] Wahrscheinlich Demetrios III, seleukidischer Herrscher, Zeitgenosse und Gegner des Hasmonäerkönigs Alexander Jannaios (103–76 v. Chr.).

[2] Jüdische Kreise, die mit den Seleukiden verbündet waren; sie sympathisierten zunächst mit Demetrios gegen Alexander Jannaios, wandten sich dann aber von Demetrios ab, als dieser sich anschickte, von Jerusalem Besitz zu ergreifen. Vgl. Josephus, Ant. XIII, 377–386.

[3] Wahrscheinlich Antiochos IV.

[4] Die Kittäer sind nach dem Zusammenhang die Römer, die sowohl über Syrien als auch über Palästina Gewalt gewannen.

[5] Mit dem Löwen des Zorns wird Alexander Jannaios gemeint sein.

[6] Alexander Jannaios ließ seine pharisäischen Gegner hinrichten und wandte als erster jüdischer Herrscher die Strafe des Kreuzestodes an.

[7] Die Namen Ephraim und Manasse, die in den Auseinandersetzungen der Gemeinde mit gegnerischen Gruppen auf diese angewandt werden, spielen auch in den folgenden Kolumnen eine große Rolle. Vgl. 4 Qp Ps 37 II, 17; ferner die Erwähnung Ephraims CD VII 12; XIV, 1; 4 Q test 27. In der als Ephraim bezeichneten Gruppe gibt es Einfältige, von denen man erwartet, daß sie sich von der Irrlehre trennen werden (III,5). Daß Anhänger der als Manasse benannten Gruppe umkehren könnten, wird dagegen nicht angedeutet.

[8] Vgl. CD XX, 22.

ANMERKUNGEN ZUM KOMMENTAR ZU PSALM 37

4 Q pPs 37

[1] Vgl. 1 Q pHab II, 2; V, 11; X, 9.

[2] Vgl. CD XX, 14f.

[3] Vgl. 1 QpHab XII, 3.

[4] Bezeichnung für das ganze Judentum, nicht nur die Gemeinde von Qumran. Vgl. 1 Q pHab VIII, 1; XII, 4; 4 Q pNah III, 4.

[5] Vgl. 1 Q pHab XII, 2–6.

[6] Vgl. zu 4 Q pNah I, 12.

[7] Das heißt: gegen den Lehrer der Gerechtigkeit und seinen Anhang; vgl. 1 QpHab IX, 9 f.

[8] In der Wüste rüstet sich die Bundesgemeinde auf den Anbruch der Heilszeit; vgl. 1 QM I, 2 f.

[9] Vgl. oben zu Anm. 3.

[10] Vgl. 1 QpHab VIII, 8.

[11] Vgl. 1 QpHab IX, 9–12.

[12] Auf den Kommentar zu Ps. 37 folgt eine Auslegung von Ps. 45, von der nur der Anfang erhalten ist.